LA VIE EN CHRIST

SOURCES CHRÉTIENNES

Nº 355

NICOLAS CABASILAS

LA VIE EN CHRIST

LIVRES I-IV

INTRODUCTION, TEXTE CRITIQUE, TRADUCTION ET ANNOTATION

PAR

Marie-Hélène CONGOURDEAU

Agrégée de l'Université
Chargée de recherche au C.N.R.S.

Ouvrage publié avec le concours du Centre National de la Recherche Scientifique

LES ÉDITIONS DU CERF, 29, BD DE LATOUR-MAUBOURG, PARIS 7e
1989

Cette publication a été préparée
avec le concours de l'Institut des Sources Chrétiennes
(U.R.A. 993 du C.N.R.S.)

ISBN 2-204-03158-5
ISSN 0750-1978

A la mémoire
de Jean Gouillard
et de Panagiotès Nellas

AVANT-PROPOS

Je tiens à exprimer ici ma gratitude envers tous ceux qui ont permis à ce travail de voir le jour.

Parmi eux, je tiens à citer, en premier lieu, le regretté J. Gouillard qui, après m'avoir fait découvrir Nicolas Cabasilas lors de son séminaire des Hautes Études en 1969-1970, m'a incitée à choisir ce texte et a aidé à sa mise en route.

Ensuite, le P. Mondésert qui m'a proposé cette édition en lui ouvrant les portes de « Sources Chrétiennes » et qui a su, avec une admirable patience, en attendre la réalisation, ranimant un jour, par sa confiance, le courage qui défaillait.

Le P. Bertrand a volontiers accepté cet héritage ; M. J.-N. Guinot et Mme Marcelle Rousseau l'ont activement et efficacement suivi.

Une part spéciale de ces remerciements revient au P. Paramelle au nom des dizaines d'heures — aussi passionnantes pour moi qu'elles durent être fastidieuses pour lui — qu'il a bien voulu passer à corriger ma traduction, débusquant au passage nombre de citations scripturaires que j'avais laissé échapper. Le souci de ne pas blesser son humilité me retient seul de dire ici tout ce que Cabasilas et moi-même lui devons.

Alors que le manuscrit de cet ouvrage se trouvait déjà au secrétariat de « Sources Chrétiennes », le Prof. F. Tinnefeld, de Munich, m'a signalé l'existence du *Monac. Bayer.* 624 (ici sous le sigle B), important manuscrit nouvellement acquis par la Bayerische Bibliothek et qui bouleversait mon classement de manuscrits. Je lui sais fort gré de cette révélation qui a empêché que ne paraisse trop précocement un fruit dans lequel le ver (en l'occurrence l'ignorance de ce manuscrit) se fût à l'avance trouvé.

Enfin, je ne saurais oublier la contribution de M. St. Perentidis qui a mis sa connaissance innée de la langue au service du texte grec, en chassant fautes d'orthographe et d'accentuation, et sa compétence philologique au service de l'apparat critique, en éliminant maladresses et obscurités. Qu'il trouve également ici l'expression de ma reconnaissance.

INTRODUCTION

CHAPITRE PREMIER

NICOLAS CABASILAS

A) BIOGRAPHIE

Depuis qu'est parue en *Sources Chrétiennes* la seconde édition de l'*Explication de la divine liturgie* (1967), un certain nombre d'études ont enrichi notre connaissance de la biographie de Nicolas Cabasilas : en particulier la notice de P. Nellas dans la *Thrèskeutikè kai Èthikè Egkuklopaidéia* (1968), le livre d'A. A. Angelopoulos sur *Nicolas Cabasilas. Sa vie, son œuvre* (1970) et la recension qu'en donne G. I. Théocharidès dans *Makédonika* (1976). C'est pourquoi il nous semble utile de retracer brièvement les étapes de sa vie, en insistant sur les apports récents. Pour plus de clarté, nous la présentons sous la forme d'une chronologie.

— Entre 1319 et 1323 : Naissance à Thessalonique de Nicolas Cabasilas Chamaétos, d'une famille qui appartient à l'aristocratie foncière. Chamaétos par son père, Nicolas choisit de se faire appeler Cabasilas, du nom de sa mère, plus renommé[1]. Il est le neveu de Nicolas-Nil Cabasilas, futur métropolite de Thessalonique.

Dans cette ville proche du mont Athos, Nicolas a pu dans sa jeunesse fréquenter les cercles hésychastes fondés par des moines comme Grégoire Palamas (présent à Thessalonique en 1325) ou Isidore Bouchéiras, disciple de Grégoire le Sinaïte. Ces cercles s'étaient donné comme tâche de répandre parmi les laïcs de toute condition et de tout âge une conception hésychaste de la vie «dans le monde». La mère de Nicolas en fit peut-être partie, et à coup sûr la sœur de Dèmètrios Kydonès, ami d'enfance de Nicolas[2].

Une lettre que Nicolas adressa de Constantinople, où il poursuivait ses études, à son père demeuré à Thessalonique, nous indique que notre auteur eut comme père spirituel dans sa ville natale un prêtre hésychaste renommé pour sa direction spirituelle, disciple fidèle de Grégoire Palamas et futur métropolite de la ville : Dorothée Blatès[3].

— 1335-1340 : Études à Thessalonique sous la direction de son oncle Nicolas-Nil, puis à Constantinople. Cette période est connue par ses lettres à son père et à plusieurs amis, où il exprime une vive nostalgie de sa ville natale; cette nostalgie, jointe à un trop grand enthousiasme pour l'étude, le fait tomber malade. Il étudie, outre la

1. Cf. J. Gouillard, Introduction de *Liturgie*, p. 10.

2. Cf. Nellas, *Encyclopédie*, col. 835 et 837; Angelopoulos, p. 23; Tinnefeld, *D.K.*, I, p. 158-163 (surtout note 19, p. 161).

3. Nicolas Cabasilas, dans une lettre à son père, se plaint de ce que ses amis de Thessalonique lui reprochent son silence, alors qu'eux-mêmes ne lui écrivent pas; il termine en excluant de ce reproche «mon père le très saint Blatès; car lui, je suis prêt à lui céder en tout sur un simple signe de sa part» (lettre 5, éd. Enepekidès, p. 33). Sur Dorothée Blatès, cf. Angelopoulos, p. 24-25; Théocharidès, «Sources».

grammaire et la rhétorique, la philosophie, le droit et l'astronomie : il s'insère ainsi dans le courant de renaissance humaniste de l'époque des Paléologues.

— 1341 : A la mort d'Andronic III, début de la guerre civile opposant les partisans de l'héritier Jean V Paléologue et de sa mère, la régente Anne de Savoie, à ceux de Jean VI Cantacuzène. En même temps, commence à Thessalonique une période d'agitation sociale entre les zélotes (révolte populaire) et l'aristocratie foncière. Les zélotes sont maîtres de Thessalonique de 1342 à 1349 : Nicolas ne peut rester indifférent à ce bouleversement de sa ville natale. Bien que membre de l'aristocratie, il semble qu'il ait joué un rôle de médiateur ; I. Ševčenko a montré que son « Discours contre les illégalités des magistrats » a été à tort considéré comme un discours antizélote[4].

— 1345 : Nicolas est envoyé par les Thessaloniciens, avec son compatriote Pharmakès, à Berrhée, auprès de Manuel Cantacuzène, fils de Jean, pour négocier le ralliement de la ville à ce dernier. C'est peut-être cette ambassade qui lui permet d'échapper au massacre des nobles de Thessalonique par les zélotes en juillet-août de cette année.

— 1347 : En février, Jean VI entre à Constantinople, dépose le patriarche Jean Kalékas, qu'il remplace par Isidore Bouchéiras, et se fait proclamer empereur. A la demande de Dèmètrios Kydonès, il appelle Nicolas auprès de lui comme conseiller. C'est le début de la grande amitié qui lie Nicolas, Dèmètrios et Jean VI.

A l'automne de la même année, Nicolas accompagne Grégoire Palamas à Thessalonique dont ce dernier vient d'être élu métropolite. Les zélotes antihésychastes refusent à Grégoire l'entrée de la ville. Nicolas le suit alors au mont

4. I. Ševčenko, « Anti-zealot », p. 81-171.

Athos où il demeure un an en compagnie du théologien hésychaste.

— 1348 : Au mont Athos, Nicolas témoigne en faveur du *prôtos* Niphon accusé de messalianisme par les moines serbes de Chilandar. Puis il rentre à Constantinople.

— 1349 : Paix civile à Thessalonique où la fin du gouvernement zélote permet l'entrée de Grégoire Palamas.

Jean VI songe à se retirer au monastère des Manganes en compagnie de Nicolas et de Dèmètrios[5]. L'attaque de Thessalonique par le tsar Étienne Douschan le fait renoncer à son projet.

— 1350 : A Constantinople, mort du patriarche Isidore. Nicolas rédige son éloge funèbre.

Le patriarche Calliste juge à nouveau le moine Niphon. Second témoignage de Nicolas en sa faveur.

— 1351 : Nicolas envoie à Anne de Savoie, gouverneur de Thessalonique, un traité sur l'usure.

Le synode des Blachernes condamne les antipalamites. Nicolas, favorable à Palamas, connaît ainsi son premier désaccord avec Dèmètrios Kydonès, antipalamite. Autre source de désaccord (qui n'altère pas leur amitié) : Dèmètrios appuie les projets de Jean VI de rapprochement avec Rome, envers lesquels Nicolas se montre réservé.

— 1352/1354 ? : Éloge d'Anne de Savoie[6].

— 1352 : Reprise de la guerre entre partisans de Jean V et de Jean VI. Là encore, Nicolas soutient sans réserve Jean VI, au contraire de Dèmètrios, partisan d'un rapprochement avec Jean V.

5. Cf. *Liturgie*, p. 12.

6. Sur les dates du traité sur l'usure et de l'éloge d'Anne de Savoie, cf. Loenertz, «Chronologie», p. 220-226.

— 1353 : Jean VI projette d'associer au trône son fils Matthieu en écartant Jean V. Déposition du patriarche Calliste qui refuse de couronner Matthieu et fuit à Ténédos.

Nicolas (Nil) Cabasilas, oncle de Nicolas, «encore simple particulier», est présenté comme candidat possible au trône patriarcal, avec Philothée Kokkinos, évêque d'Héraclée, et Macaire, évêque de Philadelphie[7]. Philothée devient patriarche.

— 1354 : Couronnement de Matthieu Cantacuzène. Nicolas rédige son Panégyrique, tandis que Dèmètrios réprouve ce couronnement qui écarte Jean V.

22 novembre : Entrée de Jean V à Constantinople. Jean VI abdique et devient moine aux Manganes sous le nom de Joasaph. Dèmètrios se rallie à Jean V. Nicolas se retire de la vie publique.

— 1360 : Mort de Grégoire Palamas. Le «hiéromoine» Nil Cabasilas est élu métropolite de Thessalonique ; mais il n'aura pas le temps de prendre possession de son siège.

— 1363 : Mort de Nil et du père de Nicolas. Sa mère se retire au monastère Sainte-Théodora de Thessalonique. Nicolas, dans cette ville, est en procès avec des membres de sa famille qui lui disputent les quelques biens que lui ont laissés les exactions des Serbes. Il semble qu'il soit malade.

Il passe ses dernières années à Constantinople, où lui sont adressées des lettres. Peut-être y vit-il, simple laïc, selon la tradition d'Isidore, dans la mouvance du monastère des Xanthopouloï[8]. C'est durant cette période qu'il

7. J. Cantacuzène, *Histoire*, III, p. 275, l. 5-6 Bonn. La plupart des historiens de Nicolas Cabasilas pensent que le «Nicolas Cabasilas encore simple particulier» ici désigné est le neveu et non l'oncle. Sur la réfutation de cette thèse, cf. plus loin.

8. Sur les relations de Nicolas Cabasilas avec le monastère des

rédige ses deux œuvres les plus importantes : l'*Explication de la Liturgie* et la *Vie en Christ*.

Trois lettres nous renseignent (bien peu) sur les dernières années de Cabasilas :

— 1387 : Longue lettre rhétorique de Manuel II Paléologue, réfugié à Lesbos après la prise de Thessalonique par les Turcs : il y compare le climat rude de Lesbos avec celui que connaît Nicolas dans le quartier des Manganes à Constantinople.

— 1391 : Deuxième lettre de Manuel II, qui sert en Asie Mineure sous Bajazet et reproche amicalement à Nicolas de refuser un office de juge.

— 1390 ou 1396 : Lettre de Joseph Bryennios qui félicite Nicolas de son orthodoxie et lui demande, sans succès, d'écrire contre les Latins.

Nicolas est donc mort après 1391 (date de la seconde lettre de Manuel II) et probablement vers 1397/1398, date de la mort de Dèmètrios Kydonès : en effet, aucun des deux ne fait mention de la mort de son ami[9].

Xanthopouloï, voir plus loin à propos du manuscrit *Paris. Gr.* 1213. Cf. aussi Nellas, *Encyclopédie*, col. 836 : Nicolas serait lié avec Macaire, higoumène des Xanthopouloï et père spirituel de Manuel II Paléologue.

9. La permanence de l'amitié entre Dèmètrios Kydonès et Nicolas Cabasilas, malgré des engagements contraires, a été mise en doute : en effet, la dernière lettre échangée par les deux amis semble être celle de Dèmètrios à Nicolas en 1371/2 (Loenertz 126 - Tinnefeld TO138). Mais Dèmètrios, dans une lettre de 1387/8 à l'empereur Manuel II (Loenertz 380), écrit que «l'excellent Cabasilas» lui a fait lire une lettre qu'il avait lui-même reçue de Manuel : à cette époque, les liens étaient encore étroits, et l'on est en droit de penser que si les deux amis ne s'écrivent plus à la fin de leur vie, c'est tout simplement parce qu'ils ont l'occasion de se rencontrer à Constantinople où ils résident tous les deux la plupart du temps.

B) PRÊTRE, MOINE OU LAÏC?

En 1354, alors que Jean VI quitte le trône impérial pour le monastère des Manganes et que Dèmètrios Kydonès devient conseiller de Jean V, Nicolas Cabasilas se retire de la vie publique et échappe de la sorte aux sources historiques traditionnelles. Que devient-il durant les quelque quarante années qu'il lui reste à vivre (c'est-à-dire plus de la moitié de sa vie)? En l'absence de témoignages explicites, les hypothèses se sont succédé. Le présent ouvrage n'étant pas une *Vie* de Cabasilas mais l'édition d'une de ses œuvres, est-il nécessaire d'entrer dans les détails d'une controverse qui n'est pas close et qui porte sur sa biographie?

La question n'est pas indifférente s'agissant de l'auteur de la *Vie en Christ*. Ce traité de vie chrétienne ne s'adresse pas à des moines, contrairement à nombre d'œuvres de spiritualité byzantine, mais à tous les baptisés. Cabasilas cherche à démontrer que tous peuvent vivre la vie en Christ, quelles que soient leurs activités, et que la vie monastique n'est pas à ce point de vue un état supérieur aux autres. Sa propre vie publique témoigne de ce qu'il est possible de mener une vie spirituelle profonde au milieu des tracas et des responsabilités de la vie profane. Mais pour la fin de sa vie? A-t-il poursuivi sa vie en Christ dans le siècle ou a-t-il suivi les traces de son ami Cantacuzène, de sa propre mère, de bien d'autres chrétiens fervents de l'Église byzantine, en finissant ses jours au monastère? N'oublions pas que c'est précisément pendant cette période que fut rédigée la *Vie en Christ*. La question mérite donc examen.

1 - Les thèses en présence.

La thèse d'un Nicolas Cabasilas terminant ses jours comme métropolite de Thessalonique, due principalement à une confusion avec son oncle Nil, a été réfutée depuis longtemps et nul, sauf distraction, ne la soutient plus de nos jours[10].

Cette thèse une fois abandonnée, la plupart des historiens se rallièrent à celle d'un Cabasilas demeuré simple fidèle : c'est celle que défendit S. Salaville en 1953[11]. C'est encore celle de P. Nellas dans sa notice de la *ThEE*[12], et de G. I. Théocharidès dans le compte-rendu qu'il fit pour la revue *Makédonika* du livre d'Angelopoulos[13].

Autre thèse : celle d'un Cabasilas entré au monastère. I. Ševčenko l'avance en 1957, s'appuyant sur un passage de l'*Histoire* de Jean Cantacuzène, et un autre de l'*Homélie sur les trois Hiérarques* de Cabasilas[14]. A. A. Angelopoulos reprend ses arguments en 1970 dans sa monographie sur Cabasilas[15], en les interprétant dans le sens d'un sacerdoce monastique; ses conclusions sont adoptées en particulier par C. J. de Catanzaro dans sa Préface à la traduction anglaise de la *Vie en Christ*, en 1974[16].

2 - Examen de la question.

a) «Nicolas Cabasilas, encore simple particulier».

Le principal argument des auteurs qui pensent que Nicolas Cabasilas devint prêtre ou moine à la fin de sa vie réside dans une phrase de Jean Cantacuzène (*Hist.* III,

10. Cf. L. Petit, «Le synodikon de Thessalonique», dans : *Échos d'Orient* 18 (1918), p. 249. Dernière réfutation en date : Angelopoulos, p. 67-69.

11. Salaville, «Précisions».

12. Nellas, *Encyclopédie*, col. 836-838.

13. *Makédonika* 16 (1976), p. 383-401.

14. Ševčenko, «Anti-zealot», p. 86-87, notes 24 et 25.

15. Angelopoulos, p. 69-74.

16. Nicholas Cabasilas, *The life in Christ*, translated from the greek by Carmino J. de Catanzaro, St Vladimir's Seminary Press, 1974, 2e éd. 1982, p. 10.

p. 275 Bonn) : lors de la déposition du patriarche Calliste en 1353, le synode proposa trois noms pour lui succéder : Philothée, évêque d'Héraclée, Macaire, évêque de Philadelphie, et «Nicolas Cabasilas, encore simple particulier». I. Ševčenko puis A. Angelopoulos en concluent que Nicolas Cabasilas, «encore simple particulier» en 1353, devint par la suite moine ou prêtre, le mot «encore» impliquant un changement d'état.

P. Nellas puis G. I. Théocharidès déploient une argumentation subtile pour montrer que ce texte ne préjuge aucunement de ce que Nicolas devint par la suite. Ces efforts se révèlent superflus si, comme nous le pensons, Cantacuzène ne désigne pas notre auteur mais son oncle Nicolas-Nil[17].

En effet, notre Nicolas était à cette date trop jeune pour être proposé au patriarcat de Constantinople : âgé au plus de 34 ans (si l'on choisit pour sa naissance 1319, la date la plus haute), il ne pouvait être évêque ni donc, *a fortiori*, patriarche. Au contraire, son oncle, dont le nom de baptême est Nicolas[18] (nom qu'il portait à cette époque s'il était «simple particulier»), se trouvait vraisemblablement alors à Constantinople où il soutenait le parti des Palamites[19], et l'on n'a pas mention de lui comme «hiéromoine» avant 1361[20] : rien ne s'oppose donc à ce qu'il soit le «Nicolas Cabasilas» du texte de Jean VI.

17. Cette hypothèse fut défendue par A. SPOURLAKOU, notice sur Nil Kabasilas dans *ThEE* IX, 1966, 337-340 et par G. T. DENNIS, *The Letters of Manuel II Palaelogus*, Dumbarton Oaks 1977, p. XXX, note 20.

18. Outre les deux auteurs cités à la note précédente, cf. ANGELOPOULOS, p. 18, note 3; L. THOMAS, compte-rendu (en français) de TOMADAKÈS, *Joseph Bryennios et la Crète vers 1400. Étude philologique et historique* (en grec), Athènes 1947, paru dans la *Revue des Études Byzantines* 6 (1948), p. 118.

19. A. SPOURLAKOU, *op. cit.* Cf. Jean Kyparissiotès (*PG* 152, 676-677) qui fait de lui un des rédacteurs du tome de 1351.

20. Cf. J. DARROUZÈS, *Regestes des Actes du Patriarcat de Constanti-*

Prenons en effet le problème par un autre biais que celui des historiens de Cabasilas jusqu'à présent : soit la mention d'un «Nicolas Cabasilas encore simple particulier» proposé en 1353 pour succéder au patriarche de Constantinople ; soit deux Nicolas Cabasilas, l'oncle et le neveu. L'oncle, une bonne cinquantaine d'années, fut par la suite métropolite de Thessalonique ; le neveu, la trentaine, n'est pas connu pour avoir par la suite obtenu une quelconque dignité ecclésiastique. Le choix de l'oncle est la solution la plus probable de ce problème prosopographique.

Par suite, l'argument en faveur d'un changement d'état du neveu ne tient plus.

b) «Notre sacrée confrérie».

Le second argument de Ševčenko, repris par Angelopoulos, repose sur une phrase de Nicolas lui-même dans l'«Éloge des trois hiérarques» (éd. Dyobouniotès, *EEBS* 14 [1938], p. 157-162) : Par deux fois dans ce discours, Nicolas emploie l'expression «cette confrérie sacrée qui est la nôtre» : «τῆς καθ' ἡμᾶς ἱερᾶς ταύτης φατρίας». I. Ševčenko voit dans cette *fatria* l'ordre monastique, dans lequel se rangerait Nicolas. Pour Angelopoulos, la ἱερὰ φατρία est la condition de ἱερεύς : Nicolas, au moment où il rédige (et peut-être prononce) ce discours, serait moine *et* prêtre.

P. Nellas conteste l'opposition entre les simples baptisés et la «confrérie sacrée». Selon lui, l'intimité reconnue qui existe depuis toujours dans l'Église orthodoxe entre les moines et les pieux laïcs qui fréquentent les monastères suffit à justifier dans la bouche d'un de ces «amis des moines» le terme de φατρία pour qualifier cette intimité.

c) Réfutation d'arguments mineurs.

Une fois écartés les deux arguments-clés en faveur d'un Nicolas Cabasilas moine ou prêtre, quelques arguments

nople, vol. I, fasc. V, Paris 1977, p. 357, N. 2432 (à la date de 1361) : «l'élu de Thessalonique, le hiéromoine Nil Kabasilas...».

mineurs avancés par Angelopoulos ne posent plus de gros problèmes.

Ainsi, on écartera sans peine le texte de la lettre de Manuel II qui, selon Angelopoulos, indiquerait que Nicolas réside au monastère des Manganes : ce terme peut aussi bien désigner le quartier de Constantinople qui porte ce nom que le monastère qui s'y trouve.

Le fait que tous les êtres aimés de Nicolas entrèrent au monastère (sa mère, son empereur, son maître Palamas avec qui il vécut un an la vie des moines athonites, voire son ami Dèmètrios Kydonès qui sur la fin de sa vie fut lié au monastère des Manganes) et la description de Nicolas par Cantacuzène[21] comme un sage menant une vie chaste dont le couronnement naturel devait être la vie monastique, ne peuvent constituer que des présomptions et nullement des preuves. Or d'autres présomptions existent en faveur de la thèse opposée.

d) Nicolas Cabasilas, simple fidèle jusqu'à la mort.

Les lettres écrites à Nicolas jusque dans les dernières années de sa vie, par Manuel II et Joseph Bryennios, s'adressent à l'homme très sage, cîme de vertu et de foi : nulle mention d'un titre sacerdotal ou monastique. Mieux : on lui voit proposer un office (bien séculier) de juge.

Même discrétion dans les témoignages postérieurs : au XVe s., Syméon de Thessalonique évoque «feu Cabasilas qui a remporté une belle victoire par sa piété et la pureté de sa vie, et qui s'appelait Nicolas»[22]; et Scholarios loue «Nicolas Cabasilas, cet homme qui a égalé les anciens par son esprit et sa sagesse»[23].

Joasaph, moine au monastère des Xanthopouloï (dont Nicolas fut un familier) et copiste du *Paris. Gr.* 1213, dans

21. *Hist.* III, p. 107 Bonn. Cf. *SC* 4 *bis*, p. 12.
22. *PG* 155, 145B.
23. Éd. Petit-Jugie, t. II, Paris 1929, p. 485-486.

l'épigramme qu'il rédigea en l'honneur de Nicolas, se désigne lui-même comme «prêtre et moine, du nom de Joasaph, du monastère des saints Xanthopouloï qui te fut si cher» et appelle Nicolas «le meilleur des hommes et la gloire des lettres» : n'aurait-il pas, dans ses vers enthousiastes, souligné sa parenté d'état avec celui qu'il admirait tant, si ce dernier avait été lui aussi prêtre ou moine[24] ?

Enfin, G. I. Théocharidès fait justement remarquer que nous ne connaissons pas de second prénom de Nicolas (comme Nil pour son oncle) ; or l'entrée dans un monastère s'accompagnait très fréquemment de la prise d'un nom nouveau.

Comment donc qualifier l'état de Nicolas Cabasilas à la fin de sa vie, cet homme dont la vie chaste et la haute piété ont pu faire supposer qu'il ne pouvait être que moine ou prêtre ? Il semble que l'on soit en présence d'une race assez particulière de laïc, propre à cette époque, que l'on peut appeler «l'hésychaste laïc».

3 - Nicolas Cabasilas et l'hésychasme laïc.

a) Les cercles hésychastes de Thessalonique.

Nicolas n'a pu ignorer les cercles hésychastes qui fleurissaient à Thessalonique au temps de sa jeunesse. Son oncle Nicolas-Nil fut un chaleureux partisan de Palamas et d'Isidore Bouchéiras, principales figures de ces cercles[25]. Dorothée Blatès, que Nicolas reconnaît pour son père spirituel, accompagna Palamas en 1341, lorsque ce dernier dut aller se justifier à Constantinople ; Marc, frère de Dorothée, et Isidore étaient aussi du voyage[26]. La famille de Dèmètrios Kydonès, ami d'enfance de Nicolas, compta aussi des adeptes d'Isidore, puisque ce dernier fut accusé

24. Édition et traduction Salaville, «Précisions», p. 225-226.
25. Cf. A. Spourlakou, *ThEE* 9, 1966, 338.
26. Philothée, *Éloge de Grégoire Palamas, PG* 151, 595.

d'avoir poussé «la fille de Kydonès» à abandonner mari et enfants pour entrer au couvent[27]. Dèmètrios lui-même écrit à Isidore en lui rappelant des souvenirs de son enfance thessalonicienne auprès de lui[28]. La chaleur de l'éloge funèbre prononcé par Nicolas en 1350 est d'ailleurs un signe de la vénération qu'il vouait à Isidore[29].

Quel était donc l'enseignement d'Isidore dans ces cercles hésychastes de Thessalonique? Précisément cet hésychasme dans le monde dont Nicolas fut un des plus purs fleurons. P. Nellas fut, à notre connaissance, le premier à rapprocher de la pensée de Nicolas trois textes contenant l'enseignement d'Isidore :

— Le testament spirituel de Grégoire le Sinaïte demandant à son disciple Isidore de mener la vie hésychaste «non dans ces déserts ni dans ces montagnes, mais plutôt dans le monde et pour ceux qui y vivent en solitaires ou en communautés»[30].

— La description par son biographe Philothée de l'activité d'Isidore à Thessalonique de 1325 à 1335 : les cercles hésychastes fondés par lui rassemblaient «non seulement des hommes, mais aussi des femmes, et non seulement des gens d'humble condition et de la basse société, mais aussi des gens bien nés»[31] : son enseignement s'adressait bien à tous.

— La même chose vue par ses ennemis : «Il n'a ni appris les lois de l'obéissance ni vécu en communauté; au lieu de cela, en pleine ville et mêlé aux foules, il a entrepris

27. *PG* 150, 881D. Sur cet épisode de la vie d'Isidore, cf. la notice biographique de F. Tinnefeld, *D.K.* I, 1, p. 161, note 19.

28. Dèmètrios Kydonès, Lettre 43, éd. Loenertz, p. 77-78.

29. Éd. A. Angelopoulos, p. 100.

30. Philothée, *Vie d'Isidore*, éd. Papadopoulos-Kérameus (1905), p. 77.

31. Idem, p. 78.

d'enseigner et d'éduquer les enfants (...). Quel enseignement utile pourrait, en effet, venir d'un homme qui ignora complètement les périodes de jeûne, l'abstinence de nourriture et de boisson aux époques prescrites et ne faisant aucune différence entre les jours, à la façon des barbares ? »[32].

b) La *Vie en Christ.*

Nous ne connaissons pas dans le détail les enseignements que reçut Nicolas auprès d'Isidore ; nous ne pouvons pas non plus entrer dans l'intimité de ses relations avec son père spirituel, ni connaître la nature des conseils que le hiéromoine Dorothée prodigua au jeune étudiant. Nicolas dut bien se poser la question de la profession monastique lorsqu'il passa un an au mont Athos en compagnie de Grégoire Palamas, ou lorsque son maître Jean VI, par deux fois (en 1349 et en 1354) dut lui proposer de l'accompagner, ou encore lors des séjours amicaux au monastère des Xanthopouloï que l'on devine sous les vers du copiste Joasaph. Il semble pourtant qu'il ait préféré rester dans le siècle, et l'influence de l'idéal d'Isidore ne fut probablement pas étrangère à ce choix.

On sent un écho de l'enseignement thessalonicien dans les pages de la *Vie en Christ* où Nicolas affirme que si chaque état de vie a ses vertus propres, conformer sa volonté à celle du Christ est le devoir commun de tous les baptisés (l. VI, 4-6) ; dans celles où il décrit de façon pittoresque la multiplicité des professions qui s'accordent avec la pratique de la méditation (l. VI, 42) ; dans celles où il insiste sur la possibilité de prier en tous lieux (l. VI, 98).

On peut aussi deviner, sous la plume de cet homme retiré du monde, au déclin d'un siècle secoué par des querelles entre moines de différentes tendances — les

32. *PG* 150, 881D-882A. Traduction française J. Meyendorff, *Introduction*, p. 54.

meilleurs et les pires se déchirant à propos d'observances, de méthodes de prière, de voies de perfection (qu'on se reporte, plus haut, aux calomnies des ennemis d'Isidore) — quelques pointes d'agacement ou d'agressivité soigneusement émoussées par la pratique assidue de la douceur évangélique : «l'excentricité» des champions de l'austérité qui «se retirent au bout du monde, mangent une nourriture bizarre, changent leur vêtement, altèrent leur santé» n'est pas nécessaire (l. VI, 42) ; elle n'est d'ailleurs pas non plus suffisante, lorsqu'elle étouffe l'humilité et la confiance en Dieu seul, et qu'après avoir «gagné les montagnes et fui comme la peste le tumulte et la vie commune», ces hésychastes manqués «sont tombés dans les pires excès» (l. VI, 54).

Et lorsque cette présomption s'accompagne de prétention à régenter autrui, Nicolas s'insurge contre la tyrannie spirituelle et ascétique de ceux qui «se cachent sous le masque des meilleurs (...) cherchent à diriger les autres sur des chemins qu'ils ont complètement ignorés» afin de «gagner quelque réputation et gloire mensongère» (l. VII, 54).

Si Nicolas fait ici la preuve de sa lucidité sans illusions sur les déviations du monachisme, on ne peut cependant voir en lui un contempteur de la vie monastique. N'oublions pas que les plus acerbes censeurs des mauvais moines furent les moines eux-mêmes (cf. Syméon le Nouveau Théologien, *Catéchèse* V, *SC* 96). Il revendique simplement la possibilité de vivre pleinement la vie en Christ dans le siècle : saints et mauvais chrétiens se rencontrent dans tous les états de vie. Dans sa vie active de conseiller de l'empereur comme dans sa retraite vouée à la prière et à l'écriture, Nicolas a illustré cet hésychasme dans le monde, sans qu'il soit besoin de postuler monachisme ou sacerdoce pour rendre compte de cette vie «chaste et sage».

C) ÉCRITS

1 - Œuvres religieuses.

a) Explications de la liturgie.

— *Explication de la Divine Liturgie* (abréviation dans cet ouvrage : *Liturgie*), éd. Salaville, Bornert, Gouillard, Périchon, Paris 1967, *SC* 4 *bis*.

— *Explication des ornements sacrés* et *Explication des rites de la Divine Liturgie*, éd. R. Bornert, *SC* 4 *bis*, p. 355-367 et 369-381.

b) Homélies et éloges.

— *Trois homélies sur la Nativité, l'Annonciation et la Dormition de la Mère de Dieu*, éd. M. Jugie, *PO* 19 (1925), p. 456-510 ; rééd. P. Nellas, *Homélies sur la Théotokos*, Athènes 1974.

— *Deux homélies sur la Passion et l'Ascension du Christ*, éd. B. Pseutogkas, *Sept discours inédits de Nicolas Cabasilas publiés pour la première fois* (en grec), Salonique 1976.

— *Deux éloges de saint Dèmètrios* : l'un éd. par Th. Joannou, *Mnèméia Agiologika*, Venise 1884, p. 67-114 ; l'autre par B. Laourdas, *EEBS* 22 (1952), p. 97-109 ; les deux réédités par B. Pseutogkas, *op. cit.*

— *Un éloge de sainte Théodora*, *PG* 150, 753-772.

— *Un éloge de saint André le Jeune*, éd. Papadopoulos-Kérameus, *Sullogè palaistinès kai suriakès agiologias*, I, Pétersbourg 1907, p. 173-185.

— *Un éloge des trois hiérarques* (Basile, Grégoire de Nazianze et Jean Chrysostome), éd. K. Dyobouniotès, *EEBS* 14 (1938), p. 157-162.

— *Trois explications des visions d'Ézéchiel*, éd. B. Pseutogkas, *op. cit.*

c) Pièces liturgiques brèves.

— *Prière à Jésus-Christ*, éd. S. Salaville, *Échos d'Orient* 35 (1936), p. 43-50.

— *Épitaphes de son oncle Nil et du patriarche Isidore ; courts poèmes* sur des textes scripturaires et liturgiques, éd. en notes par A. Angelopoulos, p. 99-102 ; autres éditions de quelques-uns de ces poèmes : B. Laourdas, EEBS 22 (1952), p. 108-109 ; A. Garzya, *Boll. dell Badia Greca di Grottaferrata* 10/2-3 (1956), p. 53-59.

— *Que l'homme ne peut être accompli sans la foi*, éd. A. Angelopoulos, p. 114-115.

— *Préface* à l'ouvrage de son oncle Nil Cabasilas sur la procession du Saint-Esprit, *PG* 149, 677-680.

— *Discours contre les inepties de Grégoras*, éd. A. Garzya, *B.* 24 (1954), p. 524-532.

2 - Œuvres profanes.

— Éloges d'Anne de Savoie et de Matthieu Cantacuzène, éd. M. Jugie, *Bull. de l'Inst. Archéol. russe de Constantinople* 15 (1911), p. 113-118 et 118-121.

— *Contre les abus des autorités envers les biens sacrés*, éd. I. I. Ševčenko, « Anti-zealot ... », *DOP* 11 (1957), p. 81-171.

— *A Anne de Savoie sur l'usure*, éd. R. Guilland, *Eis mnèmèn Sp. Lamprou*, Athènes 1933, p. 269-277.

— *Contre les usuriers*, *PG* 150, 727-750.

— *Contre les Pyrrhoniens*, éd. A. Elter et E. Rademacher, *Analecta Graeca*, Bonn 1899, p. 5-12.

— *Contre ceux qui disent vaine la sagesse profane*, éd. A. Angelopoulos, p. 111-113.

— *Aux Athéniens sur l'autel de la miséricorde*, *id.* p. 116-118.

— *Commentaire des livres III et VI de la* « Grande Syntaxe » *de Ptolémée*, éd. partielle, Bâle 1538.

3 - Lettres.

L'édition de la correspondance de Cabasilas par E. Enépékidès (*BZ* 46 [1953], p. 18-46) doit être complétée par I. I. Ševčenko, *BZ* 47 (1954), p. 49-72. On se reportera également à G. T. Dennis, *The letters of Manuel II Palaeologus*, Dumbarton Oaks 1977.

CHAPITRE II

LA VIE EN CHRIST

L'œuvre maîtresse de Nicolas Cabasilas, écrite dans les dernières années de sa vie, et qui peut être regardée comme le résumé de son expérience spirituelle, est la *Vie en Christ*. Ce traité a été l'objet de nombreuses études auxquelles on peut se reporter. Nous nous contenterons ici, après un bref exposé sur la structure de l'œuvre, d'examiner quelques points permettant de mieux situer cet écrit dans la tradition byzantine (les hasards de l'histoire en ont fait l'une des dernières grandes œuvres de Byzance et le font donc apparaître comme un aboutissement, presque un «chant du cygne») et dans le contexte du XIVe s. byzantin.

A) LA STRUCTURE DE L'ŒUVRE

Livre I : La vie en Christ est communiquée par les saints mystères (baptême, chrismation, eucharistie).

— Qu'est-ce que la vie en Christ? (1-15).

Dès la première phrase, Cabasilas souligne l'unité de la vie présente et de la vie future. Il n'y a qu'une vie en Christ, en germe en ce monde, accomplie dans l'autre.

Cette vie est une union au Christ, elle est la vie du Christ en nous. Cette union défie toute comparaison car elle dépasse l'entendement : même l'union de soi-même à soi-même lui est inférieure; pour nous le Christ est *tout*.

— Comment l'acquérir ? (16-42).

Cabasilas distingue deux pôles dans la vie chrétienne (l'action de Dieu et celle de l'homme) en posant dès le départ une dissymétrie fondamentale : l'action de Dieu est infiniment supérieure à celle de l'homme, cette dernière se bornant à l'accueil de la première, par la participation aux mystères. Or dans les mystères tout est don de Dieu : ce n'est pas nous qui allons vers la vie, mais la vie qui est descendue vers nous (paraboles de la miséricorde).

Les mystères sont les portes de la Justice : Dieu ne nous a pas sauvés par force, mais parce qu'il était juste que le démon fût dépouillé de ses proies. Cette justice de Dieu s'est accomplie en deux étapes : jadis, par l'Incarnation, Dieu a uni en sa chair la nature humaine à la sienne ; aujourd'hui, par les mystères, il unit chaque homme à sa chair et lui communique ainsi sa justice. Les mystères abolissent la séparation entre le monde de la servitude et de la loi, et celui de la filiation et de la grâce où ils nous font entrer.

— Pourquoi Dieu s'est fait homme (43-53).

Désirant «regarder la chose de plus haut», Cabasilas aborde le mystère de la Rédemption, sur lequel il reviendra. Notre sous-titre pose d'emblée le problème de ses relations avec la pensée d'Anselme, puisqu'il pose la question dans les mêmes termes, s'il la traite différemment. L'homme devait réparer sa faute mais ne le pouvait pas ; Dieu le pouvait mais ne le devait pas. Il fallut donc réunir en un seul être les deux natures de celui qui pouvait et de celui qui devait. L'Incarnation, par l'union des deux natures, est la première étape de la victoire sur le péché. Mais comment appliquer cette victoire à l'homme ? La deuxième étape est donc la Croix, par laquelle le Juste subit le châtiment ; et comme lui ne méritait pas ce châtiment, c'est en nous que passe le bénéfice de la Croix. La peine subie par le Juste dépassait la dette des pécheurs : elle ne se contentera donc pas de les acquitter, mais leur donnera par sucroît de partager la vie divine.

— Les mystères actualisent la Rédemption (54-66).

Après l'union des deux natures et le sacrifice de la Croix, la troisième étape de notre salut est la participation de chaque homme aux mystères. Comment des actions si simples (un bain, une onction, un repas) peuvent-ils donner aux hommes le bénéfice d'un acte si grave (la mort d'un Dieu) ? Nicolas distingue le rôle du Christ, qui a accompli cela pour nous en faire part, et la contribution humaine qui consiste à accepter le don.

Livre II : En quoi le baptême contribue à la vie en Christ.

— Comment les mystères unissent au Christ (1-7).

Aux trois phases de la Rédemption (1 - Dieu se fait chair ; 2 - il déifie en sa chair la nature humaine ; 3 - il meurt et ressuscite) correspondent les trois mystères de l'initiation chrétienne, en ordre inverse : 1. Le baptême nous fait participer à la mort et à la Résurrection du Christ ; 2. La chrismation déifie notre nature humaine ; 3. L'Eucharistie nous fait partager la chair même de Dieu.

— Noms et rites du baptême le définissent comme une naissance (8-35).

Analysant les noms et décrivant les rites du baptême, Cabasilas montre que les uns et les autres définissent le baptême comme une naissance : la naissance à la vie en Christ. Ainsi, par exemple, le mot *Remodelage* évoque le premier modelage de la création de l'homme à l'image de Dieu : cette forme, perdue lors de la chute, est renouvelée par le baptême.

L'explication des rites s'inscrit dans une riche tradition byzantine. Cabasilas lui donne un tour particulièrement dramatique, resituant chaque geste dans le plan du salut. Le baptême n'est pas un simple rite symbolique ; c'est une histoire qui se déroule au présent, un drame dans lequel le catéchumène est réellement arraché au pouvoir du Mauvais et remodelé à l'image du Christ.

A propos du rite principal — triple immersion et invocation de la Trinité —, Cabasilas expose la distinction primordiale entre la *Théologie* (Trinité qui a voulu en commun notre salut) et l'*Économie* (imitation de l'acte par lequel le Fils a réalisé ce salut par sa mort et sa Résurrection). Seule l'économie nous a permis de distinguer en Dieu trois hypostases, c'est pourquoi nous les invoquons distinctement («au nom du Père et du Fils et du Saint-Esprit»).

— Le baptême nous fait mourir au péché (36-50).

Cette naissance à la vie nouvelle est d'abord une mort à la vie ancienne. Cabasilas commence donc par décrire le péché : il distingue les *actes* mauvais qui nous traversent comme des flèches et l'*habitus* qui demeure en nous comme une maladie. Actes et *habitus* s'engendrent mutuellement et ce cercle «vicieux» remonte au péché d'Adam, par une propagation naturelle. Le baptême efface à la fois les actes et l'*habitus*, en rendant effective en nous la Rédemption réalisée par le Christ sur la Croix : la rançon a été payée par le Christ, la délivrance est à présent gratuite pour nous, sous réserve que nous la voulions.

Morts au péché, nous recevons la vie même du Christ, prémices de la vie éternelle.

— Deux objections (52-61).

Avant de décrire cette vie nouvelle, Cabasilas répond à deux objections :

a) (52) Pourquoi les infidèles ressusciteront-ils alors qu'ils n'ont pas reçu la vie issue du baptême ?

Cabasilas écarte une fausse alternative : soit tous ressuscitent pour la vie bienheureuse, soit les infidèles ne ressuscitent pas. En bonne théologie, tous ressusciteront puisque la Résurrection est le redressement de la *nature*, et donc gratuite comme le fut la création ; mais la vie bienheureuse, qui est une jouissance de la *volonté*, est réservée à ceux qui l'ont voulue.

b) (58) Pourquoi ceux qui ont renié le Christ ne sont-ils pas rebaptisés ?

Le baptême crée en l'homme une faculté inamissible même si elle ne s'exerce pas, de même que l'on peut refuser de se servir de ses yeux mais non d'avoir des yeux.

— En quoi consiste cette vie nouvelle ? (62-104).

L'essence de cette vie n'apparaîtra en pleine lumière que dans la vie future ; elle peut néanmoins être connue dès aujourd'hui par ses effets : par exemple les exploits des martyrs et des ascètes qui ont puisé dans le baptême une force qui dépasse la nature humaine.

Le baptême donne une connaissance et une perception de Dieu, non par un enseignement mais par une *expérience* : il fait littéralement expérimenter Dieu. Cabasilas cite l'exemple des trois saints mimes Porphyre, Gélase et Ardalion qui, ayant joué par dérision les rites du baptême, se trouvèrent effectivement baptisés et reçurent une connaissance et un amour de Dieu capables de les mener au martyre.

L'expérience de Dieu donnée par le baptême fait naître en l'homme un amour infini. Car le désir de l'homme, ses capacités d'aimer sont infinis, et seul le Christ peut les combler. L'amour pour le Christ, étant infini, engendre à son tour une joie infinie.

Les mots lui manquant pour décrire l'état de l'âme baptisée, Cabasilas en appelle au témoignage de Jean Chrysostome et cite de larges extraits de sa septième homélie sur la deuxième épître aux Corinthiens. L'illumination des baptisés (symbolisée par la liturgie) est une perception directe et non intellectuelle de Dieu. Si certains ne produisent pas des fruits dignes de cette perception, c'est qu'ils font un mauvais usage de dons effectivement reçus.

Livre III : Quel achèvement la chrismation apporte-t-elle à la vie en Christ?

Si le baptême fait naître, la chrismation fait agir en infusant les activités spirituelles, à la mesure des dispositions de chacun. L'onction du chrême, comme l'imposition des mains que pratiquaient les apôtres, communique l'Esprit Saint aux hommes.

— Fondement théologique : l'Incarnation (3-7).

Le Verbe, qui à l'origine était un chrême demeurant en lui-même (par son union avec l'Esprit), devient en se faisant chair un «chrême qui s'épanche» : en sa chair déifiée, le mur qui séparait l'humanité de la divinité n'existe plus, les deux natures communiquent en l'hypostase du Christ.

Deux murailles séparaient l'homme de Dieu : la nature et la volonté. La première est supprimée par l'Incarnation, la seconde par la Croix. Affinant son analyse, Cabasilas dissocie cette seconde muraille en deux éléments : la volonté pervertie et la mort, conséquence de ce péché. Si la muraille de la nature est toujours supprimée par l'Incarnation, celle du péché l'est par la Croix et celle de la mort par la Résurrection du Christ. Mais cette dernière muraille ne sera supprimée effectivement pour nous qu'à notre propre résurrection, quand nous serons parfaitement unis à Dieu.

— Les effets de la chrismation (8-18).

Les charismes extraordinaires, nécessaires au début, existent encore de nos jours, mais sont plus rares. En revanche, les dons ordinaires de piété, de prière, de maîtrise de soi, sont dispensés à tous, même à ceux qui ne les font pas fructifier.

Tous en effet ne perçoivent pas ces dons reçus à la

chrismation ; chez certains, ils se révèlent longtemps après le mystère. Mais chaque fois que des hommes manifestent des vertus extraordinaires ou des charismes, c'est à ce mystère qu'il faut les attribuer.

— Grâce des mystères et liberté humaine (19-20).

Deux choses nous unissent à Dieu : les mystères et notre ferveur ; or la ferveur a pour seul objet de garder les dons communiqués par les mystères : tous les biens nous viennent donc des mystères, même s'ils ne se manifestent pas dans l'immédiat.

Cabasilas termine ce livre en reliant à la chrismation la consécration des églises et des autels, ainsi que la Divine Liturgie, car toute consécration vient du chrême.

Livre IV : Quel achèvement l'Eucharistie donne-t-elle à la vie en Christ?

Dans l'Eucharistie, ce ne sont plus les dons de Dieu que nous recevons, mais Dieu lui-même : aussi ne peut-il rien être de plus grand. Par l'Eucharistie, le Christ devient notre hôte et notre demeure ; nous sommes mêlés, mélangés à lui : pour décrire cette union, Cabasilas joint ici le réalisme au lyrisme, à la manière de Jean Chrysostome.

— L'Eucharistie donne leur achèvement aux autres mystères (11-24).

Cabasilas revient une fois encore sur la Rédemption. Lorsqu'un plus petit offense un plus grand, l'outrage ne peut être réparé ; en effet, pour restituer au plus grand l'honneur qui lui a été ravi, il faudrait un «surcroît» en guise de réparation ; mais comment payer un surcroît quand on ne peut pas même payer sa dette? C'est pourquoi le Christ est venu lui-même : par sa vie il a rendu honneur au Père (principalement en révélant sa philanthropie) ; par sa mort il a restitué l'honneur ravi. Or cette Rédemption, c'est en son corps et son sang qu'il l'a accomplie : seule la participation à ce corps et à ce sang peut remettre les péchés commis après le baptême.

— L'Eucharistie nous unit parfaitement au Christ (25-52).

Le corps du Christ étant «plus fort» que nous, en le recevant nous sommes assimilés à lui. S'étant uni à nous en prenant tout ce qui est nôtre (corps, âme, esprit, vouloir), le Christ nous communique sa propre divinité par le moyen de cette chair qu'il nous a prise : ce que nous recevons, c'est le corps, le sang et l'âme d'un Dieu, et cette divinité nous transforme en elle-même. Cabasilas recommande chaudement la communion fréquente qui fait régner en nous la loi du Christ.

L'Eucharistie nous rend à la fois fils et membres de Dieu. Nous sommes plus unis au Christ qu'à nos propres parents, car nous ne sommes qu'une vie avec lui. Cabasilas nous présente toutes sortes de variations sur les différents genres d'union : notre union au Christ les surpasse toutes.

— Controverses autour de la perfection de l'Eucharistie (53-76).

objection : l'Eucharistie ne purifie le pécheur que moyennant des peines de sa part ; elle est donc inférieure au baptême qui purifie gratuitement.

réponse : il faut distinguer dans le péché quatre éléments : le pécheur, l'acte, le châtiment et le mauvais penchant. Le baptême supprime et renouvelle le tout, y compris le pécheur. L'Eucharistie ne supprime pas le pécheur, puisqu'il a déjà été remodelé par le baptême (ce serait un second baptême, ce qui est impossible) ; c'est au pécheur de mettre en œuvre, en souffrant des peines, les facultés dont il a été pourvu.

objection : le martyre est bien un second baptême.

réponse : le martyre a un double effet : il remodèle comme baptême de sang et il parfait la vertu. Le martyr ne reçoit que ce dont il a besoin : ceux qui ont déjà été remodelés ne le sont pas à nouveau.

— L'Eucharistie nous donne la seule sainteté : celle du Christ (77-98).

Les saints ne sont saints que par leur union au saint par excellence. C'est uniquement la vie du Christ que nous avons à fournir pour être sauvés. Nous devons nous dépouiller de l'esclave et accueillir sur notre visage la figure du Fils unique afin de nous présenter devant le Père. Le Christ est le seul trésor que nous ayons à emporter dans l'autre monde.

Il a réalisé notre salut en «payant de sa personne»; il a ainsi gagné les cœurs non par la contrainte mais par son abaissement; à la création il s'est rendu maître de notre nature, à la Croix il se rend maître de notre volonté.

— Assimilés au Christ, nous pourrons le rencontrer dans son royaume (99-109).

La fin de ce livre est une somptueuse description de la résurrection des hommes à l'apparition du Christ : cette résurrection est aussi celle du corps mystique du Christ rassemblant tous ses membres autour de sa tête.

Passant de la sainte table à la table du banquet, c'est le même pain que nous y trouvons : aussi est-il vrai de dire que «le royaume de Dieu est (déjà) au-dedans de nous».

Livre V : Quel achèvement la consécration de l'autel apporte à la vie en Christ.

Cabasilas nous donne ici une brève méditation mystagogique sur la consécration de l'autel. Pour ce faire, il suit un plan devenu classique depuis Denys *(Hiérarchie Ecclésiastique)* : description des rites *(historia)*; leur signification *(théôria)*.

— Description des rites (3-8).

Sobre description des différentes phases de la consécration : érection de l'autel par l'évêque; purification; onction; dialogue devant les portes; onction des reliques.

— Signification des rites (9-27).

Cabasilas prend une par une les différentes phases qu'il vient de décrire, en cherchant la signification spirituelle : l'évêque représente le véritable autel, dont l'autel de pierre n'est que le symbole, et qui est le cœur de l'homme. Contexte mystérique du Ps. 22. La purification de l'autel en expulse le démon, et son onction par le chrême symbolise l'attente de l'homme à laquelle Dieu va répondre. Le chrême lui-même est là pour représenter la main de Dieu, et les ossements des martyrs marquent la présence de la grâce du Christ qui ne les a jamais quittés.

Le prêtre achève la cérémonie en laissant sur l'autel une lampe allumée qui montre que ce dernier est prêt pour la prière.

Livre VI : Comment garder la vie en Christ que nous avons reçue des mystères.

Les deux derniers livres traitent de la réponse de l'homme à la grâce issue des mystères, réponse qui a pour seul objet de conserver cette grâce.

— Conformer sa volonté à la volonté du Christ (2-8).

Le genre littéraire auquel se rattache explicitement le livre VI est le « discours sur la vertu et la vie selon la droite raison ». C'est un discours éthique qui porte sur le fondement de tout comportement éthique : la volonté. Après avoir évoqué les vertus propres à chaque état de vie, Cabasilas en vient au devoir commun de tout chrétien, dont nul prétexte ne peut dispenser, et qui met en cause précisément la volonté : observer les préceptes du Christ, « partager la volonté de celui dont nous partageons le sang ». La seule ascèse réclamée de tous est de s'entraîner à vouloir ce que veut le Christ, auquel nous avons été unis par les mystères.

— La méditation, clé de l'amour (9-48).

Cabasilas aborde alors la question des *moyens*, par le détour d'une analyse psychologique : l'action vient du désir ; le désir naît de la «pensée» *(logismos)*. Le terme, classique dans la littérature ascétique, est employé ici dans un sens peu courant. Pour les maîtres de l'ascétisme depuis Évagre, le *logismos* est essentiellement le mauvais *logismos*, la mauvaise pensée provoquée par les démons et qui mène au péché. Cabasilas donne à ce mot un sens tout d'abord neutre (il y a les bonnes et les mauvaises pensées), mais très vite il ne va considérer que les bonnes.

La *Méditation* est l'exercice visant à faire régner dans l'âme les bonnes pensées qui ont pour objet «les choses du Christ», c'est-à-dire la philanthropie et l'économie, l'«amour fou» du Christ qui l'a fait sortir de lui-même pour se mettre à la recherche de l'homme et lui montrer son amour. Cet amour — qui pousse le Christ à chérir dans sa gloire les plaies de sa Passion comme des marques de cet amour — s'adresse à la fois à la nature humaine et à chaque homme. La méditation des «choses du Christ» chasse les mauvais *logismoi* et enflamme l'amour pour le Christ.

La méditation aide l'homme à déjouer les pièges du démon, qui pousse au péché l'hésitant puis le désespère en lui montrant l'énormité de sa faute. Méditer sur la miséricorde du Christ, au contraire, conduit le pécheur à se retourner vers celui qu'il a offensé. Celui qui médite évitera la tristesse stérile et embrassera la tristesse féconde.

Cabasilas expose ensuite (dans des termes très proches des méthodes de prière hésychastes) ce qu'est cette méditation, qui doit être continuelle pour prendre possession de notre cœur et nous incliner à l'amour du Christ. Les pensées issues des sens nous sont familières, alors que celles qui sont produites par l'amour de la sagesse sont plus récentes : il faut donc briser la force de l'habitude par l'intensité soutenue de la méditation.

Si cette méditation demande de la constance, elle n'est pas rebutante : Cabasilas s'ingénie à en montrer les avantages ; elle est facile, ne cause aucun tort aux activités séculières, est agréable et cause de joie, elle est utile car elle porte de bons fruits : c'est un véritable plaidoyer en faveur de l'hésychasme dans le monde.

— Les Béatitudes, fruits de la méditation (49-87).

Cabasilas examine ensuite comment les Béatitudes sont le fruit de la méditation. Chaque Béatitude est ramenée à l'amour du Christ et à la sanctification de l'homme. Méditer sur la pauvreté du Christ et notre propre misère, sur notre ingratitude qui doit nous déchirer le cœur, sur sa douceur dans la Passion, sur sa miséricorde à notre égard... nous recentre sur le mystère du salut et sur le Christ.

— Jésus, seul modèle (88-97).

Le Christ est le principe, le moyen et la fin de toute conduite humaine. Nouvel Adam, il fut dès l'origine le modèle du premier ; mais Adam n'ayant pas su atteindre cette image à laquelle il était destiné, le modèle est venu en personne ; tout homme doit tendre vers lui non seulement en fonction de sa divinité mais aussi en fonction de son humanité qu'il doit imiter. La fin de l'homme est de partager la vie bienheureuse du Christ.

— Invoquer le Seigneur en tout temps (98-104).

La méditation n'est pas l'étape ultime de la prière : sans transition, Cabasilas décrit une autre forme de prière, difficilement assimilable à une méditation, mais qui en est le prolongement naturel. C'est une invocation continue et confiante du Sauveur, pour réclamer sa miséricorde. Il est dificile de ne pas voir ici une description de la « prière de Jésus » (de langue, de volonté et de pensées), même si

Cabasilas évite toute allusion précise à cette prière. En revanche, il centre résolument cette invocation sur l'Eucharistie (102) qui seule fait véritablement du cœur de l'homme un temple consacré à Dieu.

Ainsi, la méditation et la pratique des commandements conservent en nous la grâce des mystères.

Livre VII : Ce que devient l'homme qui a été initié et qui garde par sa ferveur la grâce reçue.

Cabasilas termine son ouvrage par un portrait de l'homme qui vit en Christ. Ce portrait, qui doit beaucoup aux antiques descriptions du Sage, s'en distingue par un souffle mystique centré sur le Christ et la charité.

— La perfection réside dans la volonté (3-16).

La perfection ne réside pas dans les charismes mais dans la volonté. La seule chose que Dieu réclame de l'homme (et vers quoi convergent mystères et ferveur), c'est une volonté bonne. Or les pierres de touche de la volonté, comme l'avaient déjà compris les sages d'autrefois, sont le plaisir et la tristesse.

— Vraie et fausse tristesses (17-49).

La tristesse dépend de l'idée que l'on se fait du mal : il est donc capital de distinguer la fausse tristesse (qui s'afflige de maux illusoires comme la pauvreté ou la maladie) de la vraie (qui s'afflige des véritables maux comme le mensonge ou le mal).

Seul le jugement de Dieu peut nous apprendre à discerner les maux illusoires des véritables. La fausse tristesse naît de ce que l'on aime quelque chose plus que Dieu : pour nous en garantir, il nous faut garder notre cœur pour Dieu seul, comme un sanctuaire inviolable. Celui qui a reçu Dieu dans les mystères ne doit pas «délaisser la parole de Dieu pour le service des tables», c'est-à-dire délaisser l'intimité avec Dieu pour le souci des choses matérielles. Cabasilas, unissant la quiétude du sage stoïcien et l'«insouciance» des ascètes byzantins, fait l'éloge de l'homme qui ne se «soucie» pas, parce qu'il place sa confiance dans le Christ. Cet homme connaîtra la vraie tristesse, qui ne s'afflige que de ce qui afflige Dieu.

— Vrai et faux plaisirs (50-92).

Il connaît aussi le vrai plaisir qui est la jouissance de Dieu. Dieu étant le Bien suprême, sa possession procure le plaisir suprême, continu et solide à la mesure de son objet.

Notre désir étant infini, rien ne peut le combler que Dieu. L'homme qui aime Dieu émigre en lui, il est heureux parce que Dieu est. Ceux qui vivent en Christ se sont emparés du Royaume des cieux et ont en eux la joie même du Christ.

— La vie en Christ, c'est la charité (93-109).

L'effort de l'homme consiste à conserver et entretenir en lui la charité reçue par les mystères, en plaçant sa volonté dans le Christ.

L'homme est esprit et volonté. La perfection de l'esprit, qui est la connaissance parfaite, est réservée à la vie future. Mais la perfection de la volonté, qui est la charité, est possible en ce monde. La vie en Christ, c'est la charité.

B) L'ŒUVRE DANS LA TRADITION BYZANTINE

La *Vie en Christ* a été l'objet de nombreuses études. La présente édition en suscitera sans doute d'autres. Nous donnons simplement ici quelques indications permettant de situer cette œuvre.

L'ultime ouvrage d'un des derniers grands auteurs byzantins se trouve être l'aboutissement d'une tradition spirituelle qu'il récapitule en quelque sorte. Dans cette tradition, Cabasilas est à la fois foncièrement traditionnel et profondément original.

1 - Un auteur byzantin.

Cabasilas est un homme instruit, fils à la fois de l'humanisme de son époque (voir ses études profanes très poussées) et du regain d'intérêt pour les sources de la tradition byzantine (voir ses relations avec Grégoire Palamas). Un simple survol des notes accompagnant la traduction saisira les noms de la plupart des «pères» de la pensée byzantine : Jean Chrysostome, Grégoire de Nysse, Grégoire de Nazianze, Basile, Maxime, Athanase, Denys... Cabasilas est l'héritier fidèle de tous ces auteurs. Bien plus, il se veut résolument «orthodoxe», poursuivant les moindres nuances des définitions conciliaires et de leurs interprétations théologiques, et principalement les subtilités de la christologie chalcédonienne. L'union hypostatique, les deux volontés du Christ, la distinction entre la théologie et l'économie n'ont pas de secrets pour lui. Il assume tout cet héritage sans dévier d'un pouce.

Son explication des rites est elle aussi traditionnelle : les *Catéchèses Mystagogiques* de Cyrille de Jérusalem, les *Homélies Baptismales* de Jean Chrysostome, la *Hiérarchie Ecclésiastique* de Denys se profilent derrière son interprétation, au point que sa description du baptême nous renseigne certainement davantage sur les baptêmes des siècles passés que sur sa propre expérience liturgique.

Il a lu également les écrits ascétiques, bien qu'il prenne avec eux davantage de libertés : s'il connaît le mécanisme des *logismoi* que systématisa Évagre, il en donne une interprétation résolument positive, probablement influencée par sa propre expérience spirituelle. Là se situe sans doute la clé de son originalité : autant que ce qu'il sait, Cabasilas nous communique ce qu'il vit.

2 - Cabasilas et le courant «esthétique».

Héritier de l'ensemble de la tradition byzantine, Cabasilas se situe plus précisément dans un courant spirituel qu'il réinterprète de même. Il s'agit de ce courant que l'on peut appeler «esthétique» parce qu'il accorde une place prioritaire à l'*aisthèsis*, c'est-à-dire à la perception de Dieu : la présence de Dieu en l'homme ne peut, si elle est réelle, passer inaperçue ; elle est une perception consciente, une expérience directe de Dieu. Ce courant eut ses authentiques spirituels : Macaire, auteur des *Homélies spirituelles* ; Diadoque de Photikè ; Syméon le Nouveau Théologien. Il connut aussi sa déviation : le messalianisme qui nie toute grâce qui n'est pas consciente, et qui méconnaît le rôle de l'Église et de ses mystères. «Esthétique» résolu, Cabasilas n'en est pas moins foncièrement anti-messalien : la grâce de Dieu est savoureuse, l'expérience est réelle et sensible, mais elle est le fruit des seuls mystères. En cela, il se distingue même de Syméon le Nouveau Théologien, dont il est si proche par certains aspects.

3 - Une spiritualité liturgique.

Si Cabasilas donne la priorité absolue aux mystères, c'est parce qu'ils transmettent à l'homme la Rédemption opérée par le Christ. Ce trait met en lumière la principale influence reçue et assumée par Cabasilas : la liturgie. Par là s'explique de même son christocentrisme. Tout «gravite autour du Christ» : Création à son image, Chute et tyrannie du démon, Incarnation, combat de la Croix et victoire de la Résurrection en vue de notre divinisation. Ce n'est pas un hasard si les passages les plus personnels de Cabasilas, où il déborde les cadres du raisonnement et de la rhétorique, semblent des hymnes de la liturgie byzantine.

Ce n'est pas non plus un hasard si la plus longue citation explicite de la *Vie en Christ* est tirée de Jean Chrysostome : cet auteur est le plus représentatif d'un courant de spiritualité liturgique, fondée sur les mystères. Ce courant connaissait un regain de faveur à cette époque : citons simplement, au début du siècle, le métropolite de Philadelphie Théolepte dans ses discours à ses ouailles, et plus proche de notre auteur Grégoire Palamas dans ses homélies. Mais c'est notre traité qui se présente comme l'héritier le plus explicite du réalisme eucharistique de Jean Chrysostome.

C) L'ŒUVRE EN SON TEMPS

Restent deux questions. La polémique à leur sujet n'est pas close, nous ne prétendons pas la clore. Il s'agit des relations de Cabasilas avec deux courants de pensée de son époque : le palamisme et le latinisme.

1 - Cabasilas et l'hésychasme.

Nous avons prononcé à propos de Cabasilas le mot «hésychasme». Au sens où l'hésychasme (de *hèsuchia* : paix intérieure) est une constante de la spiritualité byzantine, Cabasilas est hésychaste : il recherche l'union au Christ par la prière, dans la paix intérieure et le rejet de tout souci. Au sens plus précis et limité de courant spirituel des derniers siècles byzantins théorisé principalement par Grégoire Palamas, des nuances s'imposent.

Des études nombreuses[33] ont souligné les convergences entre Cabasilas et Palamas. Il est certain que Cabasilas fut pendant sa vie très proche de Palamas, qu'il défendit contre les «radotages ineptes» de Grégoras. Tant au mont Athos qu'à Thessalonique, il fut probablement initié à la prière continue par Palamas et ses disciples : on trouve dans son œuvre des traces de cette influence, à propos du

33. Cf. Lot-Borodine, *Un maître*, p. 132-134 ; J. Meyendorff, *Saint Grégoire Palamas et la mystique orthodoxe*, p. 137-142 ; B. Bobrinskoy, «Nicolas Cabasilas et la spiritualité hésychaste», dans *La pensée orthodoxe* 12 (1966), p. 21-42.

sanctuaire du cœur, de l'illumination des baptisés, de la prière continue qu'il pratiqua probablement sous la forme de l'invocation du nom de Jésus. Mais on ne peut réduire Cabasilas au palamisme, ou peut-être à ce que devint le palamisme sous la pression de la polémique. Là encore, Cabasilas, tout en faisant son miel tout autant avec les fleurs palamites (butinées sur les *Homélies* davantage que sur les *Triades*) qu'avec les fleurs chrysostomiennes, expose une expérience qui lui est propre, avec une sérénité et une absence de dogmatisme polémique remarquables pour son époque.

2 - Cabasilas et les Latins.

La même modération se retrouve dans ses relations avec les Latins. Il ne passa pas à l'« ennemi », comme firent ses amis les frères Kydonès. Pourtant, il ne suivit pas non plus son oncle qui, après une période thomiste, se retrouva aussi farouche anti-latin que palamite. Il ne coupa jamais les ponts avec Dèmètrios Kydonès. Il fréquenta les monastères des Xanthopouloï où se retrouvaient aussi Kydonès et Manuel Kalékas, deux latinophrones notoires.

On retrouve une trace de ces « mauvaises fréquentations » dans son œuvre. Certes, il resta orthodoxe dans l'âme : dans son *Explication de la Liturgie*, il combat la conception latine de l'épiclèse ; dans sa préface à l'ouvrage polémique de Nil sur la procession du Saint-Esprit (hommage rendu à l'oncle vénéré), il se montre opposé au *Filioque*.

Mais où trouva-t-il ces expressions « anselmiennes » sur la Rédemption[34] ? D'où lui viennent les accents « augusti-

34. La question de la dépendance de Cabasilas par rapport à la problématique occidentale de la Rédemption, que ce soit à travers le *Cur deus homo* d'Anselme ou les traités de Thomas d'Aquin, a fait l'objet d'une longue controverse. Nous citons pour mémoire

niens» que nous avons relevés en note ? Comment expliquer les convergences, relevées par J. Gouillard dans les deux derniers livres, entre son portrait du bienheureux et les traités *De beata vita* d'Augustin ou le début de la Iª IIªᵉ de Thomas d'Aquin[35] ? Les options politiques ou ecclésiastiques qui séparèrent Nicolas de ses amis d'enfance ne rompirent pas des liens noués dès les premières années, dans la patrie bien-aimée, sous la houlette de Nicolas-Nil et d'Isidore. Des discussions passionnées et amicales eurent lieu entre le Cantacuzéniste fidèle et les frères passés à l'Église romaine. Et dans ces discussions, rien n'empêche de songer à la place que tinrent la traduction de la *Somme contre les Gentils* puis de la *Somme Théologique* par Dèmètrios et celle des œuvres d'Augustin (dont justement le *De beata vita*) par Prochoros. P. Nellas, montrant que Nicolas ne dépendait certes pas d'Anselme, mais qu'il avait une connaissance précise de la problématique occidentale, explique ce fait par ses relations amicales avec les milieux latinophrones de Byzance.

J. Rivière, *Le dogme de la Rédemption. Études critiques et documents*, Louvain 1931, p. 281 s. Nous décernons une mention spéciale à la très rigoureuse étude de S. Salaville, «Sotériologie» : la grande différence qu'il relève entre Anselme et Cabasilas est que si la question est posée dans des termes semblables, la réponse est donnée sur un registre bien différent, celui non de la théologie mais de l'expérience spirituelle dans la perspective de la divinisation. Et nous nous rangeons à l'avis de P. Nellas, *L'enseignement de Nicolas Cabasilas sur la justice* (en grec), Le Pirée 1975 : Nicolas Cabasilas connaissait bien la position occidentale, anselmienne et thomiste, par ses contacts avec les Kydonès ; il lui emprunta ce qui lui semblait s'accorder avec la tradition des Pères et avec sa propre position christologique et mystérique, tout en rejetant le caractère systématique : seul l'intéresse l'aspect liturgique et spirituel, c'est-à-dire la justification effective de l'homme, à travers les mystères.

35. Gouillard, «Autoportrait».

D) LA POSTÉRITÉ

Cabasilas est venu trop tard pour avoir une réelle postérité byzantine : une cinquantaine d'années sépare sa mort de celle de l'empire.

Nous connaissons peu de choses sur la lecture de la *Vie* dans les siècles qui suivirent. Une trentaine de copistes la recueillirent, confondant parfois l'oncle anti-latin et le neveu : beaucoup des manuscrits contenant la *Vie* sont des recueils pro-palamites ou anti-latins.

L'ouvrage fut lu dans les monastères. On suit sa trace dans ceux de Thessalonique (Vlatadôn) ou de Constantinople (Xanthopouloï), mais aussi dans plusieurs monastères athonites (Vatopédi, Iviron) ; il voyage tôt jusqu'à Moscou, où on le copie en 1411. D'après A. Angelopoulos[36], les moines et clercs serbes formés au xve s. au monastère de Chilandar, au mont Athos, y étudient la pensée de Nicolas Cabasilas qu'ils répandent ensuite dans le monde orthodoxe serbe.

La *Philocalie* l'ignore. Il trouve cependant le moyen d'aboutir, à la veille de notre siècle, jusqu'à Jean de Cronstadt (peut-être à la faveur de ses études théologiques à Léningrad), dont le journal au titre significatif («Ma vie en Christ») est ouvertement cabasilien.

36. A. Angelopoulos, *L'enseignement de Nicolas Cabasilas sur la vie en Christ* (en serbe), Belgrade 1967, p. 103 s. ; cf. le compte-rendu de A. Papadrianos (en grec) dans *Théologia* 39 (1968) p. 492-496.

CHAPITRE III

LA TRADITION MANUSCRITE

A) DESCRIPTION ET CLASSEMENT DES PRINCIPAUX MANUSCRITS

La tradition manuscrite de la *Vie en Christ* est, on le verra, assez embrouillée : le classement que l'on peut faire d'après le nombre de livres de ce traité contenus dans chaque manuscrit ne correspond pas toujours à celui que réclament les variantes. Nous laissons à plus compétents en ce domaine le soin de démêler cet écheveau et de décrire l'histoire de ce texte : nous donnons ici tous les éléments que nous avons recueillis à cet effet. Notre tâche se limitera à ce qui est nécessaire pour établir le texte aussi précisément que possible.

La *Vie en Christ* nous est parvenue dans trois versions qui correspondent à trois rédactions successives. On trouvera dans l'introduction du volume de *SC* 4 *bis* la liste des œuvres de Cabasilas ayant connu plusieurs rédactions[37].

La première rédaction de la *Vie en Christ* comporte cinq livres : de I à IV, et VI ; il s'agit d'un traité sur les sacrements complété par un chapitre sur la prière. La

37. *SC* 4 *bis*, p. 47, note 1.

seconde version ajoute le livre V sur la consécration de l'autel, qui existait en version autonome puisqu'on le trouve sous cette forme dans un manuscrit (voir plus bas). La troisième rédaction complète l'ensemble par le livre VII qui décrit le modèle achevé de la vie en Christ. La trace de ces remaniements est apparente au début de chacun des livres rajoutés. Nous donnons ici le texte de la troisième rédaction, considérée comme la version définitive.

Nous avons recensé 26 manuscrits de la *Vie en Christ* (en écartant ceux qui n'en comportent que des extraits). L'étude des variantes nous a permis de les grouper autour de sept prototypes : ce sont ces prototypes qui apparaissent dans l'apparat critique. Nous donnerons de ces sept manuscrits une description détaillée, nous contentant de présenter brièvement ceux qui en dérivent.

1 - Manuscrits contenant cinq livres.

* Famille de A.

a) A = *Angelica* 58[38].

— xve s.; papier; mm 220 × 143; ff. x + 270.

— *Vie :* ff. 132-205^v; le dernier livre (livre VI) se termine abruptement, sans doxologie. Seul texte de Cabasilas.

— Recueil de textes spirituels et ascétiques courants dans la littérature hésychaste, dont la *Méthode* de Calliste et Ignace Xanthopouloi. Écriture petite et serrée, pages peu aérées.

b) Manuscrits dépendant de A.

— *Vatic. Gr.* 717[39] : xve s.; papier; mm 217 × 145; ff. viii + 273.

Agglomérat de textes de mains et de dates différentes. La partie qui nous intéresse (f. 1 à 175^v) contient de Cabasilas

38. C. Samberger, *Catalogi codicum graecorum qui in minoribus bibliothecis asservantur*, t. II, 1968, p. 120-123.

39. R. Devreesse, *Codices Vaticani Graeci*, III, 1950, p. 214-216.

Liturgie et *Vie*. Suivent les discours de Cabasilas sur Ézéchiel et des textes anti-latins. Les différences avec A sont minimes.

— *Vatopedi* 541[40] : papier oriental ; mm 220 × 145 ; ff. 213. Recueil de *miscellanea*.

Cabasilas : *Vie* (ff. 1-72), mutilé du début (le texte commence au milieu du livre II). «Sur le vêtement sacré» (éd. *SC* 4*bis*, p. 364 s.).

— *Mosqu. Synod.* 236[41] : xve s. ; papier ; mm 220 × 132 ; ff. 334.

Provient du monastère athonite Iviron. Textes pro-palamites.

Cabasilas : *Vie :* ff. 78-223. Manque le premier folio. «Sur la vision d'Ézéchiel».

— *Vindob. Théol. Gr.* 290[42] : xve ou xvie s. ; ff. 169.

Ne comporte que la *Vie*, anonyme. Dépend à la fois du *Vatic.* 717 et de la famille de V : témoin de la parenté des familles de A et de V. Prend, à partir du livre II, de grandes libertés avec le texte, que l'on ne retrouve nulle part ailleurs.

* W = Vindob. Théol. Gr. 210[43].

xve s. ; papier ; in-4° ; ff. 407.

Plusieurs mains. Originaire de Constantinople. Cabasilas : *Vie* (ff. 3-85^v^) en cinq livres, homélies sur la Passion, l'Ascension, les visions d'Ézéchiel, la Nativité de Marie, l'Annonciation, deux lettres dont une à Kydonès ; (une lettre de Kydonès à Cabasilas) ; traité sur la consécration de l'autel *(Théoria éis to*

40. S. Eustratiadès et A. Vatopedinos, *Catalogue des manuscrits conservés dans le saint monastère de Vatopedi* (*Mont Athos* I) (en grec), 1924, p. 110.

41. Archimandrite Vladimir, *Catalogue systématique des manuscrits de la Bibliothèque synodale*, I : *Les manuscrits grecs* (en russe), Moscou 1894, p. 307-308.

42. D. de Nessel, *Breviarum et Supplementum commentariorum Lambecianorum sive Catalogus aut recensio specialis codicum manuscriptorum graecorum* (...) *Augustissimae bibliothecae caesariae Vindobonensis* (...), Pars II : *Theologi Graeci*, Vienne 1690, p. 399. Dans l'attente du catalogue de H. Hunger qui, au moment où nous écrivons ces lignes, n'a publié l'analyse que des *Theologi* 1 à 200, la datation reste conjecturale.

43. Idem, p. 307-311.

kata tèn tôn théiôn naôn kathiérôsin mustèrion) qui n'est autre que le futur livre V[44]; ce texte est immédiatement suivi de deux ajouts d'une ou deux autres mains (f. 143v et 144-146) publiés en note dans la *PG* qui ne se trouvent que dans ce manuscrit. Nous éditons le premier; le second traite du libre-arbitre et n'a rien à voir avec la *Vie*; selon Mercati (*Studi e Testi* 56, p. 232, n. 2), il s'agirait de la traduction grecque d'un texte scolastique latin par Prochoros Kydonès (frère de Dèmètrios). Après un folio blanc suivent l'éloge de sainte Théodora et le discours contre les usuriers.

Autres textes : Textes pro-palamites, puis compilation patristique sur la componction, faite à la demande d'Isidore de Thessalonique (1380-1394).

Plusieurs mains; pour la *Vie*, témoin d'une tradition ancienne puisqu'il est fait mention de son patronyme Chamaétos : ce fait, et la présence de textes des frères Kydonès, le rapproche du *Paris.* 1213; peut-on imaginer de préciser l'origine «constantinopolitaine» en évoquant le monastère des Xanthopouloï?

A servi de base à l'édition de Gass.

2 - Manuscrits contenant six livres.

* Famille de C.

a) C = *Chisianus* 14.

xive[45] ou xve s.[46]; papier; mm 177-124; ff. vi + 128.

Ne contient que la *Vie*. Manuscrit calligraphié, divisé en paragraphes avec sous-titres et lettrines. Ces sous-titres ne sont que l'intégration au texte des scholies marginales dans les autres manuscrits. L'ancienneté du codex et sa facture très soignée sont déparées par de nombreuses erreurs.

44. Le *Meteor. Barlaam* 202 (N. Béès, *Ta chéirographa tôn Météorôn katalogos*..., II, 1984, p. 297 s.) contient aux ff. 249-254 ce même livre V, sans titre ni auteur, et seul. Les leçons qu'il contient ne l'apparentent pas du tout à W mais bien à P (cf. plus bas).

45. G. Pierleoni, «Index codicum graecorum qui in bybliotheca chisiana Romae adservantur», dans *Studi italiani di Filologia Classica*, 15 (1907), p. 315-341.

46. P. Franchi de Cavalieri, *Codices graeci chisiani et borgiani*, Rome 1927, p. 133-144.

b) Manuscrits dépendant de C.

— *Monacensis* 84[47] : xvie s. ; papier ; ff. 476.

Plusieurs mains. Textes patristiques et *Vie* (ff. 193-268), anonyme par accident car le discours suivant porte « Du même Nicolas » (= discours sur les usuriers). A servi de base à l'édition de Gass.

— *Taurinensis* 169 B IV 6[48] : xvie s. ; papier ; ff. 117.
Vie anonyme, seule.

* Famille de M.

a) M = *Vatic. Gr.* 632[49].

xve s. ; papier ; mm 222 × 148 ; ff. iii + 430.

Formé de plusieurs parties :

I) Théodore d'Andida, *Explication de la liturgie.*

II) Première main :

. Nicolas Cabasilas : *Liturgie*, Éloge de saint Dèmètrios.
. Nil : lettre à Nicolas.
. (f. 97v : vers autographes de Scholarios)[50].
. Nicolas Cabasilas : Homélies sur la Passion, la Nativité de Marie, l'Annonciation, l'Ascension, les visions d'Ézéchiel ; discours sur les usuriers ; éloge de sainte Théodora.
. Dèmètrios Kydonès : lettre au moine Joasaph (Loenertz 406).
. Nicolas Cabasilas : *Vie* (ff. 175-254).

III) Deuxième main :

— Œuvres de Manuel Paléologue.
— Fragment anonyme d'un éloge funèbre de Manuel Paléologue.

A noter l'interversion de deux cahiers : les ff. 207-214v sont à insérer entre les ff. 198v et 199.

L'intérêt de ce manuscrit est qu'il fut probablement copié à Thessalonique au monastère du Pantocrator (Vlatadôn) fondé

47. I. Hardt, *Catalogus codicum manuscriptorum graecorum bibliothecae regiae bavaricae*, t. I, p. 477.
48. Cosentini, *Inventari dei manoscritti delle biblioteche d'Italia*, vol. XXVIII, Torino-Florence 1922, p. 22.
49. R. Devreesse, *Codices Vaticani Graeci*, t. III, 1950, p. 40-43.
50. Éd. G. Mercati, dans *Bessarione*, fasc. 160, ann. XXVI (1922), p. 314-315.

en 1360 par Dorothée Blatès, père spirituel de Nicolas, et dédié à Dosithée Karantènos, moine en ce lieu, qui fut l'un des correspondants de Nicolas[51]. Nous sommes donc dans un milieu très proche de l'auteur lui-même.

b) Manuscrits dépendant de M.

— *Métochion du Saint-Sépulcre d'Istanbul* 446[52] : xve s.; papier; mm 283 × 217; ff. 128.

Cabasilas : *Vie* (ff. 74-109), homélie sur la Passion, éloge de saint Dèmètrios. Autres : Diatribes d'Épictète.

— *Mosqu. Synod.* 213[53] : xvie s.; papier; mm 242 × 176; ff. 207.

Cabasilas : *Liturgie, Vie*, homélies sur la Nativité de Marie, l'Annonciation, la Passion, l'Ascension, Ézéchiel, les usuriers, éloge de saint Dèmètrios; (lettre de Nil); éloge de Théodora. Autres : Lettre de Kydonès à Joasaph. Toutes ces œuvres se trouvent dans M. Des ïambes signalés par Vladimir au f. 140 comme étant de Cabasilas sont les vers (autographes en M) de Scholarios, d'après l'*incipit* donné par Vladimir. Les variantes de cet *incipit* entre M, le présent codex et le *Matrit.* 4672 (codex suivant) nous permettent de préciser que le *Mosqu.* 213 fut probablement copié sur M et le *Matrit.* sur le *Mosqu.*

— *Matrit.* BN 4672 (= O 9)[54] : xvie s.; papier; in-f°; ff. 430.

Manuscrit composite copié par plusieurs mains, à la demande du cardinal de Burgos. Notons que le bibliothécaire du cardinal fut Bonaventure Vulcanius qui donna en 1613 une traduction latine de la *Vie*[55]. La première partie du codex, copiée sur le

51. Cf. Théocharidès, «Sources», p. 10-11, note 12 : présence d'un court poème dédiant le manuscrit à Dosithée.

52. Papadopoulos-Kérameus, *Catalogue des manuscrits grecs conservés dans les bibliothèques du (...) trône patriarcal de Jérusalem et de toute la Palestine* (en grec), t. IV, 1899, p. 420. Ce fonds, localisé autrefois à Istanbul, se trouve actuellement à la Bibliothèque Nationale d'Athènes.

53. Archimandrite Vladimir, *op. cit.*, p. 261-262.

54. M. Miller, «Bibliothèque royale de Madrid. Catalogue des manuscrits grecs (Supplément au catalogue d'Iriarte)», dans *Notices et extraits des manuscrits de la Bibliothèque Nationale et autres bibliothèques*, t. XXXI, 2 (1886), p. 62. Cf. C. Graux, *Essai sur les origines du fonds grec de l'Escurial*, Paris 1880, p. 73 et 422.

55. Cf. S. Lampros, *Néos Héllénomnèmôn* 12 (1915), p. 388.

Mosqu. 213, contient les mêmes œuvres de Cabasilas et les vers de Scholarios. Huit folios blancs séparent cet ensemble d'un groupe de textes hétérogènes copiés postérieurement.

— *Mosqu. Synod.* 252[56] : XVIe s. ; mm 198 × 143 ; ff. 298.

Recueil de textes anti-latins et pro-palamites, copiés au monastère Saint-Antoine *tou Brontèsiou* (Crète ?) par « Maxime hiéromoine » qui copia aussi le *Mosqu.* 244 et le *Mosqu.* 245, deux autres recueils anti-latins. Provient du monastère de Vatopédi.

Cabasilas : mêmes textes que M (*Vie* : ff. 2-49).

— *Mélochion du Saint-Sépulcre d'Istanbul* 35[57] : XVIIe s. ; papier ; mm 300 × 215 ; ff. 734 numérotés + 36 blancs.

Copié en 1672 à la demande du patriarche Dosithée de Jérusalem, polémiste anti-latin. Plusieurs parties :

. Groupe de textes pro-palamites présents dans *Mosqu.* 252.
. Œuvres de Scholarios.
. Deux folios blancs, puis *Vie* (ff. 483-581). Un texte dit anonyme par Papadopoulos-Kérameus est en fait la suite du livre VI de la *Vie* dont une scolie a pu passer pour le titre d'un texte indépendant : ff. 568-581.
. Traduction de Thomas d'Aquin.
. Quatre folios blancs.
. Texte anti-latin de Marc d'Éphèse.
. Poème d'Isaac sébastocrator sur la Providence.

Ce codex dépend étroitement du précédent.

* Famille de V.

a) V = *Vatic. Gr.* 1728[58].

XVIe s. ; papier ; mm 208 × 153 ; ff. III + 97.

Copié en 1591 par Néophyte Arcolaos de Crète, à la demande de Mélétios Pègas, patriarche d'Alexandrie. Ne contient que la *Vie*, anonyme, précédée d'une lettre-préface de Mélétios Pègas. Cette lettre-préface a été éditée et traduite par S. Salaville (*Bull. de la section histo. de l'Acad. roumaine* 14 [1928] p. 5), sur

Vulcanius a sans doute utilisé un autre manuscrit que celui-ci, car la traduction est signalée en 7 livres.

56. VLADIMIR, *op. cit.*, p. 345-347.

57. PAPADOPOULOS-KÉRAMEUS, *op. cit.*, p. 48-55.

58. C. GIANNELLI, *Codices Vaticani Graeci, codd. 1684-1744*, Vatican 1961, p. 107-108.

la base du *Syllogos* 38 et d'une copie du *Canonici* 52 (cf. plus bas). Elle est datée, dans V, d'après la datation attique en usage dans l'Église d'Alexandrie, du 4e jour du mois finissant de Skirophorion 1591. V, copié sur l'ordre de Mélétios Pègas, fut envoyé par lui à son ami d'enfance, l'évêque latin Lollino, accompagné d'une lettre (éd. P. Canart, *Studi veneziani* 12, App. IV, p. 583) datée du 1er septembre 1592 : Mélétios Pègas y remercie Lollino des livres que celui-ci lui a envoyés et lui signale qu'il lui envoie en retour cette *Vie en Christ* d'un auteur inconnu, afin qu'il assure la publication de ce trésor. La lettre-préface, qui loue la richesse de l'œuvre et l'humilité de son auteur resté anonyme, devait servir de préambule à cette publication. Lollino n'édita pas la *Vie* mais en fit une traduction latine ; il l'avait entre temps restituée à son auteur. D'après Mgr Canart, V contient de nombreuses corrections autographes de Mélétios Pègas. L'abondance des scolies bien situées par des signes d'appel dans la marge le rend précieux pour les sous-titres du texte.

b) Manuscrits dépendant de V.

— *Cod. 38 du Syllogos littéraire de Constantinople*[59] : XVIe s. ; papier ; in-8° ; ff. 177.

Copié en 1596, sur V ou sur son modèle (V est censé se trouver à cette date à Rome entre les mains du cardinal Lollino), par Maxime le Péloponnésien, archidiacre d'Alexandrie et polémiste anti-latin notoire, secrétaire de Mélétios Pègas. Anonyme. Précédé de la lettre-préface.

59. Première description de ce manuscrit dans PAPADOPOULOS-KERAMEUS, « Catalogue des livres manuscrits du Syllogos Philologique grec », dans *Le Syllogos Philologique grec de Constantinople. Commission archéologique. Appendice du tome 20-22* (en grec), Constantinople 1892, p. 125. Description plus exacte par S. SALAVILLE, « Deux manuscrits du *Péri tès én Christô Zôès* », dans *Bulletin de la section historique de l'Académie Roumaine* 14 (1928), p. 73 s. P. MORAUX, *Catalogue des manuscrits grecs (fonds du Syllogos), Bibliothèque de la Société turque d'histoire*, Ankara 1964, qui décrit les manuscrits du Syllogos de Constantinople, disparus lors de la dissolution du Syllogos en 1923, et qu'il a retrouvés dans la bibliothèque de la Société turque d'histoire, signale ce manuscrit comme perdu et ignore la description de Salaville. En réalité, ce manuscrit fait partie de la collection de manuscrits grecs de l'Institut Français d'Études Byzantines et se trouve donc actuellement au siège de cet Institut, 14 rue Séguier à Paris.

— *Canonicianus* 52[60] : XVIIe s. ; papier ; in-4° ; ff. 298.

Copié en 1600 par Maxime le Péloponnésien, à la demande de Mélétios Pègas. La *Vie* (ff. 3-154), anonyme, est précédée de la lettre-préface et suivie d'un court dossier anti-latin.

— *Athos* 4492 = *Iviron* 372[61] : ? ; papier ; in-4° ; ff. II + 238. Pose de nombreux problèmes codicologiques :

. Datation : dans son catalogue, Lampros, au début de sa notice, le date du XVIIIe s. ; mais à la fin, il note la similitude d'écriture avec *Athos* 4372 (*Iviron* 252) et *Athos* 4387 (*Iviron* 267), copiés par Joseph de Sinope au XVIe s. L'écriture, très particularisée (graphie rare du double lambda), exclut des mains différentes. Or cette main présumée unique ne peut être du XVIe s. puisqu'elle copie, aux ff. 64-71v, des passages de Métrophane de Critopoulos (XVIIe s.).

. La *Vie* est morcelée, chaque livre étant séparé des autres par des textes divers. L'analyse des deux *pinax* (ff. 3-7v et 261v) et des différents cahiers qui composent le codex permet de reconstituer les mésaventures du codex :

Première étape : le copiste copie la *Vie* en prenant pour une raison inconnue un nouveau cahier pour chaque livre.

Deuxième étape : il copie en un seul cahier des passages de Métrophane de Critopoulos, et ce cahier se trouve accidentellement intercalé entre les livres III et IV de la *Vie*, l'intercalation ayant eu lieu avant la numérotation des folios.

Troisième étape : les folios restés vierges à la fin des cahiers sont remplis par la suite de courts textes.

D'autres anomalies subsistent, dont la résolution n'a pas à figurer ici.

La fin du texte porte, de la même main : «Fin de la vie du Christ de Nicolas Cabasilas évêque de Méthone» (f. 129v).

Malgré son apparence soignée, la *Vie* comporte un grand nombre de fautes originales, rendant parfois le texte incompréhensible, et montrant que ce copiste ou bien disposait d'un modèle illisible, ou bien ne portait aucune attention au contenu de ce qu'il calligraphiait.

60. H. O. COXE, *Catalogi codicum manuscriptorum Bibliothecae Bodleianae*, t. III : *Codices graecos et latinos canonicianos complectens*, Oxford 1854, p. 59. Cf. SALAVILLE, *art. cit.*

61. S. LAMPROS, *Catalogue of the greek manuscripts on Mount Athos*, t. II, Cambridge 1900, p. 100.

3 - Manuscrits contenant sept livres.

* Famille de B.

a) B = *Monac. Bayer. Suppl. Gr.* 624.

Ce manuscrit n'est pas encore catalogué au moment où ces lignes sont écrites. Nous devons d'en avoir eu connaissance à l'amabilité du Prof. F. Tinnefeld qui nous l'a signalé et qui nous a en outre fourni des renseignements précieux pour la description et la datation du manuscrit; nous tenons à l'en remercier vivement ici. Nous avons pu consulter le microfilm de ce manuscrit à l'IRHT.

xve s.; papier; mm 210 × 140; ff. 361.

Ce manuscrit comporte de nombreux folios vierges (67 pages sur 722). Si l'on excepte deux textes d'une autre écriture, sans rapport avec le reste du manuscrit et sans doute copiés postérieurement pour remplir des folios vides (ff. 312-312^{v} : Théodoret, *Exégèse sur Daniel* = *PG* 81, 1268 B$^{5-8}$ — ff. 359-361^{v} : un texte de Gémiste Pléthon sur les vertus), le codex semble avoir été écrit par deux mains. Étant donné l'absence actuelle d'une description du manuscrit, nous jugeons utile d'indiquer entre parenthèses les folios pour chaque œuvre :

. Première main : Cabasilas : *Vie* (1-88); *Liturgie* (96-150^{v}); petits traités sur la liturgie édités par Bornert dans *SC* 4 *bis* (154-157). Théodore d'Andida, *Prothéôria* (158-170).

. Deuxième main : contre les abus des autorités... (174-195^{v}); contre les usuriers (196-204^{v}); Nativité de Marie (207-217); éloge de saint Nicolas (217-222^{v}); Annonciation (223-228^{v}); Passion (229-238); Ascension (238^{v}-242^{v}); Prière au Christ (243-244); Dormition (247-254^{v}); éloge de saint Dèmètrios (255-277); lettre de Nil à Nicolas (277); adresse à saint Dèmètrios (277^{v}-281^{v}); éloge de saint André le Jeune (281^{v}-288); éloge des trois hiérarques (288^{v}-292); vision d'Ézéchiel (292-295); à Anne de Savoie sur l'usure (295-298); éloge de l'autocrator (298-301^{v}); contre les Pyrrhoniens (305-306); contre ceux qui disent vaine la sagesse profane (306^{v}-308); aux Athéniens sur l'autel de la miséricorde (308-309); à l'augusta Anne Paléologina (Anne de Savoie) (310-311^{v}); Ézéchiel (319-329^{v}); éloge de Théodora (329^{v}-335^{v}); suite de courts poèmes sur des sujets liturgiques (336-341); treize lettres de Nicolas et une de Dèmètrios Kydonès à lui adressée (352^{v}-353).

Il s'agit, on le voit, d'un corpus presque complet des œuvres de Nicolas Cabasilas, que les filigranes permettent de dater entre 1410 et 1420. Notons qu'il nomme Nicolas Chamaétos. Nous verrons plus loin (Établissement du texte) pour quelles raisons nous lui préférons, pour l'établissement du texte, le *Paris Gr.* 1213.

b) Manuscrits dépendant de B.

— *Paris. Gr.* 1248[62] : xve s.; parchemin; mm 235 × 175; ff. 208.

Cabasilas : *Vie* (ff. 1-118^v); Nativité de Marie; Annonciation; Dormition; Passion; Ascension; éloge de saint Nicolas. Après 12 folios vierges : Maxime Planudès : sur la sépulture du Christ (même main).

— *Paris. Gr.* 1283[63] : xve s.; papier; mm 200 × 135; ff. 292. Cabasilas : *Vie* (ff. 1-205) mutilée du début : il manque le premier folio; après trois folios vides : *Liturgie*.

* Famille de P.

a) P = *Paris. Gr.* 1213[64].

xve s.; papier; mm 210 × 145; ff. 428.

C'est, d'après M. Jugie, «un des meilleurs manuscrits de la B.N.»[65]. Sert de base à la plupart des éditions de Cabasilas et de Kydonès, en particulier à l'édition de *Liturgie* (*SC* 4*bis*) et à celle de la correspondance de Kydonès par Loenertz (*Studi e Testi* 131, 1947).

Copié par le moine Joasaph au monastère des Xanthopouloï à Constantinople, il comporte, à quelques exceptions près, les œuvres complètes de Nicolas Cabasilas et une partie de celles de Kydonès. Le nom du copiste est connu par un éloge en vers de Cabasilas qu'il a inséré au f. 153^v; son identité a été controversée : M. Jugie l'identifie au moine à qui Kydonès écrivit sa

62. H. Omont, *Inventaire sommaire des manuscrits grecs de la Bibliothèque Nationale*..., t. I, 1888, p. 276.

63. Idem, p. 286.

64. S. Lampros, «Liste des œuvres de Nicolas Cabasilas et de Dèmètrios Kydonès dans le Paris. Gr. 1213» (en grec), dans *Néos Hellènomnèmôn* 2 (1905), p. 299-323.

65. *Patrologia Orientalis* 19, 1925, p. 457.

lettre 406 (numérotation Loenertz) ; dans son édition des lettres de Kydonès, Loenertz répond que les moines Joasaph étaient nombreux dans les monastères de cette époque. S. Salaville[66] avance qu'il pourrait s'agir de l'ex-empereur Jean VI Cantacuzène, devenu moine sous ce nom ; mais le manuscrit semble trop tardif pour être son œuvre.

Le caractère soigné et exhaustif de ce manuscrit, copié dans un monastère dévoué au cercle d'amis auquel appartenait Cabasilas, en fait néanmoins le principal témoin d'une tradition, postérieure de peu à l'auteur, des œuvres complètes de Cabasilas, dans laquelle la *Vie* se trouve dans sa version définitive en sept livres.

Cabasilas : Nativité de Marie ; saint Nicolas ; Annonciation ; Passion ; Ascension ; Dormition ; deux folios vierges ; éloge de saint Dèmètrios ; (lettre de Nil à Nicolas) ; Ézéchiel ; saint André le Jeune ; Théodora ; 4 folios et demi vierges ; les trois hiérarques ; adresse à saint Dèmètrios ; *Liturgie* ; (poème de Joasaph sur Nicolas) ; Prière à Jésus-Christ ; 1 folio et demi vierges ; *Vie* ; 2 folios et demi vierges ; contre les abus des autorités ; sur les usuriers ; à Anne de Savoie sur l'usure ; aux Athéniens sur l'autel de la miséricorde ; contre les inepties de Grégoras ; contre les Pyrrhoniens ; contre ceux qui disent vaine la sagesse profane ; épitaphes de Nil et du patriarche Isidore ; poèmes ; éloge de Matthieu Cantacuzène ; lettres.

5 folios et demi vierges.

Œuvres de Dèmètrios Kydonès : discours sur le mépris de la mort ; lettre sans adresse (reprise en tête du corpus de lettres : cf. plus bas) ; homélie sur l'Annonciation ; deux discours aux Romains pendant le séjour de Jean V Paléologue à Rome ; deux préfaces au chrysobulle accordé au monastère du Sauveur Pantocrator à Didymotèque ; lettres ; lamentation sur les morts de Thessalonique ; lettres (le manuscrit se termine sur une lettre à Manuel Kalekas dont les liens avec le monastère des Xanthopouloï sont connus : cf. plus bas).

66. S. Salaville, dans *Échos d'Orient* 35 (1936), p. 43. Sur Joasaph et pour une datation plus précise du *Paris.* 1213, voir également Ph. Hoffmann, « Un recueil de fragments provenant de Minoïde Mynas : Le *Paris. Supp. Gr.* 681 », dans *Scriptorium* 41 (1987), fasc. 1, p. 115 s. : la huitième section du *Paris. Supp. Gr.* 681 est, d'après cet auteur, de la main de Joasaph et contemporain du *Paris.* 1213. Ces deux manuscrits peuvent être datés entre 1425 et 1463.

Note sur le Paris. 1213 à partir d'observations de J. Paramelle :

Les cahiers sont signés (de la main du copiste, semble-t-il) au verso du dernier folio de chaque cahier, au milieu de la marge inférieure.

Le folio 1 n'entre pas dans le compte : il forme probablement un bifolio avec le folio I qui porte le *pinax* des œuvres de Cabasilas, suivi d'une note de la main du copiste même : « Il faut savoir que, conjointement à ces discours se trouvent aussi quelques-uns du malheureux (trisathliou) Dèmètrios Kydonès, dont le *pinax* a été établi plus loin à l'endroit approprié ».

b) Manuscrits dépendant de P.

Vind. Théol. Gr. 262[67] : xve s.[68]; papier ; mm 210 × 140 ; ff. 415.

Copie de P : cf. la réfutation de P. Enepekidès[69] par I. I. Ševčenko[70]; celui-ci montre, en s'appuyant sur sa propre collation des deux manuscrits, que plusieurs variantes ne s'expliquent que par la copie de P. par le *Vind.* 262 (qu'il appelle W.). La *Vie* occupe les folios 244-341.

— *Coislin* 315[71] : xviie s. ; papier ; mm 240 × 157 ; ff. ii + 794.

Copié pour le chancelier Séguier par le prêtre Honorat (f. 794^v). Copie de P : ce fait contesté par Guilland sans autre argumentation[72] est cependant affirmé par un grand nombre de voix autorisées[73]. Un examen rapide des variantes confirme cette dépendance directe.

67. De Nessel, *op. cit.*, p. 364-369.

68. C. Van de Vorst et H. Delehaye, *Catalogus codicum hagiographicorum Germaniae, Belgii, Angliae* (*Subsidia hagiographica* XIII), Bruxelles 1913, p. 24.

69. P. Enepekidès, *art. cit.*, p. 21.

70. I. Ševčenko, « Nicolas Cabasilas' Correspondence », dans *Byzantinische Zeitschrift* 47 (1954), p. 53, note 2.

71. R. Devreesse, *Bibliothèque Nationale, Catalogue des manuscrits grecs*, II : *le fonds Coislin*, Paris 1945, p. 302.

72. R. Guilland, « La correspondance inédite de Nicolas Cabasilas », dans *Byzantinische Zeitschrift* 30 (1929-1930), p. 96 : « ... le *Coislin Gr.* 315, du xviie s., qui, tout en offrant le même contenu que le *Paris.* 1213, n'en est pas la copie ».

73. Cf. entre autres K. Krumbacher, *Geschichte der byzantinischen Literatur*, t. I, 1897, p. 159, note 1. M. Jugie, *Homélies mariales*

— *Athos* 747 = *Xenophon* 45[74] : XVIIIe s.; papier; in-8°; ff. 258.

Cabasilas : *Liturgie*; Prière à Jésus-Christ; *Vie* (ff. 65v-175v); Ézéchiel.

Autres : homélies de Grégoire Kérameus de Taormina.

Manuscrit tardif, il se distingue par un grand nombre de fautes. Vraisemblablement copié sur P ou une de ses copies perdues.

B) QUESTIONS ANNEXES

1 - L'anonymat.

Dans plusieurs manuscrits, la *Vie* nous est parvenue anonyme. Cet anonymat est à l'évidence accidentel pour le *Monacensis* 84 (dans lequel le discours suivant porte : « Du même Nicolas ») et le *Taurinensis* 169 B IV 6 qui en dépend. Il est plus surprenant pour le *Vatic. Gr.* 1728 (V) qui entraîne l'anonymat de sa famille, et pour le *Vindob. Th.* 290 qui lui est proche. Pour trouver une explication à cette anomalie, nous devons supposer que leurs copistes ont omis la suscription donnée par leurs modèles (par exemple en supprimant un banal « Du même »), ou qu'ils ont été copiés sur un modèle ayant subi cette mésaventure. Il est exclu que cet anonymat soit intentionnel ou remonte à l'époque de l'auteur : le reste de la tradition manuscrite s'y oppose.

byzantines, Patrologia Orientalis 19, 1926, p. 458, note 1. R. DEVREESSE, *op. cit.*, p. 302. B. LAOURDAS, « Éloge et épigrammes de Nicolas Cabasilas envers saint Dèmètrios » (en grec), dans *Épétèris Étaïriôn Byzantinôn Spoudôn* 22 (1952), p. 97. P. ENEPEKIDÈS, « Der Briefwechsel des mystikers Nikolaos Kabasilas », dans *Byzantinische Zeitschrift* 46 (1953), p. 21, note 3. A. GARZYA, « Due note... II : Postilla cabasiliana », dans *Giornale italiano di filologia* X2 (1957) : *Variorum Reprints* 1974, p. 160-161.

74. S. LAMPROS, *Catalogue of the greek manuscripts on Mount Athos*, t. I, Cambridge 1895, p. 66.

2 - Les scolies.

Un certain nombre de manuscrits comprennent des scolies marginales ou intégrées au texte (C). Ces scolies font la plupart du temps office de sous-titres, et leur ancienneté nous a incitée à les garder, bien qu'ils ne soient sans doute pas de Cabasilas lui-même. Tous les manuscrits ne comportent pas toutes les scolies : nous avons indiqué dans l'apparat critique la provenance de chacune des scolies, que nous avons utilisées comme des sous-titres commodes. Le livre VI est le plus fourni en scolies dans le plus grand nombre de manuscrits. V et ses copies en sont les plus riches fournisseurs.

C) ÉDITIONS ET TRADUCTIONS

— fin du XVIe s. : D'après Lampros (*Néos Hellènomnèmôn* 12, 1915, p. 386-388), Vulcanius (= Bonaventura de Smeet, 1538-1614) traduit en latin « Nicolai Cabasilas Methonensis Episcopi orationes VII de vita in Christo », alors qu'il se trouve encore en Espagne comme bibliothécaire du cardinal de Burgos, c'est-à-dire avant 1578 (date à laquelle il devient kathégète des lettres grecques à la bibliothèque de Leyde). Cette traduction manuscrite a disparu, ayant été donnée pour examen « theologo cuidam ».

— 1604 : J. Pontanus (= Jacob Spanmüller, jésuite de Bruck en Bohème) traduit en latin « Nicolai Cabasilas sacelli curatoris de vita in Christo libri VI ». Cette traduction latine des six premiers livres de la *Vie* (fondée sur *Vindob. Th. Gr.* 210) est publiée en appendice dans *Philippi Solitarii Dioptra*, Ingolstadt 1604, p. 209-306. Elle sera rééditée plusieurs fois :

. en 1618, dans la *Magna Bibliotheca Veterum Patrum* de Cologne ;

. en 1639, dans le supplément latin (de G. Morel) à la *Bibliotheca Patrum* de Paris ;

. en 1677, dans la *Maxima Bibliotheca Veterum Patrum* de Lyon (il s'agit en fait d'une réédition de celle de Cologne).

— 1614 : Isaac Casaubon publie des extraits du texte grec (lu probablement dans un des manuscrits de Paris, peut-être le *Coisl.* 315). Cf. *De rebus sacris et ecclesiasticis exercitationes XVI ad Baronii Annales*, Londres 1614, n° 30, p. 504 s.

— 1619 : Pierre Arcoudios publie des extraits du texte grec, qu'il signale comme encore inédit, dans *De concordia ecclesiae occidentalis et orientalis in septem sacramentorum administratione*, 1re édition Paris 1619.

— 1625 : A Rome, le cardinal Lollino donne une traduction latine (inédite) à partir du *Vatic. Gr.* 1728 que lui a envoyé Mèlètios Pègas.

— 1661 : Extraits grecs avec traduction latine originale par Léon Allatius, *Ioannès Henricus Hottingerus fraudis et imposturae manifestae convictus a Leone Allatio*, Rome 1661.

— 1665 : Autres extraits par L. Allatius dans : *In Roberti Creightoni apparatum ... exercitationum pars prima*, Rome 1665.

— 1848 : A. Jahn édite des extraits grecs dans les *Theologische Studien und Kritiken* 16 (1843), p. 729-746.

— 1848 : Première édition complète du texte grec par W. Gass, *Beiträge zur Kirchlichen Literatur und Dogmengeschichte der griechischen Mittelalters*, II : *Die Mystik des Nikolaus Kabasilas vom Leben in Christo*, Greifswald 1849 ; 2e édition par M. Heinze, Breslau 1899.

Gass fonde cette édition sur trois manuscrits de Vienne (les *Vindob.* 210, 262 et 290), le *Monac.* 84 et le *Coisl.* 315.

— 1885 : La *Patrologia Graeca* de J.-P. Migne reprend l'édition de Gass dans son tome 150, avec en regard la traduction latine de Pontanus, augmentée d'une traduction originale du livre VII.

— 1874 : Une traduction russe est signalée à Moscou. Nous n'avons pu en vérifier la référence. On peut cependant penser que Jean de Cronstadt a eu par elle connaissance du texte.

— 1932 : Traduction française par S. Broussaleux dans la collection *Irenikon*. Réédition en 1960 à Chèvetogne par les soins de dom O. Rousseau.

— 1954 : Traduction en grec moderne par la Fraternité *Zoè* à Athènes.

— 1958 : Traduction allemande par G. Hoch, avec une

introduction de E. von Ivanka : *Sakramentalmystik der Ostkirchliche. Das Buch vom Leben in Christo des Nikolaos Kabasilas*, publié par Volksliturg. Apostolat (apostolat liturgique populaire), Klosterneuburg-München. Rééditions : 1966 ; 1981 dans 'Christliche Meister' 14, Johannes-Verlag, Einsiedeln.

— 1971 : Traduction italienne par U. Neri, *La vita in Christo di Nicolas Cabasilas*, dans 'Classici delle religione' n° 21, section IV : 'La religione cattolica', Turin.

Cette traduction très sûre, qui a parfois recours au *Paris. Gr.* 1213, est accompagnée d'une introduction détaillée et de notes abondantes.

— 1974 : Traduction aglaise par C. I. de Catanzaro, *The life in Christ*, avec une introduction de B. Bobrinskoy, New York, St Vladimir Seminary Press. 2e éd. 1982.

D) PRINCIPES DE L'ÉDITION

1 - Établissement du texte.

Nous avons établi le texte sur les sept prototypes : A, B, C, M, P, V, W. Un simple regard sur l'apparat critique fait apparaître le regroupement des variantes en deux filières : A B C V et M P W. Ces deux groupes se sont distingués très tôt et correspondent peut-être à deux éditions différentes du texte.

Désirant donner le texte d'une de ces deux éditions (le plus proche de l'intention de Cabasilas) et non un composé des deux, nous avons opté, chaque fois que c'était possible, pour la leçon de M P W, et plus particulièrement celle de P. Un mot d'explication s'impose à ce sujet.

M, P et W ont tous trois une raison historique de représenter l'état du texte le plus proche du projet de Cabasilas.

M fut copié à Thessalonique, dans un monastère lié à Nicolas par Dorothée Blatès et Dosithée Karanténos (voir traduction manuscrite). Il contient un dossier cabasilien et des œuvres des amis de Nicolas : Dèmètrios Kydonès et Manuel Paléologue.

W, originaire de Constantinople, contient lui aussi un dossier cabasilien et des textes de D. Kydonès ; de plus, il mentionne le patronyme Chamaétos.

P mérite une étude spéciale que l'on trouvera ci-dessous. Notons déjà qu'il partage avec les deux autres l'abondance des textes cabasiliens et la présence de textes de Kydonès.

Si, malgré la grande similitude des trois manuscrits, nous ne les avons pas regroupés en une seule famille, c'est essentiellement parce que le nombre des livres de la *Vie* et leurs titres indiquent des états différents du texte.

Entre ces trois manuscrits, nous avons presque toujours donné la préférence à P, nous fondant d'une part sur l'excellence des leçons (à part quelques exceptions que nous signalons au passage), et d'autre part sur l'origine du manuscrit (voir paragraphe suivant : P et les Xanthopouloï).

Reste le cas de B. Ce manuscrit, nous l'avons vu, est de haute époque et contient un corpus quasi-complet de Cabasilas, une *Vie* en sept livres et le patronyme Chamaétos : trois points très favorables.

Il appartient cependant à l'autre famille, celle que nous avons reportée dans l'apparat critique. Il en est même le meilleur témoin. Il fallait choisir. La présence de A (manuscrit qui ne comporte que cinq livres) dans ce groupe de manuscrits nous incite à penser que nous avons dans ceux-ci des témoins de la première rédaction de la *Vie*, celle en cinq livres : l'autre groupe (MPW) serait plus proche de la rédaction définitive, malgré la présence des livres V et VII en B.

Nous ne saurions fournir de preuve que le choix que nous avons fait (donner en priorité le texte de P) est le meilleur possible. Nous estimons cependant en avoir de fortes présomptions (d'ordre historique principalement : cf. paragraphe suivant). Ceux qui préféreraient la version de A B C V trouveront dans l'apparat critique les leçons leur permettant de reconstituer la version écartée.

2 - P et les Xanthopouloï.

Le *Paris. Gr.* 1213 fut copié par le moine Joasaph au monastère des Xanthopouloï. Les renseignements que l'on peut rassembler sur ce monastère de Constantinople nous le montrent, à cette époque, très proche du petit monde que fréquentait Nicolas.

L'étude la plus récente, à notre connaissance, sur la communauté des Xanthopouloï est celle de D. Balfour, *Politico-historical works of Symeon archbishop of Thessalonica (1416/17 - 1429)*, «Wiener Byzantinische Studien» XIII, Vienne 1979, p. 279 s. (avec résumé de ses thèses dans son édition des *Œuvres théologiques* de Syméon de Thessalonique, «Analecta Blatadôn», 34, Thessalonique 1981).

D'après Balfour, les Xanthopouloï ne sont désignés comme monastère qu'à partir du milieu du XVe s. Auparavant, il s'agit simplement d'un *kellion* (ermitage). Cet ermitage aurait groupé quelques disciples autour de deux ascètes, Calliste Xanthopoulos et son frère Ignace : ce sont eux les «saints Xanthopouloï» qui auraient donné leur nom à la communauté, transformée en monastère à cause du nombre croissant de ses membres.

Le nom même de «monastère des saints Xanthopouloï» (en particulier le pluriel de ce patronyme) semble corroborer cette hypothèse : la communauté «des saints Xanthopouloï» serait constituée par les disciples groupés autour des deux saints frères, et deviendrait par la suite «monastère des saints Xanthopouloï» (= fondé par les saints Xanthopouloï).

De cette communauté nous connaissons plusieurs membres :

— Joasaph lui-même, qui recueillit sans doute (par Manuel Kalékas ?) les papiers de Dèmètrios Kydonès et qui copia les deux plus riches recueils de lettres de Kydonès[75]. Il a connu personnellement Nicolas, comme le montre son poème déjà cité.

— Calliste et Ignace Xanthopouloï (les deux frères ascètes), auteurs d'une *Centurie* spirituelle éditée dans la Philocalie. Le premier devint, pour quelques mois, patriarche de Constantinople en 1397. Il se distingua par ses prises de position en faveur de Grégoire Palamas.

— Macaire, juif converti et père spirituel de Manuel II Paléologue[76], l'empereur, qui fut ami et correspondant de Nicolas.

— Plus tardivement : Syméon de Thessalonique, qui d'après Balfour aurait mené la vie monastique auprès des frères Xanthopouloï avant de devenir, contre son gré, archevêque de Thessalonique. Ce qui éclaire d'un jour nouveau l'influence patente de Nicolas sur les œuvres liturgiques de Syméon.

— Peut-être Isidore Xanthopoulos, patriarche de Constantinople de 1456 à 1462.

Parmi les familiers du monastère, nous trouvons, outre Nicolas, Dèmètrios Kydonès et Manuel Kalekas : deux Grecs passés à l'Église romaine. Le fait est d'autant plus surprenant que les deux patriarches Calliste II Xanthopoulos et Isidore II Xanthopoulos, ainsi que Syméon de Thessalonique, sont plutôt connus comme adversaires notoires de l'union des Églises.

De ce lieu où se rencontrèrent de pieux laïcs orthodoxes comme Nicolas, des palamites anti-latins comme Calliste et des latinophrones comme Manuel Kalekas, le *Paris. Gr.* 1213 qui réunit les œuvres de Dèmètrios Kydonès et de Nicolas Cabasilas est l'image.

75. Cf. Loenertz, *La correspondance de Manuel Calecas, Studi e Testi* 152, 1950, p. 85.

76. Cf. S. Mercati, *Notizie di Procoro e Demetrio Cidone, Manuele Caleca e Teodoro Meliteniota..., Studi e Testi* 56, 1931, p. 473 s.

77. Cf. Loenertz, *La correspondance de Manuel Calecas*, p. 27 s.; 84-85.

BIBLIOGRAPHIE ET ABRÉVIATIONS

Ne figurent dans cette bibliographie que les ouvrages les plus importants ou les plus fréquemment mentionnés dans l'introduction et les notes, avec leurs abréviations éventuelles. On trouvera dans la traduction italienne de Néri (citée dans le paragraphe ci-dessus intitulé « Éditions et traductions ») une bibliographie plus exhaustive sur Nicolas Cabasilas et la *Vie en Christ*.

A — Auteurs anciens.

Anselme, *Pourquoi Dieu s'est fait homme*, éd. Roques, *SC* 91, Paris 1953 (cité Ans.).

Athanase, *Sur l'Incarnation, SC* 199, éd. Kannengiesser, Paris 1973 (cité Ath. *Inc.*).

Basile de Césarée, *Sur le baptême, PG* 31, 1513-1628 (cité Bas. *Bapt.*).

Cyrille de Jérusalem, *Catéchèses mystagogiques*, éd. Piédagnel, *SC* 126, Paris 1966 (cité Cyr. Jér. *Cat. Myst.*).

Dèmètrios Kydonès, *Correspondance*, éd. Loenertz, *Studi e Testi* 186, Vatican 1956.

Denys l'Aréopagite, *Hiérarchie ecclésiastique, PG* 3, 369-569 (cité Denys, *e.h.*).

Georges Scholarios, *Œuvres*, vol. 1 à 8, éd. Petit, Jugie, Sidéridès, Paris 1928-1936.

Grégoire de Nysse, *Discours catéchétique, PG* 45, 11-105 (cité Grég. Nyss. *or catech.*).

Grégoire Palamas, *Défense des saints hésychastes* (Triades), éd. Meyendorff, «Spicilegium sacrum Lovaniense. Études et Documents» 30 et 31, 2e éd. Louvain 1973.

JEAN CHRYSOSTOME, *Catéchèses baptismales*, éd. Wenger, *SC* 50 *bis*, Paris 1970 (cité CHRYS. *Cat. Bapt.*).

NICOLAS CABASILAS, *Explication de la Divine Liturgie*, éd. Salaville, Bornert, Gouillard, Périchon, *SC* 4 *bis*, Paris 1967 (cité *Liturgie*).

SYMÉON LE NOUVEAU THÉOLOGIEN, *Catéchèses*, éd. Krivochéïne, *SC* 96, 104, 113, Paris 1963, 1964, 1965 (cité SYM. N. T. *Cat.*).

B — Auteurs modernes.

A. A. ANGELOPOULOS, *Nicolas Cabasilas Chamaetos. Sa vie, son œuvre* (en grec), *Analekta Vlatadôn* 5, Thessalonique 1970 (cité Angelopoulos).

B. BOBRINSKOY, «Nicolas Cabasilas et la spiritualité hésychaste», dans *La pensée orthodoxe. Travaux de l'Institut de théologie orthodoxe de Paris*, XII. Série française 1 (1966), p. 21-42.

G.-T. DENNIS, *The letters of Manuel II Palaeologus*, Dumbarton Oaks 1977.

DENZINGER-SCHÖNMESTER, *Enchiridion symbolorum, definitionum et declarationum de rebus fidei et morum*, 43e édition, Fribourg-en-Brisgau - Rome 1947 (cité DENZINGER).

GOAR, *Euchologion sive rituale Graecorum*, 2e édition, Venise 1730, réimpr. Graz 1960 (cité GOAR).

J. GOUILLARD, «L'autoportrait d'un sage du XIVe siècle (Nicolas Cabasilas)» dans *Actes du 14e congrès international d'études byzantines*, t. 2, Bucarest 1971, p. 103 s. Repris dans Variorum Reprints : J. GOUILLARD, *La vie religieuse à Byzance*, Londres 1981 (cité GOUILLARD, «Autoportrait»).

S. P. Lampros, «Liste des œuvres de Nicolas Cabasilas et de Dèmètrios Kydonès contenues dans le Paris. 1213» (en grec), dans *Néos Hellènomnèmôn* 2 (1905), p. 299-323.

R.-J. Loenertz, «Chronologie de Nicolas Cabasilas : 1345-1354», dans *Orientalia Christiana Periodica* 21 (1955), p. 205-231 (cité Loenertz, «Chronologie»).

— *Manuel Calecas. Correspondance, Studi e Testi* 152, Vatican 1950.

Myrrha Lot-Borodine, *Un maître de spiritualité au* XIV*e s. : Nicolas Cabasilas*, Paris 1958 (cité Lot-Borodine, *Un maître*).

S. Mercati, *Notizie di Procoro et Demetrio Cydone, Manuele Caleca e Teodoro Meliteniota, Studi e Testi* 56, Vatican 1931.

J. Meyendorff, *Introduction à l'étude de Grégoire Palamas*, Paris 1959 (cité Meyendorff, *Introduction*).

— *Saint Grégoire Palamas et la mystique orthodoxe*, coll. Maîtres spirituels, Paris 1959.

P. Nellas, «Nicolas Cabasilas», dans *ThEE, Supplément*, t. 12 (1968), col. 830-857 (en grec — cité Nellas, *Encyclopédie*).

S. Salaville, «Le christocentrisme de Nicolas Cabasilas», dans *Échos d'Orient* 35 (1936), p. 129-167 (cité Salaville, «Christocentrisme»).

— «Quelques précisions pour la biographie de Nicolas Cabasilas», dans *Actes du 9e congrès international d'études byzantines* (Thessalonique 1953), t. 3, Athènes 1958, p. 215-228 (cité Salaville, «Précisions»).

— «Vues sotériologiques chez Nicolas Cabasilas», dans *Revue des Études Byzantines* 1 (1943), p. 5-57 (cité Salaville, «Sotériologie»).

I. I. Ševčenko, «Nicolas Cabasilas' Anti-zealot Discourse : a Reinterpretation», dans *Dumbarton Oaks Papers* 11 (1957), p. 81-171 (cité I. Ševčenko, «Anti-zealot»).

A. Spourlakou, «Néilos Kabasilas» dans *ThEE* 9 (1966), col. 337-340 (en grec).

G.-I. Theocharidès, compte-rendu de Angelopoulos, dans *Makédonika* 16 (1976), p. 383-401 (en grec).

— «Sources pour le monastère Vlatadôn», dans *Gregorios Palamas* 42 (1959), p. 9-17 (en grec) — cité Théocharidès, «Sources»).

F. Tinnefeld, *Dèmètrios Kydonès. Briefe* I, 1 et 2, *Bibliothek der Griechischen Literatur* 12 et 16, Stuttgart 1981-1982 (cité Tinnefeld, *D.K.* I, 1 ou I, 2).

W. Völker, *Die Sakramentsmystik des Nikolaus Kabasilas*, Wiesbaden 1977.

SIGLES DES MANUSCRITS

A Angelica 58.
B Monacensis Bayer. Supp. Gr. 624.
C Chisianus 14.
M Vaticanus Gr. 632.
P Parisinus Gr. 1213.
V Vaticanus Gr. 1728.
W Vindobonensis Theol. Gr. 210.

AUTRES SIGLES

EEBS Epetèris Etaïriôn Buzantinôn Spoudôn
REG Revue des Études Grecques
RP Syntagma tôn théiôn kai iérôn kanonôn..., éd. Rhallès-Potlès, Athènes 1852-1859 (t. 1 à 6).
SVF Stoicorum Veterum Fragmenta, éd. H. von Arnim, t. 1 à 4, 1903-1905; 1924.
ThEE Threskeutikè kai Ethikè Egkuklopaidéia, vol. 1 à 12, éd. A. Martinos, Athènes 1962-1968.

AVERTISSEMENT

Sous-titres

Les sous-titres du texte grec correspondent aux scolies marginales des manuscrits. Les manuscrits qui portent la scolie sont indiqués dans l'apparat critique.

La traduction française comporte plusieurs sortes de sous-titres. Ceux qui se trouvent en capitales indiquent les grandes divisions du texte ; ceux qui sont en gras indiquent les subdivisions de ces grandes parties. Ces deux sortes de sous-titres sont le fait de l'éditeur. En revanche, les sous-titres en italique sont la traduction des scolies du texte grec.

Notes

Les notes de la traduction ne sont pas exhaustives et ont pour seul objectif de situer Cabasilas dans la tradition byzantine. Pour une étude plus détaillée des diverses influences qu'il a subies, on peut se reporter aux abondantes notes de la traduction italienne de U. Neri.

Apparat critique

L'apparat critique comporte les variantes avec la mention des seuls mss qui les portent. Les autres mss portent le texte tel qu'il est édité.

Aux mss nous avons ajouté l'édition de Gass. Lorsque la Patrologie grecque de Migne s'écarte du texte de Gass, nous indiquons dans l'apparat la leçon de Migne.

LIVRE 1

(*PG* 150, 493) Τοῦ σοφωτάτου καὶ λογιωτάτου καὶ τοῖς ὅλοις ἁγιωτάτου κυροῦ Νικολάου Καβάσιλα τοῦ καὶ Χαμαετοῦ, περὶ τῆς ἐν Χριστῷ ζωῆς.

Λόγος πρῶτος· ὅτι διὰ τῶν θείων συνίσταται μυστηρίων,
5 τοῦ βαπτίσματος, τοῦ μύρου καὶ τῆς θείας κοινωνίας.

1. Ἡ ἐν Χριστῷ ζωὴ φύεται μὲν ἐν τῷδε τῷ βίῳ καὶ τὰς ἀρχὰς ἐντεῦθεν λαμβάνει· τελειοῦται δὲ ἐπὶ τοῦ μέλλοντος, ἐπειδὰν εἰς ἐκείνην ἀφικώμεθα τὴν ἡμέραν[a]. Καὶ οὔτε ὁ βίος οὗτος τελείως δύναται ταύτην ἐνθεῖναι ταῖς τῶν ἀνθρώπων
5 ψυχαῖς, οὔτε ὁ μέλλων μὴ τὰς ἀρχὰς ἐντεῦθεν λαβών. Ἐπὶ

ABCV MPW Gass Migne

Titre : 1-3 Τοῦ σοφωτάτου — Χαμαετοῦ P : Τοῦ σοφωτάτου καὶ λογιωτάτου κυροῦ Νικολάου Καβάσιλα A Τοῦ μακαριωτάτου καὶ ἐν ἀληθείᾳ σοφωτάτου θείου ἀνδρὸς κύρου Νικολάου Καβάσιλα τοῦ Χαμαέτου B Τοῦ σοφωτάτου κύρου Νικολάου Καβάσιλα CW Τοῦ μακαριωτάτου καὶ ἐν ἀληθείᾳ σοφωτάτου κύρου Νικολάου Καβάσιλα M Νικολάου Καβάσιλα Gass *om.* V || 3 κρυπτομένης ζωῆς A || 4 λόγος πρῶτος *post* κοινωνίας *transp.* V || ἐν τῷ πάροντι βίῳ *post* ὅτι *add.* V || θείων : ἱερῶν B || 5 τοῦ βαπτ. — κοινωνίας *om.* B

1, 1 τῷ *ante* Χριστῷ *add.* ACV || 4 ταύτην : ταῦτα V

1. a. cf. Matth. 26,29 ; Lc 10,12

1. Le terme employé par Cabasilas est celui par lequel on désigne la conception d'un enfant (littéralement : « est coagulé »). Selon

LIVRE I

Du très sage, très savant et parfaitement saint sire Nicolas Cabasilas Chamaétos, sur la vie en Christ.

Livre I : La vie en Christ est conçue[1] par l'intermédiaire des saints mystères du baptême, de la chrismation et de la sainte communion.

QU'EST-CE QUE LA VIE EN CHRIST ?

La vie en Christ germe en cette vie et s'accomplit dans la vie future

1. La vie en Christ germe en cette existence et tire de là ses prémices ; mais elle s'accomplit dans le futur, une fois que nous sommes parvenus à ce jour-là[a]. Cette existence ne peut pas l'introduire dans l'âme des hommes de façon accomplie, non plus que l'existence future si elle n'en tire pas d'ici-bas les prémices. Car dans l'existence présente le

Aristote (dont les œuvres biologiques étaient fort appréciées), la conception provient de la « coagulation » du sang menstruel par la semence masculine (*Génération des Animaux*, II, 3, 737 a : τὸ σπέρμα συνίστησι). Sur le vocabulaire de la conception, cf. P. Demon, « Tréphô », *REG* 91 (1978), p. 358-384. L'image de la vie en Christ assimilée à un embryon dont la naissance coïncide avec la mort terrestre se retrouve plusieurs fois dans ce traité.

μὲν γὰρ τοῦ παρόντος, τὸ σαρκίον ἐπισκοτεῖ, καὶ ἡ ἐκεῖθεν νεφέλη καὶ φθορά, «μὴ δυναμένη τὴν ἀφθαρσίαν κληρονομεῖν[b]»· ὅθεν ὁ Παῦλος τὸ ἀναλῦσαι πρὸς τὸ συνεῖναι Χριστῷ καὶ μάλα ἐνόμισε φέρειν· «ἀναλῦσαι γάρ, φησί, καὶ
10 σὺν Χριστῷ εἶναι, πολλῷ μᾶλλον κρεῖσσον[c].» Ὅ τε μέλλων οὓς ἂν μὴ τὰς δυνάμεις καὶ τὰς αἰσθήσεις ὧν ἂν δέοι πρὸς τὸν βίον ἐκεῖνον ἔχοντας λάβοι, τούτοις οὐδὲν ἔσται πλέον
(496) εἰς εὐδαιμονίαν, | ἀλλὰ νεκροὶ καὶ ἄθλιοι τὸν μακάριον ἐκεῖνον καὶ ἀθάνατον οἰκήσουσι κόσμον. Ὁ δὲ λόγος ὅτι τὸ
15 μὲν φῶς ἀνατέλλει, καὶ ὁ ἥλιος καθαρὰν τὴν ἀκτῖνα παρέχει, ὀφθαλμὸν δὲ οὐκ ἔνι τηνικαῦτα πλασθῆναι· καὶ ἡ μὲν τοῦ Πνεύματος εὐωδία δαψιλῶς ἐκχεῖται καὶ τὰ πάντα κατέχει, ὄσφρησιν δὲ οὐκ ἄν τις λάβοι μὴ ἔχων.

2. Καὶ τῶν μὲν μυστηρίων ἔξεστι κοινωνῆσαι τῷ Υἱῷ τοῦ Θεοῦ τοὺς «φίλους» κατὰ τὴν ἡμέραν ἐκείνην, καὶ «ἃ ἤκουσε παρὰ τοῦ Πατρὸς[a]» ἐκεῖνος παρ' ἐκείνου μαθεῖν αὐτούς, ἀνάγκη δὲ φίλους ὄντας αὐτοῦ καὶ «ὦτα ἔχοντας[b]»
5 ἀφικέσθαι. Οὐ γὰρ ἔστιν ἐνταῦθα φιλίαν συστῆναι καὶ οὖς ἀνοιγῆναι καὶ ἱμάτιον νυμφικὸν κατασκευασθῆναι καὶ τἄλλα ἑτοιμασθῆναι ὧν ἐκείνῳ δεῖ τῷ νυμφῶνι[c], ἀλλὰ τούτων ἁπάντων ἐργαστήριον οὗτος ὁ βίος· καὶ οἷς οὐκ ἐγένετο ταῦτα πρὶν ἀπελθεῖν, κοινὸν οὐδὲν εἰς ἐκείνην ἐστὶ τὴν ζωήν.
10 Καὶ μάρτυρες αἱ πέντε παρθένοι[d] καὶ ὁ εἰς τὸν γάμον κληθείς[e], ἐπεὶ μὴ ἔχοντες ἦλθον, μὴ κτήσασθαι δυνηθέντες μήτε ἔλαιον μήτε ἱμάτιον.

Ὅλως δὲ τὸν ἐντὸς[f] «ἄνθρωπον τὸν καινὸν τὸν κατὰ Θεὸν κτιζόμενον[g]» ὁ κόσμος οὗτος ὠδίνει, καὶ πλασθεὶς ἐνταῦθα

ABCV MPW Gass Migne

1, 7 ἡ *ante* φθορά *add.* V || 14 καὶ ἀθάνατον *om.* A καὶ αἰδίον V || 17 τὰ *om.* V

---

1. b. I Cor. 15,50 || c. Phil. 1,23
2. a. cf. Jn 15,15 || b. cf. Matth. 13,9 || c. cf. Matth. 22,1-14 || d. cf. Matth. 25,1-13 || e. cf. Matth. 22,1-14 || f. cf. Rom. 7,22; Éphés. 3,16 || g. cf. Éphés. 4,24

charnel fait écran, ainsi que la nuée qu'il exhale et la corruption «qui ne peut hériter l'incorruption[b]»; voilà pourquoi Paul estima avec force qu'il supporterait de mourir pour être avec le Christ : «Mourir et être avec le Christ, dit-il, est grandement préférable[c].» Et si ceux que prend la vie future sont dépourvus des facultés et des sens nécessaires à cette existence-là, elle ne pourra rien apporter de plus pour leur bonheur : ils habiteront morts et misérables ce monde bienheureux et immortel. La raison en est que la lumière se lève et le soleil répand son pur rayonnement, mais il n'est pas possible alors qu'un œil soit façonné; le parfum de l'Esprit s'exhale à profusion et envahit tout, mais celui qui n'a pas d'odorat ne peut le percevoir[2].

2. Les «amis» peuvent en ce Jour-là prendre part aux mystères avec le Fils de Dieu, et apprendre de lui «ce qu'il a entendu de son Père[a]»; encore faut-il qu'ils y arrivent en étant ses amis et en «ayant des oreilles[b]». Car là-bas, il n'est plus possible de faire naître une amitié, d'ouvrir une oreille, d'apprêter une robe nuptiale, et de préparer tout ce qui est nécessaire pour cette noce[c] : l'atelier de tout cela c'est notre existence; et ceux qui n'ont pas eu ces qualités avant de partir n'ont rien de commun avec cette vie-là. Témoins, les cinq vierges[d] et l'invité de la noce[e] : ils sont venus sans posséder l'huile ni le vêtement, et sans avoir pu se les procurer[3].

En un mot, l'homme intérieur[f], «l'homme nouveau, créé selon Dieu[g]», ce monde-ci le met au monde dans la

2. Sur le thème des sens spitituels (ici la vue et l'odorat, dans le paragraphe suivant l'ouïe), nous renvoyons au dossier de textes établi par K. Rahner, «Le début d'une doctrine des cinq sens spirituels chez Origène», *Revue d'Ascétique et de Mystique* 50 (1932), p. 113-145.
3. Cf. Sym. N.T., *Cat.* IV (*SC* 96, p. 372).

15 καὶ μορφωθείς, οὕτω τέλειος εἰς τὸν τέλειον ἐκεῖνον καὶ ἀγήρω τίκτεται κόσμον.

3. Καθάπερ γὰρ τὸ ἔμβρυον, ἕως ἐστὶν ἐν τῷ σκοτεινῷ καὶ νηκτῷ βίῳ, πρὸς τὴν ἐν φωτὶ ζωὴν ἡ φύσις παρασκευάζει, καὶ πλάττεται καθάπερ εἰς κανόνα τὸν ὑποδεξόμενον βίον, τὸν ἴσον τρόπον καὶ τοῖς ἁγίοις συμβαίνει· καὶ 5 τοῦτό ἐστιν ὅπερ ὁ ἀπόστολος ἔφη Παῦλος Γαλάταις γράφων· «Τεκνία μου οὓς πάλιν ὠδίνω ἄχρις οὗ μορφωθῇ Χριστὸς ἐν ὑμῖν[a].»

Οὐ μὴν ἀλλὰ τὰ μὲν ἔμβρυα ταυτησὶ τῆς ζωῆς οὐκ ἂν εἰς αἴσθησιν ἔλθοι ποτέ, τοῖς δὲ μακαρίοις πολλαὶ τῶν μελλόν- 10 των ἐπὶ τοῦ παρόντος ἐμφάσεις· τὸ δὲ αἴτιον, ὅτι τοῖς μὲν οὐ πάρεστιν οὗτος ὁ βίος, ἀλλ' ἀκριβῶς ἐστι μέλλων· οὐ γὰρ ἐγένετο ἀκτὶς ἐν τοῖς χωρίοις ἐκείνοις, οὐδὲ τῶν ἄλλων οὐδὲν ἃ τὴν ζωὴν ὑφίστησι ταύτην. Ἐφ' ἡμῶν δὲ οὐκέτι, ἀλλ' ὁ μέλλων ἐκεῖνος τῷ παρόντι τούτῳ καθάπερ ἐνεχέθη καὶ 15 ἀνεμίγη· καὶ ὁ ἥλιος ἐκεῖνος καὶ ἡμῖν ἀνέτειλε φιλανθρώπως, καὶ τὸ ὑπερουράνιον μύρον ἐν τοῖς δυσώδεσι χωρίοις ἐξεκενώθη[b], καὶ «ὁ τῶν ἀγγέλων ἄρτος καὶ τοῖς ἀνθρώποις ἐδόθη[c]».

4. *Ὅτι ἐν τῇ παρούσῃ ζωῇ ζῶσιν οἱ ἅγιοι τὴν ἐν Χριστῷ ζωήν.*

Διὰ ταῦτα τοίνυν, οὐ διατεθῆναι μόνον καὶ παρασκευασθῆναι πρὸς τὴν ζωήν, ἀλλ' ἤδη καὶ ζῆν κατ' ἐκείνην καὶ 5 ἐνεργεῖν ἔξεστι τοῖς ἁγίοις ἐν τῷ παρόντι. «Ἐπιλαβοῦ γάρ,

ABCV MPW Gass Migne

3, 3-4 ὑποδεξάμενον Gass || 10 ἐκφάσεις C || 13 ταύτην ζωὴν C || 15 ἐκείνου ABC
4, 1-2 BV *mg.*

---

3. a. Gal. 4,19 || b. cf. Cant. 1,3 || c. cf. Ps. 77,25

douleur, et une fois façonné et formé ici-bas, ainsi accompli, il est enfanté à ce monde accompli et impérissable.

3. Tant que l'embryon[4] est dans l'existence obscure et aquatique, la nature le prépare pour la vie dans la lumière, et elle le façonne en prenant pour modèle l'existence qui va le recevoir ; il en est de même pour les saints ; c'est ce que dit l'apôtre Paul, écrivant aux Galates : « Mes petits enfants, que je mets au monde à nouveau dans la douleur, jusqu'à ce que le Christ soit formé en vous[a]. »

Toutefois, alors que les embryons ne peuvent jamais parvenir à une perception de cette vie, les bienheureux ont, dès l'existence présente, de nombreux reflets des choses futures. La cause en est que pour les premiers cette existence n'est pas présente, elle est littéralement à venir, car il n'est parvenu dans ces régions utérines ni rayon lumineux ni rien de ce que fonde cette vie. Il n'en est pas de même pour nous ; au contraire, cette existence a été comme répandue et mêlée à la présente, son soleil s'est levé pour nous aussi avec philantropie, le chrême céleste s'est épanché[b] dans les régions fétides et « le pain des anges même aux hommes a été donné[c] ».

La vie en Christ est une vie d'union au Christ

4. *Dans la vie présente les saints vivent la vie en Christ.*

Pour cette raison donc, les saints peuvent dans l'existence présente non seulement se disposer et se préparer à la vie mais déjà vivre et agir en fonction d'elle. « Conquiers la

4. L'image de l'embryon (cf. *supra*, p. 75, n. 1) n'est pas propre à Cabasilas. Pour Maxime le Confesseur, « comparée à la gloire et à la splendeur indicibles du monde futur et à la spécificité de la vie qu'on y trouvera, la vie présente ne diffère en rien d'une matrice environnée de ténèbres » (*Amb.*, *PG* 91, 1068 B). Mais rares sont les écrivains qui ont développé cette image aussi systématiquement que Cabasilas.

φησί, τῆς αἰωνίου ζωῆς[a]», Τιμοθέῳ γράφων ὁ Παῦλος. Καί· «Ζῶ δὲ οὐκέτι ἐγώ, ζῇ δὲ ἐν ἐμοὶ Χριστός[b].» Καὶ ὁ θεῖος Ἰγνάτιος· «Ἔστιν ὕδωρ ζῶν καὶ λαλοῦν ἐν ἐμοί»· καὶ πολλῶν τοιούτων ἡ Γραφὴ γέμει.

5. Παρὰ πάντα δὲ ταῦτα, ὅταν αὐτὴ ἡ ζωὴ συνεῖναι (497) μέχρι παντὸς | ἐπαγγέληται τοῖς ἁγίοις· «Ἰδοὺ γάρ, φησίν, ἐγὼ μεθ' ὑμῶν εἰμι πάσας τὰς ἡμέρας ἕως τῆς συντελείας τοῦ αἰῶνος[a]», τί προσῆκεν ἄλλο λογίζεσθαι; Οὐ γὰρ τὰ 5 σπέρματα τῆς ζωῆς τῇ γῇ παρασχὼν[b] καὶ τὸ πῦρ[c] καὶ τὴν μάχαιραν[d] βαλών, ἀπῆλθεν εὐθὺς τὸ φύσαι καὶ θρέψαι καὶ ἀνάψαι καὶ χρήσασθαι καταλιπὼν τοῖς ἀνθρώποις, ἀλλ' αὐτὸς πάρεστιν ἀληθῶς «ἐνεργῶν ἐν ἡμῖν τὸ θέλειν καὶ τὸ ἐνεργεῖν[e]», ὁ μακάριος ἔφη Παῦλος· καὶ τὸ πῦρ αὐτὸς 10 ἀνάπτει καὶ προσάγει, καὶ τὴν μάχαιραν αὐτός ἐστιν ὁ κατέχων, καὶ ὅλως «οὔτε ἀξίνη δοξασθήσεται ἄνευ τοῦ αἴροντος αὐτήν[f]»· καὶ οἷς οὐ πάρεστιν ὁ ἀγαθός, γένοιτ' ἂν οὐδὲν ἀγαθόν[g].

6. Καίτοι οὐ παρεῖναι τοῖς ἁγίοις ὁ Κύριος ἐπηγγείλατο μόνον, ἀλλὰ καὶ μένειν παρ' αὐτοῖς[a], καί, ὃ τούτου μεῖζον, μονὴν ἐν αὐτοῖς ποιῆσαι[b]. Καὶ τί λέγω, ὅπου γε καὶ ἑνοῦσθαι λέγεται αὐτοῖς οὕτω φιλανθρώπως ὥστε ἓν πνεῦμα 5 μετ' αὐτῶν εἶναι. «Ὁ γὰρ κολλώμενος τῷ Κυρίῳ ἓν πνεῦμά ἐστι[c]», καί· «Ἵνα ἦτε ἓν σῶμα καὶ ἓν πνεῦμα καθὼς ἐγεννήθητε[d]», Παύλου φωνή.

7. Καθάπερ γὰρ ἡ φιλανθρωπία ἄρρητος, καὶ ἡ περὶ τὸ ἡμέτερον γένος ἀγάπη τοῦ Θεοῦ τὸν λόγον τὸν ἀνθρώπινον

ABCV MPW Gass Migne

5, 2 ἐπαγγέλληται Gass ἐπαγγέλλεται C || 12 ὁ μόνος ἀγαθὸς ABCV
6, 3 μονὴν *om.* P || 7 ἐγεννήθητε : ἐκλήθητε Gass
7, 1 η² *om.* C

4. a. I Tim. 6, 12 || b. Gal. 2, 20

vie éternelle[a] », dit Paul en écrivant à Timothée. Et aussi : « Je vis, mais ce n'est plus moi, c'est le Christ qui vit en moi[b]. » Et le divin Ignace : « Il y a une eau vive qui parle en moi[5] » ; et l'Écriture abonde en affirmations de ce genre.

5. Mais à côté de tout cela, quand cette Vie elle-même promet aux saints qu'elle sera toujours avec eux — « Voici, dit-il, que je suis avec vous tous les jours jusqu'à la fin des temps[a] » —, que faut-il chercher d'autre ? Après avoir fourni à la terre les semences de la vie[b] et jeté le feu[c] et le glaive[d], il ne s'est pas aussitôt retiré en laissant aux hommes le soin de faire pousser, de nourrir, d'allumer et de manier ; au contraire, c'est lui qui est réellement présent, « opérant en nous le vouloir et l'agir[e] », comme l'a dit le bienheureux Paul ; le feu, c'est lui qui l'allume et lui qui l'applique ; le glaive, c'est lui qui le tient ; bref, « la hache ne se glorifiera pas sans celui qui la brandit[f] » ; et ceux auprès de qui ne se trouve pas le bon, ne sauraient avoir rien de bon[g].

6. Pourtant le Seigneur n'a pas seulement promis aux saints d'être avec eux, mais encore de demeurer parmi eux[a], et, qui plus est, d'établir en eux sa demeure[b]. Que dis-je ! Selon l'Écriture, il leur est uni avec une telle philanthropie qu'il est avec eux un seul esprit. « Celui qui est lié au Seigneur est un seul esprit avec lui[c] », affirme Paul, et encore : « Afin que vous soyez un seul corps et un seul esprit, comme vous avez été engendrés[d]. »

7. De même en effet que la philanthropie de Dieu est indicible, et que sa charité pour notre race dépasse

5. a. Matth. 28, 20 || b. cf. Matth. 13, 1-23 par. || c. cf. Lc 12, 49 || d. cf. Matth. 10, 34 s. || e. Phil. 2, 13 || f. Is. 10, 15 || g. cf. Mc 10, 18
6. a. cf. Jn 14, 17 || b. cf. Jn 14, 23 || c. I Cor. 6, 17 || d. cf. Éphés. 4, 4

5. IGNACE D'ANTIOCHE, *Ep. ad Rom.*, VII, 2 (*SC* 10, p. 116).

ὑπερβαίνει καὶ τῇ θείᾳ ἀγαθότητι μόνῃ προσῆκεν, αὕτη γάρ ἐστιν «ἡ εἰρήνη τοῦ Θεοῦ ἡ ὑπερέχουσα πάντα νοῦν[a]», τὸν
5 ἴσον τρόπον ἀκόλουθον καὶ τὴν πρὸς τοὺς φιλουμένους ἕνωσιν ὑπὲρ πᾶσαν ἕνωσιν εἶναι ἣν ἄν τις δύναιτο λογίσασθαι, καὶ πρὸς οὐδὲν παράδειγμα φέρειν.

8. Διὰ τοῦτο καὶ πολλῶν ἐδέησε τῇ Γραφῇ παραδειγμάτων, ὥστε δυνηθῆναι τὴν συνάφειαν ἐκείνην μηνῦσαι, ὡς οὐκ ἀρκοῦντος ἑνός. Καὶ νῦν μὲν ἔνοικον καὶ οἰκίαν εἰσάγει[a], νῦν δὲ ἄμπελον καὶ κλῆμα[b]· καὶ νῦν μὲν γάμον[c],
5 νῦν δὲ μέλη καὶ κεφαλήν[d]· ὧν οὐδέν ἐστιν ἴσον ἐκείνῃ· οὐ γαρ ἔστι ἀπὸ τούτων τῆς ἀληθείας ἀκριβῶς ἐφικέσθαι. Μάλιστα μὲν γὰρ ἀνάγκη τῇ φιλίᾳ καὶ τὴν συνάφειαν ἀκόλουθον εἶναι· τί δ' ἂν γένοιτο τῆς θείας ἀγάπης ἴσον;

9. Ἔπειθ' ὅτι καὶ τὰ μάλιστα συνάφειαν καὶ ἑνότητα δεικνύναι δοκοῦντα, ὁ γάμος ἐστὶ καὶ ἡ τῶν μελῶν πρὸς τὴν κεφαλὴν ἁρμονία· ταῦτα δὲ παμπληθὲς εἴσω πίπτει, καὶ πολλοῦ δεῖ τὰ ὄντα δηλῶσαι. Καὶ γὰρ ὁ μὲν γάμος οὐκ ἂν
5 οὕτω συνάψαι, ὡς ἐν ἀλλήλοις εἶναι καὶ ζῆν τοὺς συναπτομένους, ὅπερ ἐπὶ τοῦ Χριστοῦ καὶ τῆς ἐκκλησίας συμβαίνει· ὅθεν ὁ θεῖος ἀπόστολος, εἰπὼν περὶ τοῦ γάμου «Τὸ μυστή-

ABCV MPW Gass Migne

7, 4 η² *om.* C
8, 5 ἐστιν *om.* ABCV
9, 3 ἁρμονίαν C

---

7. a. Phil. 4,7
8. a. cf. Rom. 8,9.11 ; I Cor. 3,16 ; Éphés. 2,20-22 ; II Tim. 1,14 || b. cf. Jn 15,1-8 || c. cf. Jn 3,29 ; II Cor. 11,2 ; Éphés. 5,23-25 || d. cf. Éphés. 1,22 ; 4,15 ; 5,23 ; Col. 1,18 ; 2,19

---

6. Cette affirmation sur l'impossibilité d'atteindre la réalité divine, fût-ce au moyen d'une multitude d'images toutes imparfaites, rappelle le courant apophatique qui irrigue toute la théologie

l'entendement humain et n'est assortie qu'à la bonté divine — car c'est elle, «la paix de Dieu qui surpasse toute intelligence[a]» —, de même, par suite, son union avec ceux qu'il aime dépasse toute union qui se puisse concevoir, et ne souffre aucune comparaison[6].

8. Voilà pourquoi l'Écriture a dû recourir à beaucoup de comparaisons pour pouvoir exprimer cette communion[7], car une seule ne suffisait pas. Tantôt elle invoque l'hôte et la demeure[a], tantôt la vigne et le sarment[b]; tantôt c'est le mariage[c], tantôt les membres et la tête[d] : aucune de ces comparaisons n'est adéquate, car aucune d'elles ne permet d'atteindre exactement la vérité. En effet, la communion dépend nécessairement de l'amitié; or, qu'est-ce qui pourrait égaler la charité divine?

9. Bien plus, les images qui semblent le plus aptes à montrer une communion et une unité sont celles du mariage et de l'ajustement des membres à la tête; or ces images tombent totalement à côté, et sont bien loin d'exprimer la réalité! Le mariage, en effet, ne saurait unir au point que ceux qu'il unit soient et vivent l'un dans l'autre : or c'est cela qui se passe pour le Christ et l'Église, si bien que le divin Apôtre, disant du mariage : «Ce

byzantine. Cependant, lorsque Cabasilas parle de l'inconcevabilité divine, c'est toujours pour qualifier non son essence (comme la théologie apophatique), mais sa philanthropie. Plus qu'à la théologie spéculative, Cabasilas se rattache ici à l'émerveillement contemplatif des hymnes liturgiques. Ainsi faisait déjà Chrys. : cf. *Cat. Bapt.* II, 1; IV, 2; *In Matth., hom.* 5, 2 (*PG* 57, 56 B).

7. Aucun terme français ne paraît apte à rendre exactement le sens de συνάφεια. «Articulation», «jonction» ou «conjonction», «combinaison», «union intime» laissent tous échapper des nuances de ce terme qui, dans la littérature patristique, désigne aussi bien l'union de l'âme et du corps que celle des personnes de la Trinité, du Christ et de l'Église, ou l'union mystique de l'âme avec Dieu (cf. Lampe, *Patristic Greek Lexicon, s.v.*).

ριον τοῦτο μέγα ἐστίν», ἐπήγαγε· «λέγω δὲ εἰς Χριστὸν καὶ τὴν ἐκκλησίαν[a]»· δεικνὺς οὐ τοῦτον ἀλλ' ἐκεῖνον τὸν γάμον
10 διὰ θαύματος ἄγων. Τὰ δὲ μέλη συνῆπται μὲν τῇ κεφαλῇ καὶ ζῇ τῷ συνῆφθαι καὶ διαιρεθέντα ἀποθνήσκει· φαίνεται δὲ καὶ ταῦτα τῷ Χριστῷ συνημμένα μᾶλλον ἢ τῇ ἑαυτῶν κεφαλῇ, καὶ τούτῳ ζῶντα μᾶλλον ἢ τῇ πρὸς αὐτὴν ἁρμονίᾳ.

10. Καὶ τοῦτο δῆλον ἀπὸ μακαρίων μαρτύρων, οἳ τὸ μὲν ὑπέμειναν ἡδέως, τὸ δὲ οὐδὲ ἀκοῦσαι ἠνέσχοντο, καὶ τὴν μὲν
(500) κεφαλὴν | ἀπέθεντο τὰ μέλη σὺν ἡδονῇ, τοῦ Χριστοῦ δὲ οὐδὲ μέχρι φωνῆς ἐδυνήθησαν ἀποστῆναι.
5 Καὶ οὔπω λέγω τὸ καινότατον. Τί γὰρ ἂν ἄλλο συνάπτοιτο μᾶλλον ἢ αὐτὸ ἑαυτῷ; Ἀλλὰ καὶ αὕτη ἡ ἑνότης τῆς συναφείας ἐκείνης ἔλαττον ἔχει.

11. *Ὅτι τῷ Χριστῷ σύνεισιν οἱ ἅγιοι μᾶλλον ἢ ἑαυτοῖς.*

Τῶν γὰρ πνευμάτων τῶν μακαρίων ἕκαστον, ἔστι μὲν ἓν καὶ ταὐτὸ ἑαυτῷ, συνῆπται δὲ τῷ Σωτῆρι μᾶλλον ἢ ἑαυτῷ· φιλεῖ γὰρ ἐκεῖνον μᾶλλον ἢ ἑαυτό· καὶ μαρτυρήσει τῷ λόγῳ
5 Παῦλος, εὐχόμενος «ἀνάθεμα εἶναι ἀπὸ Χριστοῦ» ὑπὲρ τῆς σωτηρίας τῶν Ἰουδαίων, ἵνα ἐκείνῳ προσθήκη γένηται δόξης[a]. Εἰ δὲ τὸ τῶν ἀνθρώπων φίλτρον τοσοῦτον, τὸ θεῖον

ABCV MPW Gass Migne

9, 9 τὴν P Gass : εἰς τὴν *cett.* || 11 τῷ : τὸ W
10, 2 Τὸ δὲ — ἡδονῇ *om.* MPW || 5 οὔπω : οὕτω Gass || ἄλλο : ἄλλῳ Gass
11, 1 ABV *mg.* || 3 ταυτὸν ABVMW || 4 ἐκεῖνον : τὸν Σωτῆρα V Gass || 6 σωτηρίας : σοφίας Gass || γένοιτο ABCV

9. a. Éphés. 5,32
11. a. Rom. 9,3

8. Malgré notre préférence habituelle pour la leçon de P, nous donnons ici celle de ACV : la proposition omise par MPW peut seule rendre la phrase compréhensible, et son absence chez P peut s'expliquer par un saut du même au même.

mystère est grand», ajouta : «je veux parler du Christ et de l'Église[a]», montrant ainsi que c'est ce dernier mariage, et non l'autre, qu'il juge admirable. Quant aux membres, ils sont unis à la tête, ils vivent par cette communion et s'ils en sont séparés, ils meurent. Mais les membres dont nous parlons sont à l'évidence unis au Christ plus qu'à leur propre tête ; ils vivent par lui plus que par leur ajustement avec elle.

10. C'est évident si l'on songe aux bienheureux martyrs, qui de deux choses ont joyeusement supporté l'une, et n'ont pas même voulu entendre parler de l'autre : leurs membres ont avec joie abandonné leur tête, mais ils n'ont pu se séparer du Christ, fût-ce en paroles[8].

Et je ne dis pas encore le plus extraordinaire : en effet, quelle communion peut être plus étroite que celle de soi-même avec soi-même ? Eh bien ! même cette unité-là est inférieure à la communion au Christ.

11. *Les saints sont avec le Christ plus qu'avec eux-mêmes.*

Chacun des esprits bienheureux[9] est bien un et le même par rapport à lui-même, mais il est uni au Sauveur plus qu'à lui-même, car il l'aime plus que lui-même. Paul en témoignera en souhaitant «être séparé du Christ» pour le salut des juifs, afin que le Christ en retire un accroissement de gloire[a]. Si la tendresse[10] des hommes est si grande, celle

9. Nous n'avons pas trouvé d'équivalent dans la Tradition à cette façon de désigner les saints. Il ne peut s'agir d'anges, puisque l'exemple donné est celui de Paul.

10. Le mot φίλτρον revient souvent dans ce traité. Son sens premier est celui de notre français «philtre» : un breuvage destiné à faire naître la passion. Le mot n'est pas rare dans la littérature spirituelle byzantine. Trouver un équivalent français n'est pas facile : sans perdre la notion de charme envoûtant du premier sens, il fallait rendre la note de familiarité affectueuse du verbe φιλεῖν dans le N.T. (c'est par exemple le mot employé pour désigner «le disciple que Jésus aimait»). C'est pourquoi le mot «tendresse» nous semble le moins inapte à le traduire.

οὐδ' ἔστι λογίσασθαι. Εἰ γὰρ οἱ πονηροὶ[b] τοσαύτην ἐπεδείξαντο τὴν εὐγνωμοσύνην, τί χρὴ περὶ τῆς ἀγαθότητος
10 ἐκείνης εἰπεῖν; Οὕτω δὲ ὑπερφυοῦς ὄντος τοῦ ἔρωτος, ἀνάγκη καὶ τὴν συνάφειαν πρὸς ἣν συνήλασε τοὺς ἐρῶντας, τὴν διάνοιαν τὴν ἀνθρωπίνην κάτω τιθέναι, ὥστε μηδὲ πρὸς παράδειγμα ἀνενεχθῆναι δυνατὴν εἶναι. Σκοπῶμεν δὲ καὶ τόνδε τὸν τρόπον.

12. Πολλῶν ὄντων οἷς συνεῖναι κατὰ τὸν βίον ἀνάγκη, ἀέρος, φωτός, τροφῆς, ἱματίων, αὐτῶν τῶν ἐν τῇ φύσει δυνάμεων καὶ μελῶν, οὐδενὶ τῶν πάντων ἑκάστοτε καὶ πρὸς ἅπαντα κεχρῆσθαι καὶ συνεῖναι συμβαίνει· ἀλλὰ νῦν μὲν
5 τούτῳ, νῦν δ' ἐκείνῳ, πρὸς τὴν ἀεὶ παροῦσαν χρείαν, ἄλλοτε ἄλλου βοηθοῦντος. Τὸ γὰρ ἱμάτιον ἐνδυόμεθα μέν, τροφὴ δὲ οὐκ ἂν εἴη, ἀλλὰ τραπέζης δεηθεῖσιν ἄλλο τι ζητεῖν ἀνάγκη· καὶ τὸ μὲν φῶς οὐ δίδωσιν ἀναπνεῦσαι, ὁ δὲ ἀὴρ οὐκ ἂν γένοιτο ἡμῖν ἀντὶ τῆς ἀκτῖνος. Καὶ τῶν αἰσθήσεων δὲ ταῖς
10 ἐνεργείαις καὶ τῶν μελῶν οὐκ ἀεὶ πάρεσμεν οὐδὲ χρώμεθα, ἀλλὰ καὶ ὀφθαλμὸς ἐνίοτε καὶ χεὶρ ἀργός ἐστιν ἀκοῦσαι δεῆσαν· καὶ ἅψασθαι μὲν βουλομένοις ἡ χεὶρ ἀρκέσει, ὀσφρανθῆναι δὲ ἢ ἀκοῦσαι ἢ ἰδεῖν οὐκ ἂν ἔτι, ἀλλὰ ταύτην ἀφέντες εἰς ἄλλην ὁρῶμεν δύναμιν.

13. Ὁ δὲ Σωτὴρ τοῖς ἐν αὐτῷ ζῶσιν οὕτως ἀεὶ καὶ κατὰ πάντα σύνεστι τρόπον, ὥστε πᾶσαν χρείαν παρέχει, καὶ πάντα αὐτοῖς ἐστι, καὶ οὐκ ἐᾷ πρὸς ἄλλό τι τῶν πάντων ἰδεῖν οὐδὲ ζητεῖν ἑτέρωθεν οὐδέν· οὐ γάρ ἐστιν οὗ δεηθεῖσιν,
5 ὅπερ οὐκ αὐτός ἐστι τοῖς ἁγίοις. Καὶ γεννᾷ[a] γάρ, καὶ

ABCV MPW Gass Migne

11, 12 ἀνθρωπίνην P ἀνθρωπείαν *cett.*

12, 4 καὶ *post* συνεῖναι *add.* C || 10 μελῶν : μελλῶν C || 11 ὁ ὀφθαλμός Gass

13, 1 καὶ *om.* P

de Dieu est impossible à concevoir. Car si les méchants[b] ont montré une si grande noblesse, que dire de cette bonté ? Quand l'amour est à ce point extraordinaire, il faut nécessairement que la communion vers laquelle il pousse ceux qui aiment laisse si bas l'entendement humain qu'il ne puisse pas même trouver une comparaison. Mais voyons encore de la façon suivante.

12. Nombreuses sont les choses qui nous sont indispensables pour vivre : l'air, la lumière, la nourriture, les vêtements, et jusqu'aux facultés et aux membres que nous tenons de la nature ; il n'en est cependant aucune que nous utilisions ou dont nous ayons besoin à chaque instant et dans tous les cas. Au contraire, nous nous servons tantôt de l'une, tantôt de l'autre, chacune contribuant à son tour à un usage continu. Le vêtement, nous nous en couvrons certes, mais il ne saurait être une nourriture, et ceux qui ont besoin d'une table doivent chercher autre chose. La lumière ne nous donne pas de respirer, et l'air ne saurait pour nous remplacer les rayons du soleil. Nous ne recourons pas continuellement aux opérations de nos sens et de nos membres ; quand on a besoin d'écouter, l'œil et la main restent inactifs ; pour ceux qui voudront toucher, la main suffira, mais elle ne suffirait plus pour ceux qui voudraient sentir, entendre ou voir : alors nous la quittons pour regarder vers une autre faculté.

13. Le Sauveur, au contraire, est présent à ceux qui vivent en lui, toujours et de toutes les façons, au point de répondre à tous leurs besoins, d'être tout pour eux et de ne pas les laisser regarder quoi que ce soit d'autre, ni rien chercher ailleurs. Car il n'est rien dont les saints puissent avoir besoin, que lui-même ne soit pour eux. Il les enfante[a]

11. b. Matth. 7,11
13. a. cf. Jn 1,13 ; I Jn 2,29 ; 3,9 ; 4,7 ; 5,4.18 ; Jac. 1,18

αὔξει[b], καὶ τρέφει, καὶ φῶς[c] ἐστι καὶ πνοή. Καὶ πλάττει μὲν αὐτοῖς ὀφθαλμόν[d], ἑαυτῷ· φωτίζει[e] δὲ ἑαυτῷ πάλιν· παρέχει δὲ ὁρᾷν[f] ἑαυτόν. Καὶ τροφεὺς ὤν, καὶ τροφή ἐστι· καὶ αὐτὸς μέν ἐστι ὁ παρέχων «τὸν ἄρτον τῆς ζωῆς[g]»,
10 αὐτὸς δέ ἐστιν ὃ παρέχει. Καὶ ζωὴ μέν ἐστι ζῶσιν[h], ἀναπνέουσι δὲ μύρον, ἱμάτιον[i] δὲ ἐνδύσασθαι βουλομένοις. Καὶ μὴν αὐτὸς μέν ἐστιν ᾧ δυνάμεθα βαδίζειν, αὐτὸς δέ ἐστιν ἡ ὁδός[j], καὶ πρός γε ἔτι τὸ κατάλυμα τῆς ὁδοῦ καὶ τὸ πέρας. Μέλη ἐσμέν, ἐκεῖνος κεφαλή. Ἀγωνίζεσθαι δέον,
15 συναγωνίζεται· εὐδοκιμοῦσιν, ἀγωνοθέτης ἐστι· νικῶμεν, στέφανος ἐκεῖνος εὐθύς.

14. Οὕτω πανταχόθεν πρὸς ἑαυτὸν ἐπιστρέφει, καὶ οὐκ
(501) ἐᾷ προσχεῖν | τὸν νοῦν οὐδενὶ τῶν ἄλλων, οὐδὲ λαβεῖν ἔρωτα τῶν ὄντων οὐδενός· κἂν γὰρ ὧδε κινήσωμεν τὴν ἐπιθυμίαν, αὐτὸς ἵστησι καὶ ἀναπαύει· κἂν ἐκεῖσε, πάλιν
5 αὐτός· κἂν ἑτέρωσε, καὶ ταύτην κατέχει τὴν ὁδόν, καὶ παριόντας χειροῦται. «Ἐὰν ἀναβῶ εἰς τὸν οὐρανόν, σὺ ἐκεῖ εἶ, φησίν· ἐὰν καταβῶ εἰς τὸν ᾅδην, πάρει· ἐὰν ἀναλάβω τὰς πτέρυγάς μου κατ' ὄρθρον καὶ κατασκηνώσω εἰς τὰ ἔσχατα τῆς θαλάσσης, καὶ γὰρ ἐκεῖ ἡ χεῖρ σου ὁδηγήσει
10 με καὶ καθέξει με ἡ δεξιά σου[a]»· ἀνάγκῃ τινὶ θαυμαστῇ καὶ φιλανθρώπῳ τυραννίδι, πρὸς ἑαυτὸν μόνον ἕλκων καὶ

ABCV MPW Gass Migne

13, 7 ἑαυτῷ P[ac] || ἑαυτόν V

14, 1 πανταχοῦ V || πρὸς : εἰς A || 3 γὰρ *om.* A || 5 κατέχει : ἀντέχει AB[ac]

---

13. b. cf. I Cor. 3,6; Col. 2,19 || c. cf. Matth. 4,13; Lc 2,32; Jn 1,4s.; 3,19; 8,12; 9,5; 12,35s.; I Jn 2,8 || d. cf. Ps. 93,9 || e. cf. Jn 1,9; II Tim. 1,10 || f. cf. Matth. 24,30; 26,64; Jn 14,19; 16,16s. || g. Jn 6,35.48.51 || h. cf. Jn 11,25; 14,6 || i. cf. Rom. 13,14; Gal. 3,27; Col. 3,10; Éphés. 4,24 || j. cf. Jn 14,6

14. a. Ps. 138,8-10

et les fait croître[b], il les nourrit, il est leur lumière[c] et leur souffle. Il façonne pour lui-même leur œil[d], il les illumine[e] pour lui-même en retour, et c'est lui-même qu'il leur donne de voir[f]. Nourricier, il est aussi nourriture ; il est celui qui donne «le pain de la vie[g]», et il est lui-même ce qu'il donne. Il est vie pour ceux qui vivent[h], chrême (parfumé) pour ceux qui respirent, vêtement[i] pour ceux qui veulent se couvrir. Et certes, par lui nous avons la faculté de marcher, c'est lui qui est la route[j], et c'est lui encore le gîte d'étape et le terme. Nous sommes les membres, il est la tête. S'il faut combattre, il combat avec nous ; pour qui se distingue, il est l'arbitre des jeux ; sommes-nous vainqueurs, sur-le-champ il est notre couronne[11].

14. Ainsi, de toutes parts il nous tourne vers lui, et ne nous laisse porter notre esprit vers aucun autre objet, ni nous éprendre d'aucun autre être. En effet, si notre désir s'émeut vers ceci, il le fixe et l'apaise ; vers cela, il y est ; vers tel autre objet, il occupe encore cette route et capture ceux qui l'empruntent. «Si j'escalade le ciel, toi tu es là, dit l'Écriture ; si je descends aux enfers, te voici ; si je prends mes ailes dès l'aurore et que j'aille habiter aux confins de la mer, là encore ta main me conduira et ta droite me saisira[a]» : par une contrainte admirable et une tyrannie pleine d'amour, vers lui seul il attire, à lui seul il unit[12].

11. La compétition sportive (parfois confondue avec le combat militaire) est un thème classique de la littérature spirituelle depuis saint Paul. Il s'est peu à peu enrichi au gré de la rhétorique grecque qui aime filer les métaphores. Le Christ est ainsi arbitre chez Clém. Al. (*Protr.* X, 96,3 ; *Quis div. salv.* 3,5-6 ; *Str.* VII, 20,3-4), arbitre et couronne chez Grég. Nys. (*béat.* 8, *PG* 44,1301 A), arbitre et président des jeux chez Chrys. (*Cat. Bapt.* III, 8 et 9), arbitre, organisateur des jeux et compagnon de lutte chez Denys (*e.h.* II, 3,6). C'est tout cet héritage que Cabasilas reprend à son compte.

12. Cf. Sym. N.T., *Cat.* II (*SC* 96, p. 244).

ἑαυτῷ μόνῳ συνάπτων· καὶ ταύτην εἶναι οἶμαι τὴν ἀνάγκην ᾗ συνήλασε πρὸς τὴν οἰκίαν καὶ τὴν εὐωχίαν οὓς ἐκάλει, τῷ δούλῳ λέγων. «Ἀνάγκασον εἰσελθεῖν, ὅπως γεμισθῇ ὁ
15 οἶκός μου[b].»

15. Εἶεν. Ὅτι μὲν οὖν ἡ ἐν τῷ Χριστῷ ζωὴ οὐκ ἐπὶ τοῦ μέλλοντος μόνον, ἀλλ' ἤδη καὶ ἐπὶ τοῦ παρόντος πάρεστι τοῖς ἁγίοις καὶ ζῶσι κατ' ἐκείνην καὶ ἐνεργοῦσι, φανερὸν ἐκ τῶν εἰρημένων. Ὅθεν δέ ἐστιν οὕτω ζῆσαι καί, ὅ φησι
5 Παῦλος, «ἐν καινότητι ζωῆς περιπατῆσαι[a]», λέγω δὴ τί ποιοῦσιν ὁ Χριστὸς οὕτω συνάπτεται καὶ προσφύεται, καὶ οὐκ οἶδ' ὅτι καὶ χρὴ καλεῖν, ἑξῆς ἂν εἴη ῥητέον.

16. *Τίνα τρόπον ἡ ἐν Χριστῷ ζωὴ συνίσταται ἐν ἡμῖν· ὅτι ἀπὸ τῆς μυήσεως τῶν ἱερῶν μυστηρίων τοῦ βαπτίσματος, τοῦ μύρου καὶ τῆς εὐχαριστίας.*

Ἔστι τοίνυν τὸ μὲν θεόθεν, τὸ δὲ τῆς ἡμετέρας σπουδῆς·
5 καὶ τὸ μὲν ἐκείνου καθαρῶς ἔργον, τὸ δὲ καὶ ἡμῖν ἔχει φιλοτιμίαν· μᾶλλον δὲ τοσοῦτον παρ' ἡμῶν εἰσφέρεται μόνον, ὅσον ὑπομεῖναι τὴν χάριν καὶ μὴ προδοῦναι τὸν θησαυρόν[a], μηδὲ σβέσαι τὴν λαμπάδα ἡμμένην ἤδη[b]· λέγω δὴ μηδὲν ἐπεισαγαγόντας ἐναντίον τῇ ζωῇ καὶ ἃ τὸν θάνατον
10 τίκτει. Πρὸς τοῦτο γὰρ πᾶν ἀνθρώπειον ἀγαθὸν καὶ πᾶσα

ABCV MPW Gass Migne

14, 13 συνέκαλει ABCVW || 14 ὅπως : ἵνα C
16, 1-3 ABV *mg.*

---

14. b. Lc 14,23
15. a. Rom. 6,4
16. a. cf. Matth. 13,44 || b. cf. Matth. 25,8

---

13. Cabasilas aborde pour la première fois le thème autour duquel se structure l'ensemble du traité : à l'action de Dieu (1. II à IV) doit répondre celle de l'homme (1. VI et VII). Cabasilas emploie pour

Telle est, je pense, la contrainte dont il usa pour pousser ceux qu'il appelait vers sa demeure et son banquet, quand il disait à son serviteur : «Contrains-les d'entrer, afin que ma demeure soit remplie[b].»

15. Bref, ce qui précède montre à l'évidence que la vie dans le Christ, non seulement dans le futur mais déjà dans le présent, accompagne les saints qui vivent et agissent en fonction d'elle. Maintenant, comment il est possible de vivre ainsi et, comme le dit Paul, «de marcher dans une nouveauté de vie[a]» — autrement dit : que font ceux auxquels le Christ s'unit de la sorte, se greffe, ou je ne sais trop comment devoir l'appeler encore —, voilà ce dont il me faut parler à présent.

COMMENT ACQUÉRIR LA VIE EN CHRIST ?

Les mystères nous introduisent dans la vie en Christ

16. *De quelle façon la vie en Christ est conçue en nous : à partir de l'initiation aux saints mystères du baptême, de la chrismation et de l'Eucharistie.*

Il y a donc d'un côté ce qui vient de Dieu, de l'autre ce qui vient de notre ferveur personnelle[13] ; le premier est l'œuvre propre de Dieu, l'autre réclame aussi notre générosité ; ou plutôt, ce que nous avons à apporter pour notre part, ce n'est rien d'autre que d'accueillir la grâce, de ne pas livrer le trésor[a], de ne pas éteindre la lampe déjà allumée[b], autrement dit de n'introduire en nous rien qui soit contraire à la vie, ni rien qui engendre la mort. Voici

désigner cette réponse le terme σπουδή ; le traduire par «effort» ou «zèle» rendrait difficile l'harmonisation souhaitable avec l'adjectif σπουδαῖοι ; le choix de «ferveur / fervents» garde la notion de zèle en y ajoutant une nuance affective qui reste fidèle à l'esprit de Cabasilas.

ἀρετὴ φέρει, μὴ καθ' ἑαυτοῦ τινὰ τὸ ξίφος ὠθῆσαι, μηδὲ φυγεῖν τὴν εὐδαιμονίαν, καὶ τῆς κεφαλῆς ἀποσείσασθαι τοὺς στεφάνους.

17. Ὡς τήν γε οὐσίαν αὐτὴν τὴν ζωήν, αὐτὸς παρὼν ὁ Χριστὸς ἄρρητόν τινα τρόπον φυτεύει ταῖς ἡμετέραις ψυχαῖς· πάρεστι γὰρ ἀληθῶς καὶ βοηθεῖ ταῖς ἀρχαῖς τῆς ζωῆς αἷς αὐτὸς ἐπιδημήσας παρέσχε· πάρεστι δέ, οὐχ 5 ὥσπερ τὸ πρῶτον, διαίτης καὶ συλλόγων καὶ διατριβῶν ἡμῖν κοινωνῶν, ἀλλ' ἕτερον ἀμείνω καὶ τελεώτερον τρόπον, καθ' ὃν σύσσωμοι[a] αὐτῷ γινόμεθα καὶ σύζωοι[b] καὶ μέλη καὶ εἴ τι πρὸς τοῦτο φέρει· καθάπερ γὰρ ἡ φιλανθρωπία ἄφατος, ὅθεν προήχθη τοὺς ἐχθίστους οὕτω φιλήσας, οὕτω 10 μεγίστων ἀξιῶσαι χαρίτων, καὶ ἡ συνάφεια καθ' ἣν συνέστη τοῖς φιλουμένοις πᾶσαν εἰκόνα καὶ πᾶσαν ἐπωνυμίαν νικᾷ, οὕτω καὶ ὁ τρόπος καθ' ὃν σύνεστι καὶ εὖ ποιεῖ, θαυμαστὸς καὶ τῷ «θαυμαστὰ ποιοῦντι[c]» μόνῳ προσήκων.

18. *Ὡς ἐν συντόμῳ τίς ἡ δύναμις τῶν θείων μυστηρίων.*

Τὸν γὰρ θάνατον ὃν ἀληθῶς ὑπὲρ τῆς ἡμετέρας ζωῆς ἀπέθανε, συμβόλοις τισὶ καθάπερ ἐν γραφῇ μιμουμένους, πράγμασιν αὐτοῖς ἀνακαινίζει[a] καὶ ἀναπλάττει καὶ τῆς 5 ἑαυτοῦ κοινωνοὺς ποιεῖται ζωῆς.

ABCV MPW Gass Migne

17, 5 καὶ κοινωνῶν Gass ‖ 6 ἀμείνω : ἐκείνῳ Gass ‖ 9 ἄφατος : ἄρρητος ABCV ‖ ἐχθίστους : αἰσχίστους Gass ‖ 10 καθ'ἓν W ‖ συνέστη P : σύνεστι *cett.*
18, 1 MP *mg.* ‖ 2 αὐτὸς *post* ὃν *add.* ABCVMW

17. a. cf. Éphés. 3, 6 ‖ b. cf. Rom. 6, 8 ; 2 Cor. 7, 3 ; II Tim. 2, 11 ‖ c. cf. Jug. 13, 19 ; Ps. 71, 18 ; 97, 1
18. a. cf. Tite 3, 5

14. Le rôle de l'homme consiste essentiellement à conserver le don reçu de Dieu. Cabasilas se situe dans la droite ligne de Chrys. dont il reprend certaines images : « Moi j'ai allumé la lumière, dit le Seigneur ;

en quoi consistent pour l'homme tout bien et toute vertu : ne pas diriger le glaive contre soi-même, ne pas fuir le bonheur, ne pas faire tomber de sa tête les couronnes[14].

17. De son côté, le Christ présent sème lui-même de manière ineffable la vie en nos âmes comme notre fonds[15], car il est présent en vérité et assiste les prémices de la vie, que lui-même nous a fournies en séjournant parmi nous ; cependant, il est présent non pas comme la première fois, en partageant notre genre de vie, nos entretiens et nos occupations, mais d'une autre façon, meilleure et plus parfaite, qui fait que nous devenons avec lui un seul corps[a], une seule vie[b], ses membres, son corps et tout ce qui s'ensuit. De même en effet qu'est indicible la philanthropie qui le poussa à tant aimer ses pires ennemis et à les juger dignes de si grandes grâces, de même que la communion par laquelle il s'attache à ceux qu'il aime défie toute image et toute appellation, de même aussi la façon dont il est présent et comble de biens, est merveilleuse et ne convient qu'à celui qui «fait des merveilles[c].»

18. *Bref aperçu sur la vertu des saints mystères.*

Ceux qui par des symboles reproduisent, comme en peinture[16], la mort qu'il a véritablement subie pour notre vie, par la réalité même il les renouvelle[a], les remodèle et leur fait partager sa propre vie.

mais demeurer allumé, c'est du ressort de ta ferveur» : *In Matth.*, *hom.* XV, 7 (*PG* 57,233 A) ; cf. *In Rom.*, *hom.* XIII, 6 (*PG* 60,515).

15. La phrase est difficile à construire ; traduire οὐσίαν αὐτὴν τὴν ζωὴν par «l'essence de la vie» malmènerait la syntaxe : c'est la vie qui est notre *ousia*, qu'il faut ici comprendre comme «fonds» aux sens propre et figuré de «bien foncier», comme en *Lc* 15, 12-13. La vie que le Christ sème en nous devient notre substance propre.

16. Dans le rite de la triple immersion, le baptême reproduit la mort réelle du Christ ; la liturgie comme symbole et représentation de la réalité est un thème classique des explications mystagogiques ; Cabasilas le développe dans *Liturgie*, I, 7 et IV, 3. Cyr. Jér. interprète pareillement les rites du baptême dans *Cat. myst.* II, 5.

Ἐπὶ γὰρ τῶν μυστηρίων τῶν ἱερῶν τὴν ταφὴν αὐτοῦ γράφοντες[b] καὶ τὸν θάνατον αὐτοῦ καταγγέλλοντες[c], δι' αὐτῶν γεννώμεθα καὶ πλαττόμεθα καὶ ὑπερφυῶς συναπτό-
(504) μεθα τῷ Σωτῆρι. Ταῦτα γάρ ἐστι δι' | ὧν «ἐν αὐτῷ ζῶμεν,
10 ᾗ φησι Παῦλος, καὶ κινούμεθα καί ἐσμεν[d]».

19. Ἐπεὶ τὸ μὲν βάπτισμα τὸ εἶναι δίδωσι καὶ ὅλως ὑποστῆναι κατὰ Χριστόν· τοῦτο γὰρ νεκροὺς καὶ διεφθαρμένους παραλαβόν, εἰς τὴν ζωὴν πρῶτον εἰσάγει. Ἡ δὲ τοῦ μύρου χρίσις τελειοῖ τὸν γεγεννημένον, τῇ τοιᾷδε ζωῇ
5 προσήκουσαν ἐνέργειαν ἐντιθεῖσα. Ἡ δὲ θεία εὐχαριστία τὴν ζωὴν ταύτην καὶ τὴν ὑγείαν συντηρεῖ καὶ συνέχει· τὸ γὰρ σῶσαι τὰ κτηθέντα καὶ διατελέσαι ζῶντας, ὁ τῆς ζωῆς δίδωσιν ἄρτος. Διὰ ταῦτα τούτῳ μὲν τῷ ἄρτῳ ζῶμεν, κινούμεθα δὲ τῷ μύρῳ, ἀπὸ τοῦ λουτροῦ τὸ εἶναι λαβόντες.

20. Καὶ τοῦτον τὸν τρόπον ἐν τῷ Θεῷ ζῶμεν, μετατιθέντες τὸν βίον ἀπὸ τοῦ ὁρωμένου τούτου πρὸς τὸν μὴ βλεπόμενον κόσμον, οὐ τὸν τόπον ἀμείβοντες, ἀλλὰ τὸν βίον καὶ τὴν ζωήν. Οὐ γὰρ αὐτοὶ πρὸς τὸν Θεὸν ἐκινήθημεν
5 οὐδὲ ἀνέβημεν, ἀλλ' αὐτὸς πρὸς ἡμᾶς ἐλήλυθε καὶ κατέβη. Οὐ γὰρ ἐζητήσαμεν, ἀλλ' ἐζητήθημεν· ὅτι οὐκ ἐξεζήτησε τὸ πρόβατον τὸν ποιμένα[a], καὶ ἡ δραχμὴ τὸν οἰκοδεσπότην[b]· ἀλλ' αὐτὸς ἔκυψεν εἰς τὴν γῆν καὶ εὗρε τὴν εἰκόνα· καὶ ἐπὶ τῶν τόπων ἐγένετο, ἐφ' οἷς τὸ πρόβατον ἐπλανᾶτο,
10 καὶ ἀνείλετο καὶ τῆς πλάνης ἔστησεν, οὐ μεταστήσας

ABCV MPW Gass Migne

18, 6 τὸν τάφον Gass
20, 1 Θεῷ : Χριστῷ ABCVM || 5 κατέβη : κατῄει Gass κατήει Migne || 6 ἐζήτησε ABCW

---

18. b. cf. Rom. 6,4 || c. cf. I Cor. 11,26 || d. Act. 17,28
20. a. cf. Lc 15,4-7 || b. cf. Lc 15,8-10

Quand, par les saints mytères, nous peignons la sépulture du Christ[b] et annonçons sa mort[c], à travers eux nous sommes enfantés et modelés, et unis au Sauveur de façon extraordinaire. C'est par eux que, comme dit Paul, « en lui nous vivons, nous nous mouvons et nous sommes[d]. »

19. Le baptême donne d'être et tout simplement de subsister selon le Christ ; car il reçoit des morts et des putréfiés et les conduit d'abord à la vie. L'onction du chrême parachève celui qui vient de naître en lui infusant l'activité correspondant à une telle vie. La divine eucharistie garde et maintient cette vie et cette santé : car c'est le pain de la vie qui donne de conserver ce que l'on a acquis et de rester vivant. C'est pourquoi nous vivons par ce pain et nous nous mouvons par ce chrême, après avoir du bain reçu l'être.

20. De cette façon vivons-nous en Dieu : nous avons transposé notre vie de ce monde visible vers le monde invisible, non en changeant de lieu, mais en changeant d'existence et de vie. Car ce n'est pas nous qui nous sommes mis en route vers Dieu et qui sommes montés, mais c'est lui qui est venu chez nous et qui est descendu. Nous n'avons pas cherché, nous avons été cherchés[17] ; ce n'est pas la brebis qui est partie à la recherche du berger[a], ni la drachme à la recherche du maître de maison[b], mais c'est lui qui s'est abaissé vers le terre et qui a retrouvé son effigie[18] ; il s'est rendu sur les lieux où la brebis s'était égarée, il l'a soulevée et l'a relevée de son égarement ; il ne

17. Renversement de perspective traditionnel à partir de ces paraboles. Cf. Bas., *Hom.* XX, 4 (*PG* 31, 532 B) ; Chrys., *In I Cor.*, *hom.* XXXIV, 2 (*PG* 61, 287).

18. La drachme est la monnaie qui porte l'effigie du roi. Les Pères ont lu dans cette parabole de la drachme perdue la perte de l'image de Dieu en l'homme ; la venue du Sauveur restaure l'image. Cf. Grég. Nys., *or. dom.* V (*PG* 44, 1181 BC) ; *Virg.* XII, 3 ; Max. Conf., *Amb.* (*PG* 91, 1277 D).

ἐνθένδε[c], ἀλλὰ μένοντας ἐπὶ τῆς γῆς, καὶ οὐρανίους ἐποίησε· καὶ τὴν ἐν οὐρανῷ ζωὴν ἐνέθηκεν, οὐκ ἀναγαγὼν εἰς τὸν οὐρανόν, ἀλλὰ τὸν οὐρανὸν εἰς ἡμᾶς κλίνας καὶ καταγαγών· «Καὶ γάρ, ὅ φησιν ὁ προφήτης, ἔκλινεν οὐρανοὺς καὶ
15 κατέβη[d].»

21. Καὶ τοίνυν διὰ τῶν μυστηρίων τούτων τῶν ἱερῶν, ὥσπερ διὰ θυρίδων, εἰς τὸν σκοτεινὸν τοῦτον κόσμον, ὁ ἥλιος εἰσέρχεται τῆς δικαιοσύνης[a]· καὶ θανατοῖ μὲν τὴν σύστοιχον τῷ κόσμῳ τούτῳ ζωήν, ἀνίστησι δὲ τὴν
5 ὑπερκόσμιον· καὶ νικᾷ τὸν κόσμον τὸ φῶς τοῦ κόσμου[b], ὅπερ αἰνίττεται λέγων· «Ἐγὼ νενίκηκα τὸν κόσμον[c]», ἐν θνητῷ καὶ ῥέοντι σώματι τὴν ἑστῶσαν καὶ ἀθάνατον εἰσάγων ζωήν.

22. Καθάπερ γὰρ ἐν οἰκίᾳ τῆς ἀκτῖνος εἰσελθούσης, ὁ λύχνος οὐκέτι τὰς ὄψεις τῶν ὁρώντων εἰς ἑαυτὸν ἐπιστρέφει, ἀλλ' ἡ τῆς ἀκτῖνος λαμπρότης ὑπερνικῶσα κατέχει, τὸν ἴσον τρόπον καὶ ἐν τῷδε τῷ βίῳ διὰ τῶν μυστηρίων ἡ τῆς
5 μελλούσης ζωῆς λαμπρότης εἰσερχομένη καὶ ταῖς ψυχαῖς ἐνοικοῦσα, νικᾷ τὴν ἐν σαρκὶ ζωήν καὶ τὸ κάλλος τοῦ κόσμου τούτου καὶ τὴν λαμπρότητα ἀποκρύπτει.

23. Καὶ αὕτη ἐστὶν ἡ ἐν Πνεύματι ζωή, ἧς ἐπιθυμία πᾶσα σαρκὸς ἡττᾶται κατὰ τὸν Παύλου λόγον· «Πνεύματι περιπατεῖτε καὶ ἐπιθυμίαν σαρκὸς οὐ μὴ τελέσητε[a].»

Ταύτην τὴν ὅδον[b] ὁ Κύριος ἔτεμεν εἰς ἡμᾶς ἐρχόμενος,
5 καὶ ταύτην ἀνέωξε τὴν πύλην[c] εἰσελθὼν εἰς τὸν κόσμον· καὶ εἰς τὸν Πατέρα ἀνελθὼν[d], οὐκ ἠνέσχετο κλεῖσαι· ἀλλ' ἐξ ἐκείνου διὰ ταύτης ἐπιδημεῖ τοῖς ἀνθρώποις. Μᾶλλον δὲ

ABCV MPW Gass Migne

21, 2 ἐν τῷ σκοτείνῳ τούτῳ κόσμῳ AB[ac] τὸν ὁρώμενον κόσμον B[pc]
22, 1 εἰσελθούσης : φανείσης B[pc]
23, 4 ἡμῶν *post* Κύριος *add.* C ‖ 6 ἐπανελθὼν ABCV

nous a pas fait sortir d'ici[c], mais tandis que nous restons sur la terre, il nous a rendus célestes ; il nous a donné la vie qui est dans le ciel, non en nous élevant vers le ciel, mais en inclinant le ciel vers nous et en descendant : « Il inclina les cieux, et il descendit[d] », dit le prophète.

21. Ainsi, par ces saint mystères, comme par des fenêtres, en ce monde obscur entre le soleil de justice[a] ; il met à mort la vie qui correspond à ce monde et ressuscite celle qui est au-dessus de ce monde ; la lumière du monde[b] vainc le monde, ce qu'il laisse entendre quand il dit : « Moi, j'ai vaincu le monde[c] », en faisant paraître en un corps mortel et périssable la vie impérissable et immortelle.

22. Quand les rayons du soleil pénètrent dans une maison, la lampe n'attire plus vers elle les regards de ceux qui voient, mais l'éclat des rayons du soleil la domine victorieusement ; de même, dans cette existence, l'éclat de la vie future qui pénètre par les mystères et habite en nos âmes, vainc la vie dans la chair et éclipse la beauté et l'éclat de ce monde.

23. Voilà la vie dans l'Esprit par laquelle est rabaissé tout désir de la chair, selon la parole de Paul : « Marchez dans l'Esprit, et vous n'accomplirez pas les désirs de la chair[a]. »

Telle est la route[b] que le Seigneur a tracée en venant vers nous, et la porte[c] qu'il a ouverte en entrant dans le monde ; et quand il remonta vers son Père[d], il ne consentit pas à la fermer, mais par elle il revient de chez son Père vers les hommes. Ou plutôt, il est toujours là, il est avec

20. c. cf. Jn 17, 15 || d. Ps. 17, 10
21. a. cf. Ps. 19, 1 ; Mal. 3, 20 || b. cf. Jn 8, 12 ; 9, 5 || c. Jn 16, 33
23. a. Gal. 5, 16 || b. cf. Jn 14, 4-6 || c. cf. Jn 10, 7-9 || d. cf. Jn 16, 28

πάρεστιν ἀεὶ καὶ μεθ' ἡμῶν ἐστί, καὶ ἔσται μέχρι παντός, τὰς ἐπαγγελίας σώζων ἐκείνας[e].

24. Οὐκοῦν «οὐκ ἔστι τοῦτο ἀλλ' ἢ οἶκος Θεοῦ καὶ αὕτη ἡ πύλη τοῦ οὐρανοῦ[a]», ὁ πατριάρχης ἂν εἶπε, δι' ἧς οὐ μόνον ἄγγελοι καταβαίνουσιν εἰς τὴς γῆν[b] — καὶ γὰρ πάρεισιν ἑκάστῳ τῶν τελουμένων —, ἀλλὰ καὶ αὐτὸς ὁ
5 τῶν ἀγγέλων Δεσπότης. Διὰ τοῦτο καὶ ἡνίκα, τὸ βάπτισμα
(505) τὸ ἑαυτοῦ καθάπερ ἐν γραφῇ προχαράτ|των, τὸ βάπτισμα Ἰωάννου καὶ αὐτὸς ὁ Σωτὴρ ἠνέσχετο βαπτισθῆναι, τὸν οὐρανὸν ἀνέῳξε[c]· δεικνὺς ὅτι τοῦτό ἐστι δι' οὗ τὸν οὐράνιον ὀψόμεθα χῶρον.

25. Καὶ μὴν καὶ δι' ὧν ἀπεφήνατο μὴ δύνασθαι εἰσελθεῖν εἰς τὴν ζωήν, τὸν μὴ βαπτισθέντα τοῦτο τὸ λουτρόν[a], εἴσοδόν τινα αὐτὸ αἰνίττεται εἶναι καὶ πύλην· «Ἀνοίξατέ μοι πύλας δικαιοσύνης[b]», φησὶν ὁ Δαβίδ, ταύτας οἶμαι τὰς
5 πύλας ἀνοιγῆναι ἐπιθυμῶν· τοῦτο γάρ ἐστιν ὃ «πολλοὶ προφῆται καὶ βασιλεῖς ἐπεθύμησαν ἰδεῖν[c]», ἀφικόμενον εἰς τὴν γῆν τὸν τεχνίτην τῶν θυρῶν τούτων. Διὰ τοῦτο καὶ εἰ γένοιτό, φησίν, αὐτῷ τυχεῖν τῆς εἰσόδου καὶ διὰ τούτων ἐλθεῖν τῶν πυλῶν, χάριτας ὁμολογήσειν τῷ Θεῷ τῷ διελόντι
10 τὸ τεῖχος[d]· «Εἰσελθὼν γάρ, φησίν, ἐν αὐταῖς ἐξομολογήσομαι τῷ Κυρίῳ[e]»· ὡς ἀπὸ τούτων μάλιστα τῶν πυλῶν,

ABCV MPW Gass Migne

24, 1 ἄλλο ACM Gass ‖ ἢ *om.* V ‖ 8 ὑπερουράνιον ACVW
25, 3 εἶναι *om.* A Gass ‖ 5 ἐπιθυμῶν : ζητῶν B

---

23. e. cf. Matth. 28,20
24. a. Gen. 28,17 ‖ b. cf. Gen. 28,12 ‖ c. cf. Matth. 3,16 ; Mc 1,10 ; Lc 3,21
25. a. cf. Jn 3,5 ‖ b. Ps. 117,19a ‖ c. cf. Matth. 13,17 ; Lc 10,24 ‖ d. cf. Éphés. 2,14 ‖ e. Ps. 117,19b

nous, et il le sera toujours, fidèle aux promesses que l'on sait[e].

24. Ce n'est donc «rien de moins que la maison de Dieu et la porte du ciel[a]», aurait dit le patriarche, porte par laquelle descendent sur la terre non seulement des anges[b] — car ils sont là pour chacun des rites[19] —, mais le Maître des anges en personne. C'est pourquoi, lorsque le Sauveur consentit à recevoir lui-même le baptême de Jean, préfigurant ainsi, comme en peinture, le baptême qu'il apportait[20], il ouvrit le ciel[c] pour montrer que c'est par ce baptême que nous verrons la région céleste.

25. Et quand il déclare que celui qui n'a pas été baptisé de ce bain ne peut entrer dans la vie[a], il laisse entendre que celui-ci est un accès et une porte : «Ouvrez-moi les portes de justice[b]», dit David, exprimant par là, je pense, son désir que ces portes soient ouvertes ; c'est là en effet ce que «beaucoup de prophètes et de rois ont désiré voir[c]», l'arrivée sur la terre de l'artisan de ces portes. C'est pourquoi, s'il lui était donné, dit-il, d'atteindre l'accès et de passer par ces portes, il rendrait grâces au Dieu qui a ouvert la muraille[d] : «J'entrerai par elles, dit-il, et je rendrai grâces au Seigneur[e]», car c'est surtout à partir de ces portes qu'il pourrait parvenir à la plus parfaite

19. D'après Or. (*C. Cels.* V, 4, «les anges sont des esprits chargés d'un ministère, envoyés en service pour le bien de ceux qui doivent hériter le salut. Ils montent porter les supplications des hommes dans les régions célestes (...). Ensuite ils en descendent porter à chacun suivant son mérite une des grâces que Dieu leur enjoint de dispenser...» (trad. Borret). Leur présence est évidente à la divine liturgie (cf. *Liturgie* XV, 9; XX, 3); ils ont aussi leur place au baptême par l'attribution au baptisé d'un ange gardien (cf. 4e exorcisme du baptême [Goar, p. 96] : «Unissez à sa vie un ange de lumière»).

20. Le baptême du Christ préfigure le nôtre : Cyr. Jér., *Cat. Myst.* III, 1.

εἰς τελεωτάτην ἂν γνῶσιν δυνηθεὶς ἀφικέσθαι, τῆς τοῦ Θεοῦ περὶ τὸ γένος ἀγαθότητος καὶ φιλανθρωπίας.

26. Τί γὰρ ἂν γένοιτο μεῖζον χρηστότητος καὶ φιλανθρωπίας[a] σημεῖον, ἢ λούοντα μὲν ὕδατι ῥύπου τὴν ψυχὴν ἀπαλλάττειν, χρίοντα δὲ μύρῳ βασιλεύειν τὴν ἐν οὐρανοῖς βασιλείαν, ἑστιᾷν δὲ τὸ σῶμα τὸ ἑαυτοῦ καὶ τὸ αἷμα 5 παρατιθέντα ; Τό γε μὴ ἀνθρώπους, θεοὺς καὶ υἱοὺς γενέσθαι Θεοῦ, καὶ τὴν φύσιν τὴν ἡμετέραν Θεοῦ τιμῇ τιμηθῆναι, καὶ τὸν χοῦν[b] εἰς τοῦτο δόξης ἀνενεχθῆναι, ὡς ὁμότιμον καὶ ὁμόθεον ἤδη τῇ θείᾳ φύσει γενέσθαι, τίνι γένοιτο ἂν ἴσον ; Τίνα δ' ἂν καινότητος ὑπερβολὴν καταλίποι ;

27. Τοῦτο γάρ ἐστιν « ἡ ἀρετὴ τοῦ Θεοῦ, ἥτις ἐκάλυψεν οὐρανούς[a] », οἶμαι, πᾶσαν κτίσιν καὶ πᾶν ἔργον ἀπέκρυψε τοῦ Θεοῦ, τῷ μεγέθει καὶ τῷ κάλλει *νικῆσαν*. Τῶν γὰρ θείων ἔργων πάντων, οὕτω μὲν πολλῶν ὄντων, οὕτω δὲ 5 καλῶν καὶ μεγάλων, οὐκ ἔστιν οὐδὲν ὃ μὴ τῆς σοφίας τοῦ δημιουργοῦ καὶ τῆς τέχνης ἔλαττον ἔχει· καὶ δύναιτ' ἂν τῶν ὑπηργμένων καὶ καλλίω καὶ μείζω παράγειν, οὐμενοῦν οὐδ' ὅσον εἰπεῖν ἐξεῖναι. Εἰ δ' ἔνεστιν οὕτως ἔργον Θεοῦ γενέσθαι καλόν, οὕτως ἀγαθόν, ὥστε πρὸς τὴν σοφιάν 10 ἐκείνην καὶ τὴν δύναμιν καὶ τὴν τέχνην ἁμιλληθῆναι, καὶ ὡς ἔπος εἰπεῖν πρὸς τὴν ἀπειρίαν ἐξισωθῆναι, καὶ καθάπερ ἴχνος τὸ μέγεθος ἅπαν τῆς θείας ἀγαθότητος ὑποδεῖξαι, τοῦτο οἶμαι εἶναι *νικῆσαι*.

Εἰ γὰρ τουτό ἐστιν ἀεὶ τῷ Θεῷ τὸ ἔργον, ἀγαθοῦ

ABCV MPW Gass Migne

26, 6 τιμῇ *om.* B[ac] || 8 τίνι : τί W || 9 ὑπερβολῇ C
27, 2 ὑπερέβη *post* πᾶσαν *add.* ABCV Gass || 8 οὕτως *om.* Migne

26. a. cf. Tite 3,4 || b. cf. Gen. 2,7
27. a. cf. Hab. 3,3

21. Sur la déification, cf. I. Dalmais, art. « Divinisation », *DSp* III, 1370-1389. Il est notable que la déification pour Cabasilas n'est le

connaissance de la bonté de Dieu envers notre race et de sa philanthropie.

26. Peut-il exister plus grande marque de bonté et de philanthropie[a] que celle par laquelle, en baignant dans l'eau, il affranchit l'âme de la souillure, en oignant de chrême, il fait régner de la royauté qui est dans les cieux et reçoit à sa table, en offrant son corps et son sang? Des hommes deviennent dieux et fils de Dieu, notre nature reçoit l'honneur dû à Dieu, et la poussière[b] est élevée à une si haute gloire qu'elle obtient même honneur et même divinité que la nature divine elle-même[21] : est-il chose semblable à cela ? Une nouveauté si extrême ne surpasse-t-elle pas tout ?

27. La voilà, je pense, la «vertu de Dieu», qui a éclipsé les cieux[a]»[22] et occulté toutes les créatures et toutes les œuvres de Dieu, en les *surpassant* par sa grandeur et sa beauté. Car parmi toutes les œuvres divines, qui sont si nombreuses, si belles et si grandes, il n'en est aucune qui ne soit inférieure à la sagesse et à l'art du créateur ; et il pourrait produire des choses encore plus belles et plus grandes que celles qu'il a réellement faites, bien au-delà de tout ce que l'on peut exprimer. Cependant, s'il est possible qu'une œuvre de Dieu soit à ce point belle, à ce point bonne, qu'elle rivalise avec la sagesse, la puissance et l'art de Dieu, et qu'elle égale, pour ainsi dire, l'incommensurable et laisse entrevoir, comme une empreinte, toute la grandeur de la divine bonté, voilà, je pense, ce que j'appellerais *surpasser*.

En effet, s'il est vrai que l'œuvre incessante de Dieu est

fruit ni de l'ascèse ni de la contemplation mais des mystères. Là encore, il s'inscrit dans la lignée de Chrysostome.

22. Ce verset d'*Habacuc* est prononcé, lors de la préparation de la divine liturgie, par le prêtre au moment où il encense le second voile et en recouvre le calice. Cf. *Liturgie*, XI A, 1.

15 μεταδιδόναι, καὶ ὑπὲρ τούτου πάντα ποιεῖ, καὶ τοῦτο τὸ τέλος τῶν τε ἤδη γεγονότων καὶ ἃ γένοιτ' ἂν τὸν ἔπειτα χρόνον — « χεθῆναι, φησί, τὸ ἀγαθὸν καὶ ὁδεῦσαι » —, ὃ ποιῶν, τοῦ πάντων ὁ Θεὸς μεγίστου μετέδωκεν ἀγαθοῦ, καὶ οὗ μεῖζον οὐκ ἔχει δοῦναι, τοῦτο ἂν εἴη τὸ μέγιστον 20 καὶ κάλλιστον τῆς ἀγαθότητος ἔργον, καὶ ὁ τελευταῖος τῆς χρηστότητος ὅρος.

28. Τοιοῦτον δὲ τὸ τῆς οἰκονομίας ἔργον, ἡ περὶ τῶν ἀνθρώπων ᾠκονομήθη. Ἐνταῦθα γὰρ οὐ μετέδωκεν ἁπλῶς ὁτουοῦν ἀγαθοῦ τῇ φύσει τῶν ἀνθρώπων ὁ Θεός, παρ' ἑαυτῷ τὰ πλείω τηρήσας, ἀλλ' αὐτὸ « πᾶν τὸ πλήρωμα τῆς 5 θεότητος[a] », ὅλον αὐτὸν τὸν φυσικὸν ἐνέθηκε πλοῦτον.

Διὰ τοῦτο καὶ δικαιοσύνην τοῦ Θεοῦ ἐν τῷ Εὐαγγελίῳ διαφερόντως ἀποκαλύπτεσθαι | Παῦλος εἶπεν[b] · εἰ γάρ ἐστί τις ἀρετὴ Θεοῦ καὶ δικαιοσύνη, τοῦτο ἂν εἴη, τὸ πᾶσιν ἀφθόνως τῶν ἀγαθῶν τῶν ἑαυτοῦ μεταδοῦναι, καὶ ἡ τῆς 10 μακαριότητος κοινωνία.

29. Τούτου χάριν τὰ ἱερώτατα μυστήρια, πῦλαι ἂν εἰκότως καλοῖντο δικαιοσύνης[a], ὅτι ἡ τοῦ Θεοῦ περὶ τὸ γένος ἐσχάτη φιλανθρωπία καὶ ἀγαθότης, ἥτις ἐστὶν ἡ θεία ἀρετὴ καὶ δικαιοσύνη, ταύτας ἡμῖν εἰς τὸν οὐρανὸν ἐποίησε 5 τὰς εἰσόδους.

ABCV MPW Gass Migne

28, 1 οἰκονομένης C || 6 δικαιοσύνη γάρ, φησί, τοῦ Θεοῦ ἐν αὐτῷ ἀποκαλύπτεται *post* εἶπε *add.* ABCVW

---

28. a. Col. 2, 9 || b. cf. Rom. 1, 17
29. a. cf. Ps. 117, 19

---

23. « L'œuvre la plus propre à Dieu, c'est de répandre ses bienfaits » : PHILON, *Plant.* 130 (t. 10, p. 83). Cette notion empruntée à PLATON (*Timée* 29 e - 30 a) a été largement reprise par les Pères : cf. MAX. CONF., *ep.* XIV (*PG* 91, 533 B). C'est devenu un lieu-commun de la philosophie théologique à Byzance.

de communiquer le bien[23], qu'il fait tout en vue de cela, et si telle est la fin de ce qui est déjà et de ce qui pourrait être à l'avenir — « le bien, dit-on, se répand et se propage[24] » —, alors, ce que Dieu a fait en communiquant le plus grand de tous les biens, tel qu'il ne saurait en donner de plus grand, serait le plus grand et le plus bel ouvrage de sa bonté et la limite extrême de son excellence.

28. Or voilà justement l'œuvre de l'économie[25] qui a été disposée en faveur des hommes. Car là, Dieu ne s'est pas contenté de communiquer un quelconque bien à la nature humaine, en conservant pour lui la plus grande part ; mais c'est « toute la plénitude même de la divinité[a] », toute la richesse même de sa nature qu'il lui a infusée.

C'est pourquoi Paul a dit que la justice de Dieu se révèle particulièrement dans l'Évangile[b]. Car s'il existe une vertu et une justice de Dieu, ce doit être de communiquer à tous, sans jalousie, ses propres biens, et de faire partager sa béatitude.

Les saints mystères, portes de la justice

29. Pour cette raison, les saints mystères méritent d'être appelés portes de justice[a], puisque la philanthropie et la bonté suprême de Dieu pour notre race, qui sont précisément la vertu et la justice divines, ont créé pour nous ces accès vers le ciel.

24. Citation de Grég. Naz., *or.* 38, 11 : « Il ne suffisait pas à la bonté d'être mue simplement par sa propre contemplation, mais il fallait que le bien se répandît et se propageât. »

25. Dans la tradition grecque, l'*oikonomia* désigne l'action de Dieu en faveur des hommes et plus spécialement l'Incarnation ; ici la déification apparaît comme le but ultime de l'économie, mouvement par lequel « Dieu s'est fait homme pour que nous soyons faits Dieu » (Ath., *Inc.* 54, 3).

30. Καὶ μὴν καὶ ἕτερον τρόπον, κρίσει τινὶ καὶ δικαιοσύνη[a], τοῦτο τὸ τρόπαιον ἔστησεν ὁ Κύριος, καὶ ταύτην ἡμῖν ἔδωκε τὴν πύλην καὶ τὴν ὁδόν.

Οὐ γὰρ ἥρπασε τοὺς αἰχμαλώτους, ἀλλὰ «λύτρον
5 ἔδωκε[b]» καὶ «ἔδησε τὸν ἰσχυρόν[c]», οὐ τῷ μείζω δύναμιν ἔχειν, ψήφῳ δὲ δικαίᾳ κατακριθέντα· καὶ «ἐβασίλευσεν ἐπὶ τὸν οἶκον Ἰακώβ[d]», ἐν ταῖς ψυχαῖς τῶν ἀνθρώπων τὴν τυραννίδα λύσας, οὐχ ὅτι ἐδύνατο λῦσαι, ἀλλ' ὅτι λυθῆναι δίκαιον ἦν· καὶ τοῦτο Δαβὶδ ἐμήνυσεν ἐν οἷς εἶπε·
10 «Δικαιοσύνη καὶ κρῖμα ἑτοιμασία τοῦ θρόνου σου[e].»

31. Οὐ δικαιοσύνη δὲ μόνον ταύτας διεῖλε τὰς πύλας, ἀλλὰ καὶ δικαιουσύνη δι' αὐτῶν εἰς τὸ ἡμέτερον ἀφίκετο γένος. Ἐπὶ μὲν γὰρ τῶν προτέρων χρόνων, πρὶν ἢ τὸν Θεὸν εἰς τοὺς ἀνθρώπους ἐπιδημῆσαι, οὐκ ἦν εὑρεῖν δικαιοσύνην
5 ἐπὶ τῆς γῆς. Αὐτὸς γὰρ «ἐκ τοῦ οὐρανοῦ διέκυψε[a]» καὶ ἐζήτησεν ὁ Θεός, ὃν λαθεῖν οὐκ ἐνῆν, εἴπερ ὅλως ἦν, καὶ ὅμως οὐχ εὗρε· «Πάντες γάρ, φησίν, ἐξέκλιναν, ἅμα ἠχρειώθησαν οὐκ ἔστι ποιῶν χρηστότητα· οὐκ ἔστιν ἕως ἑνός[b].»

32. Ἐπεὶ δὲ «ἡ ἀλήθεια ἐκ τῆς γῆς ἀνέτειλε[a]» «τοῖς ἐν τῷ σκότει τοῦ ψεύδους καὶ τῇ σκιᾷ καθημένοις[b]», τηνικαῦτα καὶ «ἡ δικαιοσύνη ἐκ τοῦ οὐρανοῦ διέκυψεν[c]», ἄρτι πρώτως ἀληθῶς καὶ τελείως τοῖς ἀνθρώποις φανεῖσα· καὶ ἐδι-
5 καιώθημεν, πρῶτον μὲν τῶν δεσμῶν καὶ τῆς αἰσχύνης

ABCV MPW Gass Migne

30, 1 καὶ² *om.* V ‖ 9 Δαβίδ *om.* Gass ‖ 10 σου *om.* Gass
31, 2 καὶ *om.* A Gass
32, 5 αἰσχύνης : εὐθύνης ABCVW Gass

---

30. a. cf. Ps. 98,4 ; Jn 12,31 ; 16,8-11 ‖ b. cf. Matth. 20,28 ; Mc 10,45 ‖ c. cf. Matth. 12,29 ‖ d. cf. Lc 1,33 ‖ e. Ps. 88,15
31. a. Ps. 13,2 ; 52,3 ‖ b. Ps. 13,3 ; 52,4 ; Rom. 3,12
32. a. Ps. 84,12 ‖ b. Matth. 4,16 ; Lc 1,79 ; cf. Is. 9,2 ‖ c. Ps. 84,12

30. Et certes, d'une autre façon encore, par un jugement et une justice[a][26], le Seigneur a érigé ce trophée et nous a donné cette porte et cette route.

En effet, il n'a pas capturé ceux qui étaient prisonniers, mais il a «payé la rançon[b]»; il a «enchaîné le fort[c]», non parce qu'il était plus puissant que lui, mais parce que celui-là avait été condamné par une juste sentence; il a «régné sur la maison de Jacob[d]» après avoir détruit la tyrannie dans les âmes des hommes, non parce qu'il avait le pouvoir de la détruire, mais parce qu'il était juste qu'elle le fût. Cela, David l'annonçait dans le passage où il dit : «La justice et le droit sont l'appui de son trône[e].»

31. Non seulement la justice a ouvert ces portes, mais par elles la justice est venue vers notre race. Car dans les temps anciens, quand Dieu n'était pas encore venu habiter chez les hommes, on ne pouvait pas trouver de justice sur la terre. Dieu lui-même s'est un jour «penché des cieux[a]» et a cherché, lui à qui rien ne pouvait échapper, s'il s'en trouvait un peu, mais il n'en a pas trouvé : «Tous, dit-il, ils se sont dévoyés, ensemble ils se sont corrompus; il n'en est pas un qui fasse le bien, pas même un seul[b].»

32. Mais quand «la vérité s'est levée de la terre[a]» sur ceux qui «étaient assis dans les ténèbres et l'ombre du mensonge[b]», alors «des cieux s'est penchée la justice[c]», se montrant pour la première fois aux hommes de façon véritable et accomplie. Et nous avons été justifiés, tout d'abord en étant affranchis des fers et de la honte, quand celui qui n'a nullement commis l'injustice a répondu pour

26. Les hommes ont été délivrés de la tyrannie du démon non par la force mais par un jugement et une justice; Cabasilas développe déjà cette idée dans *Liturgie*, XVII, 6-8, en s'appuyant également sur le *Ps.*88; il cite à cet effet Denys, *e.h.* III, 3,11. Cf. aussi Grég. Nys., *Or. catech.* XXII et Grég. Pal., *hom.* XVI (*PG* 151, 189 D).

ἀπαλλαγέντες, τοῦ μηδὲν ἠδικηκότος ὑπὲρ ἡμῶν ἀπολογησαμένου, τῷ διὰ σταυροῦ θανάτῳ καθ' ὃν ἔδωκε δίκην ὑπὲρ ὧν ἡμεῖς ἐτολμήσαμεν· ἔπειτα καὶ φίλοι Θεοῦ καὶ δίκαιοι κατέστημεν διὰ τὸν θάνατον ἐκεῖνον. Οὐ γὰρ ἔλυσε μόνον
10 καὶ τῷ Πατρὶ κατήλλαξεν ἀποθανὼν ὁ Σωτήρ[d], ἀλλὰ καὶ «ἔδωκεν ἡμῖν ἐξουσίαν τέκνα Θεοῦ γενέσθαι[e]», συνάψας μὲν ἑαυτῷ τὴν φύσιν τὴν ἡμετέραν διὰ τῆς σαρκὸς ἣν ἀνείλετο, συνάπτων δὲ ἡμῶν ἕκαστον τῇ ἑαυτοῦ σαρκὶ τῇ δύναμει τῶν μυστηρίων. Καὶ τοῦτον τὸν τρόπον τὴν ἑαυτοῦ
15 δικαιοσύνην καὶ τὴν ζωὴν ἐν ταῖς ἡμετέραις ἀνατέλλει ψυχαῖς.

33. Οὕτω τὴν ἀληθῆ δικαιοσύνην διὰ τῶν μυστηρίων τῶν ἱερῶν ἐξεγένετο καὶ γνῶναι τοῖς ἀνθρώποις καὶ κατορθῶσαι. Εἰ γὰρ καὶ πολλοὶ δίκαιοι καὶ φίλοι Θεοῦ παρὰ τῇ Γραφῇ, πρὶν ἀφῖχθαι τὸν δικαιοῦντα καὶ διαλ-
5 λάττοντα, ἐκεῖνα λογίζεσθαι χρή, μάλιστα μὲν ἐν τῇ γενεᾷ αὐτῶν, ἔπειτα καὶ διὰ τὸ μέλλον· ὅτι οἷοί τε ἐγένοντο καὶ παρεσκευάσθησαν ἀνασχούσῃ προσδραμεῖν τῇ δικαιοσύνῃ, καὶ λυθῆναι μὲν τοῦ λύτρου καταβληθέντος, ἰδεῖν δὲ τοῦ φωτὸς φανέντος, ἀναστῆναι δὲ τῶν τύπων, τῆς ἀληθείας
10 ἀναδειχθείσης. Καὶ τοῦτο διήνεγκαν οἱ δίκαιοι τῶν πονηρῶν, ἐν τοῖς αὐτοῖς σχεδὸν ἐκείνοις ὄντες δεσμοῖς καὶ τὴν αὐτὴν
(509) ὑφιστάμενοι τυραννίδα, ὅτι οἱ μὲν πρὸς τὸν | ἀνδραποδισμὸν ἐκεῖνον καὶ τὴν δουλείαν δυσχερῶς εἶχον, καὶ ηὔχοντο τὸ δεσμωτήριον καταστραφῆναι καὶ τὰ δεσμὰ
15 ἐκεῖνα λυθῆναι, καὶ ἐπεθύμουν πατουμένην ἰδεῖν ὑπὸ τῶν δεδεμένων τὴν τοῦ τυράννου κεφαλήν· τοῖς δὲ οὔτε ἐδόκει

ABCV MPW Gass Migne

32, 6 ἀδικήκοτος Gass ‖ 9 οὐ κατέστημεν C
33, 2 καὶ[1] *om.* Gass ‖ 3 Θεοῦ *om.* C ‖ 5 ἐκεῖνο W Gass ‖ 7 παρασκευασθῆσαν C Gass ‖ ἀνίσχουσε V ‖ 10 τοῦτο P : τούτῳ *cett.*

32. d. cf. Rom. 5,10 ‖ e. Jn 1,12

nous par sa mort sur la croix, en laquelle il a purgé la peine des crimes que nous avions osé commettre ; et ensuite par cette mort nous avons été mis au rang d'amis de Dieu et de justes. Car le Sauveur, en mourant, nous a non seulement affranchis et réconciliés avec le Père[d], mais «il nous a donné le pouvoir de devenir enfants de Dieu[e]», d'une part en unissant notre nature à lui-même par la chair qu'il avait assumée, et d'autre part en unissant chacun de nous à sa propre chair par la vertu des mystères. De cette façon, c'est sa propre justice et sa propre vie qu'il fait se lever dans nos âmes[27].

Le cas des justes de l'Ancien Testament

33. Ainsi devenait-il possible aux hommes, par les saints mystères, de connaître et de mettre en pratique la vraie justice. Si, en effet, il y eut de nombreux justes et amis de Dieu dans l'Écriture avant que n'arrivât celui qui justifie et qui réconcilie, il faut considérer ceci d'abord en fonction de leur époque, et ensuite en fonction du temps à venir : ils ont été rendus aptes et préparés à courir au-devant de la justice quand elle se lèverait, à être affranchis quand la rançon serait acquittée, à voir quand la lumière paraîtrait, à se détourner des figures quand la vérité leur serait montrée. Alors que les justes étaient pratiquement dans les mêmes fers que les méchants et subissaient la même tyrannie, ils se distinguaient d'eux en ce qu'ils souffraient de cette servitude et de cet esclavage, ils priaient pour que la prison fût abattue et ces fers brisés, ils désiraient voir la tête du tyran foulée aux pieds par ses captifs, alors que les

27. La justification des hommes est double : d'abord, par la mort du Christ, ils sont affranchis des peines que leur méritaient leurs crimes, car elles sont purgées par le Christ qui est non seulement le Juste mais la Justice (cf. Or., *Princ.* I, 8, 3 [*SC* 252, p. 228] et IV, 4, 1 [*SC* 268, p. 404] ; ensuite, par son Incarnation même, ils sont admis au rang d'enfants de Dieu.

δεινὸν οὐδὲν τὰ παρόντα, καὶ ἥδοντο δουλεύοντες. Οἷοι καὶ ἐπὶ τῶν ἡμερῶν ἐκείνων ἐγένοντο τῶν μακαρίων, οἳ τὸν ἥλιον ἐπ᾽ αὐτῶν ἀνατείλαντα οὔτε ἐδέξαντο, καὶ ἀποσβέσαι
20 ἐπεχείρησαν, οἷς ἐξῆν, δι᾽ ὧν ᾠήθησαν δυνηθῆναι ἂν ἀφανίσαι τὴν ἀκτῖνα πάντα ποιοῦντες. Ὅθεν καὶ οἱ μὲν ἐλύθησαν τῆς ἐν ᾅδου τυραννίδος, τοῦ βασίλεως φανέντος· οἱ δὲ ἔμειναν ἐπὶ τῶν δεσμῶν.

34. Καθάπερ γὰρ ἐπὶ τῶν νοσούντων οἳ τὴν θεραπείαν ἐκ παντὸς τρόπου ζητοῦσι καὶ τὸν ἰατρὸν ἡδέως ὁρῶσι, τῶν μηδὲ εἰδότων ὅτι νοσοῦσι καὶ πρὸς τὰ φάρμακα ἀποπηδώντων ἀμείνους καὶ ἀνεκτοτέρους εἶναι συμβαίνει
5 — τούτους γὰρ ὁ ἰατρός, οἶμαι, καὶ ὑγιαίνοντας ἤδη προσερεῖ καὶ μήπω ὑγιάσας, εἴ γε μὴ σύνοιδεν ἑαυτῷ τὴν τέχνην τῆς ἀρρωστίας ἐλάττω —, τοῦτον τὸν τρόπον καὶ δικαίους καὶ φίλους ἐνίους ἐπὶ τῶν χρόνων ἐκείνων ἐκάλεσεν ὁ Θεός· τὰ γὰρ παρ᾽ ἑαυτῶν εἰσέφερον πάντα, καὶ τὴν
10 δυνατὴν ἐπεδείξαντο δικαιοσύνην· ὅπερ λυθῆναι μὲν ἀξίους ἐποίησε τοῦ λῦσαι δυναμένου φανέντος, ἔλυσε δὲ οὐδαμῶς· καίτοι εἰ τοῦτο ἦν ἀληθὴς δικαιοσύνη, καὶ αὐτοὶ ἂν ἦσαν

ABCV MPW Gass Migne

33, 20 ἂν *om.* W Gass || 22 τῆς : τοῖς C
34, 1 γὰρ *om.* Gass || ἐπὶ *om.* ABCV MW || 12 ἦν *om.* V

---

28. Nous avons choisi de garder le nom «hadès», traduit généralement par «enfer» au singulier ou au pluriel. Il s'agit ici non de l'enfer tel qu'on le conçoit en Occident, mais du séjour des morts (le «schéol» hébreu); le mot «hadès» permet de garder la personnification de ce séjour des morts, propre à la liturgie et à la littérature spirituelle byzantines, où l'on voit l'hadès dialoguer avec Satan *(Évangile de Nicodème)* ou se plaindre d'avoir été dépouillé (nombreuses hymnes liturgiques); dans l'iconographie, l'hadès est représenté sous les traits d'un vieillard.

méchants ne trouvaient rien de funeste à leur sort présent et tiraient du plaisir de leur esclavage. Ce qui fut aussi le cas, aux jours bienheureux, de ceux qui ne reçurent pas le soleil qui se levait sur eux, et qui s'efforcèrent de l'éteindre par toutes sortes de machinations, par lesquelles ils espéraient pouvoir voiler son rayonnement. C'est ainsi que, le roi paru, les uns furent délivrés de la tyrannie de l'hadès[28], tandis que les autres demeurèrent dans les fers[29].

34. Les malades qui cherchent la guérison par tous les moyens et qui se réjouissent à la vue du médecin valent mieux et sont plus supportables que ceux qui ne savent même pas qu'ils sont malades et qui fuient les remèdes : les premiers, à mon sens, le médecin les estimera déjà guéris, avant même de les avoir soignés, à moins qu'il ne soit lui-même conscient que son art est impuissant devant leur maladie. De la même façon, dans ces temps anciens, Dieu a appelé certains hommes justes et amis, car ils apportaient tout ce qui était en leur pouvoir, et ils pratiquaient toute la justice dont ils étaient capables : aussi Dieu les rendit-il dignes d'être délivrés dès que paraîtrait celui qui avait le pouvoir de les délivrer, mais il ne les délivra nullement. Sans doute, si ce qu'ils faisaient avait constitué la justice véritable, ayant une fois déposé

29. Partant d'un problème théologique (comment peuvent être justifiés ceux qui ont vécu avant la venue de celui qui justifie ?), Cabasilas glisse insensiblement à une interprétation d'ordre liturgique ; ce glissement s'effectue à partir des images (fers, tyrannie de l'hadès) : il ne s'agit plus des actes ni de la foi de ces justes durant leur vie ; mais la scène se passe désormais dans l'hadès, le samedi saint, lorsque le « roi » paraît pour délivrer les captifs : c'est à ce moment que la prison fut abattue, les fers brisés, la tête du tyran (Satan ? l'hadès ?) foulée aux pieds par les captifs. Cf. la liturgie byzantine du samedi saint et l'*Évangile de Nicodème* qui met en scène ces « justes », patriarches et prophètes que l'on retrouve sur les icônes de la « descente du Christ à l'hadès. »

«ἐν εἰρήνῃ» καὶ «ἐν χειρὶ Θεοῦ»[a], Σολομὼν εἶπε, τὸ σῶμα ἀποτιθέμενοι τοῦτο· νῦν δὲ ἀπερχομένους ἐνθένδε ᾅδης
15 ἐξεδέχετο.

35. Τὴν γὰρ ἀληθῆ δικαιοσύνην καὶ τὴν πρὸς Θεὸν ἑταιρείαν, οὐχ ὑπερόριον οὖσαν κατήγαγεν ὁ Δεσπότης ἡμῶν, ἀλλ' αὐτὸς εἰσήγαγεν εἰς τὸν κόσμον καὶ τὴν φέρουσαν εἰς τὸν οὐρανὸν οὐκ οὖσαν εὗρεν, ἀλλ' αὐτὸς
5 ἔτεμεν. Εἰ γὰρ ἦν, καὶ ἄλλος ἂν ἔτεμε τῶν προτέρων· νῦν δὲ «οὐδεὶς ἀναβέβηκεν εἰς τὸν οὐρανόν, εἰ μὴ ὁ ἐκ τοῦ οὐρανοῦ καταβάς, ὁ Υἱὸς τοῦ Θεοῦ ὁ ὢν ἐν τῷ οὐρανῷ[a]».

36. Ὅπου γὰρ ἄφεσιν ἁμαρτιῶν καὶ δίκης ἀπαλλαγὴν οὐκ ἦν εὑρεῖν πρὸ τοῦ σταυροῦ, τί χρὴ περὶ δικαιοσύνης νομίζειν; Οὐ γὰρ ἦν ἀκόλουθον, οἶμαι, πρὶν καταλλαγῆναι, μετὰ τοῦ χοροῦ τῶν φίλων ἑστάναι, καὶ δεσμὰ περικειμέ-
5 νους ἔτι ἐστεφανωμένους ἀνακηρύττεσθαι. Ὅλως δὲ εἰ τὸ πᾶν ἤνυσεν ὁ ἀμνὸς ἐκεῖνος, τί τῶν δευτέρων ἔδει τούτων[a]; Τῶν γὰρ τύπων καὶ τῶν εἰκόνων τὴν ζητουμένην εὐδαιμονίαν εἰσενεγκάντων, μάτην ἡ ἀλήθεια καὶ τὰ πράγματα. Τό γε μὴν διὰ τοῦ θανάτου τοῦ Χριστοῦ τὴν ἔχθραν
10 καταλυθῆναι[b] καὶ τὸ μεσότοιχον ἐκ μέσου γενέσθαι[c] καὶ εἰρήνην καὶ δικαιοσύνην ἐπὶ τῶν τοῦ Σωτῆρος ἡμερῶν ἀνατεῖλαι[d] καὶ πάντα ταῦτα, τίνα ἂν ἔτι χώραν ἔχοι, εἰ φίλοι Θεοῦ καὶ δίκαιοι πρὸ τῆς θυσίας ἦσαν ἐκείνης;

ABCV MPW Gass Migne

34, 14 ἀνατιθέμενοι Gass
35, 5 ἔτεμε : ἐστείλατο ABCV MW || 7 Θεοῦ : ἀνθρώπου ABCV Gass
36, 5 στεφανίτας ABV || 8 εἰσενεγκάντων P - γκόντων *cell.*

---

34. a. Sag. 3, 1
35. a. Jn 3, 13
36. a. cf. Hébr. 10, 1-3 || b. cf. Éphés. 2, 16 || c. cf. Éphés. 2, 14 || d. cf. Ps. 71, 7

ce corps, ils auraient été «dans la paix» et «dans la main de Dieu»[a], comme dit Salomon; tandis qu'au sortir de ce monde, c'est l'hadès qui les accueillait.

35. C'est que, pour nous apporter la justice véritable et l'intimité avec Dieu, notre Maître n'est pas allé les chercher hors de soi : il les a introduites lui-même dans le monde; et la route qui conduit au ciel, il ne l'a pas trouvée toute tracée, mais c'est lui qui l'a ouverte[30]. Si elle avait déjà existé, c'est qu'un autre l'eût ouverte avant lui, de ceux qui sont venus avant lui; alors que «nul n'est monté au ciel, sinon celui qui est descendu du ciel, le Fils de Dieu qui est au ciel[a].»

36. Si avant la croix on ne pouvait trouver ni rémission des péchés ni remise de peine, que penser de la justice? Il n'est pas logique, à mon sens, de se joindre au chœur des amis avant d'être réconcilié, ni d'être couronné alors qu'on est encore ceint de chaînes. En un mot, si le premier agneau avait tout accompli, pourquoi eût-il fallu d'autres agneaux par la suite[a]? Si les types et les figures avaient apporté le bonheur cherché, vaines seraient la vérité et la réalité[31]. Que par la mort du Christ l'inimitié ait été détruite[b] et le mur de séparation supprimé[c], que la paix et la justice ne soient levées aux jours du Sauveur[d], tout cela pourrait-il avoir un sens si avant ce sacrifice on pouvait être ami de Dieu et juste?

30. Cf. dans la liturgie de Noël : «Né volontairement d'une vierge, il établit pour nous un chemin accessible vers le ciel» (*hirmos* du second canon, à l'*orthros* du 25 décembre).

31. L'opposition entre les types et figures de l'A.T. et la réalité du N.T. est traditionnelle. On trouve plus précisément la comparaison des deux agneaux, dans un contexte liturgique, chez Cyr. Jér. (*Cat. Myst.* I,3) et chez Cabasilas lui-même (*Liturgie*, IX,3).

37. Τεκμήριον δὲ κἀκεῖνο· τότε μὲν γὰρ νόμος ἡμᾶς τῷ Θεῷ συνῆπτε· νῦν δέ, πίστις καὶ χάρις, καὶ εἴ τι τούτων ἔχεται[a]. Δῆλον γὰρ ἐντεῦθεν, τηνικαῦτα μὲν δουλείαν, νῦν δὲ υἱότητα καὶ φιλίαν τὴν τῶν ἀνθρώπων πρὸς Θεὸν
5 κοινωνίαν εἶναι[b]· ὁ μὲν γὰρ νόμος τοῖς δούλοις, φίλων δὲ καὶ υἱῶν ἡ χάρις καὶ ἡ πίστις καὶ τὸ θαρρεῖν.

(512) **38.** Ἐξ ὧν | ἁπάντων γίνεται δῆλον, ὥσπερ «πρωτότοκος τῶν νεκρῶν[a]» ὁ Σωτὴρ καὶ οὐκ ἦν ἀναβιῶναι τῶν τεθνηκότων οὐδένα τὴν ἀθάνατον ζωὴν μὴ ἀναστάντος ἐκείνου, τὸν ἴσον τρόπον καὶ πρὸς τὴν ἁγιωσύνην καὶ
5 δικαιοσύνην τοῖς ἀνθρώποις, αὐτὸς ἡγήσατο μόνος· καὶ τοῦτο Παῦλος ἔδειξε γράφων «πρόδρομον ὑπὲρ ἡμῶν εἰς τὰ ἅγια, τὸν Χριστὸν εἰσεληλυθέναι[b]».

39. Εἰσῆλθε γὰρ εἰς τα ἅγια ἑαυτὸν ἀνενεγκὼν τῷ Πατρί[a], καὶ τοὺς βουλομένους εἰσάγει τῆς ταφῆς αὐτῷ κοινωνοῦντας, οὐκ ἀποθνήσκοντας ὥσπερ ἐκεῖνος, ἀλλ' ἐπὶ τοῦ λουτροῦ τὸν θάνατον ἐπιδεικνυμένους ἐκεῖνον, καὶ ἐπὶ
5 τῆς τραπέζης καταγγέλλοντας τῆς ἱερᾶς[b], καὶ χριομένους καὶ εὐωχουμένους ἄρρητόν τινα τρόπον αὐτὸν τὸν νεκρωθέντα καὶ ἀναστάντα. Καὶ οὕτω διὰ τῶν πυλῶν τούτων εἰσαγαγών, εἰς τὴν βασιλείαν καὶ τοὺς στεφάνους ἡγεῖται.

ABCV MPW Gass Migne

37, 2 συνῆπται C
39, 7 καὶ *om.* V

---

37. a. cf. Jn 1, 17; Rom. 6, 14 || b. cf. Jn 15, 15; Gal. 4, 7

La nouvelle justice

37. En voici encore un témoignage : jadis, c'était la Loi qui nous unissait à Dieu ; maintenant, c'est la foi, la grâce, et tout ce qui s'y rattache[a]. Il est donc bien clair qu'autrefois c'était une servitude, alors qu'aujourd'hui c'est une filiation et une amitié qui constituent la communion des hommes avec Dieu[b] ; car la Loi est pour les esclaves, mais le lot des amis et des fils, c'est la grâce, la foi et la confiance.

38. Voici ce qui ressort clairement de tout cela : de même que le Sauveur est le « premier né d'entre les morts[a] » et que nul parmi les morts ne pouvait revivre à la vie immortelle tant que lui-même n'était pas ressuscité, de même lui seul a servi de guide aux hommes pour la sainteté et la justice ; ce que montra Paul en écrivant que « le Christ est entré en précurseur pour nous dans le sanctuaire[b]. »

39. Car il est entré dans le sanctuaire après s'être offert en sacrifice à son Père[a], et il y introduit ceux qui partagent volontairement sa sépulture, non pas en mourant comme lui, mais en montrant sa mort par le baptême, en l'annonçant par la sainte Table[b] et en recevant de façon ineffable, comme une chrismation et un festin, celui-là même qui est mort et ressuscité. C'est ainsi qu'après les avoir fait entrer par ces portes, il les guide vers le Royaume et les couronnes.

38. a. Col. 1, 18 ; Apoc. 1, 5 || b. Hébr. 6, 20
39. a. cf. Hébr. 7, 27 || b. cf. 1 Cor. 11, 26

40. Αὗται αἱ πύλαι τῶν τοῦ παραδείσου πυλῶν πολλῷ σεμνότεραι καὶ λυσιτελέστεραι. Αἱ μὲν γάρ, οὐκ ἂν ἀνοιγεῖεν οὐδενί, μὴ διὰ τούτων εἰσελθόντι πρότερον τῶν πυλῶν· αἱ δὲ κεκλεισμένων ἐκείνων ἠνοίγησαν. Καὶ αἱ μὲν καὶ ἐδύναντο 5 ἐξάγειν τοὺς ἔνδον· αἱ δὲ εἰσάγουσι μόνον, ἐξάγουσι δὲ οὐδένα. Καὶ τὰς μὲν καὶ κλεισθῆναι δυνατὸν ἦν, καί γε ἐκλείσθησαν· ἐπὶ δὲ τούτων παντάπασι τὸ παραπέτασμα[a] καὶ τὸ μεσότοιχον ἐλύθη καὶ ἀνῃρέθη[b].

41. Καί οὐκ ἔνεστιν ἔτι φραγμὸν ἀναστῆναι καὶ πύλας ἐναρμοσθῆναι καὶ τοὺς κόσμους ἀλλήλων τειχίῳ διαιρεθῆναι. Οὐ γὰρ ἀνεῴγασιν ἁπλῶς μόνον, ἀλλ' «ἐσχίσθησαν οἱ οὐρανοί[a]», ὁ θαυμάσιος ἔφη Μάρκος, δεικνὺς ὡς οὐκέτι 5 θύρα καὶ παραστάδες, οὐδὲ παραπέτασμα οὐδὲν ὑπελείφθη. Ὁ γὰρ καταλλάξας καὶ συνάψας καὶ εἰρηνοποιήσας τὸν ἄνω κόσμον τοῖς κάτω[b], καὶ «τὸ μεσότοιχον τοῦ φραγμοῦ λύσας[c]», «οὐ δύναται ἀρνήσασθαι ἑαυτόν[d]», ὁ μακάριος ἔφη Παῦλος. Τὰς μὲν γὰρ πύλας ἐκείνας διὰ τὸν Ἀδὰμ 10 ἀνεῳγυίας, ἐκείνου μὴ μείναντος ἐφ' οἷς ἔδει μένειν, καὶ κλεισθῆναι δήπουθεν εἰκὸς ἦν. Ταύτας δὲ ὁ Χριστὸς αὐτὸς ἀνέῳξεν, ὃς «ἁμαρτίαν οὐκ ἐποίησεν[e]» οὐδὲ δύναται ἁμαρτάνειν· «ἡ γὰρ δικαιοσύνη αὐτοῦ, φησί, μένει εἰς τὸν αἰῶνα[f]»· ὅθεν ἀνάγκη πᾶσα μένειν ἀνεῳγμένας, καὶ πρὸς

ABCV MPW Gass Migne

41, 2 ἀναρμοσθῆναι Gass || 3 οἱ *om.* C

---

40. a. cf. Matth. 27, 51 et par.; Hébr. 6, 19; 10, 20 || b. cf. Éphés. 2, 14

41. a. Marc 1, 10 || b. cf. Col. 1, 20 || c. Éphés. 2, 14 || d. II Tim. 2, 13 || e. I Pierre 2, 22; cf. Is. 53, 9 || f. Ps. 110, 3

---

32. Les portes du paradis terrestre, fermées quand Adam en fut banni (*Gen.* 3, 23). Les portes des mystères, ouvertes par le Christ, introduisent à la vie éternelle. L'opposition entre les portes du paradis et celles des mystères ne signifie pas que Cabasilas refuse l'identification entre le paradis terrestre et le paradis futur : seules les portes ne

40. Ces portes-là sont bien plus vénérables et utiles que les portes du paradis[32]. Car les portes du paradis ne sauraient s'ouvrir devant quelqu'un, s'il n'était d'abord entré par les portes des mystères, tandis que les portes des mystères s'ouvrirent quand les premières restaient fermées[33]. Les portes du paradis laissèrent sortir ceux qui étaient à l'intérieur; les portes des mystères font entrer seulement et ne laissent sortir personne. Les portes du paradis pouvaient être fermées et le furent effectivement; dans les portes des mystères, la tenture[a] et le mur de séparation[b] ont été complètement abolis et détruits.

41. Impossible, désormais, d'élever une clôture, d'ajuster des portes et de séparer les deux mondes l'un de l'autre par un mur. Car les cieux ne se sont pas simplement ouverts, ils se sont «déchirés[a]», dit l'admirable Marc, montrant par là qu'il ne subsiste plus rien, ni porte ni montants ni tenture. Car celui qui a réconcilié, réuni et pacifié le monde d'en-haut avec les créatures d'en-bas[b], qui a «aboli le mur de séparation[c]», «ne peut se renier lui-même[d]», a dit le bienheureux Paul. Les portes du paradis, qui avaient été ouvertes pour Adam, il était naturel qu'elles fussent fermées à partir du moment où il ne demeurait pas là où il devait demeurer. Mais les portes des mystères, c'est le Christ lui-même qui les a ouvertes, lui qui «n'a pas commis de péché[e]», et qui ne peut pas en commettre : car «sa justice demeure à jamais[f]», dit

sont pas les mêmes. Cf. cependant chez CHRYS. la distinction entre paradis et Royaume des cieux : *Serm. In Gen.* VII, 5 (*PG* 54,614).

33. Cabasilas semble s'écarter ici d'une tradition liturgique selon laquelle le Christ sur la croix rouvrit les portes du paradis (en particulier pour le bon larron) : «J'ai confiance en ta miséricorde, Christ Sauveur, et dans le sang de ton divin côté : par lui tu as sanctifié la nature des mortels, et tu as ouvert pour ceux qui te servent, toi le Bon, les portes du paradis jadis fermées par Adam» (*Triodion*, Dimanche de la Tyrophagie, *orthros*, canon de Christophoros Prôtosynkrétos, ode 9,4).

15 μὲν τὴν ζωὴν εἰσάγειν, ἀπὸ δὲ τῆς ζωῆς ἔξοδον οὐδενὶ παρέχειν. «Ἦλθον γάρ, φησὶν ὁ Σωτήρ, ἵνα ζωὴν ἔχωσι[g].»

42. Τοῦτο γάρ ἐστιν ἡ ζωὴ ἣν ὁ Κύριος ἧκε φέρων· τὸ διὰ τῶν μυστηρίων τούτων ἐλθόντας, μετασχεῖν αὐτῷ τοῦ θανάτου καὶ κοινωνῆσαι τοῦ πάθους, καὶ τούτου χωρὶς τὸν θάνατον οὐκ ἔνι διαφυγεῖν.

5 Οὔτε γὰρ μὴ βαπτισθέντα ἐν ὕδατι καὶ Πνεύματι δυνατὸν εἰς τὴν ζωὴν εἰσελθεῖν[a]· οὔτε «οἱ μὴ φαγόντες τὴν σάρκα τοῦ Υἱοῦ τοῦ ἀνθρώπου καὶ πιόντες αὐτοῦ τὸ αἷμα, δύνανται ζωὴν ἐν ἑαυτοῖς ἔχειν[b]». Καὶ σκοπῶμεν ἄνωθεν.

43. *Τίς ἡ αἰτία, δι' ἣν τὰ μυστήρια δύνανται μόνα τὴν ἐν Χριστῷ ζωὴν ἐντιθέναι ταῖς τῶν ἀνθρώπων ψυχαῖς.*

Ζῆσαι μὲν γὰρ οὐκ ἦν τῷ Θεῷ μὴ ταῖς ἁμαρτίαις ἀποθα-
(513) νόντας· ἀποκτεῖναι δὲ|δυνηθῆναι τὴν ἁμαρτίαν μόνου Θεοῦ.
5 Τοῖς γὰρ ἀνθρώποις ὠφείλετο μέν· δίκαιοι γὰρ ἦμεν ἑκόντες ἡττηθέντες, ἀναπαλαίσασθαι τὴν ἧτταν· οὐκ ἐνῆν δὲ οὐδ' ἐγγύς, δούλοις ἤδη γενομένοις τῆς ἁμαρτίας[a]· πῶς γὰρ ἂν ἐγενόμεθα κρείττους ἢ δουλεύοντες ἦμεν; ἢ γὰρ ἂν καὶ μείζους ἦμεν, «οὐκ ἔστι δὲ δοῦλος μείζων τοῦ
10 κυρίου αὐτοῦ[b]». Ἐπεὶ τοίνυν ὁ μὲν τὸ χρέος τοῦτο

ABCV MPW Gass Migne

43, 1-2 ABV mg. || 9 δὲ *om.* C Gass

41. g. Jn 10, 10
42. a. cf. Jn 3, 5 || b. cf. Jn 6, 53
43. a. cf. Jn 8, 34; Rom. 7, 11-25 || b. Matth. 10, 24

34. Ce sous-titre n'a pas pour objet de marquer une quelconque dépendance de Cabasilas par rapport à Anselme de Cantorbéry, mais de montrer la parenté de perspective (la Rédemption comme but premier de l'Incarnation). Sur ce point, cf. Introduction, p. 45-46 s. Remarquons simplement ici le caractère dramatique de la démonstration, hérité de la patristique grecque. Cf. GRÉG. NYS., *or. dom.*, V (*PG* 44, 1181 B).

l'Écriture ; il est donc absolument nécessaire qu'elles demeurent ouvertes et donnent accès à la vie, mais ne laissent personne sortir de la vie. Car «je suis venu, dit le Sauveur, afin qu'ils aient la vie[g].»

42. Voici en quoi consiste la vie que le Seigneur a apportée en venant : c'est qu'en passant par ces mystères nous ayons part à sa mort et partagions sa Passion, sans quoi il est impossible d'échapper à la mort.

Car celui qui n'a pas été baptisé dans l'eau et dans l'Esprit ne peut entrer dans la vie[a] ; et «ceux qui ne mangent pas la chair du Fils de l'homme et ne boivent pas son sang ne peuvent avoir la vie en eux[b].» Mais regardons la chose de plus haut.

POURQUOI DIEU S'EST FAIT HOMME ?[34]

43. *Pour quelle raison les mystères peuvent seuls introduire la vie du Christ dans l'âme des hommes.*

Il n'était pas possible de vivre pour Dieu sans être mort aux péchés ; mais le pouvoir de mettre à mort le péché n'appartenait qu'à Dieu. En effet, pour nous les hommes c'était une obligation — ayant été vaincus volontairement[35], nous étions tenus de réparer notre défaite —, mais cela nous était absolument impossible, une fois devenus esclaves du péché[a] : comment aurions-nous pu l'emporter sur ce dont nous étions esclaves[36] ? Aurions-nous même été plus grands que nous ne sommes, «l'esclave n'est pas plus grand que son maître[b].» Puis donc que celui qui était tenu

35. Cf. Ans., I, 22 (p. 328) : «sans contrainte aucune, sous l'effet de la seule persuasion, librement ...»

36. Cf. Bas., *De bapt.*, I, 1 : «Celui qui est esclave du diable et dominé par le péché qui habite en lui est incapable de servir le Seigneur.»

καταβαλεῖν καὶ τὴν νίκην ἄρασθαι ταύτην δίκαιος ὤν, ἀνδράποδον ἦν ὧν ἔδει τῷ πολέμῳ κρατεῖν· ὁ δὲ Θεὸς ᾧ ταῦτα ἐξῆν οὐδενὸς ὑπόχρεως ἦν, καὶ διὰ ταῦτα τὸν ἀγῶνα οὐδέτερος ἀνῃρεῖτο, καὶ ἡ ἁμαρτία ἔζη[c], καὶ ἦν ἀμήχανον
15 ἤδη τὴν ἀληθινὴν ζωὴν ἡμῖν ἀνατεῖλαι — τὸ τρόπαιον ἄλλου μὲν ὀφείλοντος, ἄλλου δὲ δυναμένου —, τούτων ἕνεκα συνελθεῖν ἐδέησε τοῦτο κἀκεῖνο, καὶ ἕνα καὶ τὸν αὐτὸν ἀμφοτέρας εἶναι τὰς φύσεις, τοῦ τε προσήκοντος τῷ πολέμῳ καὶ ἐδύνατο νικῆσαι.

44. Γίνεται τοίνυν. Καὶ Θεὸς μὲν οἰκειοῦται τὸν ὑπὲρ τῶν ἀνθρώπων ἀγῶνα· ἄνθρωπος γάρ· ἄνθρωπος δὲ νικᾷ τὴν ἁμαρτίαν, καθαρὸς ὢν ἁμαρτίας ἁπάσης, Θεὸς γὰρ ἦν. Καὶ τοῦτον τὸν τρόπον ἡ φύσις τῶν ὀνειδῶν ἀπαλλάττεται,
5 καὶ ἀναδεῖται νίκης στεφάνῳ, τῆς ἁμαρτίας πεσούσης.

45. Οὔπω δὲ καὶ τῶν ἀνθρώπων ἕκαστος ἢ νενίκηκε τούτων ἕνεκα ἢ ἠγώνισται, ἤγουν τῶν δεσμῶν ἐκείνων ἐλύθη· καὶ τοῦτο δὲ αὐτὸς ἐποίησε, δι' ὧν προσέθηκεν ὁ Σωτήρ, ἐν οἷς ἑκάστῳ τῶν ἀνθρώπων ἔδωκεν ἐξουσίαν[a]
5 ἀποκτεῖναι τὴν ἁμαρτίαν καὶ κοινωνοὺς αὐτῷ γενέσθαι τῆς ἀριστείας.

46. Ἐπεὶ γὰρ μετὰ τὸ τρόπαιον ἐκεῖνο δέον στεφανοῦσθαι καὶ θριαμβεύειν, ὁ δὲ πληγῶν καὶ σταυροῦ καὶ θανάτου καὶ τῶν τοιούτων εἰς πεῖραν ἦλθε, καὶ ὅ φησι Παῦλος· «ἀντὶ τῆς προκειμένης αὐτῷ χαρᾶς, ὑπέμεινε σταυρόν
5 αἰσχύνης καταφρονήσας[a]», τί γίνεται ;

ABCV MPW Gass Migne

43, 11 καταλαβεῖν Gass || ἀρέσθαι Gass || 16 ἄλλου : ἑτέρου ABCV
44, 3 ὢν *om.* Gass || 4 τοῦτον μὲν ABCV MW
46, 3 καὶ *om.* Gass

---

43. c. cf. Rom. 7, 9
45. a. cf. Jn 1, 12
46. a. Hébr. 12, 2

d'acquitter cette dette et de remporter cette victoire était réduit en esclavage par ceux-là même qu'il devait vaincre au combat[37] ; et puisque Dieu, qui en était capable, n'avait aucune dette, et que dans ces conditions aucun des deux ne se chargeait du combat, et que le péché vivait[c], et qu'il n'y avait plus moyen que la véritable vie se levât sur nous — car autre était celui qui devait gagner ce trophée, autre celui qui le pouvait[38] —, pour cette raison, il fallut que l'un et l'autre se réunissent, que fussent un seul et même être les deux natures de celui qui devait faire la guerre et de celui qui pouvait vaincre.

44. C'est ce qui se produit : un Dieu s'approprie le combat livré pour les hommes, parce qu'il est homme ; un homme triomphe du péché, étant pur de tout péché parce qu'il est Dieu. De cette façon, notre nature est affranchie de la honte et ceint la couronne de la victoire, car le péché a été abattu.

La Rédemption appliquée à chaque homme

45. Mais chaque homme n'avait pas encore pour autant vaincu ni combattu, autrement dit, n'avait pas encore été délivré de ses fers : cela aussi, c'est le Sauveur qui l'a réalisé, en ajoutant les moyens par lesquels il a donné à chaque homme le pouvoir[a] de mettre à mort le péché et de partager ses exploits.

46. Après un tel trophée, il aurait dû être couronné et porté en triomphe ; or, au contraire, il a connu les plaies, la croix, la mort et tout à l'avenant. Comme dit Paul, « au lieu de la joie qui lui était proposée, il endura une croix dont il méprisa l'infâmie[a]. » Alors, que va-t-il se passer ?

37. Cf. Ans., I, 22 : « (L'homme doit) vaincre le diable. »
38. Cf. Ans., II, 6 : « Cette satisfaction ne doit être accomplie que par l'homme (...). (Elle) ne peut être accomplie que par Dieu. »

47. Ὁ μὲν οὐδὲν ἠδίκησεν[a] ὧν ταῦτα ἔδωκε δίκην, οὐδὲ ἐποίησεν ἁμαρτίαν οὐδὲ εἶχεν οὐδὲν ὅθεν ἂν ἐγκαλεῖν εἶχεν ὁ συκοφάντης καὶ σφόδρα ἀναισχυντῶν[b]. Πληγὴ δὲ καὶ ὀδύνη καὶ θάνατος ἐξ ἀρχῆς κατὰ τῆς ἁμαρτίας ἐπενοήθη[c]· 5 τί γὰρ καὶ συνεχώρει φιλάνθρωπος ὢν ὁ Δεσπότης; Οὐ γὰρ εἰκός ἐστι φθορᾷ καὶ θανάτῳ τὴν ἀγαθότητα χαίρειν. Διὰ τοῦτο μετὰ τὴν ἁμαρτίαν εὐθὺς τὸν θάνατον καὶ τὴν ὀδύνην συνεχώρησεν ὁ Θεός, οὐ δίκην ἡμαρτηκότι μᾶλλον ἐπάγων ἢ φάρμακον νενοσηκότι παρέχων.

48. Ἐπεὶ τοίνυν τοῖς ὑπὸ τοῦ Χριστοῦ πεπραγμένοις οὐκ ἦν ἐφαρμόσαι ταύτην τὴν δίκην, καὶ ἀρρωστίας ἴχνος εἶχεν οὐδὲν ὁ Σωτὴρ ἣν ἀνεῖλεν ὅπερ ἔλαβε φάρμακον, εἰς ἡμᾶς ἡ τοῦ ποτηρίου[a] δύναμις ἐκείνου διαβαίνει, καὶ 5 ἀποκτείνει τὴν ἐν ἡμῖν ἁμαρτίαν· καὶ ἡ τοῦ ἀνευθύνου πληγὴ γίνεται δίκη τοῖς πολλῶν ὑπόχρεως οὖσι.

49. Καὶ ἐπεὶ μεγάλη τις ἦν ἡ δίκη καὶ θαυμαστὴ καὶ μείζων ἢ τῶν ἀνθρωπείων κακῶν ἀντίρροπος εἶναι, οὐ μέχρι τούτου μόνον ἔστη λύσασα τὸ ἔγκλημα· ἀλλὰ τοσαύτην προσέθηκεν ὑπερβολὴν ἀγαθῶν, ὥστε καὶ εἰς τὸν οὐρανὸν 5 αὐτὸν ἀναβῆναι καὶ τῆς ἐνταῦθα βασιλείας τῷ Θεῷ κοινωνῆσαι, τοὺς ἀπὸ γῆς, τοὺς ἐχθίστους, τοὺς δεδεμένους, (516) τοὺς ἠνδραποδισμένους, τοὺς ἠτιμωμένους. | Τίμιος γὰρ ἦν ὁ θάνατος ἐκεῖνος[a], οὔμενουν οὐδ᾽ ὅσον ἀνθρώποις λογίσασθαι δυνατόν, καὶ εἰ ὀλίγου τινός ἐπράθη[b] τοῖς φονευταῖς 10 συγχωροῦντος τοῦ Σωτῆρος· ἵνα καὶ τοῦτο πτωχείας αὐτῷ γέμῃ καὶ ἀτιμίας.

50. Ὡσὰν τῷ μὲν ὅλως πραθῆναι τὰ δούλων ὑπομείνας, τὸ ὑβρισθῆναι κερδάνῃ· κέρδος γαρ ἡγεῖτο τὴν ὑπὲρ ἡμῶν

ABCV MPW Gass Migne

47, 6 φθορᾷ : φοβερῷ Gass

---

47. a. cf. I Pierre 2, 22 || b. cf. Jn 8, 46 || c. cf. Gen. 3, 14-19
48. a. cf. Matth. 20, 22; 26, 39; Jn 18, 11

47. Lui n'a commis aucune injustice[a] dont il eût à subir ce châtiment, et n'a pas commis de péché ni rien qui pût le faire accuser en justice par le dénonciateur le plus imprudent[b]. Or, les plaies, la douleur et la mort, à l'origine c'est contre le péché qu'elles ont été inventées[c] : en effet, pourquoi le Maître tolérait-il cela, lui qui est ami des hommes ? On ne peut imaginer que celui qui est bonté se réjouisse de la corruption et de la mort ; si donc, aussitôt le péché commis, Dieu a permis la mort et la douleur, ce n'est pas tant pour intenter un procès à un pécheur que pour procurer un remède à un malade.

48. Si donc les actes du Christ ne méritaient pas ce châtiment, et si le Sauveur n'avait nulle trace d'infirmité qu'il dût enlever en prenant ce remède, c'est en nous que passe la vertu du calice[a] qu'il a bu, et elle tue le péché qui est en nous ; les plaies de celui qui ne devait rien donnent quittance à de grands débiteurs.

49. Mais comme la peine subie était quelque chose de grand et d'extraordinaire, trop grand pour contrebalancer seulement les maux des hommes, elle ne se contenta pas de détruire le chef d'accusation, mais elle donna en outre une telle surabondance de biens, que montèrent jusqu'au ciel, pour y partager la royauté de Dieu, les êtres issus de la terre, les pires ennemis, les captifs, les hommes réduits en esclavage, les déshonorés. Car cette mort fut précieuse[a], d'un prix que les hommes ne peuvent absolument pas calculer, bien qu'elle fût vendue à vil prix[b] aux meurtriers, avec la permission du Sauveur : il voulait ainsi que cette mort regorgeât pour lui de pauvreté et d'abjection.

50. Afin que le seul fait d'être vendu en subissant ainsi le sort des esclaves lui apportât comme gain d'être outragé

49. a. cf. Ps. 115, 6 ; I Pierre 1, 19 || b. cf. Matth. 26, 15

ἀτιμίαν[a]· τῷ δὲ ὀλίγου τινός, αἰνίξηται προῖκα καὶ δῶρον εἰς τὸν ὑπὲρ τοῦ κόσμου θάνατον ἀφιγμένος· ἑκὼν
5 ἀπέθανε[b] μηδένα μηδὲν ἀδικήσας, οὔτε τοῦ βίου ἕνεκα οὔτε τῆς εἰς τὸ κοινὸν πολιτείας, χαρίτων ὑπάρξας τοῖς φονευταῖς, τῶν ἐπιθυμιῶν καὶ τῶν ἐλπίδων πολλῷ μειζόνων.

51. Καὶ τί δὴ ταῦτα λέγω; Θεὸς ἀπέθανεν· αἷμα Θεοῦ τὸ χεθὲν ἐπὶ τοῦ σταυροῦ. Τί τιμιώτερον τούτου γένοιτ' ἂν τοῦ θανάτου[a]; Τί φρικωδέστερον; Τί τοσοῦτον ἥμαρτεν ἡ τῶν ἀνθρώπων φύσις, ὅσον λύειν εἶχεν ἡ δίκη; Πηλίκον
5 ἂν ἦν τὸ τραῦμα, ὥστε ἀντίρροπον γενέσθαι τῇ τοῦ φαρμάκου τούτου δυνάμει;

52. Ἔδει μὲν γὰρ τιμωρίᾳ τινὶ τὴν ἁμαρτίαν καταλυθῆναι, καὶ ὧν πρὸς Θεὸν ἐξημάρτομεν τὴν ἀξίαν δόντας δίκην, ἀπηλλάχθαι τῶν ἐγκλημάτων· ὁ γὰρ τιμωρησάμενος οἷς ἐπήνεγκε δίκην, ἐγκαλοίη περὶ τῶν αὐτῶν οὐκ ἂν ἔτι.
5 Ἀνθρώπων δὲ οὐδεὶς ἦν ὃς εὐθύνης καθαρὸς ὢν αὐτός, ὑπὲρ τῶν ἄλλων ἔπαθεν ἄν, ὅπου γε οὐδὲ ἑαυτῷ τις ἤρκεσεν οὐδὲ τὸ γένος ἅπαν, εἰ μυριάκις ἐξῆν ἀποθανεῖν, τὴν γιγνομένην ἂν ἀπέτισε δίκην. Τί γὰρ ἂν ἄξιον καὶ πάθοι δοῦλος αἴσχιστος, τὴν εἰκόνα συντρίψας τὴν βασιλικὴν καὶ πρὸς
10 τοσοῦτον ὕψος ὑβρίσας;

ABCV MPW Gass Migne

52, 2 ἀζίας Gass ‖ 7 γενομένην Gass ‖ 8 ἂν[1] *om.* Gass

---

50. a. cf. Phil. 3,7 ‖ b. cf. Jn 10,18
51. a. cf. I Pierre 1,19

---

39. Ces formules audacieuses rappellent la controverse théopaschite qui émut l'Église aux Ve et VIe siècles : ceux qui proclamaient la «mort de Dieu sur la croix» paraissaient attribuer indûment à la nature divine la mortalité qui est le propre de la nature humaine. Le symbole de Chalcédoine définissant l'union des deux natures dans l'hypostase du Christ ouvrit la voie à une compréhension orthodoxe de la formule : en vertu de ce que l'on appelle la «communication des idiomes» *(idiômata)*, ce qui est vrai du Christ en tant qu'homme est vrai de lui en tant que Dieu, et inversement. Entendue ainsi, la formule «Dieu est mort» a la même validité que celle qui proclame

— car il estimait comme un gain[a] l'abjection soufferte pour nous — et afin que le fait d'être vendu à vil prix lui permît de signifier qu'il était venu mourir pour le monde gratuitement, comme un don, il est mort de son plein gré[b], lui qui n'avait jamais lésé quiconque, ni dans sa vie privée ni dans sa vie publique, et il fut pour ses meurtriers une source de grâces qui dépassait infiniment leurs désirs et leurs espérances.

51. Mais que dis-je ? Un Dieu est mort ; c'est le sang d'un Dieu qui a été répandu sur la croix[39]. Que pourrait-il y avoir de plus précieux que cette mort[a] ? Quoi de plus redoutable ? Le péché de la nature humaine était-il donc si grand qu'il fallût l'acquitter à un tel prix ? La blessure était-elle si grave qu'il fallût la traiter par la vertu de ce remède-là ?

52. Certes, il fallait que le péché fût effacé par un châtiment, et nous ne pouvions être affranchis des accusations que nous valaient nos offenses envers Dieu qu'en en subissant la juste peine ; car lorsqu'on a châtié, on ne cite plus en justice pour les mêmes faits ceux à qui on a infligé une peine. Mais parmi les hommes, il n'y en avait aucun qui, exempt lui-même de toute accusation, pût expier pour les autres, étant donné que nul n'y eût suffi pour lui-même, et que notre race tout entière, dût-elle mourir dix-mille fois, n'aurait su purger la peine encourue. Et de fait, quel châtiment mériterait un esclave infâme qui aurait brisé l'image du roi et défié une si haute majesté ?

Marie « Mère de Dieu ». En marge de cet aspect théologique, la spiritualité et la liturgie byzantines, dans leur réalisme résolument paradoxal, n'hésitèrent pas à employer ces formules : cf. IGNACE D'ANTIOCHE, *Ep. ad Eph.*, I, 1 ; CHRYS., *In I Cor.*, *hom.* XXIV, 4 (*PG* 61, 203 B) ; grandes vêpres de l'Exaltation de la croix (14 septembre), 2e ton, après les Ps. du Lucernaire : (« Par le sang d'un Dieu le venin du serpent est neutralisé »). Cabasilas s'inscrit tout à fait dans cette tradition.

53. Διὰ ταῦτα ὁ Δεσπότης ὁ ἀναμάρτητος πολλῶν δεινῶν ἀνασχόμενος ἀποθνήσκει· καὶ φέρει μὲν τὴν πληγὴν ὑπὲρ τῶν ἀνθρώπων ἀπολογούμενος, ἄνθρωπος ὤν· λύει δὲ τὸ γένος τῶν ἐγκλημάτων καὶ δίδωσι τοῖς δεδεμένοις
5 ἐλευθερίαν, ὅτι αὐτὸς οὐκ ἐδεῖτο ταύτης, Θεὸς ὢν καὶ Δεσπότης.

Ἀνθ' ὧν μὲν οὖν ἡ ἀληθινὴ ζωὴ διὰ τοῦ θανάτου τοῦ Σωτῆρος εἰς ἡμᾶς διαβαίνει, ταῦτά ἐστιν.

54. Ὁ δὲ τρόπος ὅπως ταύτην ἕλκομεν εἰς τὰς ἡμετέρας ψυχάς, τοῦτό ἐστι· τὸ τελεσθῆναι τὰ μυστήρια, τὸ λούσασθαι, τὸ χρισθῆναι, τὸ τῆς τραπέζης ἀπολαῦσαι τῆς ἱερᾶς. Ταῦτα γὰρ ποιοῦσιν ὁ Χριστὸς ἐπιδημεῖ καὶ ἐνοικεῖ
5 καὶ συνάπτεται καὶ προσφύεται, καὶ τὴν ἁμαρτίαν ἐν ἡμῖν ἀποπνίγει, καὶ τὴν ζωὴν ἐνίησι τὴν ἑαυτοῦ καὶ τὴν ἀριστείαν, καὶ κοινωνοὺς ποιεῖται τῆς νίκης. Ὢ τῆς ἀγαθότητος ; λουμένους ἀναδεῖ καὶ δειπνοῦντας ἀνακηρύττει.

55. *Διὰ τί λουομένους καὶ μύρῳ χριομένους καὶ δειπνοῦντας ὁ Χριστὸς στεφανοῖ.*

Διὰ τί καὶ κατὰ τίνα τοῦ γιγνομένου λόγον ἀπὸ λουτροῦ καὶ μύρων καὶ τραπέζης νίκη καὶ στέφανος, ἃ πόνων καὶ
5 ἱδρώτων ἐστὶ καρπός ;

Ὅτι εἰ καὶ μὴ ἀγωνιζόμεθα μηδὲ πονοῦμεν ταῦτα ποιοῦντες, ἀλλὰ τόν γε ἀγῶνα ὑμνοῦμεν ἐκεῖνον καὶ θαυμάζομεν τὴν νίκην καὶ προσκυνοῦμεν τὸ τρόπαιον καὶ περὶ τὸν ἀριστέα σφοδρόν τι καὶ ἄρρητον ἐπιδεικνύμεθα

ABCV MPW Gass Migne

53, 5 αὐτὸς οὐκ : οὐκ αὐτὸς ABCV ‖ γε *post* Θεὸς *add.* ABCV MW
54, 3 τὸ τραπέζης MPW Gass ‖ 8 λουόμενους Migne
55, 1-2 BV mg. ‖ 3 γινομένου W Gass ‖ λόγου Migne ‖ 5 ἱδρώτων καὶ κινδύνων ABCV MW

53. Voilà pourquoi le Maître sans péché meurt après avoir souffert de nombreux outrages ; il supporte les coups en répondant pour les hommes en tant qu'homme ; il affranchit notre race des accusations et donne aux captifs la libération dont lui-même n'avait pas besoin en tant que Dieu et Maître.

Voilà à quel prix la vraie vie passe en nous, à travers la mort du Sauveur.

LES MYSTÈRES ACTUALISENT LA RÉDEMPTION

54. Quant au moyen de l'attirer dans nos âmes, le voici : c'est d'être initié aux mystères[40] — être baptisé, chrismé, goûter à la sainte Table. Si nous faisons cela, le Christ vient habiter et demeurer en nous, il s'unit à nous, il nous est greffé, il étouffe en nous le péché et nous infuse sa propre vie et ses exploits, il nous fait partager sa victoire. Ô comble de bonté ! il ceint de la couronne des hommes plongés dans l'eau et proclame vainqueurs des convives[41].

55. *Pourquoi le Christ couronne des hommes qui sont baignés, oints de chrême et convives.*

Pourquoi, en vue de quelle raison d'être, victoire et couronne, qui sont le fruit de peines et de fatigues, viennent-elles d'un bain, d'un chrême et d'une table ?

C'est que même si nous ne combattons ni ne souffrons quand nous faisons cela, du moins chantons-nous ce combat, admirons-nous la victoire, adorons-nous le trophée et manifestons-nous une tendresse ardente et indici-

40. Vocabulaire mystérique classique depuis Denys *(e.h.)*.

41. Il s'agit des baptisés (plongés dans l'eau) et de ceux qui reçoivent l'eucharistie (convives). Ce vocabulaire concret souligne la simplicité des gestes à accomplir pour être sauvé : être plongé dans un bain et être convive d'un banquet.

10 φίλτρον. Καὶ τὰ τραύματα ἐκεῖνα καὶ τὴν πληγὴν καὶ τὸν θάνατον οἰκειούμεθα καὶ δι' ὧν ἔξεστιν εἰς ἡμᾶς αὐτοὺς (517) ἕλκομεν καὶ αὐτῶν γευόμεθα τῶν σαρκῶν | τοῦ νεκρωθέντος καὶ ἀναστάντος· ὅθεν εἰκότως ἀπὸ τοῦ θανάτου καὶ τῶν ἀγώνων ἐκείνων ἀπολαύομεν ἀγαθῶν.

56. Εἰ γάρ τις τύραννον ἁλόντα καὶ δίκην ἀπαιτούμενον παρελθὼν ἐξαιρεῖται καὶ στεφάνων ἀξιοῖ καὶ σεμνύνει τὴν τυραννίδα καὶ αὐτὸς ἡγεῖται ἀποθνήσκειν ἐκείνου πίπτοντος καὶ καταβοᾷ τῶν νόμων καὶ πρὸς τὰ δίκαια δυσχεραίνει 5 καὶ ταῦτα οὐ σὺν αἰσχύνῃ οὐδὲ συγκαλύπτων τὴν πονηρίαν, ἀλλὰ παρρησιαζόμενος καὶ μαρτυρόμενος καὶ ἐπιδεικνύμενος, τοῦτον τίνων ἀξιώσομεν ψήφων; Οὐ τῶν αὐτῶν αὐτῷ τιμησόμεθα τῷ τυράννῳ; Παντί που δῆλον.

57. Οὐκοῦν τοὐναντίον ἅπαν, εἴ τις ἀριστέα θαυμάζει καὶ χαίρει νενικηκότι καὶ στεφάνους αὐτῷ πλέκει καὶ θορύβους ἐγείρει καὶ σείει τὸ θέατρον καὶ θριαμβεύοντι προσπίπτει σὺν ἡδονῇ καὶ κεφαλὴν καταφιλεῖ καὶ περιπτύσ-5 σεται δεξιὰν καὶ οὕτω σφόδρα μαίνεται περὶ τὸν στρατιώτην καὶ ἣν ἀνῄρηται νίκην, ὥσπερ αὐτὸς ὢν ὁ τὴν κεφαλὴν τῷ στεφάνῳ κοσμήσων τὴν ἑαυτοῦ· οὗτος γὰρ μερίτης ἂν εἴη τῶν ἐπάθλων τῷ νικητῇ, παρά γε εὐγνώμοσι δικασταῖς, καθάπερ ἐκεῖνος; οἶμαι, κοινωνήσει τῷ τυράννῳ τῆς δίκης. 10 Εἰ γὰρ περὶ τοὺς πονηροὺς ἃ προσῆκε σώσομεν καὶ τῆς προαιρέσεως καὶ τῆς γνώμης ἀπαιτητέον εὐθύνας, σχολῇ γε εἰκός ἐστι τοὺς ἀγαθοὺς τῶν γιγνομένων ἀποστερεῖν.

58. Εἰ δὲ καὶ τοῦτο προστεθὲν εἶ, καὶ ὁ τὴν νίκην εἰργασμένος ἐκείνην αὐτὸς μὲν οὐ δεῖται τῶν ἀπὸ τῆς νίκης

ABCV MPW Gass Migne

55, 12 γενόμεθα Gass
56, 7 αὐτῶν *om.* CW ‖ 8 αὐτῷ *om.* Gass
57, 9 νίκης CW ‖ 10 σώσομεν : δώσομεν C *om.* Gass
58, 1 προστεθὲν εἶ : προστεθείη Gass

ble envers le héros. Ces blessures, cette plaie[42] et cette mort, nous les faisons nôtres et nous les attirons à nous de toutes nos forces, et nous goûtons la propre chair de celui qui fut mis à mort et qui ressuscita. Ainsi jouissons-nous à juste titre des biens issus de sa mort et de son combat.

56. Si quelqu'un, passant devant un tyran captif et dont on demande justice, se met à le réclamer, à le juger digne de couronnes et à vanter sa tyrannie ; s'il estime ne pas survivre à sa chute, qu'il vocifère contre les lois et s'emporte contre la justice, et tout cela sans honte, sans dissimuler sa méchanceté, mais au contraire avec audace, en prenant des témoins, avec ostentation ; un tel homme, quelle sentence porterons-nous contre lui ? Ne l'estimerons-nous pas digne de subir le même sort que le tyran ? C'est trop évident.

57. A l'inverse, si quelqu'un admire un héros, se réjouit de sa victoire, lui tresse des couronnes, déclanche les applaudissements, ébranle le théâtre, s'il se jette avec allégresse aux pieds du triomphateur, baise sa tête, embrasse sa main droite, et manifeste envers ce guerrier et la victoire qu'il a remportée des transports aussi violents que s'il devait lui-même ceindre la couronne ; celui-là n'aura-t-il pas sa part des récompenses avec le vainqueur, du moins auprès de juges équitables, de la même façon que l'autre, je pense, partagera la peine du tyran ? Car si nous réservons aux méchants ce qu'ils méritent, et s'il faut leur demander compte de leurs intentions et de leur volonté mauvaise, serait-il juste de priver les bons de leur récompense ?

58. Si l'on ajoute que celui qui a remporté cette victoire n'a pas lui-même besoin du prix de sa victoire, mais qu'il

42. Employé au singulier et mis en parallèle avec τραύματα, πληγή désigne la plaie du côté transpercé du Christ.

γερῶν, ἐκεῖνο δὲ ἀντὶ πάντων ἡγεῖται λαμπρὸν ἰδεῖν ἐπὶ τοῦ θεάτρου τὸν σπουδαστήν καὶ τοῦτο τῆς ἀγωνίας ἆθλον
5 ἑαυτῷ νομίζει στεφανωθῆναι τὸν ἑταῖρον, πῶς οὐ δικαίως ἐκεῖνος καὶ μάλα ἀκολούθως ἄνευ ἱδρώτων καὶ κινδύνων τὸν ἀπὸ τοῦ πολέμου κομιεῖται στέφανον ;

59. Ταῦτα δὴ καὶ ἡμῖν τὸ λουτρὸν τοῦτο δύναται καὶ τὸ δεῖπνον καὶ ἡ σώφρων τοῦ μύρου τρυφή. Μυούμενοι γάρ, τὸν μὲν τύραννον κακίζομεν καὶ καταπτύομεν καὶ ἀποστρεφόμεθα, τὸν ἀριστέα δὲ ἐπαινοῦμεν καὶ θαυμάζομεν
5 καὶ προσκυνοῦμεν καὶ φιλοῦμεν ὅλῃ ψυχῇ, ὥστε τῷ περιόντι τοῦ φίλτρου ὡς ἄρτον σιτούμεθα καί ὡς μύρον χριόμεθα καὶ ὡς ὕδωρ περιϐαλλόμεθα.

60. Φανερὸν δὲ ὅτι τὸν πόλεμον ὑπὲρ ἡμῶν εἵλετο τοῦτον, καὶ ἵνα νικήσωμεν ἡμεῖς αὐτὸς ἠνέσχετο ἀποθνήσκων· ὥστε οὐδὲν ἀνακόλουθον οὐδὲ ἀπᾷδον ἀπὸ τῶν μυστηρίων τούτων ἐπὶ τοὺς στεφάνους ἔρχεσθαι. Ἡμεῖς
5 μὲν γὰρ τὴν δυνατὴν ἐπιδεικνύμεθα προθυμίαν, καὶ τὸ ὕδωρ ἀκούοντες τοῦτο τὰ τοῦ θανάτου τοῦ Χριστοῦ καὶ τοῦ τάφου δύνασθαι, καὶ πιστεύομεν εὖ μάλα καὶ πρόσιμεν ἡδέως καὶ καταδυόμεθα· ὁ δέ — οὐ γὰρ μικρὰ δίδωσιν οὐδὲ μικρῶν ἀξιοῖ — τοὺς προστιθεμένους τοῖς μετὰ τὸν θάνατον καὶ
10 τὴν ταφὴν δεξιοῦται, οὐ στέφανόν τινα παρέχων, οὐ δόξης μεταδιδούς, ἀλλ' αὐτὸν τὸν νικητὴν αὐτὸς ἑαυτὸν ἐστεφανωμένον.

61. Καὶ τὸ ὕδωρ ἀναδύντες, αὐτὸν τὸν Σωτῆρα φέρομεν ἐπὶ τῶν ἡμετέρων ψυχῶν, ἐπὶ τῆς κεφαλῆς, ἐπὶ τῶν

ABCV MPW Gass Migne

60, 1 καὶ *post* δὲ *add.* ACV || 2 ἠνέχετο Gass ἀνέσχετο Migne || 5 γὰρ *om.* Gass || 6 τοῦ[1] *om.* Gass

---

43. S'agissant du combat que constitua la Passion du Christ, il n'est pas indifférent que le terme choisi soit ἀγωνία (cf. *Lc* 22, 44).

souhaite par-dessus tout voir son partisan briller sur le théâtre, qu'il estime que sa récompense pour le combat[43], c'est que son compagnon reçoive la couronne, n'est-il pas juste et naturel que celui-ci ceigne, sans fatigues et sans peines, cette couronne gagnée au combat ?

59. Voilà ce que réalisent pour nous aussi ce bain, ce banquet et la chaste caresse du chrême. Car en étant initiés, nous blâmons le tyran, nous le conspuons, nous le rejetons ; et nous louons le héros, nous l'admirons, nous l'adorons, nous l'aimons de toute notre âme[44], au point que dans l'excès de notre tendresse nous le mangeons comme du pain, nous en sommes chrismés comme d'un chrême et nous sommes immergés en lui comme dans l'eau.

Rôle du Christ et rôle de l'homme

60. Il est clair que ce combat, c'est pour nous qu'il l'a livré, et que s'il a supporté la mort, c'est pour que nous soyons vainqueurs. Il n'y a donc rien d'anormal ni de discordant à ce qu'à partir de ces mystères nous parvenions aux couronnes. De notre côté, nous montrons tout l'empressement dont nous sommes capables : comme on nous dit que cette eau a les mêmes vertus que la mort du Christ et sa sépulture, nous le croyons volontiers, nous nous y rendons avec joie et nous nous y plongeons. De son côté — lui qui ne fait pas de dons petits ni ne gratifie de petites choses —, il accueille ceux qui se vouent à lui avec les fruits de sa mort et de sa sépulture : ce n'est pas une couronne qu'il leur donne, ni une gloire qu'il leur partage, mais c'est le vainqueur couronné en personne, qui n'est autre que lui-même.

61. En émergeant de l'eau, c'est le Sauveur lui-même que nous portons en nos âmes, sur notre front, dans nos

44. Allusion aux rites du baptême : renonciation à Satan et profession de foi.

ὀφθαλμῶν, ἐν αὐτοῖς τοῖς σπλάγχνοις, ἐπὶ τῶν μελῶν ἁπάντων, ἁμαρτίας καθαρόν, φθορᾶς ἁπάσης ἀπηλλαγμένον,
5 οἷος ἀνέστη καὶ τοῖς μαθηταῖς ὤφθη καὶ ἀνελήφθη, οἷος ἀφίξεται πάλιν τοῦτον ἀπαιτήσων τὸν θησαυρόν.

(520) | **62.** Οὕτω δὲ γεννηθέντες καὶ καθάπερ εἴδει τινὶ καὶ μορφῇ τῷ Χριστῷ τυπωθέντες, ἵνα μηδὲν ἐπεισαγάγωμεν ἀλλότριον εἶδος, τῆς ζωῆς τὰς εἰσόδους αὐτὸς κατέχει. Καὶ δι' ὧν ἀέρα καὶ τροφὴν εἰσάγοντες τῇ ζωῇ τοῦ σώματος
5 βοηθοῦμεν, διὰ τούτων αὐτὸς εἰς τὰς ἡμετέρας εἰσδύεται ψυχάς· καὶ τὰς θύρας ἀμφοτέρας οἰκειοῦται, τῇ μὲν ὡς μύρον καὶ εὐωδία, τῇ δὲ ὡς τροφὴ προσήκων. Καὶ γὰρ καὶ ἀναπνέομεν αὐτὸν καὶ τροφὴ γίνεται ἡμῖν. Καὶ οὕτως ἑαυτὸν διὰ πάντων ἡμῖν ἀνακεράσας καὶ ἀναμίξας, ἑαυτοῦ ποιεῖται
10 σῶμα καὶ γίνεται ἡμῖν ὅπερ μέλεσι κεφαλή. Διὰ τοῦτο γὰρ καὶ τῶν ἀγαθῶν ἁπάντων αὐτῷ κοινωνοῦμεν, ὅτι κεφαλή· τὰ γὰρ τῆς κεφαλῆς εἰς τὸ σῶμα διαβαίνειν ἀνάγκη.

63. Ὑπὲρ οὗ καὶ θαυμάσαι τις ἂν ὅτι μὴ καὶ τῶν πληγῶν αὐτῷ μετέσχομεν οὐδὲ τοῦ θανάτου, ἀλλὰ μόνος μὲν ἠγώνισται, ἐπεὶ δὲ ἔδει στεφανωθῆναι τηνικαῦτα κοινωνοὺς ἡμᾶς ποιεῖται τῶν ἑαυτοῦ.

64. Ἔστι μὲν οὖν καὶ τοῦτο τῆς ἀρρήτου φιλανθρωπίας· οὐ πόρρω δὲ λόγου καὶ τῆς γινομένης ἀκολουθίας. Μετὰ

ABCV MPW Gass Migne

62, 11 τῶν *om.* Migne
63, 2 μετέχομεν C Gass
64, 2 γιγνομένης Gass

---

45. Bien que Cabasilas parle d'«entrées» et non de «sorties», on ne peut négliger une possible réminiscence de *Prov.* 4, 23 et 8, 35 ἐξόδοι τῆς ζωῆς.

46. Thème caractéristique de Chrys. : «Il se fond (ἀναμίγνυσι) lui-même à chacun des croyants par les mystères» (*In Matth.*, *hom.*

yeux, jusque dans nos entrailles et dans tous nos membres, le Sauveur pur de tout péché, affranchi de toute corruption, tel qu'il est ressuscité, qu'il est apparu aux disciples, qu'il est monté aux cieux, tel qu'il reviendra pour nous réclamer ce trésor.

62. Une fois que nous sommes ainsi nés et que nous avons reçu comme une figure et comme une forme l'empreinte du Christ, afin que jamais nous n'introduisions en nous une figure étrangère, il occupe lui-même les accès de la vie[45]. Les issues par lesquelles nous introduisons l'air et la nourriture, pour entretenir la vie de notre corps, sont celles par où il pénètre dans nos âmes ; et il s'approprie ces deux portes : par l'une il vient comme chrême et parfum, par l'autre comme nourriture. En effet nous le respirons et il devient notre nourriture. S'étant ainsi totalement mélangé et fondu avec nous, il fait de nous son propre corps et devient pour nous ce que la tête est aux membres[46]. Si nous partageons tous ses biens, c'est parce qu'il est notre tête : car ce qui appartient à la tête passe nécessairement au corps.

Pourquoi partageons-nous sa gloire sans avoir partagé sa Passion ?

63. A ce propos, on pourrait s'étonner de ce que nous n'ayons pas eu part à ses plaies ni à sa mort, mais que lui seul ait combattu et qu'il ne nous ait fait partager son sort que lorsqu'il s'est agi de recevoir la couronne.

64. C'est là, certes, un effet de son indicible philanthropie, mais cet effet n'est dépourvu ni de raison ni de

LXXXII, 5 [*PG* 58, 744]) ; « Nous sommes mêlés (ἀνακερασθῶμεν) à sa propre chair (...) ainsi s'est-il fondu (ἀνέμιξεν) à nous... et a-t-il mélangé son corps à nous, afin que nous devenions un, comme un corps uni à une tête » (*In Ioh., hom.* XLVI, 3 [*PG* 59, 260]).

γὰρ τὸν σταυρόν, τῷ Χριστῷ συνήφθημεν· μήπω δὲ ἀποθανόντα, κοινὸν οὐδὲν ἡμῖν πρὸς ἐκεῖνον. Ὁ μὲν γὰρ
5 Υἱὸς καὶ ἀγαπητός· ἡμεῖς δέ μιαροὶ καὶ δοῦλοι καὶ ἐχθροὶ τῇ διανοίᾳ[a]. Ἐπεὶ δὲ ἀπέθανε καὶ τὸ λύτρον ἐδόθη καὶ τὸ τοῦ διαβόλου δεσμωτήριον κατεστράφη, τηνικαῦτα τὴν ἐλευθερίαν καὶ τὴν υἱοθεσίαν ἐκομισάμεθα καὶ μέλη τῆς μακαρίας ἐκείνης κατέστημεν κεφαλῆς. Ἐξ ἐκείνου τοίνυν,
10 ἃ τῆς κεφαλῆς ἐστι καὶ ἡμῶν γίνεται.

65. Καὶ νῦν μὲν ἀναμάρτητοι τοῦ ὕδατος ἀπαλλαττόμεθα τούτου, καὶ τῶν αὐτοῦ μετέχομεν χαρίτων διὰ τὸ μύρον, καὶ διὰ τὴν τράπεζαν τὴν αὐτὴν ἐκείνῳ ζῶμεν ζωήν· ἐπὶ δὲ τοῦ μέλλοντος θεοὶ περὶ Θεόν, καὶ τῶν αὐτῶν αὐτῷ
5 κληρονόμοι, καὶ τὴν αὐτὴν αὐτῷ βασιλεύοντες βασιλείαν, ἐάν γε μὴ ἑκόντες ἡμᾶς αὐτοὺς ἀποτυφλώσωμεν ἐν τῷδε τῷ βίῳ καὶ τὸν χιτῶνα διαρρήξωμεν τὸν βασιλικόν. Τοῦτο γὰρ ὑπὲρ τῆς ζωῆς εἰσάγωμεν μόνον, τὰς δωρεὰς ὑπομεῖναι καὶ τῶν χαρίτων ἀνασχέσθαι καὶ μὴ ῥίψαι τὸν στέφανον,
10 ὃν πολλοῖς ἱδρῶσι καὶ πόνοις ἔπλεξεν ἡμῖν ὁ Θεός.

66. Τοῦτό ἐστιν ἡ ἐν Χριστῷ ζωή, ἣν συνίστησι μὲν τὰ μυστήρια· δοκεῖ δέ τι δύνασθαι πρὸς ταύτην καὶ τὴν ἀνθρωπείαν σπουδήν. Ὅθεν τῷ περὶ αὐτῆς εἰπεῖν βουλομένῳ, περὶ τῶν μυστηρίων ἑκάστου πρῶτον διαλαβόντι, εἶτα περὶ τῆς
5 κατ' ἀρετὴν ἐργασίας ἀκόλουθον ἂν εἴη σκοπεῖν.

ABCV MPW Gass Migne

64, 10 ἃ : ἀπὸ C
65, 5 αὐτὴν *om.* W || 8 εἰσάγομεν Gass
66, 1 τῷ Χριστῷ ABC W Gass || 5 Τέλος τοῦ πρώτου λόγου *not.* MP

---

64. a. cf. Col. 1,21

logique. En effet, c'est après la croix que nous avons été unis au Christ ; avant sa mort, il n'y avait rien de commun entre lui et nous. Car lui était le Fils, le bien-aimé, nous, nous étions des êtres impurs, des esclaves, aux desseins hostiles[a]. Mais quand il fut mort, que la rançon eut été payée et abattue la prison du diable, alors nous avons reçu la liberté et l'adoption filiale et nous avons été constitués membres de cette bienheureuse tête. Par suite, ce qui appartient à la tête devient aussi nôtre.

65. Aujourd'hui, nous sortons innocents de cette eau, par le chrême nous avons part à ses grâces, et par la sainte Table nous vivons de la même vie que lui ; dans le futur, nous serons dieux autour de Dieu[47], cohéritiers avec lui de son héritage, et nous règnerons avec lui de la même royauté, pourvu que nous ne nous aveuglions pas nous-mêmes volontairement en cette existence et que nous ne déchirions pas la tunique royale. Tout ce que nous avons à apporter pour la vie, c'est de supporter les dons qu'il nous a faits, d'endurer ses grâces et de ne pas rejeter la couronne que Dieu nous a tressée au prix de tant de fatigues et de peines.

66. Telle est la vie en Christ : ce sont les mystères qui lui donnent l'existence, mais il apparaît que la ferveur de l'homme peut y contribuer[48]. Il s'ensuit donc que si quelqu'un veut parler de cette vie, il doit commencer par distinguer ce qui relève de chaque mystère, pour ensuite examiner l'exercice de la vertu.

47. Cette expression revient plusieurs fois sous la plume de Cabasilas ; nous n'avons pu en déterminer la source, bien qu'elle ressemble fort au style de Grégoire de Nazianze.

48. Cf. *Liturgie*, I, 2.

LIVRE II

(*PG* 521) Λόγος δεύτερος· τίνα συντέλειαν τὸ θεῖον αὐτῇ παρέχεται βάπτισμα.

1. Τὸ μὲν οὖν ἐν τοῖς ἱεροῖς μυστηρίοις τὴν ἱερὰν ζωὴν συνεστάναι ἀπὸ τῶν προτέρων δέδεικται· ἕκαστον δὲ τῶν μυστηρίων ὅπως εἰς τουτονὶ φέρει τὸν βίον, νυνὶ σκοπῶμεν. Ἔστι μὲν γὰρ ἡ ἐν τῷ Χριστῷ ζωὴ αὐτὸ τὸ συναφθῆναι
5 Χριστῷ· ὃν δ' ἄρα τρόπον ἑκάστη τελετὴ τοὺς τετελεσμένους τῷ Χριστῷ συνάπτει, λέγωμεν ἤδη.

2. *Τίνα τρόπον διὰ τῶν μυστηρίων τῷ Χριστῷ συναπτόμεθα.*

Ἔστι δὴ Χριστῷ συναφθῆναι διὰ πάντων ἐλθοῦσι δι' ὧν ὁ Σωτὴρ ἦλθε καὶ πάντα παθοῦσι καὶ γενομένοις ὅσα
5 ἐκεῖνος. Ἐκεῖνος τοίνυν ἡνώθη μὲν αἵματι καὶ σαρκὶ πάσης καθαροῖς ἁμαρτίας· φύσει δὲ ὢν Θεὸς αὐτὸς ἐξ ἀρχῆς, καὶ τοῦτο τεθέωκεν ὃ γέγονεν ὕστερον, τὴν ἀνθρωπείαν φύσιν· τελευτῶν δὲ καὶ ἀπέθανε τῆς σαρκὸς ἕνεκα καὶ ἀνέστη. Δεῖ τοίνυν καὶ τῆς σαρκὸς αὐτῷ μεταλαβεῖν καὶ τῆς θεώσεως
10 μετασχεῖν καὶ τοῦ τάφου καὶ τῆς ἀναστάσεως κοινωνῆσαι τὸν συναφθῆναι ζητοῦντα.

ABCV MPW Gass Migne

Titre : Τίνα — βάπτισμα CMP : ἤτοι περὶ τοῦ ἁγίου βαπτίσματος τίνα συντέλειαν παρέχει τῇ ἐν Χριστῷ ζωῇ AB τίνα συντέλειαν αὐτῇ τὸ θεῖον παρέχεται βάπτισμα V περὶ τοῦ ἁγίου βαπτίσματος W

1, 2 δέδεικται : λόγων *add.* ABCV || 4 τῷ *om.* Gass || 6 τῷ *om.* A

2, 1-2 AB *mg.* || 4 πάντα *om.* AVMW Migne καὶ *add.* B Gass || 5 καὶ *om.* C

LIVRE II

En quoi le divin baptême contribue à la vie en Christ.

1. Ce qui précède a montré que la vie bienheureuse est conçue par les saints mystères ; voyons à présent comment chacun d'eux conduit à cette vie. Car la vie dans le Christ, c'est d'être uni au Christ ; mais il reste à dire de quelle façon chaque rite unit au Christ ceux qui sont initiés.

COMMENT LES MYSTÈRES UNISSENT AU CHRIST ?

2. *De quelle façon nous sommes unis au Christ par les mystères.*

Être uni au Christ est possible pour ceux qui passent par tout ce par quoi le Sauveur est passé, qui éprouvent tout ce qu'il a éprouvé et deviennent tout ce qu'il est devenu. Lui, donc, s'est uni une chair et un sang purs de tout péché ; étant lui-même Dieu par nature dès l'origine, il a déifié aussi ce qu'il est devenu par la suite, c'est-à-dire la nature humaine ; pour finir, il est aussi mort à cause de sa chair et il est ressuscité. Celui qui désire lui être uni doit donc prendre part à sa chair, participer à sa déification et partager sa sépulture et sa résurrection[1].

1. Par le baptême nous «imitons la mort» du Sauveur, «en ensevelissant notre corps dans l'eau comme en un tombeau, et en le faisant reparaître trois fois» : *Liturgie*, IV, 3. Cf. CYR. JÉR., *Cat. Myst.* II, 6.

3. Καὶ δὴ βαπτιζόμεθα μέν, ἵνα τὸν θάνατον ἀποθάνωμεν ἐκεῖνον καὶ τὴν ἀνάστασιν ἀναστῶμεν· χριόμεθα δέ, ἵνα τοῦ χρίσματος τοῦ βασιλικοῦ τῆς θεώσεως αὐτῷ γενώμεθα κοινωνοί· σιτούμενοι δὲ τὸν ἱερώτατον ἄρτον καὶ τοῦ
5 θειοτάτου πίνοντες ποτηρίου, αὐτῆς μετέχομεν τῆς σαρκός, αὐτοῦ τοῦ αἵματος, τῶν τῷ Σωτῆρι προσειλημμένων· καὶ τοῦτον τὸν τρόπον συναπτόμεθα τῷ ὑπὲρ ἡμῶν σαρκωθέντι καὶ θεωθέντι καὶ ἀποθανόντι καὶ ἀναστάντι.

4. *Περὶ τῆς τάξεως τῶν μυστηρίων.*

Τί οὖν μὴ καὶ τὴν αὐτὴν ἐκείνῳ σώζομεν τάξιν, ἀλλ' ὅθεν ἔληξεν ἀρχόμενοι ἐν οἷς ἐκεῖνος ἤρξατο τελευτῶμεν; Ὅτι κατῆλθεν ἵν' ἡμεῖς ἀνέλθωμεν, καὶ τῆς αὐτῆςὑποκει-
5 μένης ὁδοῦ, τὸ μὲν ἐκείνου πρᾶγμα κάθοδος ἦν, ἡμεῖς δὲ ἀνερχόμεθα· οὐκοῦν ὥσπερ ἐπὶ κλίμακος, ὅπερ ἔσχατον ἦν ἐκείνῳ κατερχομένῳ, τοῦτο ἡμῖν ἀνιοῦσι γίνεται πρῶτον.

5. Ἄλλως τε οὐδ' ἐξῆν ἑτέρως, αὐτῶν ἕνεκα τῶν πραγμάτων. Τὸ μὲν γὰρ βάπτισμα γέννησις· τὸ δὲ μύρον ἐνεργείας καὶ κινήσεως ἐν ἡμῖν ἔχει λόγον· ὁ δὲ τῆς ζωῆς ἄρτος[a] καὶ τὸ ποτήριον τῆς εὐχαριστίας βρῶσίς ἐστι
5 καὶ πόσις ἀληθινή[b]. Οὐκ ἔστι δὲ κινηθῆναι ἢ τραφῆναι πρὶν γεννηθῆναι.

6. Ἔτι δὲ τὸ μὲν βάπτισμα Θεῷ τὸν ἄνθρωπον καταλλάττει, τὸ δὲ μύρον τῶν ἐκεῖθεν ἀξιοῖ δώρων, ἡ δὲ τραπέζης

ABCV MPW Gass Migne

3, 5 καὶ *post* σαρκὸς *add.* V
4, 1 AV *mg.* || 3 ἀρχόμενος C
5, 5 ταφῆναι Gass
6, 1 τὸ μὲν βάπτισμα *om.* A || 2 τῆς τραπέζης ABCW

---

5. a. cf. Jn 6,35.48 || b. cf. Jn 6,55

---

2. Le thème de l'échelle, issu de l'échelle de Jacob, a pris diverses formes dans la littérature spirituelle (cf. Jean Climaque). L'originalité

3. Ainsi, nous sommes baptisés pour mourir de cette mort et ressusciter de cette résurrection ; nous sommes chrismés pour partager l'onction royale de sa déification ; en nous nourrissant du pain très saint et en buvant le très saint breuvage, nous participons à la chair même et au sang même qui ont été assumés par le Sauveur : de cette façon, nous sommes unis à celui qui pour nous s'est fait chair, a été déifié, est mort et est ressuscité.

4. *L'ordre des mystères.*

Pourquoi donc ne conservons-nous pas le même ordre que lui, mais commençons-nous par où il a fini, pour terminer par où il a commencé ? C'est que lui est descendu pour que nous, nous montions, et alors que c'est la même route qui est sous nos pieds, son affaire à lui était de descendre tandis que nous, nous montons ; voilà pourquoi, comme sur une échelle[2], ce qui était le dernier degré pour lui qui descendait, pour nous qui montons devient le premier.

5. Au reste, il était impossible qu'il en fût autrement, de par la nature même des choses. Car le baptême est une naissance ; la chrismation a en nous valeur d'activité et de mouvement ; le pain de vie[a] et le breuvage de l'eucharistie sont une vraie nourriture et une vraie boisson[b]. Or il n'est pas possible de se mouvoir ou de se nourrir avant d'être né[3].

6. De plus, le baptême réconcilie l'homme avec Dieu, la chrismation l'honore des dons du ciel et la vertu de la

de Cabasilas consiste tout d'abord dans le lien qu'il établit entre notre montée et la descente du Christ en son incarnation (cf. AUG., *Enarr. in Ps. LXXXVI*, 5 : «La tête est descendue ; elle remonte avec le corps») et ensuite dans l'application de cette image de l'échelle aux trois degrés de l'initiation chrétienne que constituent les trois premiers sacrements.

3. Cf. DENYS, *e.h.*, II, 1.

δύναμις τὴν σάρκα τοῦ Χριστοῦ καὶ τὸ αἷμα κοινὰ ποιεῖ
(524) τῷ τελουμένῳ. Ἀμήχανον | δὲ πρὶν κατηλλάχθαι μετὰ τῶν
5 φίλων ἑστάναι, καὶ ὧν ἐκείνοις προσῆκεν ἀξιοῦσθαι
χαρίτων, καὶ τῷ Πονηρῷ καὶ ταῖς ἁμαρτίαις ὑποκειμένους
αἵματος πιεῖν καὶ σαρκὸς φαγεῖν τῶν ἀναμαρτήτων. Διὰ
ταῦτα λούμεθα πρῶτον, εἶτα χριόμεθα, καὶ οὕτω καθαροὺς
καὶ εὐώδεις ἡ τράπεζα δέχεται.

7. Καὶ ταῦτα μὲν εἰς τοσοῦτον. Περὶ δὲ τῶν μυστηρίων
ἑκάστου σκοπῶμεν ἔτι, τίνα συντέλειαν τῷ ἱερῷ παρέχεται
βίῳ, καὶ περὶ τοῦ βαπτίσματος πρώτου ὅσα γε εἰς τὴν
ζωὴν ταύτην δύναται φέρειν.

8. *Ὅτι τὸ βάπτισμα ἀρχὴ τοῦ εἶναι τοῖς κατὰ Θεὸν
ζῶσι· καὶ σημεῖον ἡ τάξις ἣν ἔχει πρὸς τὰ ἄλλα μυστηρία.*

Ἔστι τοίνυν τὸ βαπτισθῆναι, αὐτὸ τὸ κατὰ Χριστὸν
γεννηθῆναι καὶ λαβεῖν αὐτὸ τὸ εἶναι καὶ ὑποστῆναι μηδὲν
5 ὄντας. Τοῦτο δὲ καταλαβεῖν ἔστι πολλαχόθεν. Πρῶτον μὲν
ἀπὸ τῆς τάξεως αὐτῆς, ὅτι τοῦτο πρῶτον μυούμεθα
μυστηρίων, καὶ πρὸ τῶν ἄλλων τοῦτο χριστιανοὺς εἰς τὴν
καινὴν εἰσάγει ζωήν· δεύτερον τῶν ὀνομάτων ὅθεν αὐτὸ
καλοῦμεν· καὶ τρίτον τῶν ἐπ' αὐτὸ τελουμένων καὶ
10 ᾀδομένων.

9. Ἡ μὲν οὖν τάξις ἄνωθεν αὕτη· λούσασθαι πρῶτον,
εἶτα μύρῳ χρισαμένους εἰς τὴν τράπεζαν ἀφικέσθαι τὴν

ABCV MPW Gass Migne

6, 3 καὶ *post* ποιεῖ *add.* ABCMW Gass || 7 πιεῖν : ποιεῖν C || 8 λουόμεθα V

8, 1-3 ABV *mg.* || 1 Θεὸν : Χριστὸν B || 4 γεννηθῆναι : ὑποστῆναι AB^{ac} γεννηθῆναι — εἶναι, καὶ *om.* V || 5 καταλαβεῖν P : καταμαθεῖν *cett.* || 9 ἐπ' αὐτὸ P : ἐπ' αὐτῷ *cett.*

---

4. Cf. DENYS, *e.h.*, II, 3,8 : «L'onction initiatrice du chrême parfume l'initié.»

sainte Table fait partager à l'initié la chair et le sang du Christ. Or il est impossible, avant d'être réconcilié, d'être compté parmi les amis et honoré des grâces qui leur reviennent ; et il est impossible que ceux qui sont asservis au Mauvais et aux péchés boivent le sang et mangent la chair qui sont sans péché. C'est pourquoi nous sommes d'abord baignés, puis chrismés et, une fois purs et parfumés[4], nous sommes reçus à la sainte Table.

7. Voilà qui suffit sur ce point. Examinons à présent, à propos de chaque mystère, en quoi il contribue à l'existence sainte, et tout d'abord, à propos du baptême, tout ce qu'il peut apporter à cette vie.

NOMS ET RITES DU BAPTÊME LE DÉFINISSENT COMME UNE NAISSANCE

8. *Pour ceux qui vivent selon Dieu, le baptême est le commencement de l'existence, comme le prouve son rang par rapport aux autres mystères.*

Être baptisé, c'est donc naître selon le Christ ; c'est, pour des gens qui ne sont pas, recevoir d'être et de subsister. On peut l'appréhender de plusieurs côtés. Premièrement, à partir de son rang même, car c'est le premier mystère auquel nous soyons initiés et, avant les autres, c'est lui qui introduit les chrétiens dans la vie nouvelle ; deuxièmement, par les noms que nous lui donnons ; troisièmement, par les rites et les chants qui l'accompagnent.

9. Depuis toujours, l'ordre[5] des mystères est le suivant : on est d'abord baigné, et ensuite, une fois chrismé du

5. Sur l'ordre *(taxis)* dans la liturgie, cf. *Liturgie*, XVI, 6.

ἱεράν· ὃ δὴ τεκμήριόν ἐστιν ἐναργές, τοῦ γε ἀρχὴν βίου καὶ ζωῆς βάθρον καὶ τοιαύτας ὑποθέσεις τὸ λουτρὸν εἶναι·
5 ἐπεὶ Χριστὸς αὐτὸς μεθ' ὧν ὑπὲρ ἡμῶν ἠνεσχετο πάντων καὶ βαπτισθῆναι δεῆσαν, τοῦτο δέχεται πρὸ τῶν ἄλλων.

10. *Ὅτι τὸ βάπτισμα ἀρχή ἐστι τοῦ εἶναι τοῖς κατὰ Θεὸν ζῶσι· καὶ σημεῖον τὰ ὀνόματα ὅθεν αὐτὸ καλοῦμεν.*

Τὰ δὲ ὀνόματα, πρὸς τί ἂν ἄλλο δύναται φέρειν; Γέννησιν καὶ Ἀναγέννησιν καὶ Ἀνάπλασιν καὶ Σφραγῖδα αὐτὸ
5 καλοῦμεν, καὶ Χάρισμα καὶ Φώτισμα καὶ Λουτρόν· ἃ δὴ πάντα τὸν ἕνα τοῦτον δύναται λόγον, τοῖς κατὰ Θεὸν οὖσι καὶ ζῶσιν, ἀρχὴν εἶναι τοῦ εἶναι τὴν τελετήν.

11. Ἡ μὲν οὖν Γέννησις ἐπιεικῶς οὐδὲν ἄλλο ἢ τοῦτο δοκεῖ σημαίνειν, καὶ ἡ Ἀναγέννησις καὶ ἡ Ἀνάπλασις ἐκεῖνο προσσημαίνουσαι μόνον· τοὺς νῦν γεννωμένους καὶ πλαττομένους καὶ ἄλλοτε γεννηθῆναι καὶ ἀπολέσαντας τὴν μορφὴν
5 νῦν δευτέρᾳ γεννήσει πρὸς τὸ πρῶτον εἶδος αὖθις ἐπανιέναι· καθάπερ ἀνδριάντος ὕλη τὸ εἶδος ἀπολωλεκότος ἀποδιδοὺς ὁ τεχνίτης ἀναγεννᾷ τὴν εἰκόνα καὶ ἀναπλάττει· ἐπεὶ καὶ αὐτὸ ὅ τί ποτέ ἐστιν ἐν ἡμῖν τὸ τοῦ βαπτίσματος ἔργον, εἶδός ἐστι καὶ μορφή. Καὶ γάρ τινα εἰκόνα ἐγγράφει καὶ

ABCV MPW Gass Migne

9, 3 γε : τε ACVW

10, 1-2 ABV *mg.* || 3 δύναιτο BCVW Gass || 4 αὐτὸ *ante* καὶ Ἀναγέννησιν *transp.* A || 5 *post* καλοῦμεν *add.* ἔτι δὲ Βάπτισμα καὶ Ἔνδυμα καὶ Χρῖσμα ABCV Gass

11, 3 προσσημαίνουσι Gass προσημαίνουσα P || νῦν *om.* Gass || 6 ὕλην Gass

---

6. Thème classique dans les discours sur le baptême : cf. GRÉG. NAZ., *or.* 40, 4. Toutes ces dénominations ne font d'ailleurs qu'énumérer les effets du baptême, et on les retrouve dans le Rituel baptismal (GOAR, p. 287 s.).

chrême, on s'approche de la sainte Table : témoignage éclatant de ce que le bain est un commencement d'existence, le fondement d'une vie et autres thèmes de ce genre, puisque le Christ lui-même, comme, parmi toutes les choses qu'il subit pour nous, il devait aussi être baptisé, reçut le baptême avant tout le reste.

10. *Le baptême est, pour ceux qui vivent selon Dieu, le commencement de l'existence, comme le prouvent les noms que nous lui donnons.*

Et les noms du baptême[6], quel autre sens pourraient-ils avoir ? Nous l'appelons : Naissance, Nouvelle naissance, Remodelage, Sceau ; et aussi : Don gratuit, Illumination, Bain ; tout cela n'a qu'une signification : ce rite est le commencement de l'existence pour ceux qui sont et vivent selon Dieu.

11. Le mot Naissance, sans doute, ne veut rien dire d'autre ; Nouvelle naissance et Remodelage n'ajoutent pas d'autre sens que celui-ci : ceux qui naissent et sont modelés aujourd'hui étaient déjà nés en un autre temps, mais, comme ils avaient perdu leur forme, aujourd'hui par une seconde naissance ils retournent à leur première figure — de même qu'un artiste, lorsqu'il rend à la matière d'une statue la figure[7] qu'elle avait perdue, fait renaître et remodèle l'image[8] —, puisqu'en ceci consiste l'effet en nous du baptême : il est une figure et une forme. Il grave

7. Cette terminologie (matière, forme, figure) est classique depuis l'Antiquité. Nul besoin d'y chercher une marque précise d'aristotélisme, sinon d'un aristotélisme lu à travers le prisme de ses nombreux commentateurs.

8. Cette allégorie traditionnelle pour parler du baptême s'appuie sur le thème de l'image de Dieu en l'homme, perdue lors de la chute et recouvrée par le baptême. Sur le remodelage de la statue, cf. Bas., *Bapt.*, I, 2 (*PG* 31, 1537 A).

10 μορφὴν ἐντίθησι ταῖς ψυχαῖς, συμμόρφους ἀποφαῖνον τοῦ θανάτου καὶ τῆς ἀναστάσεως τοῦ Σωτῆρος[a].

12. Ὑπὲρ οὗ καὶ Σφραγὶς καλεῖται, πρὸς τὴν βασίλειον πλάττον εἰκόνα καὶ τὸ μακάριον εἶδος. Ὅτι δὲ τὸ εἶδος τὴν ὕλην περιβάλλει καὶ ἀφανίζει τὴν ἀμορφίαν, καὶ Ἔνδυμα καλοῦμεν καὶ Βάπτισμα τὸ μυστήριον. Καὶ τοῦτο δηλῶν ὁ
5 Παῦλος τὸ ἔνδυμα καὶ τὴν σφραγῖδα πρὸς ταὐτὸν φέρειν, νῦν μὲν ἐγγραφῆναι καὶ μορφωθῆναί φησι τὸν Χριστόν, νῦν δὲ περιτεθῆναι χριστιανοῖς ὥσπερ ἱμάτιον, τὸ μὲν Γαλάταις γράφων· «Τεκνία μου οὓς πάλιν ὠδίνω, ἄχρις οὗ μορφωθῇ
(525) Χριστὸς ἐν ὑμῖν[a]», καί· «Ἰησοῦς Χριστὸς | προεγράφη ἐν
10 ὑμῖν ἐσταυρωμένος[b]»· τὸ δὲ Κορινθίοις· «Ὅσοι εἰς Χριστὸν ἐβαπτίσθητε, Χριστὸν ἐνεδύσασθε[c].»

13. Καὶ γὰρ χρυσὸς καὶ ἄργυρος καὶ χαλκός, ἕως μὲν τῷ πυρὶ τακεὶς διαρρεῖ, γυμνὴν παρέχει τὴν ὕλην ὁρᾶν· ὅθεν καὶ χρυσὸς μόνον ἢ χαλκὸς αὐτὸ τοῦτο καλεῖται τὸ τῆς ὕλης ὄνομα. Ἐπειδὰν δὲ ὑπὸ τῶν τυπούντων σιδήρων εἰς τὸ
5 εἶδος συνελαθῇ, οὐκέτι μὲν ἡ ὕλη, τὸ δὲ εἶδος φθάνον, καθάπερ τὰ ἱμάτια πρὸ τῶν σωμάτων ἀπαντᾷ τοῖς ὁρῶσιν· ὅθεν καὶ ὀνόματος ἰδίου τινὸς τυγχάνει· ἀνδριὰς γὰρ ἢ δακτύλιος ἢ ὁτιοῦν τῶν τοιούτων, ἃ τὴν μὲν ὕλην οὐκέτι, τὸ εἶδος δὲ μόνον σημαίνει καὶ τὴν μορφήν.

ABCV MPW Gass Migne

11, 10 τῷ ὁμοιώματι *add.* B *sup. lin.*
12, 2 πλάττων AC || 5 ταυτὸν : τοῦτο AC Gass ταυτὸ BVW || 4-7 μυστήριον — ἱμάτιον : καὶ ἐνδεδύσθαι λέγεται ὁ μεμνημένος καὶ βεβαπτίσθαι *add. post* μυστήριον ABCV *post* ἱμάτιον Gass || 7 ὥσπερ P : καθάπερ *cett.*

11. a. cf. Phil. 3, 10
12. a. Gal. 4, 19 || b. Gal. 3, 1 || c. Gal. 3, 27

9. En oignant de chrême le nouveau baptisé, le prêtre dit : «Sceau du don de l'Esprit Saint» (Rituel baptismal, Goar, p. 291).

une image et introduit une forme dans les âmes, les rendant conformes à la mort et à la résurrection du Sauveur[a].

Sceau-Vêtement

12. C'est pourquoi il est aussi appelé Sceau[9], car il modèle selon l'image royale et la bienheureuse figure. Et parce que la figure enveloppe la matière et efface son absence de forme, nous appelons aussi ce mystère Vêtement et Baptême. Que le vêtement et le sceau reviennent au même, c'est ce que révèle Paul quand il dit tantôt que le Christ est gravé et formé, tantôt qu'il enveloppe les chrétiens comme un manteau ; il écrit en effet aux Galates : «Mes petits enfants, vous que j'enfante à nouveau dans la douleur jusqu'à ce que le Christ soit formé en vous[a]» et «Jésus-Christ crucifié a été gravé en vous[b]» ; et aux Corinthiens : «Vous tous qui avez été baptisés en Christ, vous avez revêtu le Christ[c][10].»

13. L'or, l'argent, le cuivre, tant que, fondus au feu, ils sont à l'état liquide, n'offrent à la vue qu'une matière nue ; c'est pourquoi on ne les appelle que «or» ou «cuivre», du nom de la matière. Mais quand, sous les coups des marteaux de fer, ils ont accédé à la figure, ce n'est plus la matière mais la figure qui se présente d'emblée aux yeux de ceux qui voient, de même que les vêtements précèdent les corps ; c'est pourquoi ils reçoivent un nom particulier : statue, anneau, ou tout autre objet de ce genre, noms qui ne désignent plus la matière, mais seulement la figure et la forme[11].

10. Immédiatement après l'onction accompagnée de la parole sur le sceau (note précédente), le prêtre fait avec le baptisé le tour du baptistère pendant que le chœur chante cette citation de *Gal.* 3, 27 (Goar, *l.c.*).

11. Cf. Bas., *Bapt.*, I, 2, (*PG* 31, 1564 CD) : il s'agit d'une icône qui cesse d'être une planchette quand elle a reçu l'image du roi.

14. *Διὰ τί βαπτιζομένοις τὰ ὀνόματα τίθενται.*

Ἴσως δὲ διὰ ταῦτα καὶ ὀνομαστήριός ἐστιν ἡ σωτήριος τοῦ βαπτίσματος ἡμέρα χριστιανοῖς· ὅτι τηνικαῦτα πλαττόμεθα καὶ τυπούμεθα, καὶ εἶδος καὶ ὅρον ἡ ἀνείδεος ἡμῶν
5 καὶ ἀόριστος λαμβάνει ζωή. Ἄλλως τε τῷ γινώσκοντι τὰ ἴδια[a] τότε γινωσκόμενοι πρῶτον καί, ᾗ φησι Παῦλος, «γνόντες Θεόν, μᾶλλον δὲ γνωσθέντες ὑπὸ Θεοῦ[b]», τὴν σημαντικὴν φωνήν, τὴν ἐπωνυμίαν κατὰ ταύτην ἀκούομεν τὴν ἡμέραν, ὡσὰν τότε γινωσκόμενοι καθαρῶς· τὸ γὰρ
10 τῷ Θεῷ γνωσθῆναι, τοῦτό ἐστιν ὡς ἀληθῶς γνώριμον εἶναι. Διὰ τοῦτο καὶ περὶ τῶν μηδὲν κοινὸν πρὸς τὴν ζωὴν ταύτην ἐχόντων ὁ Δαβὶδ εἶπεν· «Οὐ μὴ μνησθῶ τῶν ὀνομάτων αὐτῶν διὰ χειλέων μου[c].» Ἄγνωστοι γὰρ καὶ ἀφανεῖς οἱ τοῦ φωτὸς ἐκείνου πόρρω κατέστησαν ἑαυτούς. Οὔτε γὰρ
15 τοῖς ὀφθαλμοῖς τοῦ φωτὸς χωρὶς τῶν ὁρᾶσθαι δυναμένων γένοιτ' ἂν οὐδὲν φανερὸν οὔτε τῷ Θεῷ γνώριμον, ᾧ μὴ δέξασθαι συνέβη τὴν ἐκεῖθεν ἀκτῖνα. Τὸ δὲ αἴτιον ὅτι μηδὲ ἔστιν ὅλως τῇ ἀληθείᾳ, ὃ μὴ δῆλον ἐκείνῳ γίνεται τῷ φωτί· καὶ κατὰ τοῦτον τὸν λόγον, «ἔγνω Κύριος τοὺς ὄντας
20 αὐτοῦ[d]», καὶ αὖθις τῶν παρθένων τὰς μωρὰς οὐκ εἰδέναι λέγει[e].

15. Διὰ ταῦτα τὸ βάπτισμα φώτισμα, ὅτι τὸ ἀληθινὸν εἶναι παρέχον, γνωρίμους καθίστησι τῷ Θεῷ, καὶ πρὸς τὸ φῶς ἄγον ἐκεῖνο τῆς ἀφανοῦς ἀφίστησι πονηρίας.

ABCV MPW Gass Migne

14, 1 AV *mg.* || 4 ἀνείδεος καὶ ἀόριστος ἡμῶν ABCVW Gass || 6 πρῶτον *om.* V Gass || 7 γνωσθὲν C || 8 τούτων ἕνεκα τὴν γνωριστικὴν *ante* τὴν σημαντικὴν *add.* B *sup. lin.*

---

14. a. cf. Jn 10,14.27 || b. Gal. 4,9 || c. Ps. 15,4 || d. Nombr. 16,5; II Tim. 2. 19 || e. cf. Matth. 25,12

---

12. Terme intraduisible en français : «jour où l'on reçoit son nom». Pour le baptême des jeunes enfants (tel qu'il devait se pratiquer à Byzance au XIVe siècle), le Rituel sépare dans le temps l'imposition du

14. *Pourquoi on donne des noms aux baptisés.*

C'est également pour cette raison que le jour salvifique du baptême est aussi pour les chrétiens le jour *onomastérios*[12], parce que c'est ce jour-là que nous sommes modelés et configurés, et que notre vie informe et indéfinie reçoit une forme et une définition. Autrement dit, nous sommes alors pour la première fois connus par Celui qui connaît les siens[a], et, comme dit Paul, «ayant connu Dieu, ou plutôt ayant été connus par Dieu[b]», nous entendons ce jour-là la voix qui nous désigne, la voix qui nous nomme, car c'est alors que nous sommes connus vraiment. En effet, être connu de Dieu, voilà ce que c'est en vérité qu'être connaissable. C'est pourquoi, parlant de ceux qui n'ont rien de commun avec la vie bienheureuse, David dit : «Non, mes lèvres ne se souviendront plus de leurs noms[c].» Car ils sont inconnus et inapparents, ceux qui se tiennent loin de cette lumière-là. Sans la lumière, nulle chose visible ne peut apparaître aux yeux, et nul n'est connaissable pour Dieu s'il n'a pas eu l'occasion de recevoir le rayon céleste. La cause en est que ce qui n'est pas rendu visible par cette lumière n'existe même pas du tout en vérité ; c'est pour cette raison que «le Seigneur a connu ce qui est à lui[d]» et qu'ailleurs il dit aux vierges folles qu'il ne les connaît pas[e].

Illumination

15. Ainsi le baptême est-il Illumination, parce qu'en nous donnant l'être véritable il nous rend connaissables par Dieu, et qu'en nous menant à cette lumière il nous arrache au mal invisible.

nom (le 8ᵉ jour après la naissance) du baptême (le 40ᵉ jour). C'est donc à une tradition plus ancienne, qui pratiquait davantage le baptême des adultes, que se réfère Cabasilas, plus proche dans cette mystagogie de Chrysostome et de Cyrille de Jérusalem que de sa propre époque. Il faut faire la part de la convention.

Διὰ τοῦτο καὶ λουτρὸν διότι φώτισμα· οὕτω γὰρ παρέχει
5 τῷ φωτὶ καθαρῶς ὁμιλῆσαι, πάντα μολυσμὸν ὃς τὴν θείαν ἀκτῖνα τῶν ψυχῶν τῶν ἡμετέρων διείργει, καθάπερ τι μεσότοιχον ἐξελόν.

16. Χάρισμα δὲ ὅτι γέννησις· τῆς γὰρ γεννήσεως τῆς ἑαυτοῦ, τί ἄν τις προεισενέγκοι, ἐπεὶ καθάπερ ἐπὶ τῆς γεννήσεως τῆς φυσικῆς ἔχει, οὐδ' αὐτὸ τὸ βούλεσθαι προεισάγομεν τῶν ἀπὸ τοῦ βαπτίσματος ἀγαθῶν, εἴ τις
5 ἀκριβῶς ἐθέλοι σκοπεῖν; βουλόμεθα γὰρ ἃ καὶ ἔστιν ἐνθυμηθῆναι· ταῦτα δὲ «ἐπὶ καρδίαν ἀνθρώπου οὐκ ἀνέβη[a]», οὐδὲ λογίσασθαί τις δύναιτ' ἄν, πρὶν εἰς πεῖραν ἐληλυθέναι. Ἐλευθερίαν γὰρ ἀκούοντες προκειμένην καὶ βασιλείαν, εὐδαίμονά τινα λογιζόμεθα ζωήν, ἣν ἔξεστιν ἀνθρωπίνους
10 δέξασθαι λογισμούς· τὸ δέ ἐστι παντάπασιν ἄλλο, μεῖζον
(528) καὶ τῆς διανοίας | καὶ τῆς ἐπιθυμίας τῆς ἡμετέρας.

17. Χρίσμα δὲ ὅτι τὸν δι' ἡμᾶς χρισθέντα τὸν Χριστὸν ἐγγράφει τοῖς τελουμένοις, καὶ σφραγίς ἐστιν αὐτὸν ἐνσημαίνουσα τὸν Σωτῆρα. Τὸ γὰρ χρίσμα πανταχοῦ διὰ πασῆς ἀκριβῶς τῆς μορφῆς ἀφιγμένον τοῦ σώματος τοῦ
5 δεξαμένου καὶ προσαρμόσας, αὐτὸν ἐν αὐτῷ φέρει τὸν ἀληλιμμένον ἐνσημανθέντα, καὶ τὸ εἶδος δείκνυσι καὶ σφραγίς ἐστιν ἀτεχνῶς.

18. Δέδεικται δὲ τοῖς εἰρημένοις, τῇ γεννήσει ταὐτὸν δύνασθαι τὴν σφραγῖδα, καθάπερ καὶ τῇ σφραγῖδι τὸ ἔνδυμα

ABCV MPW Gass Migne

16, 2 προσενέγκοι AC || 9 λογιζώμεθα C || 11 ἡμετέρας : ἡμέρας C
17, 7 ἀτεχνῶς ἐστι A
18, 1 ταὐτὸ Gass

---

16. a. I Cor. 2, 9

---

13. Cf. *Liturgie*, XXIX, 6.
14. Sur l'onction de tout le corps du nouveau baptisé, cf. Cyr. Jér., *Cat. Myst.* II, 3; sur le rite : Goar, p. 290.

Bain

Parce qu'il est illumination, le baptême est aussi Bain : c'est ainsi qu'il nous donne de rencontrer la lumière de manière pure, en détruisant toute la souillure qui sépare nos âmes du rayonnement divin comme une cloison.

Don gratuit

16. Le baptême est aussi Don gratuit en tant qu'il est une naissance. En effet, quelle avance peut-on verser en échange de sa propre naissance ? Or, comme pour la naissance physique, si l'on veut bien examiner la chose avec rigueur, nous ne faisons pas même l'avance de notre vouloir en échange des biens qui nous viennent du baptême. En effet, nous voulons ce que nous pouvons concevoir dans notre esprit ; or ces dons-là « ne sont pas montés au cœur de l'homme[a] », et l'on ne peut les imaginer avant d'en avoir fait l'expérience. Quand nous entendons dire que la liberté et la royauté nous sont proposées, nous imaginons quelque vie heureuse à la mesure de ce que peut atteindre l'imagination humaine ; mais il s'agit de tout autre chose, qui dépasse aussi bien notre entendement que notre désir[13].

Chrismation-Sceau

17. Le baptême est Chrismation parce qu'il grave en ceux qui le reçoivent celui qui a été chrismé pour nous, le Christ, et il est un Sceau qui imprime le Sauveur lui-même. Car la chrismation appliquée partout, rigoureusement, sur toute la forme du corps de celui qui est baptisé[14], et qui s'y ajuste, porte l'oint par excellence imprimé en elle, elle en montre la figure, et elle est réellement un sceau.

18. Ce qui précède a montré que le sceau a la même signification que la naissance, de même que le vêtement et

καὶ τὸ βάπτισμα. Ἐπεὶ δὲ καὶ τὸ χάρισμα καὶ τὸ φώτισμα καὶ τὸ λουτρὸν τῇ πλάσει καὶ γεννήσει πρὸς ταὐτὸν φέρει, 5 δῆλον ἐγένετο πᾶσαν τοῦ βαπτίσματος ἐπωνυμίαν τὸ ἓν ἐκεῖνο σημαίνειν ὡς ἄρα γέννησις καὶ τῆς ἐν Χριστῷ ζωῆς ἡμῖν ἐστιν ἀρχὴ τὸ λουτρόν.

19. Εἰ δὲ καὶ τὰ τελούμενα καὶ λεγόμενα τοῦ μυστηρίου τοῦτον δύναται τὸν λόγον, φανερὸν ἂν εἴη κατὰ μέρος τὴν τελετὴν ἐπιοῦσι.

20. *Ὅτι τὸ βάπτισμα ἀρχή ἐστι τοῦ εἶναι τοῖς κατὰ Θεὸν ζῶσι· καὶ σημεῖον τὰ ἐν αὐτῷ λεγόμενα καὶ τελούμενα.*

Φαίνεται γὰρ ὁ προσιὼν τῷ μυστηρίῳ, πρὶν τελεσθῆναι, 5 μήπω Θεῷ κατηλλαγμένος, μήπω τῆς ἀρχαίας αἰσχύνης ἀπηλλαγμένος· εὔχεται γὰρ αὐτῷ προσιόντι, πρὶν ἄλλο τι τελέσῃ, τὴν τοῦ κατέχοντος δαίμονος ἀπαλλαγὴν ὁ τελῶν, καὶ οὐ τῷ Θεῷ περὶ αὐτοῦ διαλέγεται μόνον, ἀλλὰ καὶ αὐτῷ ἐπιπεσὼν ἐπιτιμᾷ τῷ τυράννῳ καὶ ἐλαύνει μαστίζων. Ἡ δὲ 10 μάστιξ αὐτῷ «τὸ ὄνομά ἐστι τὸ ὑπὲρ πᾶν ὄνομα[a]».

21. Τοσοῦτον ἀπέχει ζῶν εἶναι καὶ υἱὸς καὶ κληρονόμος, ὅς γε ἔτι τῷ τυράννῳ δουλεύει· συμβαίνει γὰρ τῷ Πονηρῷ

ABCV MPW Gass Migne

18, 3 δὲ *om.* A || 4 ταὐτὸν : ταὐτὸ BCVW || τῇ πλάσει καὶ γεννήσει *post* πρὸς ταυτὸν φέρει *transp.* A || 5 ἐπωνυμία C
20, 1-2 AV *mg.* || 2 Θεὸν : Χριστὸν B

---

20. a. Phil. 2, 10

---

15. Cabasilas commence ici une explication des rites du baptême, selon la tradition des explications liturgiques qu'il a lui-même illustrée avec *Liturgie*. Cf. Cyr. Jér. (*Cat. Myst.* I-II) et Chrys. (*Cat. Bapt.* II). Cabasilas suit rigoureusement le Rituel, tel qu'on le trouve chez Goar, p. 274 s.

le baptême ont la même signification que le sceau. Et puisque le don gratuit, l'illumination et le bain reviennent au même que le modelage et la naissance, il devient évident que tous les noms du baptême signifient la même chose, à savoir que ce bain est une naissance et le commencement pour nous de la vie en Christ.

19. Que les gestes et les paroles du mystère aboutissent à la même signification, c'est ce qui apparaîtra avec évidence à ceux qui s'attachent en détail au déroulement de ce rite.

20. *Le baptême est, pour ceux qui vivent selon Dieu, le commencement de l'existence, comme le prouvent les paroles et les rites*[15].

Renonciation à Satan et exorcismes

Celui qui s'approche du mystère, avant d'y être initié, n'est manifestement pas encore réconcilié avec Dieu ni affranchi de l'antique honte[16] : en effet, avant tout autre rite, le célébrant prie pour que celui qui s'approche soit affranchi du démon qui le retient, et pour obtenir cela il ne s'adresse pas seulement à Dieu, mais il s'en prend au tyran lui-même, il lui fait des injonctions et le chasse en le fustigeant[17] ; et son fouet, c'est «le nom qui est au-dessus de tout nom[a 18].»

21. Qui est encore asservi au tyran est bien loin d'être vivant, fils et héritier : car celui qui suit le Mauvais se

16. Le baptême libère de la honte d'Adam après la transgression (*Gen.* 3, 10). Cf. Cyr. Jér., *Cat. Myst.* III, 4.

17. Alors que Cyr. Jér. (*Cat. Myst.* I) commence son explication par la renonciation à Satan, Cabasilas, de même que Chrys. (*Cat. Bapt.* II, 12) évoque tout d'abord les exorcismes qui la précèdent, reprenant les termes mêmes du Rituel (Goar, p. 275).

18. La prière initiale qui précède les exorcismes fait constamment référence au nom du Christ (Goar, p. 275).

συνόντα Θεοῦ παντελῶς ἀφεστάναι, τὸ δέ ἐστι παντάπασι νεκρὸν εἶναι. Διὰ τοῦτο καὶ ὡς ἂν οὔπω ζωῆς μετειληφότος, 5 προσελθὼν ὁ τελεστὴς ἐμφυσᾷ τῷ προσώπῳ· τὸ γὰρ ἐμφύσημα ἄνωθεν ζωῆς αἴνιγμα[a].

22. Καὶ τὰ ἑξῆς δὲ ἀκολούθως ἔχει· πάντα γὰρ τῶν ἄρτι καθισταμένων καὶ τῶν μὲν παρόντων καὶ ἐν χερσὶν ὑπερορώντων, ἐπ' ἄλλα δὲ μετατιθεμένων. Ἐπείγεται γὰρ κόσμων τοῦ μὲν καταφρονῆσαι, τὸν δὲ τιμῆσαι· καὶ βίον 5 τὸν μὲν ἀπογεγονέναι, τὸν δὲ βιῶναι· καὶ ζωῆς ἡγούμενον τὸν μὲν ἐκ παντὸς τρόπου φεῦγειν, τὸν δὲ πάσῃ σπουδῇ διώκειν. Οὐκοῦν δι' ὧν μὲν ἀποτίθεται τὰ παρόντα, δῆλός ἐστιν ὧν κατεγνώκει, μήπω καὶ νῦν ἀπηλλαγμένος· δι' ὧν δὲ τὰ δόξαντα καλλίω καὶ ἃ προὔθηκε τῶν παρόντων ἀπὸ 10 τοῦ μυστηρίου τούτου λαμβάνει, δείκνυσι τῷ βαπτισθῆναι τῆς ἐπαινουμένης ἀρχόμενος ζωῆς.

23. Τὸν γὰρ ἱερὸν εἰσελθὼν οἶκον, τὸν χιτῶνα κατατίθεται καὶ τὰ ὑποδήματα ὑπολύει, τῷ ἱματίῳ καὶ τοῖς ὑποδήμασι, ἃ πρὸς τὴν ζωὴν βοηθεῖ, τὸν πρότερον αἰνιττόμενος βίον. Ἔτι δὲ πρὸς δυσμὰς ἀποβλέπων πνεῦμα 5 τοῦ στόματος ἀποπνεῖ, τῆς ἐν σκότει ζωῆς σημεῖον· χεῖρας τὲ ἐκτείνει καὶ ὡς παρόντα καὶ ἐπικείμενον τὸν Πονηρὸν ἀπωθεῖται καὶ ὡς μιαροῦ καὶ βδελυροῦ καταπτύει καὶ τὰς

ABCV MPW Gass Migne

21, 4 οὔπω : οὕτω MPW
22, 4 βίων AV || 5 γεγονέναι C
23, 5 τῆς : τοῖς C

21. a. cf. Gen. 2, 7

19. A la fin des exorcismes, le prêtre souffle sur le visage et la poitrine du catéchumène pour chasser «tout esprit malin et impur». Cabasilas y introduit un autre symbole : celui de l'haleine de vie insufflée par Dieu en Adam lors de la création.

trouve totalement séparé de Dieu, ce qui revient à dire qu'il est tout à fait mort. Aussi le célébrant, s'approchant, lui souffle-t-il sur le visage, comme sur celui d'un être encore sans vie : car le souffle, depuis l'origine, est le symbole de la vie[a 19].

22. La suite est à l'avenant : tout se passe ici comme pour ceux qui viennent d'être élus ; ils méprisent le présent qu'ils ont en mains et l'échangent contre autre chose. (Celui qui reçoit le baptême) se trouve pressé, entre deux mondes, de mépriser l'un et d'estimer l'autre ; entre deux vies, de quitter l'une et de vivre l'autre ; entre deux maîtres de vie, de fuir l'un de toutes ses forces et de s'attacher à l'autre de toute sa ferveur. Ainsi, du fait qu'il renonce à son état présent, il manifeste qu'il n'est pas encore, maintenant, affranchi de ce qu'il a récusé ; et du fait qu'il reçoit de ce mystère des dons qu'il estime plus beaux et plus désirables que ses biens présents, il montre que c'est en étant baptisé qu'il commence à vivre la vie qu'il exalte.

Dépouillement des vêtements

23. En entrant dans la sainte demeure, il dépose sa tunique et défait ses chaussures[20], symbolisant par le vêtement et les chaussures, qui servent à la vie, sa vie passée. Puis, se tournant vers le couchant[21], il exhale de sa bouche un souffle, signe de la vie dans les ténèbres ; il tend les mains et repousse le Mauvais comme si celui-ci se tenait présent devant lui, et il lui crache au visage comme à un

20. Le dépôt des vêtements, dans le Rituel, a lieu avant les exorcismes (GOAR, p. 274). Cf. CYR. JÉR., *Cat. Myst.* II, 2 ; DENYS, *e.h.* II, 3, 5.

21. GOAR, p. 277. Sur le couchant, symbole des ténèbres, cf. CYR. JÉR., *Cat. Myst.* I, 4, et la note *ad loc.* d'A. PIÉDAGNEL (*SC* 126, p. 89, n. 2) ; DENYS, *e.h.* V, 1, 6 : description de ces rites.

ἐχθίστας καὶ ἀπίστους καὶ ὀλέθρου παντὸς αἰτίας ἀρνεῖται σπονδάς καὶ τὴν φιλίαν τὴν πικρὰν παντάπασι διαλύει καὶ 10 τὴν ἔχθραν ἐπαινεῖ.

(529) **24.** Καὶ ἐπεὶ φύγοι τὸ σκότος, ἐπὶ | τὴν ἡμέραν τρέχει· καί πρὸς τὴν ἕω στραφείς, ζητεῖ τὸν ἥλιον· καὶ λυθεὶς τῶν τοῦ τυράννου χειρῶν, τὸν βασιλέα προσκυνεῖ· καὶ τοῦ νόθου καταγνούς, τὸν γνήσιον ἐπιγινώσκει Δεσπότην καὶ εὔχεται 5 ὑποταγήσεσθαι αὐτῷ καὶ δουλεύσειν ὅλῃ ψυχῇ καὶ πρό γε τούτων ὡς Θεὸν εἰς αὐτὸν πιστεύειν καὶ ἃ περὶ αὐτοῦ προσῆκε γινώσκειν.

Καὶ τοῦτο γὰρ ἀρχὴ τῆς μακαρίας ζωῆς, ἡ ἀληθὴς περὶ Θεοῦ γνῶσις — «Τὸ γὰρ ἐπίστασθαί σε, φησὶ Σολομών, 10 ῥίζα ἀθανασίας[a]» —, ὥσπερ τὸ ἀγνοῆσαι τὸν Θεὸν τὸν θάνατον εἰσήνεγκεν ἐξ ἀρχῆς. Ἐπεὶ γὰρ ὁ Ἀδὰμ τὴν θείαν ἀγνοήσας φιλανθρωπίαν[b] βάσκανον εἶναι ᾠήθη τὸν ἀγαθόν, καὶ τῆς σοφίας ἐπιλαθόμενος λαθεῖν ἐνόμισε τὸν σοφόν, τῷ δραπέτῃ προσετέθη, τὸν Δεσπότην περιιδών, καὶ τὴν ζωὴν 15 ἀφῃρέθη καὶ ὠδυνήθη καὶ ἀπέθανεν· ὅθεν τῷ πρὸς τὴν ζωὴν ἐπειγομένῳ καὶ τὸν Θεόν, ἡγεῖσθαι τὴν περὶ Θεοῦ γνῶσιν πᾶσα ἀνάγκη.

25. Καὶ τῷ γυμνωθῆναι δὲ καθάπαξ καὶ τὸν τελευταῖον καταθέσθαι χιτῶνα, δείκνυμεν ἄρτι τῆς εἰς τὸν παράδεισον φερούσης ἁπτόμενοι καὶ τὴν ἐνταῦθα ζωήν. Ὁ μὲν γὰρ Ἀδὰμ ἀπὸ τῆς εὐδαίμονος ἐκείνης περιβολῆς ἐπὶ τὴν 5 γύμνωσιν ἐλθών, ἀπὸ ταύτης ἐπὶ τὴν ἀθλίαν ταύτην ἧκε σκευήν. Ἡμεῖς δὲ ἀπὸ τῶν δερματίνων χιτώνων[a] ἐπὶ

ABCV MPW Gass Migne

23, 8 ἐχθίστους ABCVP

24, 1 ἐπιφύγει C || 12 εἶναι *om.* A || 14 *post* περιιδών *add.* καὶ διὰ τοῦτο τοῦ παραδείσου τε ἀπηλάθη ABCV Gass || 16 τὴν *om.* C

25, 1 τῷ : τὸ AVW Gass

---

24. a. Sag. 15,3 || b. cf. Gen. 3,8

25. a. cf. Gen. 3,21

être immonde et impur[22]; il dénonce les alliances odieuses, impies et causes de toute ruine, il rompt totalement l'amère amitié et il publie sa haine[23].

24. Et tandis qu'il fuit les ténèbres, il court vers le jour; tourné vers le levant[24], il recherche le soleil; délivré des mains du tyran, il se prosterne devant le roi; ayant renié l'imposteur, il reconnaît le maître légitime et fait le vœu de lui être soumis et de le servir de toute son âme, et avant tout de croire qu'il est Dieu et de connaître tout ce qu'il faut connaître à son sujet[25].

Car tel est le commencement de la vie bienheureuse : la véritable connaissance de Dieu — «Te connaître, dit Salomon, est la racine de l'immortalité[a]» —, de même que l'ignorance de Dieu introduisit la mort à l'origine. Car lorsqu'Adam, pour avoir ignoré la philanthropie de Dieu, crut jaloux celui qui était bon[b] et lorsque, oublieux de la sagesse, il pensa se faire oublier du sage et prit le parti du déserteur en méprisant le maître, la vie lui fut enlevée, il souffrit et mourut; ainsi donc, il est absolument nécessaire, pour celui qui se hâte vers la vie et vers Dieu, de prendre pour guide la connaissance de Dieu.

25. En nous dévêtant une fois pour toutes et en déposant jusqu'à la tunique, nous montrons qu'à l'instant même nous nous engageons sur la route qui mène au paradis et à la vie paradisiaque. En effet, Adam, après avoir quitté sa bienheureuse vêture pour la nudité, quitta la nudité pour aboutir à notre misérable livrée. Et nous, nous quittons les tuniques de peau[a] pour la nudité, et tout

22. Goar, p. 277 s. Évocation de ces rites dans *Liturgie*, I, 10.
23. La renonciation à Satan n'est évoquée que par les gestes qui la symbolisent et les sentiments qui doivent l'accompagner. Cyr. Jér. est plus précis (*Cat. Myst.* I, 4-8).
24. C'est la profession de foi (Goar, p. 277).
25. Récitation du symbole de Nicée-Constantinople.

τὴν γύμνωσιν ἰόντες, καὶ διὰ τοῦ αὐτοῦ βαδίζοντες μέσου δῆλοι καθέσταμεν τὴν αὐτὴν ἐπανιόντες ὁδὸν καὶ πρὸς τὸ ἱμάτιον ἐπειγόμενοι τὸ βασιλικόν, καὶ ὅθεν καὶ δι' ὧν ἐκεῖνος
10 κατῆλθεν εἰς τὸν κόσμον τοῦτον, ἡμεῖς ἐνθένδεν ἐπανιόντες.

26. Εἴη δ' ἂν κἀκείνου σημεῖον τὸ γυμνωθῆναι, τοῦ νῦν καθαρῶς «τῷ ἀληθινῷ φωτὶ[a]» προσιέναι, μηδὲν ἐπιφερομένους, ὅθεν «ἡ σκιὰ τοῦ θανάτου[b]» καὶ ἃ τὴν μακαρίαν ἀκτῖνα τῶν ψυχῶν τῶν ἀνθρωπίνων ἀποτειχίζει·
5 καθάπερ τὰ ἱμάτια τειχίον τί ἐστι, μεταξὺ τοῦ φωτὸς τούτου καὶ τῶν σωμάτων.

27. Καὶ μὴν καὶ ἡ τοῦ ἐλαίου χρίσις γένοιτο μὲν ἄν, καὶ ἄλλου τινὸς οἶμαι σημεῖον, καὶ πρὸς τοῦτο δὲ δύναται φέρειν. Ἐννοῶμεν γὰρ τὴν Ἰακὼβ στήλην ἣν τῷ ἐλαίῳ χρίσας προσήνεγκε τῷ Θεῷ[a], καὶ τοὺς βασιλέας καὶ
5 τοὺς ἱερέας, αὐτῷ τούτῳ, τῷ κοινῷ καὶ τῷ Θεῷ καθιερωμένους, οἵ σφίσι μὲν αὐτοῖς οὐδαμῶς, τῷ Θεῷ δὲ καὶ τῇ πολιτείᾳ ζῶσι πρὸς ἣν ἐτάχθησαν. Καὶ ἡμεῖς γὰρ τῆς οἰκείας ζωῆς καὶ ἡμῶν αὐτῶν ἐξιστάμεθα τῷ Θεῷ· τόδε ἐστὶ τὸ παλαιὸν ἀποβαλόντας εἶδος, ὁμοίους αὐτῷ γενέσθαι.

ABCV MPW Gass Migne

25, 7 βαδίζοντος C
27, 2 οἶμαι *om.* Gass ‖ 5-6 καθιερωμένους P : καθιερουμένους *cett.*

---

26. a. cf. Jn 1,9 ‖ b. cf. Is. 9,1; Matth. 4,16; Lc 1,79
27. a. cf. Gen. 28,18-22

---

26. Après la profession de foi, le futur baptisé se dépouille de ses vêtements. Sur le retour à la condition d'Adam par un chemin inverse, cf. Grég. Nys., *Virg.* XII, 4; sur les «tuniques de peau», cf. la note *ad loc.* de M. Aubineau (*SC* 199, p. 418, n. 1). Grégoire de Nysse évoque ce retour à la condition originelle dans un contexte ascétique et non baptismal. Sur le lien entre la nudité d'Adam et celle du baptisé, cf. Cyr. Jér., *Cat. Myst.* II, 2, et la note *ad loc.* de A.

en marchant sur la même route, il est clair que nous allons en sens inverse et que nous nous hâtons vers le manteau royal ; quittant ce monde pour remonter vers le lieu qu'Adam avait quitté pour descendre en ce monde, nous empruntons la route même par laquelle il est descendu[26].

26. Le geste de se dévêtir peut aussi être un signe de ce que maintenant nous allons en toute pureté vers « la lumière véritable[a] », sans rien emporter avec nous qui puisse engendrer « l'ombre de la mort[b] » ou voiler le rayon bienheureux aux âmes des hommes, de même que les vêtements font écran entre la lumière d'ici-bas et les corps.

Onction d'huile

27. A mon avis, l'onction d'huile[27] peut, entre autres, être signe de ceci : songeons à la stèle que Jacob offrit à Dieu après l'avoir ointe d'huile[a] ; songeons aux rois et aux prêtres consacrés, par cette même huile, en vue du peuple et de Dieu, et qui ne vivent plus pour eux-mêmes mais pour Dieu et pour la communauté qui leur a été confiée. Nous aussi, nous renonçons à notre vie propre et à nous-mêmes en vue de Dieu : voilà ce que signifie dépouiller sa figure ancienne pour devenir semblables à lui.

Piédagnel (*SC* 126, p. 107, n. 3). Cependant, Cabasilas est aussi témoin d'une autre tradition, selon laquelle Adam avant la chute n'était pas nu mais revêtu d'une robe de gloire (cf. Grég. Pal., *hom.* 16 (*PG* 151, 220 A). C'est ici un trait de la situation historique de Cabasilas, qui, étant un des derniers maillons de la tradition byzantine, en récapitule en quelque sorte les diverses facettes.

27. Pour le rite de l'onction d'huile, nous renvoyons aux notes d'A. Piédagnel à l'édition de Cyr. Jér. (*SC* 126, p. 107-110). Cabasilas semble accorder à ce rite plus d'importance que ses prédécesseurs, pour qui cette onction avait surtout valeur de purification et de préparation à la lutte contre le démon. Tel que le présente Cabasilas, il se rapproche davantage du symbolisme de la chrismation.

28. Καὶ τὸ σύμβολον οἰκεῖον, καὶ τῇ τῶν χριστιανῶν ἐπωνυμίᾳ πάνυ προσῆκον. Χριόμεθα γάρ, καὶ ᾧ ζητοῦμεν ἐοικέναι Χριστός ἐστι, τῇ θεότητι τὴν ἀνθρωπότητα χρίσας, ἐπεὶ καὶ αὐτοῦ τοῦ χρίσματος αὐτῷ κοινωνοῦμεν· καὶ γὰρ
5 τοῦ χρίσματος ἐκείνου τοῦτο τὸ χρῖσμα σημεῖον, καὶ δείκνυσιν ὁ τελῶν δι' ὧν ἐπᾴδει χριομένῳ τῷ τελουμένῳ. Ταῦτα γάρ ἐστιν ἐκεῖνα δι' ὧν ὁ Δαβὶδ τὴν χρίσιν ἐκείνην ἐμήνυσε καὶ τὴν βασιλείαν· ὁ μὲν γὰρ ἱερεύς· «Χρίεται, φησίν, οὗτος (τὸν τελούμενον λέγων) ἔλαιον ἀγαλλιάσεως»·
10 ὁ δὲ Δαβίδ· «Ἔχρισέ σε, φησίν, ὁ Θεός, πρὸς τὸν Σωτῆρα,
(532) ὁ | Θεός σου, ἔλαιον ἀγαλλιάσεως παρὰ τοὺς μετόχους σου[a]», μετόχους λέγων ἡμᾶς οὓς διὰ φιλανθρωπίαν κοινωνοὺς ποιεῖται τῆς βασιλείας.

29. Μέχρι μὲν δὴ τούτων οὔπω ζῶμεν· σημεῖα γάρ ἐστι ταῦτα τῷ τελουμένῳ καὶ προτέλειαί τινες καὶ προπαρασκευαὶ τῆς ζωῆς. Ἐπειδὰν δὲ τῷ ὕδατι καλυφθεὶς τρισσῶς ἀναδῇ, τῆς Τριάδος ἐπᾳδομένης, τηνικαῦτα τὸ ζητούμενον ἅπαν ὁ
5 μεμυημένος λαμβάνει καὶ γεννᾶται καὶ πλάττεται τὴν ἡμερινὴν γέννησιν καὶ πλάσιν[a], ᾗ Δαβὶδ εἶπε, καὶ δέχεται τὴν καλὴν σφραγῖδα καὶ πᾶσαν ἔχει τὴν ζητουμένην εὐδαιμονίαν καὶ γίνεται φῶς[b], σκότος ὢν πρότερον, καὶ ὑφίσταται μηδὲν ὢν καὶ οἰκειοῦται καὶ υἱοθετεῖται Θεῷ,
10 ἀπὸ δεσμωτηρίου καὶ δουλείας τῆς ἐσχάτης ἐπὶ τὸν βασίλειον ἀγόμενος θρόνον.

ABCV MPW Gass Migne

28, 4 αὐτῷ *om.* A || 10 φησιν πρὸς Σωτῆρα, ὁ Θεός, ὁ Θεός σου ABCV Gass

29, 3 ἀναδύῃ Gass

---

28. a. Ps. 44,8

29. a. cf. Ps. 138,16 || b. cf. Éphés. 5,8

---

28. Cyr. Jér., *Cat. Myst.* III, 1 donne cette étymologie à propos de la chrismation.

29. Grég. Naz, *or.* 30,3.

28. Ce symbole a sa signification propre, mais il convient aussi tout à fait au nom des chrétiens[28] ; car nous sommes chrismés, et celui à qui nous cherchons à ressembler, c'est le Christ, lui qui a chrismé son humanité par sa divinité[29], puisque c'est la même chrismation que nous partageons avec lui. En effet, la présente chrismation est le signe de la chrismation du Christ, et c'est ce que montre le célébrant par les paroles qu'il chante tout en chrismant celui qui est initié. Car ce sont les paroles mêmes par lesquelles David a annoncé la chrismation du Christ et sa royauté. Le prêtre chante : « Un Tel (il nomme celui qui est initié) est chrismé de l'huile d'allégresse »[30] ; et David : « Dieu, dit-il en s'adressant au Sauveur, ton Dieu t'a chrismé de l'huile d'allégresse parmi tes compagnons[a] », désignant par ce mot de « compagnons » nous-mêmes, que par sa philanthropie il rend participants à sa royauté.

Triple immersion

29. Jusqu'ici, nous ne vivons pas encore ; car tous ces rites sont pour celui qui est initié des signes, des préludes et des préparations à la vie. Mais lorsque, enseveli trois fois dans l'eau, il émerge tandis qu'on invoque la Trinité[31], alors l'initié reçoit tout ce qu'il recherchait, il est enfanté et modelé comme un qui est enfanté et modelé de jour[a], selon le mot de David ; il reçoit le sceau admirable et possède tout le bonheur qu'il recherchait ; il devient lumière[b], de ténèbre qu'il était auparavant ; il existe, lui qui n'était rien, il est accueilli par Dieu comme un ami et un fils, et conduit de la prison et de la pire servitude vers le trône royal.

30. Goar, p. 290.
31. Rite baptismal proprement dit, par triple immersion : le prêtre plonge le baptisé dans l'eau par trois fois en disant : « Un Tel est baptisé au nom du Père (première immersion), et du Fils (seconde) et du Saint-Esprit (troisième) » (Goar, *l.c.*).

30. Τὸ γὰρ ὕδωρ τοῦτο ζωὴν τὴν μὲν ἀπόλλυσι, τὴν δὲ ἀναδείκνυσι· καὶ τὸν μὲν παλαιὸν ἄνθρωπον ἀποπνίγει, τὸν δὲ νέον ἀνίστησι. Τοῦτο δὲ μάλιστα μὲν τοῖς πεπειραμένοις ἀπ' αὐτῶν τῶν πραγμάτων γίνεται δῆλον, ἔπειτα δὲ καὶ τὰ
5 φαινόμενα τοῦ μυστηρίου τοῦτο δίδωσι δία πάντων εἰκάζειν. Τῷ γὰρ ὑποδύντα τὸ ὕδωρ ἑαυτὸν ἀφανίσαι δοκεῖ φεύγειν τὴν ἐν τῷ ἀέρι ζωήν· τὸ δὲ φεύγειν τὴν ζωήν, τοῦτό ἐστιν ἀποθνήσκειν· τῷ δ' αὖθις ἀναδύντα τῷ ἀέρι καὶ τῷ φωτὶ συγγενέσθαι, ζωὴν ἔοικε διώκειν καὶ τυχόντα λαβεῖν.
10 Διὰ τοῦτο καὶ τὸν δημιουργὸν ἐνταῦθα καλοῦμεν, ὅτι ζωῆς ἀρχὴ τὰ παρόντα καὶ δημιουργία δευτέρα πολλῷ τῆς προτέρας ἀμείνων. Γράφεται γὰρ ἀκριβέστερον ἢ πρότερον ἡ εἰκών, καὶ ὁ ἀνδριὰς εἰς σαφέστερον τὸν θεῖον πλάττεται τύπον.

31. *Διὰ τί μὴ εἰς τὸ ὄνομα τοῦ Θεοῦ ἁπλῶς, ἀλλ' εἰς τὸ ὄνομα τοῦ Πατρὸς καὶ τοῦ Υἱοῦ καὶ τοῦ Ἁγίου Πνεύματος βαπτιζόμεθα.*

Διὰ τοῦτο καὶ τὸ ἀρχέτυπον νῦν ἔδει καθαρώτερον
5 προτεθῆναι. Τὸν γὰρ Θεὸν ἐπὶ τὸ λουτρὸν οἱ βαπτισταὶ καλοῦντες, οὐ τὸ Θεὸς ὄνομα τὸ κοινὸν τῇ Τριάδι βοῶσιν, ὅπερ οὐκ ἔστι σαφῶς καὶ διακεκριμένως θεολογούντων, ἀλλ' ἀκριβέστερον καὶ τελεώτερον τὰς ἰδιότητας ἑκάστης τῶν ὑποστάσεων ἀνυμνοῦσι.

32. Καὶ μὴν καὶ δι' ἐκεῖνον τὸν λόγον. Εἰ γὰρ καὶ μιᾷ φιλανθρωπίᾳ τὸ γένος ἔσωσεν ἡ Τριάς, ἀλλ' ὅμως τῶν

ABCV MPW Gass Migne

30, 8 τῷ[1] : τὸ ABW || 13 ὁ *om.* CW Gass
31, 1-3 ABV *mg.* || 5 οἱ *om.* C
32, 1 καὶ *om.* Gass

---

32. Cf. *Liturgie*, IV, 3.
33. Cf. Ath., *Inc.*, XIV, 1.

30. Car cette eau-là détruit une vie et en inaugure une autre[32]; elle noie le vieil homme et ressuscite l'homme nouveau. Cela, ceux qui l'ont expérimenté en ont vraiment une connaissance claire à partir de la réalité même ; mais en outre, les rites visibles du mystère le montrent parfaitement : quand on disparaît en s'immergeant sous l'eau, on a l'air de fuir la vie aérienne ; or fuir la vie, c'est mourir ; et quand on émerge à nouveau à l'air libre, et qu'on apparaît à la lumière, on a l'air de chercher la vie, de la trouver et de la saisir.

C'est pourquoi nous invoquons ici le créateur, parce que ce qui se passe, c'est un commencement de vie et une deuxième création, bien meilleure que la première. Car l'image est peinte plus rigoureusement, et la statue est modelée plus précisément sur l'original divin[33].

31. *Pourquoi nous ne sommes pas baptisés simplement au nom de Dieu, mais au nom du Père et du Fils et du Saint-Esprit.*

Il fallait donc à présent que l'original fût présenté plus exactement. Ceux qui baptisent, lorsqu'ils invoquent Dieu lors de l'immersion, ne proclament pas le nom de « Dieu » qui est commun à la Trinité, ce qui ne convient pas pour parler des choses divines avec clarté et distinctement ; mais, d'une manière plus rigoureuse et plus parfaite, ils célèbrent les propriétés de chacune des hypostases[34].

32. En voici une autre raison : c'est par une unique philanthropie que la Trinité a sauvé le genre humain,

34. Cabasilas utilise ici un langage technique : ce qui est commun à la Trinité (τὸ κοινόν), les propriétés de chaque hypostase (ἰδιότητας, ἰδιωματα) : ce sont les termes mêmes qui ont été définis à l'occasion des querelles trinitaires du IVe s., en particulier par Bas., *ep.* 214 (éd. Courtonne, t. II, p. 202 s.) et par Grég. Nys., lettre attribuée à Bas. (*ep.* 38 de l'éd. Courtonne, t. I, p. 81 s.).

ὑποστάσεων ἑκάστη τῶν μακαρίων ἰδίαν τινὰ λέγεται συντέλειαν εἰσενέγκαι. Ὁ μὲν γὰρ Πατὴρ διήλλακται· ὁ
5 δὲ Υἱὸς διήλλαξε· τὸ δὲ Πνεῦμα τὸ Ἅγιον φίλοις ἤδη καταστᾶσι δῶρον ἐγένετο. Καὶ ὁ μὲν ἔλυσεν· ὁ δὲ τὸ λύτρον ἦν ᾧ λελύμεθα· τὸ δὲ Πνεῦμα ἐλευθερία· «Οὗ γὰρ τὸ Πνεῦμα Κυρίου, ἐκεῖ ἐλευθερία», Παύλου φωνή[a]. Καὶ ὁ μὲν ἀνέπλασε· τῷ δὲ ἀνεπλάσθημεν· τὸ δὲ Πνεῦμα ἐστὶ
10 τὸ ζωοποιοῦν[b]. Ἐπεὶ καὶ κατὰ τὴν πρώτην δημιουργίαν ἡ Τριὰς ὡς ἐν σκιαῖς ἐγράφετο· ὁ μὲν γὰρ ἔπλασεν· ὁ δὲ χεὶρ ἦν τῷ πλάττοντι· ὁ δὲ Παράκλητος πνεῦμα τὴν ζωὴν ἐμφυσῶντι[c].

33. Και τὶ ταῦτα λέγω; Μόνῳ γὰρ ἐν τούτῳ τῶν θείων ἔργων ὁ Θεὸς ἐκρίθη. Πολλῶν γὰρ ὄντων οἷς ἐκ τοῦ παντὸς αἰῶνος τὴν κτίσιν εὖ πεποίηκεν ὁ Θεός, οὐκ ἂν εὕροις οὐδέν, ὃ πρὸς τὸν Πατέρα ἀναφέρεται μόνον ἢ πρὸς τὸν
5 Υἱὸν ἢ πρὸς τὸ Πνεῦμα, ἀλλὰ πάντα κοινὰ τῆς Τριάδος, ὅτι μιᾷ δυνάμει καὶ προνοίᾳ καὶ δημιουργίᾳ πάντα ποιεῖ.

(533) Ἐπὶ δὲ τῆς | οἰκονομίας ᾗ τὸ ἡμέτερον ἀνώρθωσε γένος, καὶ τοῦτο τὸ καινὸν ἐγένετο· καὶ τὴν ἐμὴν σωτηρίαν ἐβουλήθη μὲν ἡ Τριὰς κοινῇ καὶ ὅπως ἂν γένοιτο
10 προὐνοήθη· ἐνεργεῖ δὲ οὐκέτι κοινῇ. Αὐτουργὸς γὰρ οὔτε ὁ Πατὴρ οὔτε τὸ Πνεῦμα, ἀλλὰ μόνος ὁ Λόγος, καὶ μόνος ὁ Μονογενὴς αἵματος ἠνέσχετο καὶ σαρκὸς καὶ ἐπλήγη καὶ ὠδυνήθη καὶ ἀπέθανε καὶ ἀνέστη, δι' ὧν ἡ φύσις ἀνεβίω καὶ οἷς τὸ βάπτισμα συνέστη, ἡ καινὴ γέννησις καὶ
15 ἀνάπλασις.

Οὐκοῦν ταῖς ὑποστάσεσι διαιροῦντας ἐπὶ τοῦ θείου λουτροῦ τὸν Θεὸν ἔδει καλεῖν, εἰς τὸ ὄνομα τοῦ Πατρὸς καὶ

ABCV MPW Gass Migne

32, 4 εἰσενέγκεται C || 10 τὸ : W *sup. l. om.* ACV Gass

33, 2 ἐκρίθη P : διεκρίθη *cell.* || 4 οὐδέν : οὐδὲν ἔργον ABV || 5 μόνον *post* Υἱὸν *add.* B *sup. lin.* || 7 ᾗ : καὶ W Gass || τὸ BP : *om. cell.* || 14 οἷς *om.* Gass

---

32. a. II Cor. 3,17 || b. cf. Jn 6,63 || c. cf. Gen. 2,7

néanmoins nous disons que chacune des bienheureuses hypostases a apporté sa propre contribution. Car c'est avec le Père que nous sommes réconciliés ; c'est le Fils qui a réconcilié ; et l'Esprit-Saint est le don fait à ceux qui viennent d'être promus amis. Le premier a affranchi ; le second fut la rançon payée pour nous affranchir ; et l'Esprit est la liberté : « Où est l'Esprit du Seigneur, dit Paul, là est la liberté[a]. » Le premier a remodelé ; c'est grâce au second que nous avons été remodelés ; et c'est l'Esprit qui est le vivificateur[b]. Déjà lors de la première création, la Trinité était comme dessinée en ombres ; car le premier a modelé, le second servit de main au modeleur, et le Paraclet fut un souffle pour celui qui insufflait la vie[c].

33. Que dis-je ? Parmi les œuvres divines, en celle-là seule Dieu fut distingué en personnes. Car il y en a beaucoup par lesquelles Dieu a, de tous temps, comblé de bienfaits la création, mais on n'en trouverait aucune qui se rapporte au Père seul, ou au Fils, ou à l'Esprit, mais tout est commun à la Trinité, parce qu'elle fait tout par une unique vertu, une unique providence et une unique activité créatrice.

Mais c'est en l'économie par laquelle il redressa notre race, qu'il y eut cette innovation ; mon salut, la Trinité l'a voulu en commun et elle a prévu en commun la façon dont il se ferait ; mais quand elle opère, ce n'est plus en commun. Car celui qui agit, ce n'est ni le Père ni l'Esprit, mais c'est le seul Verbe et le seul Fils unique qui a assumé la chair et le sang, qui a été blessé, qui a souffert, qui est mort et ressuscité, grâce à quoi notre nature a retrouvé la vie, et grâce à quoi a été conçu le baptême qui est la nouvelle naissance et le remodelage.

Ainsi fallait-il dans le bain sacré invoquer Dieu en le distinguant en hypostases, au nom du Père et du Fils et du

τοῦ Υἱοῦ καὶ τοῦ Ἁγίου Πνεύματος, τὴν ἱερὰν πλάσιν κομιζομένους, ἣ διακεκριμένον τὸν Θεὸν ἀπέδειξε μόνη.

34. *Διὰ τί ἐν τῇ ἐπὶ τοῦ βαπτίσματος ἐπικλήσει οὐ μεμνήμεθα τῆς τοῦ Χριστοῦ οἰκονομίας.*

Τί οὖν μὴ καὶ τὴν οἰκονομίαν καὶ μάλιστα ταύτην ἐπὶ τοῦ βαπτίσματος ἀνυμνοῦμεν; Πάνυ μὲν οὖν οὐ δι' ὧν λέγομεν, 5 ἀλλὰ δι' ὧν πράττομεν. Τὸ γὰρ καταδύντα τρισσῶς ἀναδῦναι, τίς οὐκ οἶδεν ὅτι τὸν τριήμερον θάνατον τοῦ Σωτῆρος εἰσάγει καὶ τὴν ἀνάστασιν, ἃ τέλος ἐστι τῆς ὅλης οἰκονομίας;

Καὶ οὐ μάτην οἶμαι τὴν μὲν θεολογίαν βοῶμεν, τὴν δὲ 10 οἰκονομίαν ἐπιδεικνύμεθα σιωπῇ. Τὸ μὲν γὰρ ἦν ἀπ' ἀρχῆς καὶ εἰς γνῶσιν ἀνθρώποις διὰ τῆς φωνῆς ἀφίκετο μόνης· τὸ δὲ ἐγένετο καὶ ὤράθη τοῖς τῶν ἀνθρώπων ὀφθαλμοῖς καὶ ἀφῆς ἠνέσχετο καὶ χειρῶν· ὅθεν ὁ μακάριος Ἰωάννης, καὶ ἄμφω ταῦτα καὶ τοῦτο κἀκεῖνο περὶ τοῦ διπλοῦ Σωτῆρος 15 γινώσκων, εἶπε μέν· «Ὃ ἦν ἀπαρχῆς, ὃ ἀκηκόαμεν»· ἐπήγαγε δέ· «ὃ ἑωράκαμεν τοῖς ὀφθαλμοῖς ἡμῶν, καὶ αἱ χεῖρες ἡμῶν ἐψηλάφησαν περὶ τοῦ Λόγου τῆς ζωῆς[a]». Ἔτι δὲ τὴν μὲν θεολογίαν πιστεῦσαι δεῖ μόνον, καὶ ἡ ἐπίδειξις τῆς πίστεως ἐπὶ τῆς φωνῆς — «ἃ γὰρ εἰς δικαιοσύνην, 20 φησί, πιστεύομεν τῇ καρδίᾳ, ταῦτα τῷ στόματι ὁμολογοῦμεν εἰς σωτηρίαν[b]» —, τὴν δὲ οἰκονομίαν καὶ μιμήσασθαι καὶ ἐπὶ τῶν ἔργων δεῖξαι πᾶσα ἀνάγκη· δεῖ γάρ, φησίν, «ἐξακολουθῆσαι τοῖς ἴχνεσι[c]» τοῦ ὑπὲρ ἡμῶν ἀποθανόντος καὶ ἀναστάντος[d].

ABCV MPW Gass Migne

33, 19 ἡμῖν *post* διακεκριμένον *add.* AB
34, 1-2 ABV *mg.* ‖ 10 οἰκονομίαν P : ἐπὶ τῶν ἔργων *add. cett.* ‖ καὶ οὐκ ἐγένετο *post* ἀρχῆς *add.* B *sup. lin.* ‖ 12 καὶ² *om.* Gass ‖ 13 καὶ¹ BP : *om. cett.* ‖ 16 ἡμῶν *om.* C ‖ 18 ἀπόδειξις BV

---

34. a. I Jn 1, 1 ‖ b. Rom. 10, 10 ‖ c. cf. I Pierre 2, 21 ‖ d. cf. II Cor. 5, 15

Saint-Esprit, puisque nous recevons le saint modelage, qui seul a fait connaître en Dieu des personnes distinctes.

34. *Pourquoi, dans l'invocation lors du baptême, nous ne faisons pas mémoire de l'économie du Christ.*

Pourquoi donc, dans le baptême, ne célébrons-nous pas aussi et surtout l'économie ? Nous le faisons bel et bien, non par des paroles mais par des actions. Émerger de l'eau après y avoir été immergé trois fois, qui ne sait que cela évoque les trois jours de la mort du Sauveur et sa résurrection, qui sont l'achèvement de toute l'économie[35] ?

Et ce n'est pas pour rien, je pense, que nous énonçons la théologie et que nous exprimons en silence l'économie[36]. Car la première était au commencement et elle est venue à la connaissance des hommes à travers la parole seule ; mais la seconde est advenue, elle a été vue par les yeux des hommes et elle a bien voulu être touchée par leurs mains : c'est pourquoi le bienheureux Jean, qui connaissait les deux et qui savait que l'une et l'autre concernaient le Sauveur qui est double[37], dit tout d'abord : « Ce qui était dès le commencement, ce que nous avons entendu » et ajoute ensuite : « ce que nous avons vu de nos yeux, ce que nos mains ont touché du Verbe de vie[a] ». Et puis la théologie, il suffit d'y croire, et la manifestation de notre foi est dans la parole — « ce que nous croyons dans notre cœur pour notre justice, dit l'Écriture, c'est ce que nous confessons de bouche pour notre salut[b] » —, mais l'économie, il nous faut absolument la reproduire et la montrer par des actes ; en effet, dit l'Écriture, il faut « suivre les traces[c] » de celui qui est mort et ressuscité pour nous[d].

35. Cf. Cyr. Jér., *Cat. Myst.* II, 4, et la note d'A. Piédagnel (*SC* 126, p. 113, n. 1).

36. Distinction traditionnelle entre la théologie (mystère de Dieu, c'est-à-dire de la Trinité) et l'économie (mystère de la bienveillance de Dieu à notre égard, qui s'exprime éminemment par l'incarnation du Fils et sa mort sur la croix).

37. Double, c'est-à-dire en deux natures.

25 Διὰ ταῦτα τοίνυν ἡ μὲν Τριὰς ἐπὶ τῆς φωνῆς ἐστὶ, τὸ δὲ πάθος καὶ τὸν θάνατον διὰ τοῦ ὕδατος ἐν τῷ σώματι γράφομεν, τυποῦντες ἡμᾶς αὐτοὺς εἰς τὸ μακάριον εἶδος ἐκεῖνο καὶ τὴν μορφήν.

35. Οὐκ ἄδηλον μὲν οὖν ἐκ τῶν εἰρημένων ὅτι πανταχόθεν τῶν περὶ τὸ βάπτισμα θεωρουμένων, ἀπό τε τῆς τάξεως αὐτῆς, τῶν τε ὀνομάτων ὅθεν αὐτὸ καλοῦμεν, ἀπό τε τῶν ἐν αὐτῷ τελουμένων καὶ ᾀδομένων, ἐκεῖνο γινώσκο-
5 μεν τὴν ἐν Χριστῷ ζωὴν ἀπὸ τοῦ λουτροῦ τὴν ἀρχὴν τοῦ εἶναι λαμβάνειν. Τί δέ ἐστιν αὐτὸ τὸ εἶναι τὴν ζωήν, λοιπὸν ἂν εἴη σκοπεῖν.

36. *Τί ἐστι τὸ κατὰ Χριστὸν γεννηθῆναι καὶ ὑποστῆναι.*

Ἐπεὶ γὰρ τὰ μὲν ἀπολλύμεθα, τὰ δὲ γινόμεθα, καὶ τὰ μὲν ῥίπτομεν, τὰ δὲ σῴζομεν, εἰ τί ἐστιν ἑκάτερον τούτων
5 γένοιτο δῆλον, δῆλον ἂν εἴη τί ἐστιν αὐτὸ τὸ κατὰ Χριστὸν ὑποστῆναι· ἔστι τοίνυν, τὸ μὲν ἁμαρτία, τὸ δὲ δικαιοσύνη, καὶ τὸ μὲν ὁ παλαιὸς ἄνθρωπος, τὸ δὲ ὁ καινός[a]· μᾶλλον δὲ ἀκριβέστερον ἔτι περὶ τούτων σκοπῶμεν.

(536) | **37.** Τῆς ἁμαρτίας διττῆς οὔσης καὶ εἰς ἄμφω χωρούσης, καὶ τῆς μὲν ἐν ταῖς ἐνεργείαις γινομένης, τῆς δὲ ἐν τῇ ἕξει

ABCV MPW Gass Migne

34, 25 ἐστί *om.* Gass || 28 ἐκεῖνο *om.* A
35, 4 ἐν αὐτῷ P : ἐπ' αὐτὸ M ἐπ' αὐτῷ *cell.* || 5 ἐν τῷ Χριστῷ ABCVW Gass
36, 1-2 ABV *mg.* || 7 καὶ — καινός *om.* A
37, 2 γενομένης Gass

36. a. cf. Rom. 6, 6-13

38. Cf. *Liturgie*, VI.
39. Nous avons choisi de traduire ἕξις par *habitus* pour garder le

Voilà pourquoi la Trinité est exprimée par la parole, tandis que la Passion et la mort, nous les peignons par l'eau dans notre corps, nous configurant nous-mêmes à cette figure bienheureuse et à cette forme[38].

35. Ce qui vient d'être dit montre à l'évidence qu'à partir de ce que l'on peut observer du baptême — son rang, les noms que nous lui donnons, les rites et les chants qui s'y rapportent —, à partir de tout cela nous connaissons que la vie en Christ reçoit de ce bain le commencement de son être. En quoi consiste l'être même de cette vie, c'est ce qu'il nous reste à examiner.

LE BAPTÊME NOUS FAIT MOURIR AU PÉCHÉ

36. *Ce que signifie naître et subsister selon le Christ.*

Puisque nous mourons à une chose et que nous naissons à une autre, que nous rejetons l'une et que nous gardons l'autre, si nous parvenions à connaître en quoi consistent ces deux choses, nous connaîtrions ce que c'est que subsister selon le Christ. Eh bien donc ! nous avons d'un côté le péché, de l'autre la justice ; d'un côté le vieil homme, de l'autre le nouveau[a]. Mais voyons cela avec plus de rigueur encore.

Nature du péché

37. Le péché est double et couvre deux domaines ; l'un réside dans les actes, l'autre consiste dans l'*habitus*[39] ; or

caractère technique de l'exposé : la distinction entre ἕξις (*habitus* au sens de disposition acquise et permanente) et ἐνέργεια (acte) remonte à Ar. (cf. en particulier *Éth. Nic.*, I, 8 ; III) et a connu à Byzance une fortune aussi grande qu'en Occident (où elle a été reprise par Thomas d'Aquin dans sa définition du péché). Cabasilas nous en donne ici un exposé presque scolaire, écho de sa formation philosophique.

συνισταμένης, ἡ ἐνέργεια αὐτὴ μὲν οὐ πάρεστιν ἐνίοτε οὐδὲ μένει, ἀλλ' εὐθύς τε ἐγένετο, καὶ οὐκ ἔστι, καθάπερ βέλος
5 ἅμα τῷ πλῆξαι παρελθόν· καταλείπει δὲ τὸ τραῦμα τοῖς εἰργασμένοις, τοὺς τύπους τῆς κακίας καὶ τὴν αἰσχύνην καὶ τὸ ὑπόχρεως εἶναι δίκης. Ἡ δὲ ἕξις ἀπὸ τῶν πονηρῶν ἐνεργειῶν, καθάπερ νόσος ἐκ διεφθαρμένης διαίτης, ταῖς ψυχαῖς ἐντεθεῖσα, μόνιμός ἐστι καὶ δεσμοῖς ἀλύτοις αὐτὴν
10 καταδεῖ καὶ δουλοῦται τὸ φρόνημα καὶ τὰ πάντων κάκιστα ἐργάζεται τοὺς ἁλόντας, εἰς τὰς πονηροτάτας ἐνεργείας ἐνάγουσα δι' ὧν συνέστη καὶ ἃς ἑκάστοτε τίκτει, γεννωμένη καὶ γεννῶσα κατὰ ταὐτὸν ὥσπερ ἐν κύκλῳ.

38. Ὅθεν συνέβαινε τὴν ἁμαρτίαν ἀτελεύτητον εἶναι, τῆς ἕξεως μὲν τὰς ἐνεργείας ἀπογεννώσης, τῇ προσθήκῃ δὲ τῶν ἐνεργειῶν τῆς ἕξεως ἐπιδιδούσης, καὶ οὕτω δι' ἀλλήλων τῶν κακῶν ἀμφοτέρων ἀεὶ προχωρούντων, « ἡ μὲν ἁμαρτία
5 ἔζησεν, ἐγὼ δὲ ἀπέθανον[a] »· ἐπεὶ μηδὲ χθὲς καὶ πρώην ἤρξατο τὸ κακόν, ἀλλ' ἐξ οὗ γεγόναμεν.

Ἀφ' οὗ γὰρ τῷ Πονηρῷ πιστεύσας ὁ Ἀδὰμ τὰ ἑαυτοῦ, τὸν Δεσπότην περιεῖδε τὸν ἀγαθὸν καὶ τὴν γνώμην διεστράφη, καὶ ἡ ψυχὴ την ὑγείαν ἐκείνην ἀπώλεσε καὶ
10 τὴν εὐεξίαν, ἐξ ἐκείνου καὶ τὸ σῶμα συνέβη τῇ ψυχῇ καὶ ἥρμοσε καὶ συνδιεστράφη καθάπερ ὄργανον τῇ τοῦ τεχνίτου χειρί. Κοινωνεῖ γὰρ ἡ ψυχὴ τῷ σώματι τῶν παθῶν, τῷ ἄκρως ἡνῶσθαι· σημεῖον δέ· καὶ γὰρ ἐρυθριᾷ μὲν αἰσχυνομένης τὸ σῶμα, τήκεται δὲ φροντίσι τῆς ψυχῆς πολιορκου-
15 μένης. Ἐπεὶ δὲ ἡ φύσις ἐχώρει καὶ προῄει τὸ γένος ἀπὸ τοῦ πρώτου σώματος ἐκείνου προβαῖνον, διεδόθη καθάπερ ἄλλα τι τῶν φυσικῶν καὶ ἡ πονηρία.

ABCV MPW Gass Migne

37, 3-4 ἐνιοτε — εὐθύς : οὐ γὰρ μένει ἀλλ' ἅμα ABV || 9 αὐτὴν P : τὴν ψυχὴν *cett.*

38, 4 μὲν *om.* V || 8 τὸν ἀγαθὸν ἑαυτὸν A[ac] || 17 *post* φυσικῶν *add.* τοῖς ἐξ ἐκείνου σώμασι ABCV Gass

---

38. a. Cf. Rom. 7, 9-10

l'acte lui-même n'est pas toujours présent, il ne demeure pas, mais, sitôt advenu, il n'est plus, comme la flèche qui passe outre en même temps qu'elle blesse ; toutefois il laisse la blessure à ceux qui l'ont commis, c'est-à-dire les traces du mal, la honte et la condition de justiciable. Au contraire, l'*habitus* issu des actes mauvais, comme la maladie qui vient d'un régime corrompu, une fois installé dans les âmes, est stable ; il emprisonne l'âme dans des liens infrangibles, il asservit l'esprit, il cause à ses victimes les pires maux possibles, les poussant aux actes les plus mauvais, par lesquels il a été conçu et qu'il enfante constamment, engendré et engendrant à la fois, comme dans un cercle.

38. De là vint que le péché fut sans fin, l'*habitus* engendrant les actes et s'augmentant à son tour par l'accumulation des actes ; ainsi, les deux maux progressant toujours l'un par l'autre, « le péché a vécu, et moi je suis mort[a] », puisque le mal n'a commencé ni aujourd'hui ni hier, mais là où nous avons pris notre être.

En effet, à partir du moment où Adam, ayant confié ses affaires au Mauvais, méprisa le maître bon et dévoya sa volonté, et où son âme perdit sa santé et son équilibre, alors son corps aussi s'accorda à l'âme, s'ajusta et se dévoya avec elle comme un instrument dans la main de l'artisan. En effet l'âme partage les passions du corps, du fait de leur union intime : preuve en est que le corps rougit quand elle a honte[40] et dépérit quand l'âme est assiégée par les soucis. Et dès lors que la nature progressait et que se multipliait la race issue de ce premier corps, la malice se répandait aussi, comme une autre faculté naturelle[41].

40. Lieu commun de l'anthropologie antique : cf. SVF I, 518.

41. « Ayant goûté de l'arbre, le premier des mortels, condamné à perdre honteusement la vie, habita la corruption ; comme une lésion due à la maladie, la corruption corporelle se communiqua à toute sa race » (tropaire de la septième ode de l'*orthros* en la fête de l'Exaltation de la croix).

39. Ἐπεὶ δὲ οὐ παραπολαύει μόνον τὸ σῶμα τῶν τῆς ψυχῆς παθῶν, ἀλλὰ καὶ μεταδίδωσι τῶν αὑτοῦ· καὶ χαίρει γὰρ ἡ ψυχὴ καὶ ἄχθεται, καὶ σωφρονικοί τινές εἰσι καὶ ἐλεύθεροι τῷ διακεῖσθαι ὡδὶ τὸ σῶμα· διὰ τοῦτο ἀκόλουθον 5 ἦν καὶ τὴν ἑκάστου ψυχὴν τῆς τοῦ πρώτου Ἀδὰμ κληρονομῆσαι κακίας, ἀπὸ μὲν τῆς ψυχῆς ἐκείνου πρὸς τὸ σῶμα δοθείσης, ἀπὸ δὲ τοῦ σώματος τοῖς ἐξ ἐκείνου σώμασιν, ἀπὸ δ' αὖ τῶν σωμάτων ἐπὶ τὰς ψυχὰς ἐρχομένης.

40. Καὶ τοῦτό ἐστιν ὁ παλαιὸς ἄνθρωπος, ὅν σπέρμα κακίας ἀπὸ τῶν προγόνων λαβόντες ἅμα τῷ φῦναι, οὐδεμίαν ἡμέραν καθαρὰν εἴδομεν ἁμαρτίας[a], οὐδ' ἀνεπνεύσαμεν ἐλεύθεροι πονηρίας, ἀλλ' ὅ φησιν ὁ προφήτης· «Ἀπηλ- 5 λοτριώθημεν ἀπὸ μήτρας, ἐπλανήθημεν ἀπὸ γαστρός[b].»

41. Οὐ μέχρι τοῦ δυστυχοῦς ἐκείνου στάντες κλήρου τῆς προγονικῆς ἁμαρτίας, οὐδ' οἷς ἐκληρονομήσαμεν ἀγαπήσαντες κακοῖς, ἀλλ' οὕτω σφόδρα τῇ κακίᾳ προσθέντες καὶ τὸν πονηρὸν αὐξήσαντες πλοῦτον, ὥστε τοῖς δευτέροις 5 ἀποκρύψαι τὰ πρότερα καὶ τῶν παραδειγμάτων πολλῷ χείρους τοὺς μιμησαμένους ἀναδειχθῆναι. Καὶ τὸ μέγιστον ἁπάντων· οὐ γάρ τις ἐγένετο μεταξὺ διακωχὴ τοῦ κακοῦ, (537) ἀλλὰ | συνεχῶς ἡ νόσος ἐχώρει· ἴσως δὲ καὶ διὰ τοῦτον τὸν λόγον ἀμήχανον ἦν τὸ γένος τῶν ἀνθρώπων αὐτὸ ἑαυτῷ 10 πρὸς θεραπείαν ἀρκέσαι, μήτε γεγευμένον σχεδὸν οὐδὲ πώποτε τῆς ἐλευθερίας, μήτε ἐπεὶ μὴ πεπείρατο, δυνάμενον εἰς πόθον ἐλθεῖς καὶ τυχεῖν ἐθελῆσαι καὶ κατὰ τῆς τυραννίδος διαναστῆναι.

ABCV MPW Gass Migne

39, 4 ἐλευθέριοι ABCV Gass || 6 ἐκεῖνον C || 8 ἀπὸ δ' αὐτῶν Gass
41, 1 κλήρου στάντες ABCVW Gass || 6 ἀποδειχθῆναι BC || 9 ἑαυτῷ : ἑαυτὸ W || 10 γεγευσμένον Gass || σχεδὸν *om.* AB || 11 επεπείρατο Gass

Propagation du péché

39. Or le corps non seulement reçoit sa part des passions de l'âme, mais il lui communique aussi des siennes : l'âme se réjouit et elle est accablée, et certains hommes sont sages et libres parce que leur corps est ainsi disposé ; pour cette raison, il était normal que l'âme de chaque homme héritât aussi de la malice du premier Adam, communiquée de son âme à son corps, et de son corps aux corps issus de lui, et à nouveau de ces corps passant aux âmes.

40. Tel est le vieil homme, semence de malice que nous avons reçue de nos parents en même temps que nous étions conçus, de sorte que nous n'avons connu aucun jour pur de tout péché[a] et que nous n'avons jamais respiré libres de toute malice, mais comme dit le prophète : « Nous avons été dévoyés dès le sein, nous avons erré dès le ventre maternel[b]. »

41. Nous n'en sommes pas restés à cet héritage malheureux du péché ancestral et nous ne nous sommes pas contentés des maux que nous avions hérités, mais nous avons ajouté au mal et augmenté le mauvais trésor, au point que les premiers maux ont été éclipsés par les suivants et que les imitateurs se sont révélés bien pires que leurs modèles[42]. Et le plus fort de tout, c'est qu'il n'y eut pas de répit dans la propagation du mal, mais que la maladie s'est répandue continûment. Peut-être aussi était-il impossible à la race des hommes de suffire à sa propre guérison, pour cette raison : elle n'avait pratiquement jamais goûté à la liberté et elle était incapable, n'y ayant jamais goûté, de parvenir à la désirer, de vouloir l'atteindre et de se soulever contre la tyrannie.

40. a. cf. Job 14, 4-5 || b. Ps. 57, 4

42. Cf. Chrys., *Cat. Bapt.* III, 21.

42. Τούτων τῶν χαλεπωτάτων δεσμῶν, ταύτης τῆς δίκης, τῆς νόσου, τοῦ θανάτου τὸ λουτρὸν ἀπαλλάττει, οὕτω μὲν ῥᾳδίως ὡς μηδὲ χρόνου δεηθῆναι, οὕτω δὲ παντάπασι καὶ τελείως ὥστε μηδὲ ἴχνος ὑπολειφθῆναι· καὶ οὐ πονηρίας 5 ἀπαλλάττει μόνον, ἀλλὰ καὶ τὴν ἐναντίαν ἕξιν παρέχει.

Αὐτὸς γὰρ ὁ Δεσπότης, δι' ὧν ἀπέθανεν, ἔδωκεν ἡμῖν ἐξουσίαν ἀποκτεῖναι τὴν ἁμαρτίαν· δι' ὧν δὲ ἀνεβίω, τῆς καινῆς ζωῆς ἐποίησε κληρονόμους. Ὁ γὰρ θάνατος ἐκεῖνος, καθόσον μὲν αὐτὸ τοῦτὸ θάνατος ἦν, τὴν πονηρὰν ζωὴν 10 ἀποκτείνει· καθόσον δέ ἐστι δίκη, τὰς εὐθύνας λύει τῶν ἁμαρτημάτων, ὧν διὰ τὰς πονηρὰς ἐνεργείας ἕκαστος ὑπόχρεως ἦμεν.

43. Καὶ τοῦτον τὸν τρόπον τῆς ἕξεως καὶ τῆς ἐνεργείας συμπάσης ἁμαρτίας τὸ λουτρὸν καθαροὺς ἀποφαίνει, καθόσον κοινωνοὺς ποιεῖ τοῦ ζωοποιοῦ τούτου θανάτου. Ἐπεὶ δὲ καὶ τῆς ἀναστάσεως μετέχομεν διὰ τὸ λουτρόν, ζωὴν 5 ἡμῖν ὁ Χριστὸς δίδωσιν ἄλλην καὶ μέλη πλάττει καὶ δυνάμεις ἐντίθησιν, ὧν δεήσει πρὸς τὸν μέλλοντα βίον ἀφικομένοις. Διὰ τοῦτο γὰρ καὶ τῶν ἐγκλημάτων ἀθρόον λύομαι καὶ τὴν ὑγείαν αὐτίκα λαμβάνω· μάλιστα μὲν ὅτι Θεοῦ καθαρῶς ἔργον ὃν οὐκ ἔνι χρόνῳ δουλεύειν, ἔπειτα 10 οὐδὲν νῦν εὖ ποιεῖ τὸ γένος, ἵνα καὶ χρόνου δεήσῃ, ἀλλ' εὖ πεποίηκεν. Οὐ γὰρ νῦν δίδωσι τὴν δίκην ὧν ἥμαρτον ὁ Δεσπότης, οὐδὲ νῦν κατασκευάζει τὴν ἰατρείαν καὶ μέλη πλάττει καὶ δυνάμεις ἐντίθησιν, ἀλλ' ἔπλασε καὶ ἐνέθηκε καὶ κατεσκεύασεν. Ἀφ' οὗ γὰρ εἰς τὸν σταυρὸν ἀνέβη καὶ 15 ἀπέθανε καὶ ἀνέστη, ἡ ἐλευθερία τῶν ἀνθρώπων κατέστη,

ABCV MPW Gass Migne

42, 1ταύτη C || 4 λειφθῆναι Gass || 6 δι' ὧν μὲν ABCV || 10 *post* ἀποκτείνει *add.* τὴν ἕξιν τῆς ἁμαρτίας ABCV

43, 5 μέλη : μέλλει C || 7 καὶ *om.* Gass

---

43. Cabasilas s'oppose ici, avec l'ensemble de la tradition ortho-

Le baptême efface le péché

42. De ces chaînes si lourdes, de cette condamnation, de cette maladie, de cette mort, le bain nous affranchit, si facilement qu'il ne réclame aucun délai, si complètement et si parfaitement qu'il ne reste aucune trace[43] ; et non seulement il affranchit de la malice, mais il procure l'*habitus* contraire.

Car le Maître lui-même, en mourant, nous a donné le pouvoir de tuer le péché ; en ressuscitant, il nous a fait héritiers de la vie nouvelle. Cette mort, en tant qu'elle est mort, tue la vie mauvaise ; en tant qu'elle est expiation, elle abolit les poursuites contre les fautes, dont chacun de nous était justiciable du fait de ses actes mauvais.

43. De cette façon, le bain nous rend purs tout ensemble de l'*habitus* et de l'acte du péché, dans la mesure où il nous fait partager cette mort vivifiante. Et puisque par ce bain nous participons aussi à la résurrection, le Christ nous donne une vie autre, il nous modèle des membres et nous infuse des facultés dont nous aurons besoin en arrivant dans l'existence future. En effet, si je suis instantanément affranchi des accusations et si je recouvre aussitôt la santé, c'est en premier lieu parce que c'est manifestement une œuvre de Dieu, qui ne peut être asservie à aucun délai ; et ensuite, ce n'est pas aujourd'hui que Dieu comble notre race de bienfaits, pour avoir besoin de délai, mais ces bienfaits, il les a déjà accomplis. Car ce n'est pas aujourd'hui que le Maître subit la condamnation pour mes fautes, et ce n'est pas aujourd'hui qu'il prépare le remède, qu'il modèle les membres et qu'il infuse les facultés, mais il a déjà modelé, il a déjà infusé, il a déjà préparé. Du jour où il est monté sur la croix, où il est mort et ressuscité, la liberté des hommes a été établie, leur figure et leur beauté

doxe, à l'hérésie messalienne selon laquelle le baptême, s'il coupe les péchés, en laisse subsister la racine. Cf. CYR. JÉR., *Cat. Myst.* II, 3.

καὶ τὸ εἶδος καὶ τὸ κάλλος συνέστη, καὶ ἡ καινὴ μορφὴ καὶ τὰ νέα μέλη κατεσκευάσθη.

44. Νῦν δὲ προσελθεῖν δεῖ μόνον καὶ προσαγαγεῖν ταῖς χάρισι· καὶ τοῦτο ἡμῖν δύναται τὸ λουτρόν, συνάψαι τοὺς νεκροὺς τῇ ζωῇ, τῇ ἐλευθερίᾳ τοὺς δεδεμένους, τοὺς διεφθαρμένους τῇ μακαρίᾳ μορφῇ. Τὸ λύτρον ἐδόθη, νῦν λυόμεθα 5 μόνον· τὸ μύρον ἐχέθη καὶ ἡ εὐωδία τὸ πᾶν κατέσχε· πνεῦσαι λείπεται μόνον, μᾶλλον δὲ οὐδὲ πνεῦσαι· καὶ γὰρ καὶ τὸ δύνασθαι πνεῦσαι παρὰ τοῦ Σωτῆρος κατεσκευάσθη καὶ τὸ δύνασθαι λυθῆναι καὶ τὸ δύνασθαι φωτισθῆναι. Καὶ γὰρ οὐ φῶς ἀνέτειλε μόνον εἰς τὸν κόσμον ἐλθών, ἀλλὰ καὶ 10 ὀφθαλμὸν κατεσκεύασε, καὶ οὐ τὸ μύρον ἐξέχεε μόνον, ἀλλὰ καὶ αἴσθησιν ἔδωκε· νῦν δὲ τὸ ἱερὸν τοῦτο λουτρὸν ταύταις ταῖς αἰσθήσεσι καὶ ταῖς δυνάμεσι τοὺς λελουμένους συνάπτει. Καθάπερ γὰρ ὕλη ἀνείδεος καί ἄμορφος εἰς τὸ ὕδωρ καταδυόμενοι τοῦτο, ἐν αὐτῷ τῷ καλῷ περιτυγχάνομεν 15 εἴδει.

45. Διὰ ταῦτα πάντα ἡμῖν ἀθρόον ἀνατέλλει τὰ ἀγαθά· (540) προκατεσκεύασται γάρ· «Τὸ ἄριστόν μου ἡτοίμα|σται, οἱ ταῦροί μου καὶ τὰ σιτιστά, φησί, τεθυμένα καὶ πάντα ἕτοιμα, δεῦτε εἰς τοὺς γάμους[a].» Τοῦτο τῇ ἑορτῇ λείπεται 5 μόνον, ἀπαντῆσαι τοὺς κεκλημένους. Ἀπαντήσασι δὲ τίνος ἔτι δεήσει πρὸς τὴν εὐδαιμονίαν ; Οὐδενὸς ἤδη.

46. Ἐπὶ μὲν γὰρ τοῦ μέλλοντος αἰῶνος, παρασκευασάμενοι προσερχόμεθα τῷ Χριστῷ, νῦν δὲ παρασκευαζόμεθα

ABCV MPW Gass Migne

43, 16 καὶ ἡ καινὴ μορφὴ *om.* Migne

44, 5-6 τὸ μύρον — μόνον *om.* A καὶ ἡ εὐωδία — κατέσχε *om.* BV || πνεῦσαι[1] : πνεῦμα Gass || καὶ γὰρ τὸ Gass καὶ γὰρ καὶ τοῦτο τὸ AB

45, 2 προκατασκεύασθαι C

---

45. a. Matth. 22, 4

ont été constituées, une forme nouvelle et des membres nouveaux ont été préparés.

Le baptême actualise la rédemption

44. A présent, il suffit de se présenter et d'aller au-devant des grâces ; et voici la vertu du bain à notre égard : il rend les morts à la vie, les captifs à la liberté, les putréfiés à la forme bienheureuse. La rançon a été payée, à présent nous n'avons plus qu'à être déliés ; le chrême s'est épanché et son parfum a rempli l'univers[44], à présent il ne reste plus qu'à respirer, ou plutôt pas même à respirer, car la faculté même de respirer a été disposée en nous par le Sauveur, comme la faculté d'être délié et celle d'être illuminé. Car en venant dans le monde, il n'a pas seulement fait lever une lumière, il a aussi disposé un œil ; et il n'a pas seulement répandu le chrême, il a aussi donné l'odorat ; à présent, ce bain sacré réunit ceux qui ont été baignés à ces sens et à ces facultés. Car nous sommes immergés dans cette eau comme une matière sans figure et sans forme, et nous y rencontrons cette figure toute de beauté.

45. Pour cette raison, tous les biens d'un seul coup se lèvent pour nous ; car ils sont été préparés à l'avance : « J'ai apprêté mon banquet, dit l'Écriture, mes taureaux et mes bêtes grasses ont été égorgés, tout est prêt, venez aux noces[a]. » Il ne manque plus à la fête qu'une chose : que les invités s'approchent. Que manquera-t-il encore au bonheur de ceux qui se sont approchés ? Plus rien.

46. Dans le siècle futur, nous nous approcherons du Christ à condition d'avoir été préparés ; aujourd'hui, nous

44. Cf. office du saint chrême le jeudi saint : « Le chrême qui s'épanche est le nom du Christ en qui tout l'univers est rempli de parfum » (Goar, p. 503).

προσελθόντες· τότε μὲν γὰρ ἀνάγκη πάντα ἔχοντας προσελθεῖν, ἐπὶ δὲ τοῦ παρόντος ἀνάγκη προσελθόντας πάντα
5 λαβεῖν. Διὰ τοῦτο τηνικαῦτα μὲν ταῖς μωραῖς τῶν παρθένων οὐκ εἰσιτητὸς ὁ νυμφών[a], ἐπὶ δὲ τοῦ παρόντος αἰῶνος τοὺς ἄφρονας ἐπὶ τὴν εὐωχίαν καὶ φιλοτησίαν καλεῖ. Τότε μὲν γὰρ οὐκ ἔστι νεκρὸν ἀναβιῶναι καὶ τυφλὸν βλέψαι καὶ διεφθαρμένον ἀναπλασθῆναι, τῷ δὲ βίῳ τούτῳ θελήσεως
10 δεῖ μόνον καὶ προθυμίας, καὶ τὰ πάντα ἀκολουθεῖ· «Ἦλθον γάρ, φησίν, εἰς τὸν κόσμον ἵνα ζωὴν ἔχωσι[b]», καί· «φῶς εἰς τὸν κόσμον ἐλήλυθα[c].»

47. Καὶ τοῦτο δὲ τῆς ἀρρήτου φιλανθρωπίας, τὸ πάντα αὐτὸν εἰργασμένον δι' ὧν ἐλύθην, καταλιπεῖν τι καὶ ἡμῖν εἰς τὴν ἐλευθερίαν εἰσενεγκεῖν, αὐτὸ τὸ πιστεῦσαι τῷ βαπτίσματι τὴν σωτηρίαν καὶ θελῆσαι προσελθεῖν, ἵνα ἀπὸ
5 τούτων ἡμῖν τὸ πᾶν λογισθῇ καὶ ὧν αὐτὸς εὖ πεποίηκεν καὶ τούτων ὀφείλῃ χάριν. Καὶ τοίνυν ἐπειδὰν συμβῇ λελουμένους εὐθὺς ἀπελθεῖν, μηδὲν ἕτερον ἐπαγομένους ἢ τὴν σφραγῖδα, ἐπὶ τοὺς στεφάνους καλεῖ, καθάπερ ὑπὲρ τῆς βασιλείας ταύτης ἠγωνισμένους.

48. Ὧν μὲν οὖν τὸ βάπτισμα καὶ ὅπως τὰς ψυχὰς ἀπαλλάττει, ταῦτά ἐστιν· ἐπεὶ δὲ καὶ ζωήν τινα παρέχει διὰ τὸν ἀναστάντα, ζητῶμεν τί ἐστιν ἡ ζωή.

ABCV MPW Gass Migne

46, 7 τὴν φιλοτησίαν ABCW Gass || 9 ἀναβλῆψαι B[pc] || 10 ταῦτα πάντα ABCV || 12 ἐλήλυθε ACV Migne

47, 1 τοῦ Θεοῦ *post* ἀρρήτου *add.* ABCV || 6 ὀφείλει BC || 8 αὐτοὺς *post* καθάπερ *add.* AB

48, 3 τίς ABCV Gass

---

46. a. cf. Matth. 25,1-12 || b. Jn 10,10 || c. cf. Jn 3,19

sommes préparés à condition de nous approcher. Car alors, il faudra que nous possédions tout pour avancer, tandis que dans le présent, il faut que nous nous avançions pour tout recevoir. C'est pourquoi à ce moment-là, le festin de noces ne sera pas accessible aux vierges folles[a], alors que dans le siècle présent les insensés sont invités à se joindre au banquet et à lever leurs verres[45]. Alors, il ne sera pas possible à un mort de revivre, à un aveugle de voir, à un corps putréfié d'être remodelé, tandis qu'en cette vie, le vouloir et l'empressement suffisent, et tout le reste suit; car il est écrit : «Je suis venu dans le monde pour qu'ils aient la vie[b]», et «Je suis venu dans le monde comme une lumière[c].»

Notre contribution

47. Et voici un trait de son indicible philanthropie : alors que c'est lui qui a fait tout ce qu'il fallait pour que je fusse délivré, il nous laisse pourtant quelque chose à apporter pour contribuer à notre libération, c'est de croire au salut par le baptême et de vouloir nous en approcher, afin que grâce à cela tout le mérite nous soit imputé et qu'il nous doive de la gratitude pour le bien même qu'il nous a fait. Ainsi, lorsque des chrétiens tout juste baptisés viennent à mourir, alors qu'ils n'ont rien d'autre à leur actif que le sceau baptismal, il les convie à être couronnés comme s'ils avaient lutté pour gagner cette royauté.

48. Voilà de quoi et comment le baptême affranchit les âmes; maintenant, puisqu'il procure une vie par le Ressuscité, voyons ce que c'est que cette vie.

45. Cette image originale est chère à Cabasilas : nous la retrouvons dans le livre III, §21.

49. *Ὅτι τὴν τοῦ Χριστοῦ ζωὴν ἡμῖν ἐντίθησι τὸ βάπτισμα.*

Ἔστι μὲν οὖν εἰκὸς μὴ ταύτην εἶναι, καθ' ἥν πρότερον ἐζῶμεν, καλλίω δὲ τῆς προτέρας, οἰκείαν δὲ τῇ φύσει. Εἰ
5 μὲν γὰρ τὴν προτέραν καὶ νῦν ἔχομεν, τί ἔδει καὶ ἀποθνήσκειν ; εἰ δὲ ἄλλην τὰ αὐτὰ δυναμένην, τοῦτο μὲν οὖν οὐκ ἦν ἀναστῆναι· εἰ δὲ τὴν ἀγγελικήν, τί κοινὸν ἡμῖν πρὸς ἐκείνους ; ἄνθρωπος γὰρ ὁ πεσών· τὸ δὲ ἀνθρώπου πεσόντος ἄγγελον εἶναι τὸν ἀνιστάμενον, τὸν ἄνθρωπον οὐκ
10 ἦν ἀναπλάττεσθαι· παραπλήσιον γὰρ ὥσπερ εἰ συντριβέντος ἀνδριάντος, οὐκ ἀνθρώπου μορφὴ ἀλλ' εἶδος ἕτερον ἐπετίθετο τῷ χαλκῷ· τοῦτο γὰρ ἦν ὁτιοῦν ἄλλο πλάττειν, οὐ τὸν ἀνδριάντα ἀναπλάττειν.

50. Διὰ ταῦτα ἀκόλουθόν ἐστι τὴν ζωὴν ταύτην ἀνθρωπείαν τε εἶναι καὶ νέαν καὶ τῆς προτέρας καλλίω· ταῦτα δὲ πάντα τῇ τοῦ Σωτῆρος μόνῃ συμβαίνει ζωῇ. Καινὴ μὲν γάρ, ὅτι πρὸς τὴν παλαιὰν οὐδὲν κοινὸν εἶχε, καλλίων δὲ
5 οὐδ' ὅσον ἐνθυμηθῆναι, Θεοῦ γάρ· τῇ φύσει δὲ οἰκεία, καὶ γὰρ ἦν ἀνθρώπου ζωή· καὶ ὁ ταύτην βιούς, καθάπερ Θεὸς οὕτω καὶ ἄνθρωπος ἀληθῶς καὶ τῆς φύσεως ἕνεκα τῆς ἀνθρωπείας καθαρὸς ἁπάσης ἦν ἁμαρτίας· τούτων ἕνεκα πᾶσα ἀνάγκη τὴν τοῦ Χριστοῦ ζωὴν ἀναγεννωμένοις ἡμῖν
10 ἀνατέλλειν. Διὰ τοῦτο καὶ ἀναμάρτητοι τοῦ ὕδατος ἀπαλλαττόμεθα τούτου. Ἔτι δὲ καὶ ὧδε γίνεται δῆλον.

(541) **51.** Ἡ γὰρ ἐν|τῷ βαπτίσματι γέννησις ἀρχὴ τῆς μελλούσης ἐστὶ ζωῆς, καὶ ἡ τῶν καινῶν μελῶν καὶ τῶν αἰσθήσεων κομιδὴ τῆς ἐκεῖ διαίτης παρασκευή· παρασκευάσασθαι δὲ πρὸς τὸ μέλλον οὐκ ἔστιν ἑτέρως ἢ τὴν
5 Χριστοῦ ζωὴν ἐνθένδεν ἤδη λαβόντας ὃς « πατὴρ ἐγένετο

ABCV MPW Gass Migne

49, 1 AV *mg.* || 6 ἄλλην : ὕλην W[ac]
50, 3 πάντα — ζωῇ P : πάντα μόνῃ σομβαίνει τῇ τοῦ Σωτῆρος ζωῇ

49. *C'est la vie du Christ que le baptême introduit en nous.*

Vraisemblablement, ce n'est pas la vie dont nous vivions auparavant ; c'est une vie plus belle que la précédente, mais d'une nature apparentée. Car si nous possédons encore maintenant notre vie d'avant, qu'était-il besoin de mourir ? Si c'en est une autre, mais qui a les mêmes facultés, ce n'est donc pas une résurrection. Si d'autre part c'est la vie des anges, qu'avons-nous de commun avec eux ? c'est un homme qui est tombé ; et si, quand un homme est tombé, c'est un ange qui ressuscitait, ce ne serait pas là remodeler l'homme ; c'est à peu près comme si, une statue étant brisée, on imposait au bronze non une forme d'homme, mais une autre figure : ce serait là modeler autre chose et non pas remodeler la statue.

50. Il importe donc que cette vie soit une vie humaine, nouvelle et plus belle que la précédente : or tout cela ne s'accorde qu'à la seule vie du Sauveur. Elle est nouvelle parce qu'elle n'a rien de commun avec l'ancienne, et plus belle que nous ne pouvons l'imaginer car c'est la vie d'un Dieu ; mais elle nous est apparentée par nature, car c'était la vie d'un homme ; et celui qui l'a vécue, de même qu'il était Dieu, était aussi vraiment un homme, et il était pur de tout péché quant à sa nature humaine. Voilà pourquoi, de toute nécessité, c'est la vie du Christ qui se lève en nous quand nous renaissons ; ainsi, nous sortons de cette eau sans péché. Voyons comment on peut encore le montrer.

51. La naissance dans le baptême est le commencement de la vie future, et le fait de recevoir des membres et des sens nouveaux est la préparation du genre de vie qu'on y aura ; or on ne peut se préparer au futur autrement qu'en recevant dès ici-bas la vie du Christ, lui qui est le « père du

cett. || 4 κοινὸν οὐδὲν ABCV || 7 καὶ ἄνθρωπος ἀληθῶς *om.* Migne || 10 ἀναμάρτητος C
51, 4-5 τοῦ Χριστοῦ ABCVMW

τοῦ μέλλοντος αἰῶνος[a]» ὥσπερ ὁ Ἀδὰμ τοῦ παρόντος[b]· τῆς γὰρ ἐν φθορᾷ ζωῆς αὐτὸς ἡγήσατο τοῖς ἀνθρώποις. Καθάπερ γὰρ οὐκ ἔνι βιῶναι τόνδε τὸν βίον τὸν ἀνθρώπινον, μὴ τὰς αἰσθήσεις τοῦ Ἀδὰμ καὶ τὰς περι τὸ ζῆν δυνάμεις, 10 ταύτας δὴ τὰς ἀνθρωπείας, λαβόντας, τὸν ἴσον τρόπον οὐδὲ πρὸς τὸν μακάριον ἐκεῖνον κόσμον ζῶντα χωρῆσαι, μὴ τῇ τοῦ Χριστοῦ ζωῇ παρεσκευασμένον καὶ κατὰ τὴν ἰδέαν αὐτοῦ καὶ κατὰ τὴν εἰκόνα πλασθέντα.

Καὶ ἄλλως δὲ γέννησίς ἐστι τὸ λουτρόν· καὶ γεννᾷ μὲν 15 ἐκεῖνος, γεννώμεθα δὲ ἡμεῖς· τῷ δὲ γεννωμένῳ παντί που δῆλον ὡς ἄρα τὴν ἑαυτοῦ ζωὴν ἐντίθησιν ὁ γεννῶν.

52. *Διὰ τί καὶ οἱ ἄπιστοι ἀναστήσονται ἄφθαρτοι μὴ τῷ Χριστῷ πιστεύσαντες, ὅς τῆς ἀναστάσεως ἐκείνης ἐστὶν ἡγεμὼν μόνος.*

Ἐνταῦθα δὲ καὶ θαυμάσαι τις ἄν. Οὐ γὰρ οἱ λελουμένοι 5 μόνον, ἀλλ' ἤδη καὶ οἷς οὐκ ἐξεγένετο παρασκευασθῆναι πρὸς τὸν ἀθάνατον βίον τῇ δυνάμει τῶν μυστηρίων, καὶ ἁπλῶς ἄνθρωποι πάντες ἀγήρω κομιοῦνται τὰ σώματα καὶ ἀναστήσονται ἄφθαρτοι. Θαυμαστὸν γάρ, εἰ μετέσται τῆς ἀναστάσεως, ἣν ὁ τοῦ Χριστοῦ θάνατος μόνος εἰσήνεγκεν 10 εἰς τὸν κόσμον, τοῖς μὴ τὸ λουτρὸν δεξαμένοις, ᾧ κοινωνοῦμεν τοῦ ζωοποιοῦντος θανάτου. Εἰ γὰρ τὸν ἰατρὸν ἔφυγον καὶ τὴν βοήθειαν οὐκ ἐδέξαντο καὶ τὸ μόνον ἀπεσείσαντο φάρμακον, τί λοιπὸν ἦν, ὅ πρὸς τὴν ἀθανασίαν αὐτοῖς ἀρκέσει; Καὶ δοκεῖ δυοῖν θάτερον εἰκὸς εἶναι

ABCV MPW Gass Migne

51, 10 λαβόντα ABCV || 12 καὶ κατὰ τὴν ἰδέαν αὐτοῦ *om.* Migne
52, 1-3 AV *mg.* || 5 καὶ *om.* Gass

51. a. Is. 9,6 || b. cf. Rom. 5,12-21 ; I Cor. 15,45-49

46. C'est la foi de l'Église depuis l'origine. Cf. Symbole «Quicumque» dit de saint Athanase : «Au dernier avènement tous les hommes

siècle à venir[a] », comme Adam l'est du siècle présent[b] — en effet, c'est Adam qui a inauguré pour les hommes la vie dans la corruption. Pas plus qu'il n'est possible de vivre cette présente existence humaine sans avoir reçu les sens d'Adam et les facultés vitales, celles qui sont propres à l'homme, il n'est permis de s'approcher vivant de ce monde bienheureux si l'on n'y a pas été préparé par la vie du Christ et si l'on n'a pas été modelé d'après son aspect et son image.

En outre, le baptême est une naissance ; c'est le Christ qui engendre, et nous qui sommes engendrés ; or, en celui qui est engendré, de toute évidence, c'est sa propre vie qu'introduit celui qui engendre.

DEUX OBJECTIONS

52. *Pourquoi même les infidèles ressusciteront incorruptibles, sans avoir cru au Christ, qui seul est l'initiateur de cette résurrection.*

Ici l'on peut s'étonner. Car non seulement les baptisés, mais même ceux qui n'ont pas eu la possibilité d'être préparés à l'existence immortelle par la vertu des mystères, en un mot tous les hommes, recouvreront leurs corps impérissables et ressusciteront incorruptibles[46]. Ce qui est étonnant, c'est que participeront à la résurrection, que seule la mort du Christ a introduite dans le monde, des hommes qui n'ont pas reçu le bain qui nous fait partager sa mort vivifiante. En effet, s'ils ont fui le médecin, s'ils ont refusé son aide et s'ils ont renversé l'unique remède, que leur reste-t-il alors qui suffise à leur obtenir l'immortalité ? En apparence, il semble qu'il se passe de deux choses

ressusciteront dans leur corps et devront rendre compte de leurs propres actes » (Denzinger 76).

15 συμβαίνειν· ἢ πάντων ἑξῆς ἀπολαύειν ἅπαντας, ὧν ὁ Χριστὸς ἡμῖν αἴτιος ἐγένετο ἀποθνήσκων, καὶ συναναστῆναι καὶ συζῆν αὐτῷ καὶ συμβασιλεύειν καὶ τὴν ἄλλην ἔχειν εὐδαιμονίαν, εἴ γε «δεῖ τῶν παρ' ἡμῶν οὐδενός[a]»· ἢ εἰ πᾶσα ἀνάγκη καὶ ἡμᾶς ὁτιοῦν εἰσφέρειν τοὺς μὴ τὴν πίστιν 20 εἰσενεγχόντας τῷ Σωτῆρι μηδὲ ἀναβιῶναι.

53. Ἔστι τοίνυν ἐκεῖνο περὶ τούτων εἰπεῖν. Ἡ ἀνάστασις φύσεώς ἐστιν ἐπανόρθωσις· τὰ δὲ τοιαῦτα προῖκα δίδωσιν ὁ Θεός — ὥσπερ γὰρ πλάττει μηδὲ βουλομένους, οὕτως ἀναπλάττει μηδὲν προεισενεγκόντας. Ἡ δὲ βασιλεία ἐκείνη 5 καὶ ἡ τοῦ Θεοῦ θεωρία καὶ τὸ συνεῖναι Χριστῷ τρυφή ἐστι τῆς θελήσεως· διὰ τοῦτο τοῖς θελήσασι καὶ ἠγαπηκόσι καὶ ποθήσασιν ἔξεστι μόνοις· τούτους μὲν γὰρ καὶ τρυφᾶν ἀκόλουθόν ἐστι τῶν ποθουμένων παρόντων, τὸν δὲ μὴ βουληθέντα ἀμήχανον. Πῶς γὰρ ἂν καὶ τρυφᾶν δύναιτο καὶ 10 χαίρειν παρόντων, ὧν οὐκ ἔλαβε πόθον ἀπόντων; ἐπεὶ μηδὲ ἐπιθυμῆσαι τηνικαῦτα δύναιτ' ἂν καὶ ζητῆσαι τυχεῖν, ὅτι οὐχ ὁρᾷ τὸ κάλλος ἐκεῖνο, καὶ ὅ φησιν ὁ Κύριος· «Οὐ δύναται λαβεῖν, ὅτι οὐ θεωρεῖ αὐτὸ οὐδὲ γινώσκει αὐτό[a]», τυφλὸς ἐντεῦθεν εἰς τὸν βίον ἐκπεσὼν ἐκεῖνον καὶ πάσης 15 αἰσθήσεως καὶ δυνάμεως ἀπεστερημένος, δι' ὧν ἔξεστι καὶ (544) γνῶναι τὸν Σωτῆρα καὶ θελῆσαι συνεῖναι καὶ | συνηθῆναι.

54. Διὰ τοῦτο οὐ χρὴ θαυμάζειν, εἰ ζήσονται μὲν ἀθάνατα πάντες, οὐ πάντες δὲ μακαρίως· ὅτι τῆς μὲν περὶ

ABCV MPW Gass Migne

52, 18 παρ' ἡμῖν A || 20 μηδὲν C
53, 3 οὔτω A Gass || 8 τὸν : τῶν C

---

52. a. cf. Ps. 15,2
53. a. Jn 14,17

---

47. Objection déjà évoquée par Cyr. Al., *In Ioh.*, IV, 2 (*PG* 73, 565-568).

l'une : ou bien tout le monde jouira sur le champ de tous les biens que le Christ nous a obtenus en mourant — tout le monde ressuscitera, vivra avec le Christ, règnera avec lui et possèdera tout le bonheur possible ; c'est ce qui se passe s'il est vrai qu'il « n'a besoin de rien de notre part[a] » — ; ou bien, au contraire, s'il faut absolument que nous aussi nous fournissions quelque chose, ceux qui n'auront pas fourni leur foi dans le Sauveur ne ressusciteront pas[47].

53. Voici ce qu'il faut dire à ce sujet : La résurrection est un redressement de la nature[48] ; ce genre de choses, Dieu les donne gratuitement — de même qu'il modèle ceux-là même qui ne le veulent pas, de même il remodèle même ceux qui arrivent les mains vides. Mais cette royauté-là, ainsi que la contemplation de Dieu et la présence aux côtés du Christ, sont une jouissance de la volonté ; pour cette raison, elle n'est possible qu'à ceux qui ont voulu, aimé et désiré ; ceux-là, il est normal qu'ils trouvent du plaisir dans la présence de ce qu'ils ont désiré, mais celui qui ne l'a pas voulu en est incapable. Comment pourrait-il éprouver du plaisir et se réjouir de la présence de choses dont il n'a pas conçu le désir quand elles étaient absentes ? étant donné qu'il ne saurait pas même alors les désirer et chercher à les obtenir, parce qu'il ne voit pas leur beauté ; comme dit le Seigneur, « il ne peut les recevoir parce qu'il ne les voit ni ne les connaît[a]. » Car il a quitté aveugle cette existence pour l'autre, et dépourvu de tous les sens et facultés qui lui permettraient de connaître le Sauveur, de l'aimer, de vouloir être avec lui et de le pouvoir.

54. Pour cette raison il ne faut pas s'étonner de ce que tous auront la vie éternelle, mais pas tous la vie bienheureuse. C'est que tous jouissent également de la

48. « La résurrection est une recréation de la nature » : MAX. CONF., *Quest. ad Thal.*, 54, 18 (éd. Laga-Steel).

τὴν φύσιν ἁπλῶς τοῦ Θεοῦ προνοίας ἀπολαύουσι πάντες ὁμοίως· τῶν δὲ τὴν θέλησιν κοσμούντων δώρων, μόνοι τῶν
5 ἄλλων οἱ περὶ Θεὸν εὐσεβεῖς. Ὁ δὲ λόγος, ὅτι πᾶσι μὲν ὁ Θεὸς ἅπαντα βούλεται τἀγαθά, καὶ πάντων ὁμοίως μεταδίδωσι τῶν αὑτοῦ, καὶ ὅσα τὴν θέλησιν εὖ ποιεῖ, καὶ ἃ τὴν φύσιν ἐπανορθοῖ· ἡμεῖς δὲ τῶν μὲν εἰς τὴν φύσιν τοῦ Θεοῦ χαρίτων, ἐπεὶ μὴ δυνάμεθα φεύγειν, καὶ μὴ
10 βουλόμενοι τυγχάνομεν πάντες — καὶ γὰρ καὶ ἄκοντας εὖ ποιεῖ καὶ βιάζεται φιλανθρώπως, ὁπόταν ἀποσείσασθαι τὴν εὐεργεσίαν βουλώμεθα μέν, οὐ δυνώμεθα δέ.

55. Τοιοῦτον δὲ τὸ τῆς ἀναστάσεως δῶρον· οὐ γὰρ ἐφ' ἡμῖν ἐστιν οὔτε τὸ γεννηθῆναι τὴν ἀρχὴν οὔτε τὸ ἀποθανόντας ἀναβιώσκεσθαι πάλιν ἢ τοὐναντίον. Ἃ δὲ τῆς θελήσεως τῆς ἀνθρωπίνης ἐξήρτηται, λέγω δὴ τὸ ἑλέσθαι
5 τὸ ἀγαθόν, ἁμαρτιῶν ἄφεσις, ἤθους ὀρθότης, ψυχῆς καθαρότης, Θεοῦ φίλτρον, τὸ τούτων ἆθλον ἡ ἐσχάτη μακαριότης. Ταῦτα δὲ ἐφ' ἡμῖν ἐστι λαβεῖν ἢ φυγεῖν, ὅθεν βουλομένοις μὲν ἔξεστιν, μὴ βουλομένοις δὲ πῶς ἂν γένοιτο αὐτῶν ἀπολαύειν; Οὐ γὰρ ἔστιν ἄκοντας ἐθέλειν, οὐδὲ βιάζεσθαι
10 βουλομένους.

56. Ἔτι δὲ δι' ἐκεῖνον τὸν λόγον· ἐπεὶ γὰρ μόνος ἔλυσεν ὁ Κύριος τὴν μὲν φύσιν τῆς φθορᾶς, τὴν δὲ γνώμην τῆς ἁμαρτίας, τὸ μὲν «πρωτότοκος γενόμενος τῶν νεκρῶν[a]», τὸ δὲ «πρόδρομος ὑπὲρ ἡμῶν εἰσελθὼν εἰς τὰ Ἅγια τῶν
5 Ἁγίων[b]», ἅτε τὴν ἁμαρτίαν ἀποκτείνας καὶ τὸν Θεὸν ἡμῖν

ABCV MPW Gass Migne

54, 9 δυνώμεθα Gass ‖ 10 πάντες : ἄνθρωποι πάντες ABCV ‖ 12 βουλόμεθα C
55, 2 τὴν ἀρχὴν *om.* Gass ‖ 4 ἀνθρωπίνης P : ἀνθρωπείας *cett.*
56, 1 Ἔτι δὲ καὶ ABCV ‖ 4 εἰσελθὼν ὑπὲρ ἡμῶν AB

---

56. a. Apoc. 1,5 ; cf. Col. 1,18 ‖ b. cf. Hébr. 6,20

simple providence de Dieu envers notre nature ; mais les dons qui couronnent le vouloir, seuls en jouissent, à l'exclusion des autres, ceux qui honorent Dieu. La raison en est que Dieu veut que tous les hommes profitent de tous les biens, et il leur communique également tous ses biens, ceux qui récompensent le vouloir comme ceux qui redressent la nature ; nous, de notre côté, comme nous ne pouvons pas fuir les grâces de Dieu envers la nature, nous les recevons toutes, que nous le voulions ou non — car Dieu fait du bien même à ceux qui ne le veulent pas et use de contrainte par amour pour eux, en sorte que lorsque nous voulons secouer de nous ses bienfaits, nous ne le pouvons pas.

Rôle du vouloir humain

55. Le don de la résurrection est de cette sorte là, car il ne dépend pas de nous, au commencement de naître ou de ne pas naître, ni une fois morts d'être revivifiés ou non. Mais ce qui dépend du vouloir humain — je veux dire de choisir le bien, le pardon des offenses, la droiture de mœurs, la pureté de l'âme, la tendresse envers Dieu — la récompense de tout cela est la béatitude suprême. Et ces biens, il dépend de nous de les saisir ou de les fuir, si bien qu'ils sont accessibles à ceux qui le veulent, mais ceux qui ne le veulent pas, comment pourraient-ils en jouir ? Car il n'est pas possible de vouloir contre son gré, ni d'être contraint volontairement.

56. En voici une raison encore : étant donné que le Seigneur seul a délivré la nature de la corruption en devenant « le premier-né d'entre les morts[a] », et seul a délivré la volonté du péché en « entrant pour nous comme précurseur dans le Saint des Saints[b] », pour avoir tué le péché, réconcilié Dieu avec nous, « détruit le mur de

διαλλάξας καὶ «τὸ μεσότοιχον καταλύσας[c]» καὶ ὑπὲρ ἡμῶν ἑαυτὸν αὐτὸς ἁγιάσας, ἵνα καὶ ἡμεῖς ὦμεν «ἡγιασμένοι ἐν ἀληθείᾳ[d]»· φανερὸν ὅτι μόνοι λύοιντο ἂν εἰκότως καὶ τῆς φθορᾶς καὶ τῆς ἁμαρτίας, οἱ καὶ θελήσεως αὐτῷ καὶ φύσεως 10 μετασχόντες· τὸ μὲν ὡς ἄνθρωποι, τὸ δὲ ὡς «ἠγαπηκότες τὴν ἐπιφάνειαν αὐτοῦ[e]» καὶ τὸ πάθος καὶ τοῖς προστάγμασι πεισθέντες καὶ θελήσαντες ἅπερ ἐκεῖνος.

57. Οἱ δὲ τὸ μὲν εἶχον, τὸ δὲ οὐκ ἐδέξαντο, καὶ τὸ μὲν ἀνθρώποις εἶναι σφισὶ συνέβη, πιστεύειν δὲ τῷ Σωτῆρι τὴν σωτηρίαν καὶ κοινωνεῖν τῷ ἀγαθῷ τῆς γνώμης οὐκέτι, τούτους τῆς μὲν ἀφέσεως τῶν ἁμαρτιῶν καὶ τῶν ἐπὶ 5 δικαιοσύνῃ στεφάνων ἐκπίπτειν ἀκόλουθόν ἐστι, τῇ γνώμῃ διϊσταμένους· λυθῆναι δὲ τὴν ἑτέραν ἐλευθερίαν καὶ ἀναστῆναι τῆς φύσεως τῆς αὐτῆς ὡς ἀνθρώπῳ τῷ Χριστῷ γενομένους, οὐδὲν κωλύει. Τὸ γὰρ βάπτισμα τῆς ἐν Χριστῷ μακαρίας ζωῆς αἴτιόν ἐστι μόνον, οὐ τῆς ζωῆς· ἁπλῶς γὰρ 10 τὴν ἀθάνατον ζωήν, τὸ τὸν Χριστὸν τεθνάναι καὶ ἀναβιῶναι πᾶσι παρέσχεν ὁμοίως. Διὰ τοῦτο ἡ μὲν ἀνάστασις καινόν ἐστι δῶρον πᾶσιν ἀνθρώποις, ἄφεσις δὲ ἁμαρτιῶν καὶ οἱ ἐν οὐρανοῖς στέφανοι καὶ ἡ βασιλεία, ἐκείνων γίνεται μόνων, οἷς ὑπῆρξε προεισενέγκαι τὴν ὀφειλομένην συντέλειαν, οἳ 15 τάττουσιν ἑαυτοὺς ἐνθένδεν, ὡς ἔστιν οἰκείως ἔχειν πρὸς τὸν βίον ἐκεῖνον καὶ τὸν νυμφίον· γεννώμενοι μὲν καινῶς, (545) ὅτι καινὸς ἐκεῖνος Ἀδάμ[a], | κάλλει δὲ λάμποντες καὶ τὴν ὥραν σώζοντες, ἣν αὐτοῖς ἐνεποίησε τὸ λουτρόν, ὅτι «ὡραῖος κάλλει παρὰ τοὺς υἱοὺς τῶν ἀνθρώπων[b]», καὶ τὴν 20 μὲν κεφαλὴν ἐστῶσαν ἔχοντες οἷαι τῶν ὀλυμπιονικῶν ὅτι στέφανος ἐστιν, ὦτα δὲ ὅτι Λόγος, ὀφθαλμοὺς δὲ ὅτι ἥλιος,

ABCV MPW Gass Migne

56, 12 ἐκεῖνος : ἐκεῖνο Migne

57, 7 ὡς ἀνθρώπῳ *om.* Migne ‖ 11 πᾶσι *om.* Gass ‖ 13 οὐρανοῖς : ἀνθρώποις C ‖ μόνον Gass ‖ 14 προσενέγκαι A ‖ 16 κοινῶς V ‖ 19 τῶν *om.* Migne

---

56. c. cf. Éphés. 2,14 ‖ d. cf. Jn 17,19 ‖ e. cf. II Tim. 4,8
57. a. cf. I Cor. 15,45 ‖ b. Ps. 44,3

séparation[c]» et s'être «consacré lui-même pour nous» afin que nous aussi nous soyons «consacrés dans la vérité[d]», il est clair que seuls peuvent vraisemblablement être délivrés de la corruption et du péché ceux qui ont part à son vouloir et à sa nature, à sa nature en tant qu'ils sont hommes, à son vouloir en tant qu'ils ont «aimé sa manifestation[e]» et sa Passion, qu'ils ont obéi à ses commandements et ont voulu cela même qu'il voulait.

57. Ceux, en revanche, qui ont possédé l'un mais n'ont pas accepté l'autre, qui se sont trouvés être des hommes, mais n'ont pas confié leur salut au Sauveur ni partagé la volonté du Bon, ceux-là il est normal qu'ils soient privés du pardon des péchés et des couronnes qui récompensent la justice, puisqu'ils en furent séparés par la volonté ; mais rien n'empêche qu'ils jouissent de l'autre délivrance et de la résurrection, puisqu'ils étaient de la même nature que le Christ en son humanité. Le baptême n'est à l'origine que de la vie bienheureuse en Christ, non de la vie ; c'est le simple fait que le Christ soit mort et ressuscité qui procure à tous également la vie immortelle. Voilà pourquoi la résurrection est un don commun[49] à tous les hommes, alors que le pardon des péchés, les couronnes célestes et la royauté sont pour ceux-là seuls qui ont pu apporter la contribution nécessaire, et qui se disposent dès ici-bas comme il convient à cette existence et à l'époux ; nés de façon nouvelle parce que le Christ est le nouvel Adam[a], brillants de beauté et conservant la grâce que le bain a mise en eux parce qu'il est «gracieux de beauté parmi les enfants des hommes[b]», ils tendent leur front comme des champions olympiques parce qu'il est la couronne, leurs oreilles parce qu'il est le Verbe, leurs yeux parce qu'il est le

49. Cf. Chrys., *In Ps.* XLVIII (*PG* 55, 230 C).

ὄσφρησιν δὲ ὅτι καὶ μύρον ἐστὶν ὁ νυμφίος καὶ «μύρον ἐκκενωθέν[c]», σεμνοὶ δὲ καὶ ἐπὶ τῶν ἱματίων διὰ τὸν γάμον[d]. Εἶεν.

58. *Τίνος χάριν οἱ τὸν Χριστὸν ἀρνησάμενοι μεταγνόντες οὐκ ἀναβαπτίζονται.*

Ταῦτα δὲ καὶ πρὸς ἕτερον φέρει ζήτημα δίκαιον ὂν μὴ περιῶφθαι. Εἰ γὰρ τὸ μὲν ἐθέλειν καὶ πιστεῦσαι καὶ
5 προσελθεῖν τῶν τοῦ βαπτίσματος δώρων ἐπιτυχεῖς γεγενῆσθαι παρασκευάζει, τὸ δὲ ταῦτα φεύγειν, καὶ τὴν μακαριότητα πᾶσαν ἐκείνην φεύγειν ἐστί, τοὺς μετὰ τὸ λαβεῖν ῥίψαντας καὶ τῆς γνώμης τῆς προτέρας ἑαυτοὺς μεμψαμένους καὶ τὸν Χριστὸν ἠρνημένους, ἐπειδὰν εἰς τὴν
10 Ἐκκλησίαν ἐφ' οἷς ἠνόμησαν μεταγνόντες αὐτομολῶσιν, ὁ ἱερὸς θεσμός, ἀκόλουθον ὂν ἐπὶ τὸ λουτρὸν αὐτοὺς ἄγειν, καὶ τὰ μυστικὰ τελεῖν ἐξ ἀρχῆς ὡσὰν τὸ πᾶν ἀπολωλεκότας, ὁ δὲ τῷ θείῳ μύρῳ τὰ σώματα αὐτοῖς ἀποσημηνάμενος καὶ μηδὲν πλέον προσθείς, τοῦ κύκλου γράφεται τῶν πιστῶν,
15 τί οὖν πρὸς ταῦτα εἴποι τις ἄν; ᾗ δυοῖν τούτων ἡμῖν τὴν πρὸς Θεὸν εὐσέβειαν δυναμένων — τοῦ τε λαβεῖν ὀφθαλμὸν ἀπὸ τῶν μυστηρίων, τοῦ τε χρῆσθαι καὶ πρὸς τὴν ἀκτῖνα ἐκείνην ὁρᾶν — τοῖς προδεδωκόσι τὸν χριστιανισμὸν τὸ μὲν ἀπόλλυται τὸ δεύτερον, ἐκεῖνο δὲ μένει, λέγω δὴ τὴν
20 πρὸς τὸ βλέπειν ἐπιτηδειότητα καὶ παρασκευήν.

59. Αἴτιον δὲ ὅτι τὸ μὲν ἀποβαλεῖν ἔξεστι βουλομένοις, ἡμέτερον γὰρ ἢ στέρξαι τὸν ἥλιον ἢ πρὸς τὴν ἀκτῖνα μῦσαι τὸν ὀφθαλμόν· τό γε μὴν αὐτὸν ἐκκόψαι τὸν ὀφθαλμὸν καὶ

ABCV MPW Gass Migne

58, 1-2 ABV *mg.* ‖ 5 ἐπιτυχεῖν C ‖ 6 παρασκευάσει Migne ‖ τὸ δὲ ταῦτα φεύγειν *om.* MPW ‖ 8 ἑαυτοῖς AB ‖ 9 εἰς *om.* C ‖ 11 εὐθὺς *post* λουτρὸν *add.* ABCV ‖ αὐτοὺς : αὐτὸς C ‖ 15-16 τὴν — δυναμένων : ἀπὸ τοῦ λουτροῦ γινομένων ABV ‖ 17 ἀπὸ — καὶ : τοῦ τε ABV ‖ 18 ὁρᾶν : ἰδεῖν A ‖ 20 βλέπειν : ζῆν ABC

59, 2 τὸν *ante* ἥλιον *om.* P

soleil, leur odorat parce que l'époux est un chrême et un «chrême qui s'épanche[c]», purs jusque dans leur vêtement en vue des noces[d]. Soit.

58. *Pourquoi ceux qui ont renié le Christ ne sont pas rebaptisés s'ils se repentent.*

Tout cela nous conduit à une autre question qu'il est juste de ne pas esquiver. Si vouloir les dons du baptême, y croire et s'en approcher rend apte à les recevoir, et si les fuir, c'est fuir toute cette béatitude, que dire de ceci ? Quand des hommes qui avaient reçu le baptême l'ont rejeté, sont revenus sur leur volonté première et ont renié le Christ, quand ces hommes se repentent de leurs iniquités et reviennent à l'Église, la loi sacrée[50] — alors qu'il serait logique de les conduire au bain et de les initier aux mystères dès le début comme s'ils avaient tout perdu — la loi sacrée marque leurs corps du saint chrême, et sans rien ajouter de plus, les inscrit au nombre des fidèles. C'est que des deux choses qui peuvent nous donner la piété envers Dieu — recevoir un œil par les mystères et en user pour voir le rayonnement du Christ —, ceux qui ont trahi le christianisme perdent la seconde, mais conservent la première, c'est-à-dire la faculté et la capacité de voir.

59. En voici la raison : on peut, si l'on veut, rejeter l'usage de la vue — il dépend de nous d'accueillir le soleil ou de fermer les yeux à ses rayons — ; mais arracher l'œil

57. c. Cant. 1,3 || d. cf. Matth. 22,11-13

50. De nombreux canons interdisent de baptiser une seconde fois celui qui a déjà été validement baptisé : cf. *Constitutions Apostoliques*, IV, 15 (*SC* 329), 47e canon des Apôtres (*RP*, II, p. 62). On doit simplement les oindre de chrême, comme le mentionne ici Cabasilas : cf. 7e canon du 2e concile œcuménique (*RP*, II p. 187-188) ; 7e canon du concile de Laodicée (*RP*, III, p. 176).

τὴν πλάσιν ἐκείνην παντάπασι διαφθεῖραι, τῶν ἀμηχάνων
5 ἡμῖν. Εἰ γὰρ τῶν ἐν τῇ ψυχῇ δυνάμεων, μεθ' ὧν ἡμᾶς ἡ
φύσις ἐγέννησεν, οὐδ' ἥντινοῦν δυνάμεθα λύειν, ἥκιστα δὴ
πάντων, ἣν ἡμῖν ἀναγεννῶν αὐτὸς ἀμέσως ἐνέθηκεν ὁ Θεός·
ἐπεὶ καὶ αὐτὸ τὸ ἐν ἡμῖν ἡγούμενον, ὅ τι ποτέ ἐστι πλάττει
καὶ διατίθησι τὸ λουτρόν, εἴτε λόγου καὶ γνώμης αὐτονο-
10 μίαν, εἴθ' ἕτερον ὁτιοῦν χρὴ τοῦτο νομίσαι, ᾧ πᾶσα μὲν
εἴκει δύναμις τῆς ψυχῆς καὶ πρὸς τὴν ἐκείνου φέρεται
κίνησιν, ἐπιτάττει δὲ οὐδὲν οὐδὲ δύναται μεταβάλλειν, ἀλλ'
οὐδὲ αὐτὸ ἑαυτό — κρεῖττον γὰρ οὐδὲν γένοιτ' ἂν ἑαυτοῦ —
καὶ οὐ μὴν οὐδὲ τὸν Θεὸν εἰκός· οὐ γὰρ ἀφέλοιτ' ἂν
15 ὧν ἡμῖν κατέθετο δώρων οὐδέν· «ἀμεταμέλητα γὰρ τὰ
χαρίσματα, φησί, τοῦ Θεοῦ[a]»· καὶ ὅλως ἄπειρος ἀγαθότης
ὢν βούλεται πᾶν ἡμῖν ἀγαθὸν καὶ δίδωσί γε, ἀλύτου τῆς
τοῦ αὐτεξουσίου προεδρίας ὑποκειμένης.

60. Τοιοῦτον δὲ τὸ τοῦ βαπτίσματος ἀγαθόν. Οὐ γὰρ
ἄγχει τὴν γνώμην οὐδὲ κατέχει, ἀλλὰ δύναμις οὖσα, τοὺς
μὲν χρωμένους ὤνησε, τοὺς δὲ μὴ χρωμένους οὐδὲν ἐκώλυσε
μεῖναι πονηρούς· καθάπερ καὶ τὸ σῶν ἔχειν τὸν ὀφθαλμὸν
5 οὐκ ἂν προσταίη τοῖς ἐν σκότει ζῆν βουλομένοις. Καὶ δῆλον
αὐτόθεν· αὐτοὶ γὰρ οὗτοι μάρτυρες σαφεῖς, οἱ μετὰ τὸ
λούσασθαι καὶ τὰ ἐκεῖθεν πάντα λαβεῖν, εἰς τὴν ἐσχάτην
ἀσέβειαν καὶ μοχθηρίαν ἐξενεχθέντες.

ABCV MPW Gass Migne

59, 9 λόγου καὶ *om.* ABV || 10 ἕτερον — νομῖσαι : αὐτεξούσιον χρὴ καλεῖν ABV || 13 γένοιτ' ἂν οὐδὲν ABCV || 16 ἀγαθότητος C Gass
60, 3 ὤνησε — μὴ χρωμένους *om.* Gass || 4 σῶν : σώον C

59. a. Rom. 11, 29

51. Cabasilas refuse d'entrer dans de très anciennes controverses sur la nature et la localisation de l'ἡγεμονικόν (principe directeur). Cf.

lui-même et détruire complètement cette créature, cela nous est impossible. S'il n'est pas en notre pouvoir de supprimer la moindre des facultés de l'âme avec lesquelles la nature nous a fait naître, d'autant moins pouvons-nous supprimer celle que Dieu lui-même a mise en nous, immédiatement, en nous faisant renaître : car ce que le baptême modèle et dispose, c'est le principe directeur de notre être, quel qu'il soit, qu'il faille entendre par là l'autonomie de la raison et de la volonté, ou tout autre principe[51] : toutes les facultés de l'âme s'y soumettent et en subissent la motion, mais rien ne lui commande ni ne peut le faire changer, pas même lui-même — rien ne peut être supérieur à soi-même —, et, semble-t-il, pas même Dieu ; en effet, il ne peut nous ôter aucun des dons qu'il nous a faits — «les dons de Dieu sont sans repentance», dit l'Écriture[a] — ; étant la bonté infinie, il veut tous les biens pour nous, mais il nous les donne sans pour autant annuler la préséance fondamentale de notre libre-arbitre[52].

60. Tel est le bien que donne le baptême. Car il n'étouffe pas la volonté[53], il ne la soumet pas, mais comme il est une faculté, il est utile à ceux qui l'utilisent, et il n'empêche pas ceux qui ne l'utilisent pas de rester mauvais, de même que d'avoir un œil sain n'empêche pas ceux qui le veulent de vivre dans l'obscurité. C'est une évidence qui va de soi, et ceux-là mêmes en sont des témoins manifestes, qui après avoir été baignés et avoir reçu tous les dons qui en résultent, sont retournés au comble de l'impiété et de la malice.

Grég. Nys., *hom. opif.* XII («sur la localisation du principe directeur de l'âme») ; Or., *In Ex.* IX, 4 (*SC* 16, p. 216-217).

52. Le libre-arbitre est une notion fondamentale de l'anthropologie des Pères, car c'est en lui qu'ils situent généralement l'image de Dieu. Il ne peut donc en aucun cas être détruit par le baptême.

53. Cf. Sym. N.T., *Chap. Théol.*... III, 89 (*SC* 51 bis, p. 178-179).

(548) Διὰ ταῦτα τοίνυν τῷ μὴ τὰς | ἐντεθείσας ἀποθέσθαι
10 δυνάμεις, πλάσεως δευτέρας οὐ δεομένους, ὁ ἱερεὺς λούει μὲν οὐδαμῶς, χρίων δὲ πνευματικὴν ἐνίησι χάριν εὐσεβείας, οἶμαι, καὶ φόβου Θεοῦ καὶ ἀγάπης καὶ τῶν τοιούτων[a], ἃ τὴν προτέραν αὐτοῖς ἀνακαλεῖσθαι δύναται γνώμην· τοιαῦτα γὰρ τοῖς τελουμένοις ἔχει τὸ μύρον. Καὶ ταῦτα μὲν εἰς
15 τοσοῦτον· ἐπὶ δὲ τὰ ἑξῆς τοῦ λόγου χωρῶμεν.

61. Φανερὸν μὲν οὖν ἐκ τῶν εἰρημένων, ὡς ἄρα τὴν ζωὴν τοῦ Χριστοῦ ζῶσιν οἱ διὰ τοῦ βαπτίσματος γεννηθέντες.

62. *Τί ἐστιν ὃ πάσχοντες οἱ βαπτιζόμενοι τῆς ζωῆς τῷ Χριστῷ κοινωνοῦσιν.*

Τί δὲ ἡ τοῦ Χριστοῦ ζωή; Λέγω δή· τί ἐστιν ἐκεῖνο τὸ πάθος, ὃ τοῦ βαπτίσματος ἀπολελαυκότες οἱ λελουμένοι τοῦ
5 βίου τῷ Χριστῷ κοινωνοῦσι; δῆλον οὔπω γέγονεν ἔτι.

63. Τούτου δὲ τὸ μὲν πλεῖστον ὑπὲρ τὸν ἀνθρώπινον λόγον· δύναμις γάρ ἐστι τοῦ μέλλοντος αἰῶνος, ᾗ φησι Παῦλος[a], καὶ πρὸς βίον ἄλλον παρασκευή. Καθάπερ τοίνυν οὐκ ἔστι καταμαθεῖν ὀφθαλμῶν ἀρετὴν ἢ χρώματος χάριν
5 μὴ τῷ φωτὶ προσάγοντας, καὶ τὰ τῶν ἐγρηγορότων εἰδέναι τοὺς καθεύδοντας ἕως καθεύδουσι, τὸν ἴσον τρόπον οὐδὲ τὰ καινὰ μέλη καὶ τὰς δυνάμεις, οἷς καθαρῶς πρὸς τὸν μέλλοντα βίον ἔξεστι χρῆσθαι, δυνατὸν συνιδεῖν ἐπὶ τοῦ παρόντος, τίνα τέ ἐστιν ἀκριβῶς, καὶ οἷον αὐτοῖς σύνεστι
10 κάλλος· δεῖ γὰρ συγγενοῦς κάλλους καὶ φωτὸς καταλλήλου.

ABCV MPW Gass Migne

60, 13 τοιαῦτα : ταῦτα A
62, 1-2 ABV *mg.*
63, 5 προσαγάγοντας AB ‖ 6 οὐδὲ : καὶ P ‖ 9 αὐτοῖς : αὐτοῖ, Migne ‖ 10 κάλλους : κόσμου ABCV

---

60. a. cf. Is. 11, 2
63. a. cf. Hebr. 6. 5

Ainsi le prêtre ne baptise-t-il pas des gens qui n'ont pas besoin d'un second modelage, vu qu'ils n'ont pas perdu les facultés qui leur avaient été communiquées ; mais par une onction, il leur infuse la grâce de l'Esprit, grâce, je pense, de piété, de crainte de Dieu, de charité et ainsi de suite[a], qui peuvent ranimer en eux leur volonté première ; car tel est l'effet du chrême en ceux qui le reçoivent. Voilà sur ce sujet ; venons-en à la suite de notre propos.

61. Il est donc évident, d'après ce qui précède, que ceux qui sont nés par le baptême vivent la vie en Christ.

EN QUOI CONSISTE CETTE VIE NOUVELLE

62. *Ce qu'éprouvent les baptisés quand ils partagent la vie du Christ.*

Mais qu'est-ce que la vie du Christ ? Je veux dire : quel est ce sentiment que les baptisés retirent du baptême et qui leur fait partager la vie du Christ ? Ce point n'a pas encore été élucidé.

63. Tout d'abord, il dépasse en grande partie l'entendement humain ; car c'est une faculté du siècle à venir, comme dit Paul[a], et une préparation à une autre vie. Pas plus qu'il n'est possible d'apprendre ce qu'est la vertu des yeux ou la grâce des couleurs si l'on ne s'approche pas de la lumière, ou que ceux qui dorment ne peuvent durant leur sommeil avoir la même connaissance que ceux qui sont éveillés, de même il n'est pas possible non plus, dans la vie présente, de comprendre ce que sont exactement les membres nouveaux et les facultés que nous ne pourrons utiliser parfaitement que dans l'existence future, ni quelle beauté les accompagne, car il nous manque une beauté équivalente et une lumière appropriée.

64. Καὶ μὴν μέλη Χριστοῦ ἐσμεν, καὶ τοῦτό ἐστι τὸ τοῦ βαπτίσματος ἔργον· συνέστηκε δὲ ἡ λαμπρότης τῶν μελῶν καὶ τὸ κάλλος ἐν τῇ κεφαλῇ· φαίνοιτο γὰρ ἂν οὐ καλὰ τὰ μέλη μὴ τῇ κεφαλῇ συνημμένα· τούτων δὲ τῶν μελῶν ἡ κεφαλὴ κρύπτεται μὲν ἐπὶ τοῦ παρόντος, φανεῖται δὲ κατὰ τὸν μέλλοντα βίον· τότε δὴ καὶ τὰ μέλη λάμψει καὶ διαδειχθήσεται, ἐπειδὰν μετὰ τῆς κεφαλῆς ἀναλάμψῃ. Καὶ τοῦτο Παῦλος δεικνύς· «Ἀπεθάνετε, φησί, καὶ ἡ ζωὴ ὑμῶν κέκρυπται σὺν τῷ Χριστῷ ἐν τῷ Θεῷ· ὅταν δὲ ὁ Χριστὸς φανερωθῇ ἡ ζωὴ ὑμῶν, τότε καὶ ὑμεῖς ἐν αὐτῷ φανερωθήσεσθε ἐν δόξῃ[a].» Καὶ ὁ μακάριος Ἰωάννης· «Οὔπω ἐφανερώθη τί ἐσμεν· ὅταν δὲ φανερωθῇ, ὅμοιοι αὐτῷ ἐσόμεθα[b].»

65. Διὰ ταῦτα νῦν τελείως μὲν τὴν δύναμιν τῆς ζωῆς ταύτης οὐκ ἔνεστι γνῶναι, οὐδὲ αὐτοὺς δήπου τοὺς μακαρίους· ἀλλὰ τὸ πλεῖστον ὁμολογοῦσιν ἀγνοεῖν, καὶ ἐν αἰνίγματι καὶ ἐν ἐσόπτρῳ καὶ ἐκ μέρους γινώσκειν[a], καὶ ἃ δὲ δύνανται γινώσκειν, οὐδὲ ταῦτα ἔνι λόγῳ φανῆναι. Ἀλλ' ἔστι μὲν αἴσθησις αὐτῶν καὶ γνῶσις τοῖς γε καθαροῖς τὴν καρδίαν[b]· ῥῆμα δὲ ἢ λόγον, ὃς ἐφαρμόσει τοῖς ἐγνωσμένοις καὶ τοῦ μακαρίου πάθους γένοιτ' ἂν σημεῖον τοῖς ἀγνοοῦσιν, ἀμήχανον εὑρεῖν. Καὶ γάρ ἐστιν ὧν ἤκουσεν ὁ ἀπόστολος, εἰς τὸν παράδεισον καὶ τρίτον οὐρανὸν ἁρπαγείς· «ἄρρητα ῥήματα, φησίν, ἃ οὐκ ἐξὸν ἀνθρώπῳ λαλῆσαι[c].»

ABCV MPW Gass Migne

64, 7 ἀναλάμψῃ : ἀνατείλῃ ABCV || 8 Παῦλος *om.* B || ὁ ἀπόστολος *post* δεικνύς *add.* ACV || 9 ἐν τῷ Χριστῷ ἐν Θεῷ ABCV σὺν τῷ Χριστῷ ἐν Θεῷ Gass || 12 δὲ *om.* ABCV

---

64. a. Col. 3,3-4 || b. I Jn 3,2

65. a. cf. I Cor. 13,12 ; 9 || b. cf. Matth. 5,8 || c. II Cor. 12,4

---

54. Ce n'est pas ici le lieu de donner une étude fouillée de la notion d'αἴσθησις (perception, sensation, sentiment) dans la spiritualité byzantine. Nous renvoyons pour cela à des ouvrages plus généraux, tel l'art. *Contemplation* du *DSp*. Disons simplement que Cabasilas se

64. Certes nous sommes membres du Christ, et c'est là l'œuvre du baptême ; mais la splendeur des membres et leur beauté résident dans la tête — les membres qui ne demeureraient pas unis à la tête ne paraîtraient pas beaux — ; or, de ces membres-là la tête est cachée dans le présent, et elle ne paraîtra que dans l'existence future ; alors, les membres aussi resplendiront et seront manifestés quand ils resplendiront avec la tête. C'est ce que montre Paul quand il dit : « Vous êtes morts, et votre vie est cachée avec le Christ en Dieu ; quand paraîtra le Christ votre vie, alors vous aussi vous paraîtrez en lui dans la gloire[a]. » Et le bienheureux Jean : « Ce que nous sommes n'a pas encore paru ; mais quand il paraîtra, nous lui serons semblables[b]. »

65. C'est pourquoi il n'est pas possible maintenant de connaître la vertu de cette vie, pas même aux bienheureux : au contraire, ils confessent qu'ils ignorent le principal et qu'ils connaissent en énigme, dans un miroir et de façon partielle[a], et même ce qu'ils peuvent connaître, il ne leur est pas permis de l'exprimer par la parole. Cependant, il existe une perception[54] et une connaissance de ces choses, du moins pour ceux qui sont purs de cœur[b], mais il est impossible de trouver un mot ou un discours approprié à ce qui est connu, et qui puisse être, pour ceux qui ne le connaissent pas, un indice de ce sentiment bienheureux. Ce sont les choses qu'a entendues l'Apôtre, quand il fut ravi au paradis et au troisième ciel : « des mots ineffables, dit-il, qu'il n'est pas permis à l'homme de prononcer[c]. »

rattache au courant spirituel qui accorde une grande importance à la perception consciente de la grâce (cf. MAC., *Hom. Spir.*, Diadoque de Photicé, Sym. N.T.). Il faut cependant noter qu'à notre connaissance Cabasilas est le seul qui insiste à ce point sur le fait que cette αἴσθησις est un fruit du baptême et non d'une ascèse ou d'une progression spirituelle. Il se distingue en cela formellement de l'hérésie messalienne pour qui la perception de la grâce était supérieure aux mystères.

66. Ἃ δὲ καὶ γινώσκεται καὶ ῥηθῆναι δύναται τῆς ζωῆς, καὶ τῶν ἀφανῶν ἀπόδειξιν ἔχει, τὰ τοῖς μεμυημένοις κατωρθωμένα· τὸ καινὸν ἦθος τῶν λουσαμένων οἳ τὴν τάξιν ἔσωσαν, ἡ ὑπερφυὴς ἀρετὴ καὶ τοὺς ἀνθρωπίνους νικῶσα (549) 5 νόμους, ἧς οὔτε σοφίαν, οὔτε γυμνασίαν, οὐ τὸ πεφυκέ|ναι οὔτε ἄλλο ὁτιοῦν ἔστιν αἰτιᾶσθαι τῶν ἀνθρωπίνων.

67. Ἥ τε γὰρ ψυχὴ πρὸς τοιαῦτα προὐθυμήθη, οἷα μηδ' ἀναπλάσαι ῥάδιον ἦν ἀνθρώποις· τό τε σῶμα τὴν προθυμίαν οὐκ ἔσβεσεν, ἀλλὰ πόνων ἠνέσχετο τοσούτων, ὅσων ἐπεθύμησεν ἡ ψυχή· καίτοι καὶ ψυχῆς καὶ σώματος δύναμις 5 ὥρισται, καὶ πρὸς πάντα πόνον οὔτε ταύτην οὔτε ἐκείνην ἑστάναι δυνατόν, ἀλλ' ἔστιν οὓς δυνηθεῖσαι νικῆσαι ἐπὶ τῶν ἄλλων, ἡ μὲν ἀπεῖπε, τὸ δὲ ἐλύθη. Τῶν δὲ μακαρίων ψυχῶν ἐκείνων οὐδὲν ἐκράτησεν, ἀλλ' ὅσαπερ ἂν ἀλγηδόνων εἴδη καὶ πόνων οὐδ' αὐτονομία πλάσαι λογισμῶν, τοσούτων 10 ἠνεσχοντο καὶ πρὸς τοσαῦτα ἐκαρτέρησαν.

68. Καὶ οὔπω λέγω τὸ καινότατον. Οἵ γε οὐδὲ ἠνέσχοντο οὐδὲ ἐκαρτέρησαν· οὐ γὰρ ἐλπίδι μεγίστων ἄθλων καὶ ζωῆς ἀμείνονος τὴν παροῦσαν περιεῖδον, λέγω κρίσει τινὶ καὶ λογισμῷ πρὸς ταύτην ἀφιγμένοι τὴν τόλμαν, καὶ ἐνεγκόντες 5 μέν, ἀηδῶς δέ, καθάπερ οἱ νοσοῦντες ἰατροῦ πῦρ καὶ μάχαιραν· ἀλλὰ τοῦτό ἐστι τὸ καινότατον· ὅτι τὰς πληγὰς αὐτὰς ἐφίλουν, αὐτῶν ὠρέγοντο τῶν πόνων, αὐτὸν ποθεινὸν ἡγοῦντο τὸν θάνατον, καὶ εἰ μηδὲν ἄλλο προὔκειτο. Οἱ μὲν

ABCV MPW Gass Migne

66, 4 ἀνθρωπείους ABV
67, 6 δυνηθεῖσα Gass ‖ νικῆσαι : οἰκῆσαι A ‖ 7 μακαρίων ψυχῶν καὶ σωμάτων ἐκείνων ABCV μακαρίων ἐκείνων (ψυχῶν καὶ σωμάτων) Gass ‖ 9 πόνων : πόσων Gass
68, 1 κοινότατον Migne

Exploits accomplis par de nouveaux baptisés

66. En revanche, ce qui de cette vie est connu et peut être dit, et qui apporte une démonstration des choses invisibles, ce sont les pratiques de ceux qui ont été initiés : la conduite toute nouvelle de ceux qui, après le bain, ont gardé leur rang, leur vertu extraordinaire qui a triomphé même des lois humaines, et que l'on ne peut attribuer ni à la sagesse, ni à l'entraînement, ni à des qualités innées, ni à aucune autre cause humaine.

67. En effet, il est arrivé que l'âme souhaite avec ardeur des choses même difficilement imaginables par l'homme, et le corps, loin d'éteindre cette ardeur, a supporté des peines aussi grandes que le souhaitait l'âme ; cependant la force de l'âme et celle du corps sont limitées, et ni l'une ni l'autre ne peut tenir bon devant toute peine, mais devant certaines peines qu'elles auraient pu vaincre chez d'autres, l'âme a succombé et le corps s'est rompu. En revanche, ces âmes bienheureuses (des baptisés), rien n'en a eu raison ; au contraire, toutes les formes de douleurs et de peines que même une imagination débridée n'aurait pu concevoir, elles les ont toutes supportées et patiemment endurées.

68. Et je ne dis pas encore le plus étonnant. Ceux-là, à coup sûr, n'ont ni supporté ni enduré ; car ce n'est pas dans l'espérance des plus grandes récompenses et d'une vie meilleure qu'ils ont méprisé la vie présente, je veux dire que ce n'est pas pour être parvenus à cette audace par un jugement et une réflexion et avoir supporté, certes, mais à contre-cœur, comme des malades supportent le feu et le scalpel du médecin ; au contraire, et voici le plus étonnant : c'est que ces plaies, ils les aimaient, ils aspiraient même à ces peines, et ils regardaient la mort même comme désirable, même si aucune autre récompense ne leur était proposée. Les uns ont désiré le glaive, les

γὰρ ξίφους ἐπεθύμησαν καὶ στρεβλώσεων καὶ θανάτου, καὶ
10 γενομένοις ἐπὶ τῆς πείρας μείζων ἦν ἡ προθυμία· οἱ δὲ διὰ
βίου κακοπαθεῖν καὶ πονεῖν καὶ πόρρω πάσης ἀνέσεως ζῆν,
καὶ τοῦτο τρυφὴν νομίζειν τὸ καθ' ἡμέραν ἀποθνήσκειν καὶ
ἠκολούθησε τὸ σῶμα καὶ ἐβοήθησε κατὰ τῶν σωματικῶν
ἀγωνιζομένοις νόμων. Καὶ ταῦτα οὐ δύο καὶ τρεῖς καὶ
15 εἴκοσιν, οὐδὲ ἄνδρες μόνον οὐδ' οἱ ἐν ἡλικίᾳ μόνον, ἀλλὰ
μυρίοι μὲν καὶ πλῆθος ἀριθμοῦ κρεῖττον[a], γένος δὲ ἑκάτερον,
ἡλικία δὲ πᾶσα ὁμοίως.

69. Τοῦτο δὲ μάλιστα δῆλον ἐγένετο ἐπὶ τῶν μαρτύρων.
Τούτων γὰρ καὶ οἱ πρὸ τῶν διωγμῶν πιστοί, καὶ οἷς ἐπ'
αὐτῶν τῶν διωγμῶν τὴν ἀληθινὴν ζωὴν ὁ Χριστὸς ἐνέθηκεν,
ἅμα τε ἐπεδείκνυντο τοῖς διώκταις τὴν εἰς Χριστὸν πίστιν
5 καὶ ἀνεῖπον τοὔνομα καὶ ἐπεθύμουν ἀποθνήσκειν, καὶ μιᾷ
βοῇ τοὺς δημίους ἐξεκαλοῦντο καθάπερ ἐπί τι φαινόμενον
ἀγαθόν, ὁμοίως καὶ γυναῖκες καὶ κόραι καὶ ἄνδρες καὶ
παῖδες καὶ πᾶν ἐπιτήδευμα καὶ πᾶς βίος.

70. Δεῖ γὰρ καὶ τοῦτο προσθεῖναι· ὅτι μικρὰν οὐδὲ τοῦτο
διαφορὰν εἰσάγει τῷ γένει. Καὶ γὰρ οὐχ ὁμοίως ἂν πρὸς
ἀγῶνας ἔχοι καὶ πόνους ὅ τε ζῶν ἐν ἱδρῶσι καὶ ᾧ βίος
ἐστὶν ἀνειμένος· καὶ ξίφος καὶ θάνατον οὐ τοῖς αὐτοῖς ἂν
5 ὀφθαλμοῖς ἴδοι στρατιώτης καὶ αὐλητής. Τούτων οὐδὲν
ἐκώλυσε τὴν θαυμαστὴν ἐκείνην φοράν, οὐδὲ προσέστη τῷ
μὴ πάντας ὁμοίως εἰς αὐτὴν ἀφικέσθαι τῆς φιλοσοφίας τὴν
κορυφήν· ἀλλ' ὅτι μία ἦν ἡ πάντας τίκτουσα καὶ πλάττουσα

ABCV MPW Gass Migne

68, 12 τροφὴν C Gass || 16 γένος δὲ ἑκατερον *om.* Gass

69, 3 ἐνέθηκεν : ἔδωκεν V[ac] || 7 φερόμενοι *post* ὁμοίως *add.* ABCVW Gass || καὶ κόραι P *sup. l. om.* W

---

68. a. Cf. Apoc. 7, 9

---

55. Il s'agit des moines, martyrs non sanglants.

56. Le flûtiste, avec la courtisane et le mime (cf. plus loin), est dans l'hagiographie un symbole de vie relâchée et méprisable. Il est

tortures et la mort, et une fois arrivés au point d'en faire l'expérience, plus ardent était leur désir ; les autres ont désiré souffrir toute leur existence, peiner, vivre loin de tout repos et considérer comme une jouissance de mourir chaque jour[55] ; et leur corps a suivi, il n'a pas fait défaut à ceux qui luttaient contre les lois corporelles. Et cela, ce ne sont pas deux ou trois ou vingt, ce ne sont pas seulement des hommes, ni seulement des êtres dans la force de l'âge, mais ce sont des myriades, une foule impossible à dénombrer[a], de l'un et l'autre sexe, aussi bien que de tout âge.

Les martyrs

69. Ce fut surtout évident dans le cas des martyrs. Parmi eux, ceux qui étaient croyants avant les persécutions, comme ceux à qui le Christ a infusé la vraie vie au cœur même des persécutions, tout à la fois proclamaient devant les persécuteurs la foi en Christ, confessaient son nom, désiraient mourir, et d'une seule voix invitaient les bourreaux comme à un bien visible, pareillement femmes et jeunes filles, hommes et enfants, de tout rang et de tout genre de vie.

70. Il faut ajouter ce détail, car il n'introduit pas une petite différence à l'affaire : en effet, celui qui vit dans les fatigues ne sera pas dans les mêmes dispositions envers les combats et les peines que celui qui a une vie sans contrainte ; le soldat et le flûtiste[56] ne regarderont pas du même œil le glaive et la mort. Rien de tout cela n'a fait obstacle à leur admirable élan ni empêché que tous parviennent semblablement à la cime de l'ascèse. Au contraire, parce qu'unique était la force qui les enfantait et

l'inévitable acteur des scènes d'orgie. Cf. CHRYS., *Vaine gloire,* 88 (*SC* 188, p. 194 et n. 1).

δύναμις, πάντες τὸν ἔσχατον τῆς ἀρετῆς κατειλήφεσαν ὅρον
10 καὶ τὸ ἀγαθὸν ἐτίμησαν καὶ ἐφίλησαν ὑπὲρ τὸ εἰκὸς τῆς φύσεως, οἵ γε ὑπὲρ αὐτοῦ καὶ ψυχῶν αὐτῶν ὑπερεῖδον. Καὶ γὰρ καὶ γυναῖκες τῶν ἐπὶ σκηνῆς καὶ ἄνδρες διεφθαρμένοι καὶ τοιοῦτον πλῆθος τόν τε λόγον ἐδέχοντο τῆς κοινῆς ἡμῶν σωτηρίας[a] καὶ μετεσκευάζοντο καὶ μετεπλάττοντο τὴν
15 καλὴν ἁρμονίαν ἁρμοζόμενοι, καὶ οὕτως ἀθρόον καὶ οὕτω
(552) ῥᾳδίως, ὥσπερ προσω|πεῖον ἀμείβοντες.

71. Συνέβη δὲ πολλοῖς καὶ μὴ λουσαμένοις εἰς τοῦτον τελέσαι τὸν χορόν, οὓς ὕδατι μὴ βαπτισθέντας ὑπὸ τῆς Ἐκκλησίας, αὐτὸς ἐβάπτισεν ὁ νυμφίος τῆς Ἐκκλησίας. Πολλοῖς μὲν οὖν καὶ νεφέλην ἔδωκε καὶ ὕδωρ ἐκ γῆς
5 αὐτόματον καὶ οὕτως ἐβάπτισε· τοὺς πλείους δὲ ἀφανῶς ἀνέπλασεν. Ὥσπερ γὰρ «τὸ ὑστέρημα τοῦ Χριστοῦ» τὰ μέλη τῆς Ἐκκλησίας, Παῦλος καὶ εἴ τις κατ' ἐκεῖνον, «ἀναπληροῖ[a]», οὕτως οὐδὲν ἀπᾷδον, εἰ τὸ ὑστέρημα τῆς Ἐκκλησίας ἡ κεφαλὴ τῆς Ἐκκλησίας ἀναπληρώσει. Εἰ γὰρ
10 ἔστιν ἅττα μέλη τῇ κεφαλῇ δοκεῖ βοηθεῖν, πόσῳ δικαιότερον, ὧν ἐλλείπει τοῖς μέλεσιν, αὐτὴν προσθεῖναι τὴν κεφαλήν. Καὶ ταῦτα μὲν τοῦτον ἂν ἔχοι τὸν τρόπον· ἀναληπτέον δ' ἂν εἴη τὸν λόγον.

72. Ταύτην μὲν οὖν τὴν δύναμιν, ᾗ τὴν τόλμαν ἐτόλμησαν καὶ τὴν προθυμίαν προὐθυμήθησαν, καὶ εἰς τέλος ἀγαγεῖν ἃ προὐθυμήθησαν ἐδυνήθησαν, ὡς οὐκ ἔστιν εὑρεῖν ἐν τῇ φύσει τῶν ἀνθρώπων, οὐκ ἂν οὐδὲ λόγου δέοι
5 δεικνύναι· λοιποῦ δὲ ὄντος ἐξ ἀνάγκης αἰτίαν τούτων τιθέναι

ABCV MPW Gass Migne

70, 9 κατειλήφεσαν A *mg.* κατειλήφεισαν B κατειλήφασιν Gass || 14 καὶ μετεπλάττοντο *om.* Migne

71, 4 νεφέλην P : οὐρανόθεν *add. cett.* || 9 ἡ κεφαλὴ τῆς Ἐκκλησίας *om.* C || 10 ἅττα : ἃ τα ABCV

72, 2 ταύτην *post* προθυμίαν *add.* ABCV || 4 λόγον W

---

70. a. cf. Actes 13,26 ; Jude 3

71. a. cf. Col. 1,24

les modelait tous, tous ont atteint la limite suprême de la vertu, ont estimé et aimé le bien au-delà de ce qu'on attend de la nature, ceux du moins qui à cause de lui ont méprisé jusqu'à leur propre vie. En effet, même des femmes de théâtre, des hommes corrompus et toute une foule de cet acabit accueillaient la parole de notre commun salut[a], étaient transformés et remodelés en s'accordant au bel accord, et cela aussi vite et aussi facilement que s'ils avaient changé de masque.

71. Il arriva à bon nombre de gens même non baptisés d'être adjoints à ce chœur ; ceux-là, qui n'avaient pas été baptisés dans l'eau par l'Église, l'époux même de l'Église les a baptisés. A beaucoup il envoya une nuée[57] et une eau jaillissant spontanément de terre, et c'est ainsi qu'il les baptisa ; mais la plupart, c'est invisiblement qu'il les remodela. De même que les membres de l'Église, Paul et ceux qui lui ressemblent, « complètent ce qui manque au Christ[a] », de même n'y a-t-il rien de discordant à ce que la tête de l'Église complète ce qui manque à l'Église. Car s'il est possible que des membres semblent venir en aide à la tête, combien plus justement la tête elle-même peut-elle ajouter ce qui fait défaut aux membres ! Ces choses sont vraiment ainsi ; à présent, revenons à notre propos.

72. Cette force donc, qui leur a donné cette audace et fait éprouver cet ardent désir, et qui leur a permis de mener jusqu'au bout ce qu'ils avaient désiré, point n'est besoin d'argument pour montrer qu'on ne peut la trouver dans la nature humaine ; mais puisqu'il ne reste qu'une issue, celle d'assigner comme cause à tout cela la grâce du

57. Cf. Ch. van de Vorst, « Une passion inédite de saint Porphyre le mime », *AB* 29 (1910), p. 272 (§4) ; une nuée vient sur Porphyre et obscurcit le théâtre.

τὴν τοῦ βαπτίσματος χάριν, ζητῶμεν ἔτι τὸν τρόπον ὅπως ταῦτα αὐτοὺς εἰργάσατο τὸ λουτρόν.

73. Φανερὸν μὲν οὖν ὡς ἄρα ἐρώντων ἦσαν οἱ πόνοι καὶ οἱ ἀγῶνες ἐκεῖνοι, καὶ τὰ Χριστοῦ βέλη καὶ φίλτρα πρὸς ταύτην αὐτοὺς ἐξήγαγε τὴν καινοτομίαν· τί δὲ τῶν ἐρώντων τὸ αἴτιον, καὶ τί παθόντες οὕτως ἐφίλησαν, καὶ πόθεν τὸ
5 πῦρ ἐδέξαντο τοῦτο, σκοπῶμεν ἤδη.

74. *Ὅτι Θεοῦ αἴσθησιν ἐναργῆ τινα τοῖς βαπτιζομένοις παρέχει τὸ βάπτισμα, δι' ἧς οἱ ἅγιοι τὰ πάντων μέγιστα κατώρθωσαν.*

Καὶ γάρ ἐστι μὲν τὸ εἰδέναι τοῦ φιλεῖν αἴτιον, καὶ τοῦτο
5 ἐκεῖνο τίκτει, καὶ οὐκ ἔστι λαβεῖν ἔρωτα τῶν καλῶν οὐδενὸς μὴ καταμαθόντα ὡς ἔχει κάλλους· ἐπεὶ δὲ τὸ εἰδέναι τοῦτο συμβαίνει μὲν μάλιστα καὶ τελείως, συμβαίνει δὲ ἀτελῶς ἔχειν, εἰκὸς ἂν εἴη καὶ τὸ φίλτρον ὁμοίως ἔχειν· καὶ τῶν καλῶν καὶ ἀγαθῶν, ἃ μὲν γινώσκεται τελείως, καὶ φιλεῖται
10 τελείως καὶ ὥσπερ τοσῷδε κάλλει προσῆκε, τῶν δὲ μὴ σφόδρα φανερῶν, τοῖς ἐρῶσι καὶ ὁ ἔρως ἀσθενῶς ἔχει. Οὐκοῦν ἐκεῖνο γίνεται δῆλον, ὡς ἐπίγνωσίν τινα Θεοῦ καὶ αἴσθησιν αὐτοῖς ἐνέθηκε τὸ λουτρόν, καὶ τὸν καλὸν σαφῶς ἔγνωσαν, καὶ τῆς ὥρας ᾔσθοντο, καὶ ἐγεύσαντο τοῦ κάλλους
15 ἐκείνου· λέγω δὴ πείρᾳ τινὶ τελεώτερον ἢ διδασκαλία δύναται γνωρίσαι καταμαθόντες.

ABCV MPW Gass Migne

72, 7 αὐτοὺς : αὐτοῖς V
73, 3 αὐτοὺς : αὐτοῦ C
74, 1-3 A *mg.* || 9 καὶ φιλεῖται τελείως *om.* A || 14 ἔγνωσε C || 16 δύνανται Gass

58. Cf. Sym. N.T., *Chap. Théol....* I, 33 (*SC* 51 bis, p. 49).

baptême, cherchons à présent de quelle façon le bain l'a produit en eux.

73. Tout d'abord, il est clair que c'étaient des amoureux qui supportaient ces peines et ces combats, et que ce sont les flèches de l'amour du Christ et la tendresse envers lui qui les ont conduits à une telle innovation ; mais quelle fut la cause de cette passion amoureuse, qu'éprouvèrent-ils pour aimer à ce point, d'où venait ce feu qu'ils reçurent, c'est ce que nous allons voir à présent.

74. *Le baptême procure aux baptisés une perception claire de Dieu, par laquelle les saints ont réalisé les plus grandes choses.*

Connaissance et amour

En effet, c'est la connaissance qui est la cause de l'amour[58], c'est elle qui l'enfante, et on ne peut concevoir de l'amour pour aucune belle chose si l'on n'a pas d'abord saisi combien elle est belle ; cependant, comme il arrive que cette connaissance soit tout-à-fait parfaite, mais qu'il arrive aussi qu'elle soit imparfaite, la tendresse peut évidemment se trouver de même : parmi les choses belles et bonnes, celles qui sont parfaitement connues sont aussi parfaitement aimées, comme il convient à leur beauté, tandis que pour les autres qui n'apparaissent pas tout-à-fait clairement, ceux qui en sont épris ressentent aussi un amour plus faible. Voici donc ce qui ressort de cela : le bain a introduit en eux une certaine connaissance et perception de Dieu ; ils ont clairement connu le beau, ils ont perçu sa splendeur et goûté sa beauté — je veux dire, instruits par une sorte d'expérience[59] de façon plus parfaite que l'enseignement ne saurait le faire.

59. Le thème de l'expérience (πεῖρα) est lié à celui de la perception (αἴσθησις). Là encore, l'originalité de Cabasilas réside dans le caractère sacramentel de cette expérience.

75. Διττῆς γὰρ ἡμῖν τῆς τῶν πραγμάτων γνώσεως οὔσης, τῆς μὲν ἣν ἄν τις ἀκοῇ τύχοι λαβών, τῆς δὲ ἣν δι' ἑαυτοῦ καταμάθοι· ἐκείνως μὲν οὐκ αὐτοῦ τοῦ πράγματος ἁπτόμεθα, ἀλλ' ὥσπερ ἐν εἰκόνι τινὶ τοῖς λόγοις ὁρῶμεν,
5 καὶ οὐδ' ἀκριβῶς αὐτοῦ τοῦ εἴδους εἰκόνι· καὶ γὰρ ἀμήχανον αὐτῷ παντάπασιν ὅμοιον εὑρεῖν ἐν τοῖς οὖσι, ᾧ παραδείγματι χρησαμένοις εἰς τὴν ἐκείνου γνῶσιν ἀρκέσει· τὸ δὲ πεῖραν λαβεῖν αὐτοῖς ἐστὶ τοῖς πράγμασιν ἐντυχεῖν.

76. Ὅθεν ἐνταῦθα μὲν αὐτὸ τὸ εἶδος τῇ ψυχῇ προσβάλλει καὶ τὴν ἐπιθυμίαν ἀνίστησι καθάπερ ἴχνος τῷ κάλλει σύμμετρον· ἐκεῖ δὲ τῆς μὲν ἰδέας αὐτῆς τῆς ἰδίας τοῦ πράγματος ἀπολειφθέντες, ἐξ ὧν δὲ κοινωνεῖ τοῖς ἄλλοις
5 ἀσαφῆ τινα καὶ ἀμυδρὰν εἰκόνα λαβόντες αὐτοῦ, ταύτῃ μετροῦμεν τὸν περὶ τὸ πρᾶγμα πόθον· ὅθεν οὐ φιλοῦμεν ὅσον ἐκεῖνο φιλητόν, οὐδὲ πάσχομεν ὅσον ἐκεῖνο δύναται δρᾶν.

(553) Καθάπερ γὰρ διάφορον εἶδος τῆς οὐσίας ἑκάστου |, καὶ
10 διάφορον ἐντίθησι τῇ ψυχῇ λόγον, οὕτω καὶ φίλτρον· οὐκοῦν ἡ τοῦ Σωτῆρος ἐν ἡμῖν ἀγάπη, ὅταν μὲν οὐδὲν ἐπιδείξηται καινὸν οὐδ' ὑπερφυές, δῆλοι καθέσταμεν ὡς ἄρα μόναις ἐνετύχομεν ταῖς περὶ αὐτοῦ φωναῖς, ἐξ ὧν πῶς μὲν ἂν γένοιτο γνῶναι καλῶς, ᾧ μηδὲν ὅμοιόν ἐστιν εὑρεῖν, οὐδ'
15 ὃ κοινὸν αὐτῷ καὶ τοῖς ἄλλοις, οὐδὲ πρὸς ὃ παράδειγμα ἀναφέρεται, οὐδ' οἷς ἐκεῖνος παράδειγμα; πῶς δὲ καταμαθεῖν μὲν τὸ κάλλος, φιλῆσαι δὲ τοῦ κάλλους ἀξίως;

ABCV MPW Gass Migne

75, 2 τύχος C || 3 ἐκεῖνος C || 8 πείρα P
76, 8 δρᾶν : αὐτοῦ τοῦ εἴδους μὴ γεγευσμένοι ABCV Gass || 14 ᾧ : οὗ C

75. Il y a pour nous deux façons de connaître les objets, l'une étant la connaissance que l'on peut recevoir par ouï-dire, l'autre celle que l'on peut acquérir par soi-même ; par la première, nous n'atteignons pas l'objet lui-même, mais nous le percevons par les mots, comme en une image, et une image qui n'est pas même exactement celle de sa figure — car il est impossible de trouver parmi les êtres un objet en tout point semblable à lui, que nous puissions prendre comme modèle pour parvenir à le connaître ; au contraire, faire l'expérience des objets, c'est les rencontrer eux-mêmes.

76. C'est pourquoi, dans la seconde sorte de connaissance, la figure même de l'objet atteint l'âme et éveille le désir comme une trace à la mesure de la beauté ; tandis que dans la première, comme nous sommes privés de la spécificité propre de l'objet et que nous en saisissons une image obscure et indistincte à partir des caractères qu'il partage avec les autres objets, c'est à cette image que se proportionne notre désir de l'objet, si bien que nous ne l'aimons pas autant qu'il est aimable et n'éprouvons pas tout ce qu'il peut opérer.

De même que chaque objet a une figure de sa substance différente et introduit dans l'âme un verbe différent, de même pour la tendresse : lorsque notre charité pour le Sauveur ne produit au grand jour rien de nouveau ni d'extraordinaire, il est évident que nous n'avons eu affaire qu'aux paroles entendues à son sujet ; et à partir de ces paroles, comment pourrions-nous connaître comme il le mérite celui à qui rien ne se peut trouver qui lui ressemble, rien qui lui soit commun avec les autres, celui à qui rien ne peut être comparé et qui ne peut être comparé à rien ? Ainsi, comment pourrait-on s'instruire de sa beauté, et l'aimer à la mesure de sa beauté ?

77. Οἷς δὲ τοιοῦτος ἐγένετο πόθος, ὥστε τῆς φύσεως μὲν ἐκστῆναι, μείζω δὲ καὶ προθυμηθῆναι καὶ δυνηθῆναι ἢ προσῆκεν ἀνθρώποις ἐνθυμηθῆναι, τούτους αὐτους αὐτὸς ἔτρωσεν ὁ νυμφίος, αὐτὸς ἐνῆκεν ἀκτῖνά τινα τοῦ κάλλους
5 τοῖς ὀφθαλμοῖς. Τὸ γὰρ μέγεθος τοῦ τραύματος μηνύει τὸ βέλος, καὶ ὁ πόθος τὸν τρώσαντα δείκνυσιν.

78. *Ὅτι ἀδύνατον ἦν λόγοις νουθετούμενον μόνον τὸν ἄνθρωπον τελειωθῆναι.*

Καὶ τούτῳ διήνεγκε τῆς Παλαιᾶς ἡ Καινὴ Διαθήκη καὶ τοῦτ' ἄμεινον εἶχεν, ὅτι τότε μὲν λόγος ἦν ὁ παιδεύων, νῦν
5 δὲ αὐτὸς παρὼν ὁ Χριστὸς ἄρρητόν τινα τρόπον διατίθησι καὶ πλάττει τὰς τῶν ἀνθρώπων ψυχάς. Λόγῳ γὰρ καὶ διδασκαλίᾳ καὶ νόμοις οὐκ ἐνῆν ἀφικέσθαι τοὺς ἀνθρώπους εἰς τὸ ζητούμενον τέλος· εἰ γὰρ ἐνῆν λόγοις, οὐκ ἂν ἐδέησεν ἔργων καὶ τούτων ὑπερφυῶν, Θεοῦ σαρκουμένου καὶ
10 σταυρουμένου καὶ ἀποθνήσκοντος.

79. Τοῦτο δὲ δῆλον ἐγένετο ἐξ ἀρχῆς, ἐξ αὐτῶν τῶν πατέρων ἡμῖν τῆς εὐσεβείας τῶν ἀποστόλων. Πάσης γὰρ ἀπολελαυκότες διδασκαλίας, καὶ ταῦτα αὐτοῦ τοῦ Σωτῆρος, καὶ θεαταὶ γενόμενοι πάντων, καὶ ὧν κατέθετο τῇ φύσει
5 χαρίτων καὶ ὧν ἠνέσχετο ὑπὲρ τῶν ἀνθρώπων καὶ ὡς ἀποθανὼν ἀνεβίω καὶ ὡς κατειλήφει τὸν οὐρανόν, καὶ ταῦτα πάντα καταμαθόντες, ὅμως οὐδὲν καινὸν οὐδὲ γενναῖον οὐδὲ πνευματικὸν οὐδὲ τοῦ παλαιοῦ βέλτιον ἐπεδείξαντο, ἕως ἐβαπτίσαντο. Γενομένου δὲ αὐτοῖς τοῦ βαπτίσματος καὶ τοῦ
10 Παρακλήτου ταῖς ψυχαῖς αὐτῶν ἐμπεσόντος, αὐτοί τε

ABCV MPW Gass Migne

77, 3 αὐτὸς : αὐτοὺς A || 4 ἀνῆκεν C
78, 1-2 BV *mg.* || 4 τοῦτ' : τούτῳ ABCVW Gass || τότε : τὸ C || 8 λόγοις : λόγος C
79, 2 καὶ *post* εὐσεβείας *add* Gass || 6 ἀνεβίου Gass

77. Mais ceux qui ont eu de lui un désir tel qu'ils excédaient les bornes de la nature[60], qu'ils ont désiré et réalisé des exploits qui dépassent l'imagination humaine, ceux-là, c'est l'époux lui-même qui les a blessés, lui même qui a jeté en leurs yeux un rayon de sa beauté. La profondeur de la blessure dénonce le trait, et le désir révèle celui qui a blessé.

78. *Il était impossible que l'homme fût mené à sa perfection par une simple exhortation verbale.*

Voici en quoi la Nouvelle Alliance diffère de l'Ancienne, voici ce qu'elle a de plus ; c'est que jadis c'était une parole qui éduquait, alors qu'aujourd'hui c'est le Christ présent en personne qui, d'une manière ineffable, dispose et modèle les âmes des hommes. En effet, il n'était pas possible que par une parole, un enseignement et des lois, les hommes parvinssent à la fin recherchée — si ç'avait été possible par des paroles, point n'eût été besoin d'actes, et d'actes aussi extraordinaires : un Dieu incarné, crucifié, et qui meurt.

79. C'est ce qui a été évident dès le début, dès les apôtres mêmes qui ont été pour nous les pères de la vraie foi. En effet, alors qu'ils avaient bénéficié de l'enseignement complet, et ce de la bouche même du Sauveur, alors qu'ils avaient été témoins de toutes les grâces qu'il avait apportées à la nature et de tout ce qu'il avait supporté pour les hommes, comment étant mort il était ressuscité et comment il avait regagné le ciel, alors qu'ils savaient tout cela, néanmoins ils ne montrèrent rien de nouveau ni de généreux ni de spirituel, ni de meilleur que par le passé, jusqu'à ce qu'ils fussent baptisés. Mais sitôt que le baptême leur eut été donné et que le Paraclet eut fondu

60. C'est l'extase (ἔκστασις) décrite par Denys, *d.n.* IV, 13 (*PG* 3, 712 A) ; Max. Conf., *Centuries*, I, 10 ; II, 6) ; Didadoque de Photicé, *Cent.* XIV (*SC* 5).

ἐγένοντο καινοὶ καὶ ζωῆς ἐπελάβοντο καινῆς, καὶ τοῖς ἄλλοις ἡγήσαντο, καὶ τὸν περὶ Χριστὸν πόθον καὶ ἑαυτοῖς καὶ τοῖς ἄλλοις ἀνῆψαν. Εἰ γὰρ καὶ τῷ ἡλίῳ παρῆσαν καὶ διαίτης ἐκοινώνουν καὶ λόγων, ἀλλ' ἦν αἴσθησις αὐτοῖς τῆς ἀκτῖνος 15 οὔπω, μὴ δεξαμένοις τὸ πνευματικὸν ἐκεῖνο λουτρόν.

80. Τὸν ἴσον δὴ τρόπον καὶ τοὺς ἁγίους ἑξῆς ἅπαντας ἐτελείωσεν ὁ Θεός· καὶ ἐπέγνωσαν αὐτὸν καὶ ἐφίλησαν, οὐ λόγοις παρακληθέντες ψιλοῖς, ἀλλὰ τῇ τοῦ λουτροῦ δυνάμει διατεθέντες, αὐτοῦ πλάττοντος καὶ διατιθέντος τοῦ φιλου- 5 μένου· ὃς «κτίζει καρδίαν καθαράν[a]», καὶ «ἀφαίρεται μὲν τὴν λιθίνην, δίδωσι δὲ καρδίαν σαρκίνην[b]», τὴν ἀναισθησίαν ἐκβάλλων, καὶ γράφει μέν, ἀλλ' ᾗ φησι Παῦλος· «οὐκ ἐν πλαξὶ λιθίναις, ἀλλ' ἐν πλαξὶ καρδίας σαρκίναις[c]», καὶ οὐ νόμον ἁπλῶς, ἀλλὰ τὸν νομοθέτην αὐτὸν αὐτὸς ἑαυτόν. 10 Τοῦτο δὲ καὶ πολλοῖς τῶν ἁγίων φανερώτατα διεδείχθη, οὓς μήτε λόγοις τἀληθὲς μαθεῖν δυνηθέντας μήτε θαύμασι τὴν τοῦ κηρυττομένου δύναμιν ἐπιγνόντας, χριστιανοὺς ἀκριβεῖς ἀθρόον ἀπέδειξε δεξάμενον τὸ λουτρόν.

81. Πορφύριος γοῦν ὁ μακάριος ἐπὶ τῶν καιρῶν γενόμενος ἐκείνων, ἐν οἷς ὁ τοῦ Χριστοῦ νόμος πάσης ἐκράτει (556) τῆς οἰκουμένης, καὶ τῆς μὲν φωνῆς τῶν κη|ρύκων ἤκουσαν ἄνθρωποι πάντες, τρόπαια δὲ μαρτυρικοῖς ἀγῶσιν ἐπήγνυτο 5 πανταχοῦ, φωνῆς λαμπρότερον τῷ Χριστῷ τὴν ἀληθῆ

ABCV MPW Gass Migne

80, 6 καρδίαν — σαρκίνην : καρδίαν σαρκίαν Ga || 8 καρδίαις A || 9 αὐτὸν *om.* V || 10 καὶ *post* ἁγίων *transp.* ABCMW Gass

80. a. cf. Ps. 50,10 || b. cf. Ez. 36,26 || c. II Cor. 3,3

61. Cabasilas commence ici un développement hagiographique sur les conversions spectaculaires de mimes par le simple fait de recevoir un baptême de dérision. Les trois mimes cités sont les équivalents byzantins du saint Genès d'Occident. Cf. Ch. van de Vorst, *art. cit.*

sur leurs âmes, eux-mêmes devinrent nouveaux, ils reçurent une vie nouvelle et l'inaugurèrent pour les autres, ils allumèrent en eux et dans les autres le désir du Christ. En effet, ils avaient beau s'être trouvés près du soleil, avoir partagé sa vie quotidienne et bénéficié de ses entretiens, pourtant ils n'avaient pas encore la perception de son rayonnement, tant qu'ils n'eurent pas reçu ce bain d'Esprit.

80. Dieu a mené à leur perfection de la même façon tous les saints successivement ; ils l'ont connu et aimé non pour avoir reçu une simple exhortation verbale, mais en étant disposés par la vertu du bain, et c'est leur bien-aimé lui-même qui les modelait et les disposait, lui qui « crée un cœur pur[a] », qui « ôte le cœur de pierre et donne un cœur de chair[b] » en arrachant l'insensibilité, et qui grave mais, comme dit Paul, « non sur des tables de pierre, mais sur les tables de chair du cœur[c] », et non pas une loi simplement mais lui, le législateur, se gravant lui-même. C'est devenu manifeste en de nombreux saints : sans qu'ils eussent pu apprendre la vérité par des paroles, ni connaître par des miracles la puissance de ce qui était proclamé, à peine les eut-il reçus que d'un seul coup le bain fit voir en eux d'authentiques chrétiens.

Porphyre

81. Ce fut le cas du bienheureux Porphyre[61], qui vécut en ces temps où la loi du Christ conquérait le monde habité tout entier : tous les hommes avaient entendu la voix des hérauts et en tous lieux, par les combats des martyrs, étaient élevés des trophées qui rendaient à la divinité véritable du Christ un témoignage plus éclatant que la

Deux mimes Porphyre sont fêtés à Byzance, l'un le 15 septembre (martyrisé sous Julien l'Apostat), l'autre le 4 novembre (martyrisé sous Aurélien).

θεότητα μαρτυροῦντα· καὶ μυρίων μὲν ἀκούσας λόγων, τοσούτων δὲ ἀριστέων καὶ θαυμάτων γενόμενος θεατής, ὅμως ἔμενε πλανώμενος καὶ τὸ ψεῦδος τῆς ἀληθείας ἔμπροσθεν ἄγων· ἐπεὶ δὲ ἐβαπτίσθη, καὶ τοῦτο παίζων, οὐ
10 χριστιανὸς ἦν εὐθὺς μόνον ἀλλὰ καὶ εἰς αὐτὸν τὸν τῶν μαρτύρων ἐτέλεσε χορόν. Καὶ γὰρ μῖμος ὤν, καὶ τοῦτ' αὐτὸ ποιούμενος ἔργον, ἐτόλμησε καὶ ταύτην τὴν τόλμαν, ὡς δὴ γέλωτα κινήσων, καὶ προσέπαιξε τὸ λουτρόν, καὶ ἐβάπτισεν ἑαυτὸν εἰς ὕδωρ καθείς, ἐπὶ τοῦ θεάτρου τὴν Τριάδα
15 ἀναβοήσας. Καὶ οἱ μὲν ἐγέλων, οἷς ἐπεδείκνυτο τὸ δρᾶμα, τῷ δὲ οὐκέτι γέλως ἦν, οὐδὲ σκηνὴ τὰ παρόντα, ἀλλ' ὡς ἀληθῶς γέννησις καὶ ἀνάπλασις καὶ τοῦτ' αὐτὸ ὅπερ ἐστὶ τὸ μυστήριον. Ἐξῆλθε γὰρ ἀντὶ μίμου, ψυχὴν ἔχων μαρτυρικήν, σῶμα γενναῖον, ὥσπερ εἰς φιλοσοφίαν ἠσκη-
20 μένον καὶ πόνους, γλῶσσαν ἐφελκομένην ἀντὶ γέλωτος τυράννου θυμόν· καὶ οὕτως ἐσπούδασεν ὁ διὰ βίου παίζων ἐκεῖνος, καὶ οὕτω περὶ τὸν Χριστὸν προὐθυμήθη, ὥστε πολλῶν ἀνασχόμενος βασάνων, ἡδέως ἀπέθνησκεν ἵνα μηδὲ τῇ γλώττῃ προδῷ τὸ φίλτρον.

82. Οὕτω καὶ Γελάσιος τὸν Χριστὸν ἐφίλησε καὶ τοῦτον ἔγνω τὸν τρόπον. Καὶ ὡς ἔοικε, προσῆλθε μὲν ἑκάτερος ἐχθρῶς ἔχων καὶ πολεμίως· ἐπεὶ δὲ τὸν ὀφθαλμὸν αὐτῷ τῆς ψυχῆς ἀνέῳξεν ὁ πολεμούμενος καὶ τὴν οἰκείαν ἔδειξεν
5 ὥραν, ἐξέστη τε εὐθὺς ἐπὶ τῷ κάλλει καὶ τὴν ἐναντιωτάτην ἐπεδείξατο γνώμην, καὶ ἦν ἐραστὴς ἀντὶ πολεμίου. Καὶ γὰρ

ABCV MPW Gass Migne

81, 24 γλώττῃ pcP γλώσσῃ *cett.*

82, 2 ἑκάτερος ἐχθρῶς : ἕκαστον ἐχθρώδως A ἕκαστος ἐχθρῶς B || 3-4 ἀνέῳξε τῆς ψυχῆς A ἀνέῳξεν *om.* B

---

62. Le mépris des mimes égale celui des flûtistes. Cf. Cyr. Jér., *Cat. Myst.* I, 6; Chrys., *Vaine gloire*, 8 (*SC* 188, p. 84); Sym. N.T., *Cat.* VIII. Le contraste n'en est que plus grand entre le mime et le martyr.

voix ; alors qu'il avait entendu des milliers de paroles, alors qu'il avait vu de ses yeux tant de héros et de merveilles, pourtant il demeurait dans l'erreur et mettait le mensonge au-dessus de la vérité. Mais lorsqu'il eut été baptisé, et ce par plaisanterie, non seulement il fut aussitôt chrétien, mais il rejoignit le chœur même des martyrs. En effet il était mime, et en exerçant son métier il eut cette audace, pour provoquer le rire, de parodier le bain du baptême ; étant descendu dans l'eau il se baptisa lui-même en invoquant la Trinité sur le théâtre. Ceux à qui était donné ce spectacle riaient, mais pour lui plus question de rire, et ce qui se passait n'était plus du théâtre, mais c'était en vérité une naissance, un remodelage, et tout ce qui constitue le mytère. De mime qu'il était, il ressortit avec une âme de martyr[62], un corps vigoureux comme s'il l'avait exercé à l'ascèse et aux peines, et sa langue excitait, au lieu du rire, la colère du tyran. Lui dont l'existence n'était que jeu devint à ce point sérieux[63] et plein d'ardeur pour le Christ, qu'après avoir supporté beaucoup de tortures il mourut avec joie, afin de ne pas renier, fût-ce d'un mot, l'objet de sa tendresse.

Gélase

82. C'est encore ainsi que Gélase[64] aima le Christ, c'est de cette façon qu'il le connut. A ce qu'il semble, chacun des deux arriva avec des sentiments hostiles et belliqueux ; mais dès que celui qu'il combattait ouvrit les yeux de son âme et lui montra sa propre splendeur, Gélase tomba en extase devant sa beauté, il montra une volonté toute contraire, et d'ennemi il devint amant. En effet cet amour

63. Cabasilas joue sur l'opposition entre παίζω (par plaisanterie) et σπουδάζω (sérieux). Cf. Platon, *Phèdre*, 234 D : « Ainsi je te fais l'effet de plaisanter (παίζειν) et de n'être pas sérieux (οὐχὶ ἐσπουδακέναι) ? »

64. Gélase, acteur, devint chrétien parce que ses compagnons l'avaient, sur le théâtre, arrosé d'eau en parodiant le baptême. Martyrisé en 297, pendant la persécution de Dioclétien.

ἔκστασις ἦν ὁ ἔρως ἐκεῖνος, ὅτι τοὺς ἁλόντας ἐκτὸς τῶν ἀνθρωπίνων ἤγαγεν ὅρων· καὶ τοῦτο δεικνὺς ὁ προφήτης· «Ἐκστήσονται, φησί, πολλοὶ ἐπὶ σοί[a]», ἐν οἷς περὶ τοῦ
10 σταυροῦ καὶ τοῦ θανάτου πρὸς τὸν Χριστὸν διαλεγόμενος ἔφη· «ὃν τρόπον ἐκστήσονται πολλοὶ ἐπὶ σοί, οὕτως ἀδοξήσει ἀπὸ ἀνθρώπων τὸ εἶδός σου καὶ τὸ κάλλος σου ἀπὸ τῶν υἱῶν τῶν ἀνθρώπων[b]».

83. Ἀρδαλίων δὲ ὁ γενναῖος ἐβαπτίσθη μὲν καὶ αὐτός, ἀντὶ παιδιᾶς ἄλλης τοῦτο χαριζόμενος τοῖς θεωμένοις· καὶ γὰρ ἦν γέλωτος τεχνίτης καὶ τοιούτων τινῶν ἡδονῶν τοῖς συνοῦσι δημιουργός. Ἐβαπτίσθη δὲ οὐ συμβόλοις οὐδὲ εἰκόσι
5 τὸ πάθος μιμησάμενος τοῦ Σωτῆρος, ἀλλ' αὐτοῖς τοῖς πράγμασι. Καὶ γὰρ τὴν καλὴν ὁμολογίαν[a] καὶ τὴν τῶν μαρτύρων ὑπεκρίνατο καρτερίαν· καὶ ἀνηρτήθη μὲν ἐπὶ τοῦ ξύλου γυμνός, παίζων ὑπὸ παιζόντων· ἐπεὶ δὲ ἀνεῖπε τὸν Χριστὸν καὶ ᾔσθετο τῶν πληγῶν, ἀθρόον μετέβαλε, καὶ ἡ
10 ψυχὴ τῇ φωνῇ συνέβη, καὶ ἡ γνώμη τοῖς πλάσμασιν ἠκολούθει· καὶ ἦν ἀληθῶς ὃ παίζων ἑαυτὸν ἐκάλει, χριστιανός, καὶ γίνεται πληγῶν παιζόντων καὶ φωνῆς πεπλασμένης ἔργον τοσοῦτον· καὶ τὸν Χριστὸν ὅτι φιλεῖν εἶπεν, εὐθὺς ἐφίλει, τοῦ ἔρωτος πυρὸς δίκην ἀπὸ τοῦ
15 στόματος ἐπ' αὐτὴν εἰσπνεύσαντος τὴν καρδίαν. Καὶ τοῖς μὲν ἄλλοις «τὸ ἀγαθὸν ἀπὸ τοῦ ἀγαθοῦ θησαυροῦ τῆς
(557) καρδίας[b]» ἐπὶ τὸ στόμα χωρεῖ, | Ἀρδαλίονι δὲ ὁ θησαυρὸς ἄνω ποταμῶν ἐπὶ τὴν καρδίαν ἀπὸ τοῦ στόματος ἦλθεν.

ABCV MPW Gass Migne

82, 12 ἀπὸ τῶν ἀνθρώπων V || τὸ εἶδός σου καὶ *om.* Gass || 13 ἀπὸ υἱῶν ἀνθρώπων ABCV Gass

83, 2 τοῦτο : τούτῳ AB Gass τούτων C || 7 καρτερίαν *om.* Gass || 10 πλάσμασι : πραγμασι P

---

82. a. Is. 52, 14 || b. Ibid

83. a. cf. I Tim. 6, 13 || b. cf. Lc 6, 45

était une extase, parce qu'il conduisait ceux qu'il avait saisis hors des limites humaines; c'est ce que montre le prophète quand il dit : «Beaucoup tomberont en extase devant toi[a]», quand s'adressant au Christ il évoque la croix et la mort : «de même que beaucoup tomberont en extase devant toi, de même ta figure sera méprisée par les hommes et ta beauté par les fils des hommes[b].»

Ardalion

83. Le généreux Ardalion[65] fut baptisé lui aussi parce qu'il avait choisi ce jeu plutôt qu'un autre pour divertir les spectateurs; en effet, il était amuseur de profession et artisan de ce genre de plaisirs pour le public. Il fut baptisé pour avoir mimé la Passion du Sauveur non en symboles et en images, mais dans sa réalité même. Car il contrefaisait la belle profession de foi[a] et la constance des martyrs; jouant la comédie il fut par des comédiens suspendu nu sur le bois; mais quand il invoqua le Christ et ressentit les plaies, à l'instant il se convertit, son âme s'accorda avec ses paroles et sa volonté se conforma à ses contrefaçons; il fut réellement ce qu'il s'appelait par jeu, chrétien, et cette grande chose fut l'œuvre de plaies simulées et de paroles fictives; parce qu'il avait dit aimer le Christ, aussitôt il l'aima, car l'amour se propagea comme un feu de sa bouche jusqu'à son cœur. Pour la plupart des hommes, «le bien» monte à la bouche «du bon trésor du cœur [b]», mais pour Ardalion, le trésor des fleuves d'en-haut[66] descendit de sa bouche à son cœur.

65. Ardalion, fêté le 14 avril, fut martyrisé sous Dioclétien. Il reçut par dérision non le baptême d'eau mais le baptême de sang.

66. Les «fleuves d'en-haut» : citation d'EURIPIDE, *Médée*, 410 : «Vers leur source ils remontent, les fleuves sacrés» — passée en proverbe pour indiquer un bouleversement des lois naturelles.

84. Ὢ τῆς ἀρρήτου τοῦ Χριστοῦ δυνάμεως ! Οὐ γὰρ εὐεργετήσας οὐδὲ μεταδοὺς στεφάνων, οὐδὲ τοῦτο γοῦν χρηστῶν αὐτὸν ἐξαρτήσας ἐλπίδων, ἀλλὰ τῶν πληγῶν καὶ τῆς ἀτιμίας λαβὼν κοινωνόν, οὕτως εἷλε καὶ ἀνηρτήσατο, 5 ὥστε ἔπεισε μὲν ἃ πρότερον οὐδὲ ἀκούων ἀνεκτῶς εἶχεν, ἐξέστησε δὲ συνηθείας ἀθρόον, ἣν μακρὸς αὐτῷ συνέτηξε χρόνος· μετέστησε δὲ πρὸς τὴν ἐναντιωτάτην ἕξιν τὴν γνώμην, ἀπὸ τοῦ πάντων κακίστου καὶ πονηροτάτου πρὸς τὸ βέλτιστον ἁπάντων μεταγαγών· οὔτε γὰρ μίμου φαυ- 10 λότερον γένοιτ' ἂν οὐδὲν οὔτε φιλοσοφώτερον μάρτυρος. Τούτοις τί κοινὸν καὶ τῷ φυσικῷ λόγῳ ; τίνα ἀκολουθίαν ἔχει, πληγὰς καὶ ἀτιμίαν ἔρωτα τίκτειν, καὶ ὑπὲρ ὧν φεύγειν τὸν χριστιανισμὸν καὶ τὸν πιστὸν ἀκόλουθον ἦν, διὰ τούτων ἑλεῖν καὶ χειρώσασθαι τὸν ἐχθρόν ; καὶ οἷς ἐχθρὸς ἦν· τίς 15 γὰρ ἂν ὀδυνώμενος χαίροι ; τούτοις πεῖσαι φιλεῖν τὸν μεμελετηκότα μισεῖν, καὶ φίλον καὶ σπουδαστὴν ἀντὶ πολεμιωτάτου καὶ διώκτου παρασκευάσαι γενέσθαι ;

85. Εἶεν. Πρὸς ταῦτα τοίνυν ὁ μὲν λόγος τῆς διδασκαλίας οὐδὲν φαίνεται δυνηθείς, τὸ δὲ πᾶν ἡ τοῦ βαπτίσματος εἰργάσατο δύναμις. Καὶ γὰρ καὶ τῶν λόγων ἤκουσεν Ἀρδαλίων τῆς κοινῆς ἡμῶν σωτηρίας, καὶ θαυμάτων οὐκ 5 ἦν ἀθέατος, πολλῶν ἐπ' αὐτοῦ παρρησιασαμένων μαρτύρων· ἀλλ' ἦν οὐδὲν ἧττον ἔτι τυφλώττων καὶ τῷ φωτὶ πολεμῶν, ἕως ἐβαπτίσατο, τὰ στίγματα [a] τοῦ Χριστοῦ δεξάμενος καὶ

ABCV MPW Gass Migne

84, 12 καὶ *post* ὑπὲρ ὧν *add.* ABCV || 14 καὶ *om.* Gass
85, 6 πολεμίων W

---

85. a. cf. Gal. 6, 17

La logique de l'amour

84. Ô puissance indicible du Christ ! Sans lui avoir prodigué de bienfaits, sans l'avoir associé aux couronnes, sans même l'attirer par de flatteuses espérances, mais au contraire en le faisant participer aux plaies et au déshonneur, il l'a si bien saisi, il se l'est si bien attaché, qu'il lui a fait admettre des choses dont autrefois il ne voulait pas même entendre parler ; il l'a en un instant arraché à des habitudes qu'une longue pratique avait fondues avec lui ; il a retourné sa volonté vers l'*habitus* absolument contraire et l'a fait passer de l'abîme du mal et du vice à la cime de tout bien ; on ne saurait en effet trouver rien de plus vil qu'un mime, ni de plus sage qu'un martyr. Quoi de commun entre cet événement et la raison naturelle ? Quelle logique peut-il y avoir à ce que plaies et déshonneur engendrent l'amour, et que les épreuves qui devraient logiquement inciter même le croyant à fuir le christianisme, soient justement ce par quoi le Christ a pris et soumis son ennemi ? et que par cela même qui le rendait ennemi — qui, en effet, se réjouirait de souffrir ? — par cela même il persuadât d'aimer celui qui était entraîné à haïr, et d'ennemi juré et de persécuteur il le préparât à devenir son ami et son partisan ?

85. Bref ! Pour cela la parole de l'enseignement ne paraît pas avoir été efficace, c'est la vertu du baptême qui a tout fait. En effet, Ardalion a entendu les paroles de notre commun salut, il a été témoin de merveilles car beaucoup de martyrs, de son temps, ont parlé avec assurance ; il n'en restait pas moins aveugle et ennemi de la lumière, jusqu'à ce qu'il fût baptisé en recevant les stigmates[66] du Christ[a] et en confessant la belle confession

67. Sur les blessures des martyrs comme *stigmata*, cf. Chrys., *In Macch.* I, 1 (*PG* 50, 618).

τὴν καλὴν ὁμολογίαν ὁμολογήσας[b]. Τοῦτο γάρ ἐστιν ὁ τοῦ βαπτίσματος ὅρος, Χριστοῦ μιμήσασθαι τὴν ἐπὶ τοῦ
10 Πιλάτου μαρτυρίαν[c] καὶ τὴν μέχρι σταυροῦ καὶ θανάτου περὶ αὐτῆς καρτερίαν· μιμήσασθαι δὲ ἔστι μὲν διὰ τῶν εἰκόνων καὶ τῶν συμβόλων τούτων τῶν ἱερῶν, ἔστι δὲ αὐτοῖς τοῖς πράγμασι μετὰ κινδύνων τὴν θρησκείαν ἐπιδειξαμένους, καιροῦ καλοῦντος.

86. Πολλῶν γὰρ ἐκ τοῦ παντὸς αἰῶνος ἐπινοηθέντων νοσοῦντι τῷ γένει φαρμάκων, μόνος ὁ τοῦ Χριστοῦ θάνατος τὴν ἀληθινὴν ζωὴν καὶ τὴν εὐεξίαν ἐδυνήθη κομίσαι. Καὶ τούτου χάριν αὐτὸ τὸ τὴν καινὴν γέννησιν γεννηθῆναι καὶ
5 τὸν μακάριον βίον βιῶναι καὶ πρὸς ὑγείαν διατεθῆναι, οὐδέν ἐστιν ἕτερον ἢ τὸ πιεῖν τοῦ φαρμάκου τούτου, καὶ ὡς οἷόν τέ ἐστιν ἀνθρώποις ὁμολογῆσαι τὴν ὁμολογίαν καὶ τοῦ Πάθους ἀνασχέσθαι καὶ ἀποθανεῖν τὸν θάνατον. Αὕτη ἐστὶν ἡ τοῦ καινοῦ νόμου δύναμις, οὕτω γεννᾶται χριστιανός,
10 τοῦτον τὸν τρόπον εἰς τὴν θαυμαστὴν ἀφικνεῖται φιλοσοφίαν, ἔργων μὲν τῶν ἀρίστων ἐπειλημμένος, πίστιν δὲ ἀκίνητον ἔχων, οὐ πειθοῦς ἀνάγκῃ πιστεύων[a] οὐδὲ νόμοις ἄγων τὸ ἦθος, ἀλλὰ δυνάμει Θεοῦ καὶ τοῦτο κἀκεῖνο δεχόμενος καὶ δι' ἀμφοῖν εἰς τὸ μακάριον Χριστοῦ μορφού-
15 μενος εἶδος. «Οὐ γὰρ ἐν λόγοις, φησίν, ἡ βασιλεία τοῦ Θεοῦ, ἀλλ' ἐν δυνάμει[b]», καί· «Ὁ λόγος ὁ τοῦ σταυροῦ τοῖς σωζομένοις ἡμῖν δύναμις Θεοῦ ἐστι[c]».

87. Διὰ ταῦτα καὶ πνευματικὸς μὲν οὗτος ὁ νόμος[a], ὅτι
(560) τὸ | Πνεῦμα τὸ πᾶν ἐργάζεται, γραπτὸς δὲ ἐκεῖνος, ὅτι μέχρι τῶν γραμμάτων ἔστη καὶ τῶν φωνῶν· ἀνθ' ὧν καὶ

ABCV MPW Gass Migne

85, 8 ἔστιν : ἔτι C || 13-14 ἐπιδειξαμένοις Gass
86, 14 τοῦ Χριστοῦ ABCW Gass

---

85. b. cf. I Tim. 6,13 || c. cf. Jn 18,37 ; I Tim. 6,13
86. a. cf. I Cor. 2,4 || b. I Cor. 4,20 || c. I Cor. 1,18
87. a. cf. Rom. 7,14

de foi[b]. Telle est en effet la définition du baptême : imiter le témoignage jusqu'à la croix et la mort ; mais cette imitation peut se faire soit à travers ces images et symboles sacrés (du baptême), soit, si les circonstances le réclament, par la réalité même, en publiant au milieu des dangers l'adoration[68].

La loi ancienne et la loi nouvelle

86. Nombreux sont les remèdes qui de tout temps ont été inventés en faveur de notre race malade, mais seule la mort du Christ a été capable de procurer la vraie vie et la santé. C'est pourquoi naître de la nouvelle naissance, vivre de la vie bienheureuse et être disposé en vue de la santé, ce n'est rien d'autre que boire ce remède, confesser autant qu'il est humainement possible cette confession de foi, supporter cette Passion et mourir de cette mort. Telle est la vertu de la loi nouvelle, voici comment on naît chrétien, et de quelle façon l'on parvient à la sagesse admirable en ayant acquis les œuvres les meilleures et en possédant une foi inébranlable, sans croire par la contrainte de l'éloquence[a] ni régler sa conduite sur des lois, mais en recevant de Dieu foi et conduite et en se trouvant conformé, grâce à elles, à la figure bienheureuse du Christ. Car «le royaume de Dieu, dit l'Écriture, ne consiste pas en paroles, mais en puissance[b]», et encore : «le langage de la croix, pour nous qui sommes sauvés, est puissance de Dieu[c].»

87. Si la loi présente est spirituelle[a], c'est parce que l'Esprit y fait tout, alors que la première est écrite, parce qu'elle était bornée aux lettres et aux mots ; ainsi la

68. Dès les premières persécutions, il fut admis que le martyre (baptême de sang) équivalait au baptême d'eau en conformant réellement (et non symboliquement) le chrétien à la mort du Christ. Cf. CYR. JÉR., *Cat. Myst.* III, 6.

σκιὰ μὲν καὶ εἰκὼν ἐκεῖνος, πρᾶγμα δὲ καὶ ἀλήθεια τὰ
5 παρόντα[b]· οἱ γὰρ λόγοι καὶ τὰ γράμματα πρὸς αὐτὸ τὸ
εἶναι τῶν πραγμάτων εἰκόνος ἔχουσι λόγον. Ταῦτα πρὶν εἰς
ἔργον ἐκβῆναι, πολλοῖς πρότερον χρόνοις τῇ γλώττῃ τῶν
προφητῶν ἐμήνυσεν ὁ Θεός· «Διαθήσομαι, φησί, διαθήκην
καινήν, οὐ κατὰ τὴν διαθήκην ἣν διεθέμην τοῖς πατράσιν
10 ὑμῶν[c]», ἀλλὰ τίνα ταύτην; «Αὕτη, φησίν, ἡ διαθήκη ἣν
διαθήσομαι τῷ οἴκῳ Ἰσραὴλ καὶ τῷ οἴκῳ Ἰούδα· τιθεὶς
τοὺς νόμους μου εἰς διάνοιαν αὐτῶν καὶ ἐν ταῖς καρδίαις
αὐτῶν γράψω αὐτούς[d]»· οὐ διὰ φωνῆς ῥυθμίζων, ἀλλ' αὐτὸς
ἀμέσως ὁ νομοθέτης· «Οὐ γὰρ διδάξουσιν ἔτι, φησίν,
15 ἕκαστος τὸν πλησίον αὐτοῦ· Γνῶθι τὸν κύριον, ὅτι πάντες
εἰδήσουσί με ἀπὸ μικροῦ ἕως μεγάλου αὐτῶν[e].»

Τούτου τυχὼν τοῦ νόμου καὶ Δαβὶδ τὴν μακαρίαν ἐκείνην
ἀφῆκε φωνήν, ὅτι· «Ἐγὼ ἔγνωκα, ὅτι μέγας ὁ Κύριος[f]»·
«Ἐγὼ ἔγνωκα» φησίν, πεῖραν αὐτὸς λαβών, οὐ διδασκόντων
20 ἄλλων ἀκούσας. Ὅθεν ἐπὶ τὰ ἴσα καὶ τοὺς ἄλλους ἐνάγων·
«Γεύσασθε, φησί, καὶ ἴδετε ὅτι χρηστὸς ὁ Κύριος[g]»· καίτοι
πολλοῖς τὴν χρηστότητα Θεοῦ καὶ παντοδαποῖς ὁ μακάριος
ἀνύμνησε λόγοις· ὁ δέ, ὡς οὐ δυναμένων ἐνδέξαθαι τὰ ὄντα
τῶν λόγων, ἐπὶ τὴν πεῖραν τῶν ὑμνουμένων αὐτοὺς καλεῖ
25 τοὺς ἀκροωμένους.

88. Ταύτην τὴν πεῖραν τὸ λουτρὸν ἐντίθησι ταῖς τῶν
βαπτιζομένων ψυχαῖς, καὶ γνωρίζει τῷ δημιουργήματι τὸν
δημιουργόν, τῷ νῷ τὴν ἀλήθειαν, τῇ ἐπιθυμίᾳ τὸν μόνον
ἐπιθυμητόν. Διὰ τοῦτο καὶ μέγας ὁ πόθος καὶ τὸ φίλτρον
5 ἄρρητον καὶ ὁ ἔρως ὑπερφυής, ὅτι οὐκ ἔστιν οὗ δεῖ, καὶ
πάντα συμβαίνει, καὶ οὐδὲν ἀπᾴδει, καὶ πρός γε πᾶσά
ἐστιν ὑπερβολή. Σκοπῶμεν γάρ.

ABCV MPW Gass Migne

87, 9 τὴν *om.* Gass || 12 ταῖς *om.* Gass || 15 post ἕκαστος *add.* τὸν ἀδελφὸν αὐτοῦ καὶ ἕκαστος ABCV || 18 ὅτι *post* κύριος *add.* C || 22 τοῦ Θεοῦ ABCVW Gass

88, 4 φίλτρου Migne

---

87. b. cf. Hébr. 10,1 || c. cf. Jér. 38,31-32 || d. cf. Jér. 38,33 || e. cf. Jér. 38,34 || f. cf. Ps. 134,5 || g. Ps. 33,9

première est-elle ombre et image, alors que l'état présent est réalité et vérité[b]; en effet, les paroles et les lettres ont valeur d'image par rapport à l'être même de la réalité. Longtemps avant que cet état n'arrivât, Dieu l'a révélé par la bouche des prophètes : «Je concluerai, dit l'Écriture, une nouvelle alliance, non pas comme l'alliance que j'ai conclue avec vos pères[c]»; mais quelle sera cette alliance? «Voici, dit l'Écriture, l'alliance que je concluerai avec la maison d'Israël et la maison de Juda : je poserai mes lois dans leur esprit et je les écrirai sur leurs cœurs[d]», et non pas en gouvernant par l'intermédiaire d'une parole, mais moi-même, le législateur, sans intermédiaire : «Ils n'enseigneront plus chacun son prochain en disant : 'connais le Seigneur', car tous me connaîtront, du plus petit au plus grand d'entre eux[e].»

C'est cette loi que David avait lui aussi rencontrée quand il dit cette parole bienheureuse : «Moi j'ai connu que le Seigneur est grand[f].» Il dit 'Moi j'ai connu' parce qu'il l'a expérimenté lui-même, et non pour l'avoir entendu par l'enseignement d'autrui. C'est pourquoi il dit pour amener les autres aussi à la même expérience : «Goûtez et voyez que le Seigneur est bon[g].» Et certes le bienheureux a chanté la bonté de Dieu dans des mots nombreux et variés; mais comme les mots sont incapables de faire connaître la réalité, il appelle ses auditeurs eux-mêmes à expérimenter ce qu'il chante.

Le baptême fait expérimenter Dieu

88. Cette expérience, le bain l'infuse dans les âmes des baptisés, et il fait connaître le Créateur à la créature, la vérité à l'esprit, au désir le seul désirable. Aussi, grande est l'aspiration, indicible la tendresse, extraordinaire l'amour, car il n'y a rien qui manque, tout s'accorde, rien ne sonne faux, et en outre tout est surabondance. Voyons un peu.

89. Ἐπιθυμίαν ταῖς ψυχαῖς ἐνέθηκεν ὁ Θεός, ἂν μέν του δέῃ, τυγχάνειν τοῦ ἀγαθοῦ, νοῆσαι δεῆσαν, τῆς ἀληθείας· καὶ ταῦτα ποθοῦμεν καθαρὰ δήπου, τὸ μὲν ἀγαθὸν τοῦ κακοῦ, τοῦ ψεύδους δὲ τὴν ἀλήθειαν· οὐ γάρ τις ἀπατώμενος 5 χαίρει, οὐδ' ἂν ἡσθείη πλανώμενος καὶ κακῷ περιτυγχάνων ἀντ' ἀγαθοῦ. Τούτων ἐπιθυμοῦσιν οὐδὲ πώποτε ἐγένετο τυχεῖν καθαρῶς, ἀλλὰ τὸ παρ' ἡμῖν ἀγαθὸν καὶ τὸ ἀληθές, οὐ τοῦτό ἐστιν ὃ καλεῖται μᾶλλον ἢ τοὐναντίον· ὅθεν οὐδὲ ἡ τῆς ἀγάπης ἐνταῦθα δύναμις, οὐδὲ ἡ τῆς χαρᾶς, ἐν ἡμῖν 10 δῆλον ἦν ὁπόση τις ἦν, ἃ φιλεῖν ἔδει καὶ οἷς χαίρειν ἦν μὴ παρόντων· οὐδὲ ὁ τοῦ πόθου δεσμὸς γνώριμος οὐδὲ τὸ πῦρ ὅσον, ἦν γὰρ τὸ ποθούμενον οὐδαμοῦ.

90. Τοῖς δὲ γευσαμένοις τοῦ Σωτῆρος αὐτὸ πάρεστι τὸ ποθούμενον, πρὸς ὃν ὁ ἀνθρώπινος ἔρως ὥσπερ εἰς κανόνα τινὰ καὶ ὅρον κατεσκευάσθη τὸ ἐξ ἀρχῆς, καθάπερ θησαυρὸς οὕτω μέγας, οὕτως εὐρύς, ὡς Θεὸν ὑποδέξασθαι δυνηθῆναι. 5 Ταῦτ' ἄρα καὶ πάντων τυγχάνουσι τῶν ἐν τῷ βίῳ καλῶν οὐδείς ἐστι κόρος, οὐδ' ἵστησιν οὐδὲν τὴν ἐπιθυμίαν, ἀλλ' (561) ἔτι διψῶμεν ὥσπερ εἰ μηδενὶ παρῆμεν ὧν ἐποθοῦμεν. | Ἡ γὰρ τῶν ἀνθρωπίνων ψυχῶν δίψα ἀπείρου δεῖταί τινος ὕδατος· ὁ δὲ κόσμος οὗτος πεπερασμένος ἀρκέσαι δὴ πῶς 10 δύναιτ' ἄν; καὶ τοῦτό ἐστιν ὅπερ ὁ Κύριος αἰνίττεται πρὸς τὴν Σαμαρείτιδα λέγων· «Ὁ πίνων ἐκ τοῦ ὕδατος τούτου διψήσει πάλιν· ὃς δ' ἂν πίοι ἐκ τοῦ ὕδατος οὗ ἐγὼ δώσω αὐτῷ, οὐ μὴ διψήσει εἰς τὸν αἰῶνα[a]». Τοῦτο γάρ ἐστι τὸ ὕδωρ ὃ τὴν ἐπιθυμίαν ἵστησι τῶν ἀνθρωπίνων ψυχῶν· 15 «Χορτασθήσομαι γάρ, φησίν, ἐν τῷ ὀφθῆναί μοι τὴν δόξαν σου[b]». Καὶ γὰρ ὀφθαλμὸς μὲν κατεσκευάσθη οἷος πρὸς τὸ

ABCV MPW Gass Migne

89, 2 νοῆσαι δὲ δεῆσαν AB νοῆσαι δὲ δεῆσαι Gass || 9 ἡ[1] *om.* V
90, 2 ἔρως *om.* P || 4 ὡς : ὥστε ABCV Gass || τὸν Θεὸν C || 12 πίῃ ABC Gass || 13 διψήσῃ ABCW Gass || 14 καὶ *post* ὃ *add.* V

---

90. a. Jn 4,13-14 || b. Ps. 16,15

89. Dieu a infusé dans les âmes un désir : celui d'atteindre le bien quand on manque de quelque chose, et la vérité quand on a besoin de connaître[69]. Et l'un et l'autre, bien entendu, nous les souhaitons purs : le bien pur de tout mal, la vérité pure de tout mensonge ; car nul ne se réjouit d'être trompé, nul ne goûterait de plaisir à s'égarer et à trouver le mal à la place du bien. Mais ceux qui désiraient le bien et la vérité ne les trouvaient jamais purs : car chez nous, le bien et le vrai ne sont pas plus ce qu'indiquent leurs noms que le contraire. Ainsi, ni ce qu'est ici-bas la force de la charité, ni celle de la joie, il ne nous était possible de le voir en nous, puisque ce qu'il fallait aimer et qui pouvait réjouir se trouvait absent ; ni le lien du désir ne nous était connu ni jusqu'où va son feu, puisque ce qui était désiré ne se trouvait nulle part.

90. Mais à ceux qui ont goûté le Sauveur, ce désiré est présent en personne, lui pour qui l'amour de l'homme a été préparé depuis le commencement, comme sur sa règle et sa mesure[70], comme un réceptacle assez grand, assez vaste pour recevoir Dieu. C'est pourquoi même ceux qui obtiennent tous les biens de cette existence ne sont jamais rassasiés, et rien n'assouvit leur désir, au contraire nous avons encore soif, comme si nous n'avions rien obtenu de ce que nous désirions. Car la soif des âmes humaines réclame une eau infinie ; alors, ce monde fini, comment lui suffirait-il ? C'est ce que veut dire le Seigneur quand il déclare à la Samaritaine : « Celui qui boit de cette eau aura soif à nouveau ; mais celui qui boira de l'eau que moi je lui donnerai n'aura plus jamais soif[a]. » Telle est l'eau qui assouvit le désir des âmes humaines : « Je me rassasierai à voir ta gloire[b] », dit l'Écriture. En effet, l'œil a été préparé

69. Sur le bien et la vérité comme fins de la volonté et de l'intelligence, cf. MAX. CONF., *Mystagogie*, V (*PG* 91, 673 C).
70. Cf. CHRYS., *In I Tim.*, *hom.* XIII, 1 (*PG* 62, 565).

φῶς ἀρκέσαι, καὶ ἀκοὴ πρὸς ἤχους, καὶ ἕκαστον οἷς ἁρμόττει· ψυχῆς δὲ ἐπιθυμία πρὸς τὸν Χριστὸν ἵεται μόνον· καὶ τὸ κατάλυμα τοῦτό ἐστιν αὐτῇ, ὅτι καὶ ἀγαθὸν καὶ
20 ἀλήθεια καὶ ὁτιοῦν ὧν ἐστιν ἔρως, μόνος ἐστί.

91. Τούτων ἕνεκα καὶ κωλύει τοὺς τυχόντας οὐδὲν φιλεῖν ὅσον ἔρωτος ἐξ ἀρχῆς ταῖς ψυχαῖς ἐνετέθη, καὶ χαίρειν ὅσον δύναται χαίρειν ἡ φύσις, καὶ εἴ τι προσέθηκεν αὐτοῖς ἀρετὴ καὶ τὸ τῆς ἀναγεννήσεως ὕδωρ. Ἐπὶ μὲν γὰρ
5 τῶν ἐν τῷ βίῳ καλῶν οὔτε τὸν ἔρωτα οὔτε τὴν χαρὰν ἐνεργὸν εἶναι δυνατόν, ψευδομένων τὴν ἐπωνυμίαν· εἰ γάρ τι καὶ δοκεῖ καλόν, φαυλόν ἐστιν εἴδωλον τοῦ ἀληθοῦς. Ἐνταῦθα δέ, οὐδενὸς ὄντος ὃ κωλύσει, θαυμαστὸν καὶ ἄρρητον διαδείκνυται τὸ φίλτρον καὶ ἡ χαρὰ οὐδ' ὅση
10 μηνύσαι· μάλιστα μὲν ὅτι πρὸς ἑαυτὸν ἑκάτερον τῶν παθῶν τούτων ἔταξεν ὁ Θεός, ἵνα αὐτὸν μὲν φιλῶμεν, αὐτῷ δὲ χαίρωμεν μόνῳ· καὶ ἔστιν ἀκόλουθον, οἶμαι, λόγον τινὰ πρὸς τὸ ἄπειρον ἀγαθὸν ἐκεῖνο σῴζειν, καὶ τοῦτον ὡς εἰπεῖν τὸν τρόπον σύμμετρον εἶναι.

92. Σκοπῶμεν δὴ τὸ μέγεθος ὅσον, ἔπειτα τῆς ὑπερβολῆς κἀκεῖνο σημεῖον. Πάντων γὰρ ὧν ὑπῆρξεν εἰς ἡμᾶς ἀγαθῶν, μόνην ἀμοιβὴν ἡγεῖται τὸ φίλτρον, καὶ τοῦτο παρ' ἡμῶν εἰ λάβοι, λύει τὸ χρέος· ὃ τοίνυν ἀπείρων ἐστὶν
5 ἀντίρροπον ἀγαθῶν παρά γε Θεῷ δικαστῇ, πῶς οὐχ ὑπερφυές; Πρόδηλον δὲ ὅτι τῇ τῆς ἀγάπης ὑπερβολῇ παντάπασιν ἐφάμιλλος ἡ χαρά, καὶ τῷ φίλτρῳ συμβαίνει διὰ πάντων τὸ γάννος καὶ ἀκολουθεῖ μεγίστῳ μέγιστον.

ABCV MPW Gass Migne

92, 3 ἀγαθὸν C || ἡγεῖτο Gass

71. Cf. Aug., *Conf.* I, I, 1 : «inquietum est cor nostrum donec requiescat in te.»

tel qu'il suffise à la lumière, l'ouïe en vue des sons, et chaque organe en vue de ce à quoi il s'accorde ; mais le désir de l'âme va vers le Christ seul, et c'est lui le gîte où il fait halte, parce que lui seul est le bien, la vérité et tout ce qu'il est possible d'aimer[71].

Amour exclusif du Christ

91. Pour cette raison, il s'oppose même à ce que ceux qui l'ont rencontré aiment quoi que ce soit avec tout l'amour qu'il a infusé dans les âmes depuis le commencement, et se réjouissent de quoi que ce soit avec toute la capacité de jouissance de la nature, ni même avec ce que lui ont apporté en plus la vertu et l'eau de la nouvelle naissance. Ni l'amour ni la joie ne peuvent être effectifs s'ils portent sur les biens de l'existence présente, car ces biens usurpent leur nom : même si quelque objet paraît bon, il n'est qu'un pauvre simulacre du vrai bien. Ici au contraire, comme rien ne s'y oppose, la tendresse se révèle admirable et indicible, et la joie impossible à exprimer : d'autant que c'est à lui-même que Dieu a ordonné ces deux sentiments, afin que nous n'aimions que lui et ne nous réjouissions qu'en lui ; par conséquent, ils doivent conserver, je pense, un rapport avec ce bien infini et, de cette façon, lui être, pour ainsi dire, proportionnés.

92. Estimons la grandeur de cet amour, et voyons ensuite un autre signe de sa surabondance. En effet, pour tous les biens dont il a pris pour nous l'initiative, Dieu n'attend en retour que notre tendresse, et s'il la reçoit de nous, il nous tient quitte de toute dette ; comment donc ce qui, aux yeux de Dieu notre juge, pèse aussi lourd que des biens infinis, ne serait-il pas extraordinaire ? Ensuite, il est évident que la joie rivalise en tout point avec la surabondance de la charité : l'allégresse est l'exact correspondant de la tendresse, et à un amour extrême correspond une extrême allégresse. Il semble donc que les âmes

Φαίνεται τοίνυν ταῖς ἀνθρωπίναις ψυχαῖς ἀγάπης καὶ χαρᾶς
10 μεγάλην τινὰ καὶ θαυμαστὴν ἀποκεῖσθαι παρασκευή, καὶ παρόντος τοῦ ὡς ἀληθῶς χαρίεντος καὶ ἀγαπητοῦ τηνικαῦτα τελέως ἐνεργὸν εἶναι· καὶ τοῦτό ἐστιν ὅπερ χαρὰν ὁ Σωτὴρ πεπληρωμένην καλεῖ[a].

93. Διὰ ταῦτα καὶ τοῦ Πνεύματος ἐπιδημήσαντος ὁτῳοῦν καὶ τῶν αὐτοῦ μεταδόντος, τῶν ἀνασχόντων ἐκεῖθεν καρπῶν τὰ πρώτην ἔχοντα τάξιν ἀγάπη ἐστὶ καὶ χαρά· «Ὁ γὰρ καρπὸς τοῦ Πνεύματος, φησίν, ἀγάπη, χαρά[a]».
5 Τὸ δὲ αἴτιον, ὅτι τοῦτο πρῶτον αἴσθησιν ἑαυτοῦ παρέχει ταῖς ψυχαῖς ἐπιδημῶν ὁ Θεός· αἰσθανομένοις δὲ τοῦ ἀγαθοῦ, καὶ φιλεῖν καὶ χαίρειν ἀνάγκη.

94. Ἐπεὶ καὶ σωματικῶς φανεὶς τοῖς ἀνθρώποις τοῦτο πρῶτον παρ᾽ ἡμῶν ἀπῄτει, τὴν ἐπίγνωσιν τὴν ἑαυτοῦ, καὶ τοῦτο ἐδίδασκε, καὶ τοῦτο εἰσῆγεν εὐθύς, μᾶλλον δὲ διὰ τοῦτο μέχρις αἰσθήσεως ἦλθε καὶ ὑπὲρ τούτου τὸ πᾶν
5 εἰργάσατο· καὶ γὰρ «εἰς τοῦτο, φησί, γεγέννημαι καὶ εἰς
(564) τοῦ|το ἐλήλυθα εἰς τὸν κόσμον, ἵνα μαρτυρήσω τῇ ἀληθείᾳ[a]», ἀλήθεια δὲ ἄρα αὐτὸς ἦν[b], μονονοὺ λέγων· «ἵνα ἐμαυτὸν ἀναδείξω». Τοῦτο καὶ νῦν ποιεῖ τοῖς βαπτιζομένοις ἐπιδημῶν, καὶ μαρτυρεῖ τῇ ἀληθείᾳ, τὸ μὲν δοκοῦν
10 ἀγαθὸν ἐκβάλλων, τὸ δὲ ἀληθὲς εἰσάγων καὶ προδεικνὺς καί, ὅ φησιν αὐτός, «αὐτὸς ἑαυτὸν αὐτοῖς ἐμφανίζων[c]».

95. Ταῦτα δὲ ὡς ἀληθῆ, καὶ τὸ λουτρὸν οἱ λούμενοι τοῦτο Θεοῦ τινα δέχονται πεῖραν φαίνεται μὲν ᾗπερ ἔφην

ABCV MPW Gass Migne

92, 11 τοῦ *om.* W ‖ 12 τελείως V ‖ 13 *post* καλεῖ *add.* «αἰτεῖτε γάρ, φησί, καὶ λήψεσθε ἵνα ἡ χαρὰ ὑμῶν ἡ πεπληρωμένη» ABCV
93, 6 αἰσθανόμενος Gass

---

92. a. cf. Jn 1, 4; 17, 13; I Jn 1, 4; II Jn 12
93. a. Gal. 5, 22
94. a. Jn 18, 37 ‖ b. cf. Jn 14, 6 ‖ c. cf. Jn 14, 21

humaines ont en partage une grande et admirable aptitude à la charité et à la joie, et que lorsque se présente celui qui est en vérité la source de joie et le bien-aimé, alors cette aptitude est parfaitement actualisée ; c'est cela que le Sauveur appelle la joie parfaite[a].

L'amour et la joie, fruits du baptême

93. C'est pourquoi, lorsque l'Esprit demeure en quelqu'un et lui communique ses biens, ceux qui tiennent le premier rang parmi les fruits qui en naissent sont la charité et la joie : car « les fruits de l'Esprit, dit l'Écriture, sont charité, joie ...[a]. » La raison, c'est que la première chose que Dieu procure aux âmes en venant habiter en elles, c'est une perception de lui-même ; or, ceux qui perçoivent le bien l'aiment et s'en réjouissent forcément.

94. En effet, en se manifestant corporellement aux hommes, Dieu nous a demandé en premier lieu de le connaître ; c'est cela qu'il a enseigné, c'est cela qu'il a introduit tout de suite, ou plutôt c'est en vue de cela qu'il est allé jusqu'à se rendre perceptible, et c'est pour cela qu'il a tout accompli : en effet, « c'est pour cela que je suis né, dit-il, et que je suis venu dans le monde, pour rendre témoignage à la vérité[a] » ; or, la vérité étant lui-même[b], c'est comme s'il disait : « pour me faire connaître ». Et c'est cela qu'il fait aujourd'hui en venant habiter dans les baptisés : il rend témoignage à la vérité en éloignant le bien illusoire, en introduisant et en montrant le vrai bien et, comme il le dit lui-même, en « se manifestant lui-même à eux[c]. »

Témoignages de l'expérience de Dieu donnée par le baptême

95. Les faits mêmes, comme je l'ai dit, montrent que c'est vrai et que ceux qui sont plongés dans ce bain

ἀπὸ τῶν πραγμάτων αὐτῶν· εἰ δὲ δεῖ καὶ μαρτυριῶν, πολλῶν καὶ θεοφιλῶν ὄντων καὶ τὰ μεγάλα παρ' αὐτῷ
5 δυνηθέντων οἳ μαρτυροῦσι, μάλιστα πάντων ὃς ἀντὶ πάντων παρελθὼν ἀρκέσειεν ἂν Ἰωάννης, ὁ φαιδροτέραν μὲν τῆς ἀκτῖνος τὴν ψυχὴν ἔχων, λαμπροτέραν δὲ χρυσοῦ τὴν φωνήν. Δεῖ δὲ αὐτὰ τῆς ἀγαθῆς γλώσσης ἀναγνῶναι τὰ ῥήματα.

96. «Τί δέ ἐστι· 'τὴν δόξαν κυρίου κατοπτριζόμενοι τὴν αὐτὴν εἰκόνα μεταμορφούμεθα[a]'; Σαφέστερον μὲν τοῦτο ἐδείκνυτο ἡνίκα τῶν σημείων τὰ χαρίσματα ἐνήργει· πλὴν οὐδὲ νῦν δύσκολον αὐτὸ κατιδεῖν τῷ πιστοὺς ὀφθαλμοὺς
5 ἔχοντι. Ὁμοῦ τε γὰρ βαπτιζόμεθα, καὶ ὑπὲρ τὸν ἥλιον ἡ ψυχὴ λάμπει, τῷ Πνεύματι καθαιρομένη, καὶ οὐ μόνον ὁρῶμεν εἰς τὴν δόξαν τοῦ Θεοῦ, ἀλλὰ καὶ ἐκεῖθεν δεχόμεθα τὴν αἴγλην. Ὥσπερ ἂν εἰ ἄργυρος καθαρὸς πρὸς τὰς ἀκτῖνας κείμενος, καὶ αὐτὸς ἀκτῖνας ἐκπέμποιεν, οὐκ ἀπὸ τῆς
10 οἰκείας φύσεως μόνον ἀλλὰ καὶ ἀπὸ τῆς λαμπηδόνος τῆς ἡλιακῆς, οὕτω δὴ καὶ ἡ ψυχή, καθαιρομένη καὶ ἀργύρου παντὸς λαμπροτέρα γινομένη, δέχεται ἀκτῖνα 'ἀπὸ τῆς δόξης' τοῦ Πνεύματος 'εἰς δόξαν' τὴν ἐγγινομένην καὶ τοιαύτην, οἵαν εἰκὸς 'ἀπὸ Κυρίου Πνευματος'[b].»
15 Καὶ μετ' ὀλίγα· «Βούλει σοι δείξω τοῦτο καὶ ἀπὸ τῶν ἀποστόλων αἰσθητικώτερον; Ἐννόησον Παῦλον, οὗ τὰ ἱμάτια ἐνήργει[c], Πέτρον οὗ καὶ σκιαὶ ἴσχυον[d]. Οὐ γὰρ ἄν, εἰ μὴ βασιλέως ἔφερον εἰκόνα καὶ ἀπρόσιτοι[e] ἦσαν
20 αὐτῶν αἱ μαρμαρυγαί, τοσοῦτον τὰ ἱμάτια αὐτῶν καὶ αἱ

ABCV MPW Gass Migne

95, 8 αὐτὰ *om.* Gass
96, 4 αὐτὸ : αὐτῷ W || 8 τὴν : τινα AC || 11 δὴ *om.* ABCV

96. a. II Cor. 3,18 || b. Ibid. || c. cf. Actes 19,12 || d. cf. Actes 5,15 || e. cf. I Tim. 6,16

72. Ici commence une longue citation de Chrys, *In II Cor., hom.* VII (*PG* 61, 448-449). L'importance de cette citation est à la mesure de l'influence de Chrysostome sur notre auteur. A propos de ce passage, il est à noter que Ignace et Calliste Xanthopouloï

reçoivent une certaine expérience de Dieu ; mais s'il faut aussi des témoignages, nombreux sont certes les amis de Dieu qui, au moment de ce bain, ont reçu une grande puissance et qui rendent témoignage, mais par-dessus tout celui qui suffirait à surpasser tous les autres, c'est Jean, celui dont l'âme est plus resplendissante que le rayonnement du soleil et la voix plus éclatante que l'or. Mais il faut lire les paroles mêmes de cette langue admirable[72].

Extrait d'une homélie de Jean Chrysostome

96. « Que signifie 'réfléchissant la gloire du Seigneur nous sommes transformés en cette même image[a]' ? Ceci apparaissait plus clairement au temps où agissaient les charismes des miracles ; mais même aujourd'hui il n'est pas difficile à celui qui a les yeux de la foi de le voir. Car à peine sommes-nous baptisés que notre âme, purifiée par l'Esprit, brille plus que le soleil et non seulement nous regardons la gloire de Dieu, mais nous en recevons aussi de l'éclat. Comme un argent pur, exposé aux rayons du soleil, jette lui aussi des feux non seulement par sa propre nature mais aussi par le resplendissement de celle du soleil ; ainsi notre âme elle aussi, purifiée et rendue plus brillante que tout argent, reçoit 'de la gloire' de l'Esprit le rayonnement 'en vue de la gloire' qui en naît et qui est telle qu'on l'attend 'de la part du Seigneur qui est Esprit[b]'. »

Et peu après : « Veux-tu aussi que je te montre cela de façon plus sensible à partir des apôtres ? Songe à Paul, dont les vêtements opéraient des miracles[c] ; songe à Pierre dont l'ombre même était puissante[d]. Jamais, s'ils n'avaient porté l'image du roi et si leur étincellement n'avait été celui de la lumière inaccessible[e], leurs vête-

reproduisent littéralement cette citation dans leur *Centurie* (c. 5 : *PG* 147, 640-641), avec les mêmes coupures ; doit-on penser que Cabasilas et les Xanthopouloï ont puisé dans un même florilège chrysostomien ?

σκιαὶ ἐνήργησαν· βασιλέως γὰρ ἱμάτια καὶ τοῖς λησταῖς φοβερά. Θέλεις ἰδεῖν καὶ τοῦ σώματος λάμπουσαν ταύτην; ''Ἀτενίσαντες, φησίν, εἰς τὸ πρόσωπον Στεφάνου, εἶδον ὡς πρόσωπον ἀγγέλου[f]''. Ἀλλ' οὐδὲν τοῦτο πρὸς τὴν
25 ἔνδοθεν ἀστράπτουσαν δόξαν· ὅπερ γὰρ Μωϋσῆς ἐπὶ τοῦ προσώπου τότε εἶχε[g], τοῦτο οὗτοι ἐπὶ τῆς ψυχῆς περιέφερον, μᾶλλον δὲ καὶ πολλῷ πλέον. Τὸ μὲν γὰρ Μωϋσέως αἰσθητικώτερον ἦν, τοῦτο δὲ ἀσώματον· καὶ καθάπερ πυραυγῆ σώματα ἀπὸ τῶν λαμπρῶν σωμάτων ἐπὶ
30 τὸ πλησίον ἀπορρέοντα καὶ ἐκείνοις μεταδίδωσι τῆς οἰκείας αὐγῆς, οὕτω δὴ καὶ ἐπὶ τῶν πιστῶν συμβαίνει. Διὰ δὴ τοῦτο τῆς γῆς ἀπαλλάττονται οἱ τοῦτο πάσχοντες, καὶ τὰ ἐν τοῖς οὐρανοῖς ὀνειροπολοῦσιν. Οἴμοι. Καλὸν γὰρ ἐνταῦθα καὶ στενάξαι πικρόν, ὅτι τοσαύτης ἀπολαύοντες εὐγενείας
35 οὐδὲ τὰ λεγόμενα ἴσμεν διὰ τὸ ταχέως ἀπολλύναι τὰ πράγματα καὶ πρὸς τὰ αἰσθητὰ ἐπτοῆσθαι. Αὕτη γὰρ ἡ
(565) δόξα ἡ ἀπόρρητος καὶ φρικώδης μέχρι μὲν μιᾶς καὶ | δευτέρας ἡμέρας ἐν ἡμῖν μένει· λοιπὸν δὲ αὐτὴν κατασβέννυμεν, τὸν χειμῶνα ἐπάγοντες τῶν βιωτικῶν πραγμάτων
40 καὶ τῇ πυκνότητι τῶν νεφῶν ἀποκρουόμενοι τὰς ἀκτῖνας.»

97. *Ἡ ἀπὸ ἁγίου βαπτίσματος ἐγγινομένη τῇ ψυχῇ.*

Οὐκοῦν οὐ μέχρι τοῦ διανοηθῆναι καὶ λογίσασθαι καὶ πιστεῦσαι τὸν Θεὸν τοὺς βαπτιζομένους ἔξεστι γνῶναι, ἀλλά τι καὶ μεῖζον καὶ τοῦ πράγματος ἐγγίον ἐν τοῖς ὕδασι
5 τούτοις ἔστιν εὑρεῖν. Τὴν γὰρ ἀστραπὴν ἐκείνην Θεοῦ τιθέναι γνῶσιν ἐν διανοίᾳ, καὶ λόγου τινὰ δᾳδουχίαν εἶναι νομίζειν, οὐκ ἂν εἴη λόγον σῶζον· ὅτε τὴν μὲν ἀφανίζεσθαι

ABCV MPW Gass Migne

96, 25 ὁ Μωυσῆς ACV Gass || 28 Μωυσέος APW || 29 πῦρ αὐγῇ Gass
97, 1 A *mg.*

96. f. cf. Actes 6, 15 || g. cf. Ex. 34. 30

ments et leur ombre n'eussent opéré de tels effets ; car même les vêtements du roi terrifient les brigands. Veux-tu voir cette gloire briller même à travers le corps ? 'Fixant leurs yeux sur le visage d'Étienne, dit l'Écriture, ils voyaient comme un visage d'ange[f]'. Mais cela n'est rien en regard de la gloire qui étincelle à l'intérieur ; car ce que Moïse eut autrefois sur le visage[g], les apôtres en avaient l'âme revêtue, et même d'une gloire bien plus grande encore. Car celle de Moïse était plus sensible, mais la leur était incorporelle ; comme des corps incandescents jaillissent des corps lumineux vers ce qui les environne et lui communiquent leur propre éclat[73], ainsi en est-il des croyants. C'est pourquoi ceux qui éprouvent cela sont détachés de la terre et rêvent aux cieux. Hélas ! Il est bon ici de gémir amèrement de ce que jouissant d'une si grande noblesse nous ne connaissions pas même ce qui en est dit, tant nous perdons vite ces réalités et sommes fascinés par les choses sensibles. Car cette gloire indicible et terrifiante demeure en nous un ou deux jours ; ensuite nous l'éteignons, en ramenant les intempéries des soucis quotidiens et en refoulant les rayons du soleil derrière l'épaisseur des nuages. »

97. *La gloire apportée à l'âme par le saint baptême.*

Ainsi donc, la connaissance de Dieu qui est donnée aux baptisés ne se borne pas à le concevoir, à le penser et à croire en lui ; c'est une connaissance plus grande et plus proche de la réalité, que l'on peut trouver dans ces eaux. Car penser que cet éclair donne de Dieu une connaissance intellectuelle et qu'elle est une illumination de la raison, n'est pas un raisonnement juste : en effet, cet éclair vient à

73. Image probablement reprise de Bas., *Spir.* IX, 23 (*SC* 17 bis, p. 328-329).

συμβαίνει μετὰ μίαν καὶ δευτέραν ἡμέραν ὄχλων καὶ θορύβων τοῖς μεμυημένοις περιχεθέντων· τὴν πίστιν δὲ
10 οὐδείς ἐστιν ὃς ἠγνόησε μεριμνήσας, ἐν οὕτω καὶ ταῦτα χρόνῳ βραχεῖ· ἀλλ' ἔστι καὶ πράγματα ἔχειν καὶ θεολογεῖν εἰδέναι καλῶς, καὶ τὸ μεῖζον, πάθεσι προσκειμένους εἶναι πονηροῖς καὶ τὸν τῆς σωτηρίας καὶ τῆς ἀληθοῦς φιλοσοφίας λόγον οὐκ ἀγνοεῖν. Ὅθεν δῆλον αἴσθησιν ἄμεσον εἶναί τινα
15 ταῦτα τοῦ Θεοῦ, τῆς ἐκεῖθεν ἀκτῖνος τῆς ψυχῆς αὐτῆς ἀφανῶς ἁπτομένης.

98. Ταύτης σύμβολα τῆς ἀκτῖνος, ἃ τὸ λουτρὸν ἐκδέχεται. Πάντα γὰρ λαμπρότητος γέμει· λαμπάδες, ᾠδαί, χορεῖαι, θρίαμβοι, οὐδὲν ὅ τι μὴ φαιδρόν. Ἐσθὴς πᾶσα μὲν λάμπουσα καὶ πρὸς φωτὸς θέαν ἐσκευασμένη· ἡ δὲ πρὸς
5 τῇ κεφαλῇ καὶ αὐτὸ γράφει τὸ Πνεῦμα καὶ τῆς αὐτοῦ παρουσίας αἴνιγμα φέρει τὸ σχῆμα· καὶ γὰρ εἰς εἰκόνα γλώσσης πεποίηται, καθάπερ οἷόν τε καὶ ἱμάτιον τῇ κεφαλῇ σώζειν καὶ τὸ σχῆμα τοῦτο κομίζειν, ἐν ᾧ τὸ Πνεῦμα τοὺς ἀποστόλους ἐξ ἀρχῆς ἐφάνη βάπτιζον[a]· ἐπεὶ καὶ τοῦτο
10 τοῦ σώματος αὐτῶν τηνικαῦτα κατέσχε τὸ μέρος, καὶ ἦν ἐπὶ τῆς κεφαλῆς ἑκάστου πῦρ ἰδεῖν ἐν σχήματι γλώσσης, ἵν', οἶμαι, τῷ τῆς γλώσσης εἴδει τῆς καθόδου μηνύσῃ τὴν πρόφασιν· ὅτι τὸν συγγενῆ λόγον ἑρμηνεῦσον ἐλήλυθε καί διδάξον ἀγνοοῦσι. τοῦτο γάρ ἐστι γλώσσης, ἥ τἄνδον
15 ἐκφέρει, τῶν ἀφανῶν τοῦ νοῦ κινημάτων ἄγγελος οὖσα. Καὶ γὰρ ὁ μὲν τὸν γεγεννηκότα, τὸν δὲ τὸ Πνεῦμα κηρύττει· «Ἐγὼ γάρ, φησίν, ἐδόξασα σε[b]», πρὸς τὸν Πατέρα, καὶ «οὗτος ἐμὲ δοξάσει[c]», τὸν Παράκλητον λέγων ἀντὶ τούτων μὲν οὖν ἐκείνοις ἐν τούτῳ φαίνεται τῷ τύπῳ.

ABCV MPW Gass Migne

97, 10 μεριμνῆσθαι A || 12 πάθουσι C
98, 3 αἰσθὴς M || 7 καθάπερ οἷόν τε *om.* P || 11 ἐπὶ — πῦρ *post* ἰδεῖν *transp.* A || 12 μηνύσει V || 17 ἐδόξασε A || 19 οὖν *om.* A Gass || τόπῳ Gass

---

98. a. cf. Actes 2,3 || b. Jn 17,4 || c. Jn 16,14

s'obscurcir au bout d'un ou deux jours à cause de la cohue et du tumulte qui envahissent les nouveaux baptisés ; or la foi, nul ne l'a reniée en un si court laps de temps à cause des soucis : au contraire, il est possible à la fois de mener ses affaires et de savoir confesser la Trinité, et qui plus est, d'être harcelé par des passions mauvaises sans ignorer pour autant le discours du salut et de la vraie sagesse. D'où il appert que cette illumination est une certaine perception de Dieu, quand le rayon céleste touche l'âme même de façon invisible.

Les symboles de la liturgie baptismale

98. Les rites qui suivent le bain symbolisent ce rayon. En effet, tout est plein de clarté : les cierges, les hymnes, les chœurs, les ovations, rien qui ne soit radieux. Tout le vêtement est resplendissant et préparé pour une vision de lumière ; mais le voile qui couvre la tête représente l'Esprit lui-même et sa forme est une énigme de sa venue : en effet, il est fait à l'image d'une langue, autant qu'il est possible de conserver un voile pour la tête tout en introduisant cette forme sous laquelle l'Esprit se montra quand il baptisa les apôtres à l'origine[a] ; en effet, à ce moment-là, c'est cette partie de leur corps qu'il investit, et l'on pouvait voir sur la tête de chacun d'eux un feu en forme de langue, afin, je pense, de révéler par la figure de la langue le motif de cette descente : il est venu pour exprimer le Verbe qui lui est parent et pour l'enseigner à ceux qui ne le connaissaient pas. Tel est en effet le rôle de la langue : produire au-dehors ce qui est à l'intérieur, car elle est le messager des mouvements invisibles de l'intelligence. Le Verbe proclame celui qui l'a engendré, et lui c'est l'Esprit qui le proclame : en effet il dit au Père : «moi je t'ai glorifié[b]» et parlant du Paraclet il dit : «celui-ci me glorifiera[c]» ; c'est donc pour cette raison qu'il s'est manifesté à eux sous cette forme.

99. Τὸ σύμβολον δὲ ἡμῖν εἰς ἐκεῖνο φέρει τὸ θαῦμα τὸν λογισμὸν καὶ τὴν ἡμέραν ἐκείνην τὴν καλήν, ἣ τοῦ βαπτίσματος τὴν πρώτην εἶδε καταβολήν, ἵν' εἰδῶμεν ὡς οἱ μὲν οἷς ἐπῆλθε πρώτοις τὸ Πνεῦμα, τοῖς ἑξῆς μετέδοσαν,
5 καὶ οὗτοι τοῖς μετ' ἐκείνους, καὶ μέχρις ἡμῶν ἦλθε βαδίζον· καὶ οὐκ ἐπιλείψει τὸ δῶρον, ἕως ἂν ἡμῖν αὐτὸς ἐναργῶς ὁ χορηγὸς ἐπιστῇ. Τότε μὲν οὖν τοῖς μακαρίοις ὁ Δεσπότης καθαρὰν αἴσθησιν ἑαυτοῦ παρέξει τῶν ἐπιπροσθούντων ἀνῃρημένων· νῦν δὲ ὥσπερ ἔξεστι τοῖς σαρκὶ παχείᾳ
10 καλυπτομένοις.

100. Ταύτης τῆς αἰσθήσεως ἡ ἄρρητος χαρὰ καὶ ἡ ὑπερφυὴς ἀγάπη καρπός· τούτων δὲ τὸ μέγεθος τῶν κατορθωμάτων, καὶ ἡ θαυμαστὴ τῶν ἔργων ἐπίδειξις, καὶ τὸ διὰ πάντων νικῶντας καὶ στεφανηφοροῦντας ἰέναι.
5 Τούτοις γὰρ ὡπλισμένους τοῖς ὅπλοις οὔτε τῶν δεινῶν οὔτε
(568) | τῶν ἡδέων ἡττηθῆναι δυνατὸν ἦν· καὶ γὰρ ἡ μὲν χαρὰ τῶν ἀνιαρῶν κατεκράτει, τὰ δὲ ἡδέα οὔτε ἑλκῦσαι εἶχεν οὔτε ἐκλῦσαι τοσαύτῃ δυνάμει φίλτρων συνεστῶτας καὶ δεδεμένους.

101. Τοῦτο τοῦ βαπτίσματος τὸ ἔργον· ἁμαρτιῶν ἀπολῦσαι, ἀνθρώπῳ Θεὸν καταλλάξαι, Θεῷ τὸν ἄνθρωπον εἰσποιῆσαι, ὀφθαλμὸν ταῖς ψυχαῖς ἀνοῖξαι, τῆς θείας ἀκτῖνος γεῦσαι, τὸ σύμπαν εἰπεῖν, πρὸς τὸν μέλλοντα βίον παρασ-
5 κευάσαι. Οὐκοῦν εἰκότα ποιοῦμεν, ὄνομα αὐτῷ τιθέμενοι Γέννησιν καὶ ἃ τὸν ἴσον δύναται λόγον, τά τε ἄλλα καὶ ὅτι Θεοῦ γνῶσιν ταῖς ψυχαῖς ἀνατέλλει τῶν τελουμένων. Τὸ δέ ἐστι ζωὴ καὶ κρηπὶς καὶ ῥίζα ζωῆς· τὸ μὲν αὐτοῦ τοῦ Σωτῆρος ὁρισαμένου τὴν αἰώνιον ζωὴν ἐν τῷ «γινώσκειν

ABCV MPW Gass Migne

99, 4 τοῖς : τὸ C || 5 ἦλθεν οὕτω ABCV
100, 5 ὁπλισμένους A || 8 τῶν φίλτρων Gass
101, 4 γεῦσαι *om.* Gass || 8 ζωὴ *om.* A

99. Quant à ce symbole, il reporte notre imagination à cette merveille et à ce beau jour qui vit les premiers fondements du baptême[74], afin que nous sachions que ceux sur qui l'Esprit est venu en premier l'ont transmis à leurs successeurs, et ceux-ci à ceux qui sont venus après eux, et qu'ainsi, pas à pas, il est parvenu jusqu'à nous ; et le don ne fera pas défaut, jusqu'à ce que le Donateur en personne se présente à nous clairement. Alors, le Maître procurera aux bienheureux une perception directe de lui-même, une fois les voiles enlevés ; tandis qu'à présent nous n'en avons que la perception accessible à des êtres enveloppés par l'épaisseur de la chair.

Les fruits du baptême

100. De cette perception, la joie indicible et la charité extraordinaire sont le fruit ; et les fruits de ces derniers sont la grandeur des exploits, la manifestation admirable des œuvres, la capacité de traverser toutes les épreuves en vainqueurs et en triomphateurs. En effet, ceux qui étaient munis de ces armes ne pouvaient être dominés ni par la crainte ni par le plaisir ; car leur joie l'emportait sur les sujets de tristesse et les plaisirs ne pouvaient ni entraîner ni relâcher des hommes établis et arrimés par la force d'une si grande tendresse.

101. Telle est l'œuvre du baptême : affranchir des péchés, réconcilier l'homme avec Dieu, faire de l'homme le fils adoptif de Dieu, ouvrir les yeux de l'âme, faire goûter au rayon divin, bref préparer à la vie future. Nous avons donc bien raison de lui donner le nom de Naissance et des noms analogues, entre autres raisons, parce qu'il fait lever une connaissance de Dieu dans les âmes de ceux qui le reçoivent. Or c'est là la vie, le fondement et la racine de la vie : car le Sauveur lui-même a défini la vie éternelle par le

74. Cf. *Liturgie*, XIV, 5.

10 τὸν μόνον ἀληθινὸν Θεὸν καὶ ὃν ἀπέστειλεν Ἰησοῦν Χριστόν[a] »· τὸ δὲ πρὸς τὸν Θεὸν τοῦ Σολομῶντος εἰπόντος· « Τὸ ἐπίστασθαί σε, ῥίζα ἀθανασίας[b] ».

102. Εἰ δὲ προσθεῖναι καὶ λογισμόν, τίς οὐκ οἶδε τὸ ἀληθινὸν εἶναι τῶν ἀνθρώπων καὶ περιεῖναι, τοῦτο αὐτὸ εἶναι τὸ λογίζεσθαι καὶ γινώσκειν; Εἰ δὲ ἐν τῷ λογίζεσθαι καὶ γίνωσκειν τοῖς ἀνθρώποις ἐστὶ τὸ εἶναι, εἴη ἂν ἐν τῇ 5 πασῶν βελτίστῃ γνώσει καὶ ψεύδους ἀπηλλαγμένῃ· τοῦ δὲ τὸν Θεὸν γινώσκειν, αὐτοῦ τὸν ὀφθαλμὸν τῆς ψυχῆς ἀνοίγοντος καὶ πρὸς ἑαυτὸν ἐπιστρέφοντος τοῦ Θεοῦ, τίς ἂν καλλίων γένοιτο γνῶσις καὶ καθαρωτέρα πλάνης ἁπάσης; Ἡ δέ ἐστι τοῦ βαπτίσματος καρπός.

103. Ἀποδέδεικται ἄρα διὰ τῶν εἰρημένων ἁπάντων, τῆς ἐν Χριστῷ ζωῆς ἀρχὴν καὶ τοῦ εἶναι καὶ ζῆν τοὺς ἀνθρώπους καὶ περιεῖναι τὴν ἀληθῆ ζωὴν καὶ οὐσίαν, τὸ μυστήριον αἴτιον εἶναι. Εἰ δὲ μὴ πᾶσι ταῦτα τοῖς 5 βαπτιζομένοις ἀκολουθεῖ, ἀσθένειαν οὐ προσῆκε καταγνῶναι τοῦ μυστηρίου· τοῖς δὲ τελουμένοις λογιστέον ἐστὶ τὸ πάθος, ἢ μὴ παρασκευασμένοις εὖ πρὸς τὴν χάριν, ἢ προδοῦσι τὸν θησαυρόν. Πόσῳ γὰρ ἀξιώτερον τὴν διαφορὰν ταύτην εἰς αὐτοὺς ἀνάγειν τοὺς τελουμένους, διάφορον 10 τρόπον τῷ βαπτίσματι χρησαμένους, ἢ τὴν τελετήν, μίαν ἐν ἅπασι καὶ τὴν αὐτὴν οὖσαν, τῶν ἐναντίων αἰτιᾶσθαι;

104. Πρόδηλον γὰρ ὡς οὔτε φύσεως οὔτε ἀσκήσεως ὁ τῶν εἰρημένων ἀγαθῶν σωρός, ἀλλὰ τοῦ

ABCV MPW Gass Migne

103, 7 παρεσκευασαμένοις W
104, 1 Πρόδηλον μὲν ABCVW Gass

---

101. a. Jn 17,3 || b. cf. Sag. 15,3

---

75. Plutôt qu'une réminiscence aristotélicienne (cf. Ar., *Politique*, 2, 1253 a ; 13, 1332 b), sans doute faut-il voir ici un lieu-commun passé dans la mentalité byzantine, sur l'intelligence qui fonde la supériorité

fait de « connaître le seul vrai Dieu et celui qu'il a envoyé, Jésus-Christ[a] », et Salomon s'adressant à Dieu lui dit : « Te connaître est la racine de l'immortalité[b]. »

102. Mais s'il faut encore ajouter un raisonnement, nul n'ignore[75] que l'être véritable des hommes, leur supériorité, consiste justement dans ce fait de raisonner et de connaître. Mais si c'est dans le fait de raisonner et de connaître que consiste l'être de l'homme, il doit consister dans la connaissance la meilleure de toutes, une connaissance affranchie de toute fausseté ; or peut-il y avoir connaissance plus belle et plus pure de toute fausseté que de connaître Dieu, quand Dieu lui-même ouvre l'œil de l'âme et le tourne vers lui-même ? Tel est le fruit du baptême.

103. Tout ce que je viens de dire a démontré que ce mystère est le principe de la vie en Christ, qu'il est la cause pour laquelle les hommes sont, qu'ils vivent et sont supérieurs, par leur vie et leur essence véritables. Si cependant ses effets ne s'ensuivent pas chez tous les baptisés, il ne faut pas incriminer une faiblesse du mystère, mais il faut imputer ce défaut à ceux qui sont initiés, et qui ne se sont pas bien préparés à la grâce ou qui ont gaspillé leur trésor. En effet, combien sera-t-il plus juste d'attribuer cette différence aux baptisés eux-mêmes, qui ont usé différemment du baptême, plutôt que de rendre responsable d'effets contraires le mystère qui est un et le même en tous.

104. Car il est évident que l'amoncellement des biens évoqués n'est l'œuvre ni de la nature ni de l'ascèse, mais

de l'homme sur les animaux. Notons cependant que pour Cabasilas il ne peut s'agir d'une connaissance fondée sur le seul raisonnement. Ce paragraphe fait d'ailleurs l'effet d'un argument « rajouté ».

βαπτίσματος ἔργον· εἰ δὲ καὶ τοὐναντίον ἐκεῖθεν, πῶς οὐκ ἄτοπον τὸ αὐτὸ καὶ δύνασθαι φωτίζειν καὶ
5 μή, καὶ οὐρανίους ποιεῖν καὶ οὐδὲν τῶν γηίνων ὑψηλωτέρους; ἀλλ' οὔτε τὸν ἥλιον μεμψόμεθα, οὐδ' ἂν ὡς ἀφανοῦς καταγνοῖμεν, ὅτὶ μὴ τὴν ἀκτῖνα πάντες ὁρῶσιν, ἀπὸ δὲ τῶν ὁρώντων τὰς ψήφους οἴσομεν, οὔτε τὸ Φώτισμα εἰκότα ἂν ποιοῖμεν, ἄλλο
10 τι δύνασθαι νομίσαντες ἢ αὐτὸ τοῦτο ὅθεν καλεῖται.

ABCV MPW Gass Migne

104, 5 οὐδὲν : μηδὲν V || 7 μὴ : μὴν Gass || 9-10 ἀλλ' ὅτι C

du baptême ; mais si le contraire avait la même origine, ne serait-il pas absurde de penser que le même mystère soit capable d'illuminer et de ne pas illuminer, de rendre les hommes célestes et pas plus hauts que terre ? Nous ne blâmerons pas le soleil et nous ne l'accuserons pas d'être invisible si tous ne voient pas son rayonnement, mais nous jugerons d'après ceux qui voient. De même aurions-nous tort de juger l'Illumination capable d'autre chose que de cela même dont elle tire son nom.

LIVRE III

(PG 569) Λόγος τρίτος· καὶ τίνα συντέλειαν αὐτῇ παρέχεται τὸ θεῖον μύρον.

1. Οὕτω δὲ πνευματικῶς συστάντας καὶ τοῦτον γεγεννημένους τὸν τρόπον, καὶ ἐνεργείας ἀκόλουθον ἂν εἴη τυγχάνειν, ἣ τοιᾷδε γεννήσει προσήκει, καὶ κινήσεως καταλλήλου. Καὶ τοῦτο ἡμῖν ἡ τελετὴ τοῦ θειοτάτου δύναται
5 μύρου· καὶ γὰρ ἐνεργοὺς ποιεῖ τὰς πνευματικὰς ἐνεργείας, τὸν μὲν ταύτην, τὸν δὲ ἐκείνην, τὸν δὲ πλείους, ὡς ἕκαστος πρὸς τὸ μυστήριον ἔχει παρασκευῆς. Καὶ γίνεται νῦν τοῖς τελουμένοις, ὅπερ ἐπὶ τῶν προτέρων χρόνων αἱ τῶν ἀποστόλων χεῖρες τοῖς ἐπ' ἐκείνων βαπτιζομένοις· καὶ γὰρ
10 «ἐπιτιθέντων τὰς χεῖρας τῶν ἀποστόλων τοῖς μεμυημένοις, φησί, τὸ Πνεῦμα ἐδίδοτο[a]», καὶ νῦν ὁ Παράκλητος χριομένοις ἐπιδημεῖ.

2. Τεκμήριον δέ· πρῶτον μὲν τοῦ παλαιοῦ νόμου καὶ βασιλέας χρίοντος τὸν ἴσον τρόπον καὶ ἱερέας[a], ὁ τῆς

ABCV MPW Gass Migne

Titre : καὶ — μύρον : ἢ περὶ τοῦ θειοτάτου μύρου A ἢ περὶ τοῦ θείου μύρου τίνα συντέλειαν αὐτῇ δίδωσιν ἡ τούτου τελετή B || παρέχεται — μύρον : τὸ ἱερὸν παρέχεται μύρον C τὸ θεῖον δίδωσι μύρον V

1, 3 κινήσεως : γεννήσεως P || 8 λελουμένοις Gass || 9 ἐπ' *om.* A^{ac} παρ' A^{pc} *mg.*

2, 1 Τεκμήρια ABCV Gass || 2 τρόπον *om.* C

---

1. a. cf. Act. 8, 17-18

LIVRE III

Quel achèvement la sainte chrismation apporte-t-elle à la vie en Christ ?

1. Ceux qui ont été ainsi conçus spirituellement et qui sont nés de cette façon, doivent obtenir en conséquence une activité adaptée à une telle naissance, et un mouvement correspondant. Cela, c'est le mystère du très saint chrême qui peut le produire en nous : en effet, il rend agissantes les activités spirituelles, chez l'un celle-ci, chez l'autre celle-là, chez le troisième davantage, chacun à la mesure de ses dispositions à l'égard du mystère[1]. Et il se passe aujourd'hui pour ceux qui sont initiés ce que dans les premiers temps accomplissaient les mains des apôtres en ceux qui étaient baptisés de leur temps. En effet, «lorsque les apôtres imposaient les mains aux baptisés, dit l'Écriture, l'Esprit leur était donné[a]»; et aujourd'hui, c'est en ceux qui sont chrismés que vient séjourner le Paraclet.

Les rites : onction du chrême et imposition des mains

2. En voici la preuve : tout d'abord, alors que l'ancienne loi oignait de la même façon les rois et les prêtres[a], la

2. a. cf. Ex. 30,30 ; I Sam. 10,1 ; 16,13

1. Cf. *Liturgie*, XXXIV, 5.

Ἐκκλησίας θεσμός, ἐκείνους τῷ μύρῳ βασιλεύων, τοῖς ἱερεῦσιν ἐπιτίθησι χεῖρας καὶ τὴν τοῦ Πνεύματος εὔχεται
5 χάριν, ὅπερ ἐστὶ δεικνύντος, καὶ τοῦτο κἀκεῖνο πρὸς ταὐτὸν φέρειν καὶ τὴν αὐτὴν ἄμφω δύναμιν ἔχειν. Ἔπειτα καὶ τῶν ὀνομάτων κοινωνοῦσιν ἀλλήλοις, καὶ χρῖσμα μὲν ἐκεῖνο, Πνεύματος δὲ κοινωνία τοῦτο· τήν τε γὰρ τῶν ἱερέων χειροτονίαν οἱ θειότατοι τῶν ἱερέων χρῖσιν καλοῦσι, καὶ
10 ἔμπαλιν οὓς τὸ μυστήριον τοῦ μύρου τελοῦσι, κοινωνοὺς τοῦ Ἁγίου Πνεύματος εἶναι καὶ εὔχονται καὶ πιστεύουσι. Καὶ τὴν τελετήν, ὅ τι ποτέ ἐστι, τοῖς τελουμένοις δεικνῦντες πνευματικῆς δωρεᾶς Σφραγῖδα καλοῦσι· τοῦτο γὰρ ἐπᾴδουσι χριομένοις.

3. Ἔτι δὲ καὶ Χριστὸς αὐτὸς ὁ Δεσπότης οὐ χεθὲν τῇ κεφαλῇ δεξάμενος μύρον, ἀλλὰ διὰ τὸ Πνεῦμα τὸ Ἅγιον, ὅτι τῆς πνευματικῆς ἐνεργείας ἁπάσης, τῆς σαρκὸς ἕνεκα τῆς ἀναληφθείσης, ἐγένετο θησαυρός. Καὶ οὐ Χριστὸς μόνος,
5 ἀλλὰ καὶ χρῖσμα· «Μύρον γάρ, φησίν, ἐκκενωθὲν ὄνομά σοι[a]», τὸ μὲν ἐξ ἀρχῆς, τὸ δ' ὕστερον. Ἕως μὲν γὰρ οὐκ ἦν, ᾧ τῶν αὐτοῦ μετέδωκεν ἂν ὁ Θεός, μύρον ἦν ἐφ' ἑαυτοῦ μένον· ἐπεὶ δὲ ἡ μακαρία συνέστη σάρξ ἡ «τῆς θεότητος ἅπαν τὸ πλήρωμα[b]» δεξαμένη, ᾗ φησὶν Ἰωάννης
10 «οὐκ ἐκ μέτρου δίδωσιν ὁ Θεὸς τὸ Πνεῦμα[c]», πάντα δὲ τὸν φυσικὸν ἐνέθηκε πλοῦτον, τηνικαῦτα εἰς αὐτὴν

ABCV MPW Gass Migne

2, 3-4 ἐκείνους — ἱερεῦσι *om.* A || 5 κἀκεῖνος C || ταὐτὸν : ταὐτὸ ABCV ταὐτὰ W Gass
3, 1 Χρηστὸς V || 10 δίδωσιν P : δέδωκεν *cett.* || 11 φυσικὸν : ψυχικὸν Gass

3. a. Cant. 1,3 || b. Col. 2,9 || c. cf. Jn 3,34

2. Une description de sacre impérial à l'époque de Cabasilas est donnée par JEAN CANTACUZÈNE, *Hist.* I, 41 (éd. de Bonn, p. 196) : l'empereur est «oint du divin chrême» (couronnement d'Andronic III). Les rites du sacre des rois sont décrits par SYMÉON DE THESSALONIQUE, *De sacro templo*, XLVI (*PG* 155, 383). Le même

tradition de l'Église consacre les rois par le chrême tandis qu'aux prêtres elle impose les mains en invoquant la grâce de l'Esprit[2] : ceci pour montrer que l'un et l'autre rites reviennent au même et que tous deux ont la même vertu. En outre, les deux rites partagent les mêmes noms, le second pouvant s'appeler aussi chrismation, et le premier communication de l'Esprit : en effet, l'imposition des mains sur les prêtres, les plus saints auteurs[3] l'appellent chrismation des prêtres, et inversement quand ils initient quelqu'un au mystère du chrême, ils prient pour que le Saint Esprit lui soit communiqué, et ils croient qu'il en est ainsi, Et pour montrer à ceux que l'on chrisme ce qu'est ce mystère, ils l'appellent «Sceau du don de l'Esprit» : c'est effectivement ce qu'ils chantent lors de la chrismation[4].

FONDEMENT THÉOLOGIQUE : L'INCARNATION

3. De plus, le Maître lui-même est Christ, non qu'il ait reçu un chrême répandu sur sa tête, mais en raison de l'Esprit Saint, parce qu'il est devenu, à cause de la chair qu'il a assumée, le réceptacle de toute l'activité spirituelle. Et il n'est pas seulement Christ, mais aussi chrismation — «Ton nom est une huile qui s'épanche», dit l'Écriture[a] —, Christ dès le commencement, et chrismation plus tard. En effet, tant qu'il n'existait pas quelque chose à quoi Dieu pût communiquer ses dons, il était un chrême qui demeure en lui-même ; mais lorsque fut conçue la chair bienheureuse qui a reçu «toute la plénitude de la divinité[b]» — comme dit Jean, «Dieu donne l'Esprit sans mesure[c]» et c'est toute la richesse de sa nature qu'il infuse — alors, le chrême une

auteur intitule son traité sur l'ordination des prêtres : «Sur les impositions des mains» (περὶ τῶν ἱερῶν χειροτονίων) : *PG* 155, 361.

3. Par exemple Grég. Naz., *or.* 6, 9 (*PG* 35, 733 A).

4. Goar, p. 290-291.

(572) ἐκκενω|θὲν ἤδη τὸ μύρον εἰκότως χρῖσμα καί ἐστι καὶ λέγεται. Τὸ γὰρ μεταδοθῆναι, τοῦτο ἦν αὐτῷ χρῖσμά τε γενέσθαι καὶ κενωθῆναι.

4. Οὐ γὰρ ἤμειψε τόπον, οὐδὲ διεῖλε τεῖχος οὐδ' ὑπερέβη, ἀλλὰ τὸ διεῖργον τῶν ἡμετέρων αὐτόν, ὅπερ αὐτὸς ἀποδείξας, οὐδὲν ἀφῆκε μέσον.

᾿Ανθρώπων γὰρ ὁ Θεὸς οὐ τόπῳ διέφερεν, ὅ γε πάντα 5 τόπον κατέχων, ἀλλὰ διαφορᾷ διΐστατο, καὶ ἡ φύσις αὐτὴν αὐτὴ τοῦ Θεοῦ διεῖργε τῷ πᾶσιν οἷς εἶχε διαφέρειν, καὶ πρὸς αὐτὸν μηδὲν κοινὸν ἔχειν· ὅτι Θεὸς μὲν αὐτὸς μόνον, ἡ δὲ φύσις ἄνθρωπος μόνον.

5. Ἐπεὶ δὲ σὰρξ ἐθεώθη, καὶ φύσις ἀνθρώπων ὑπόστασιν αὐτὸν ἔλαχε τὸν Θεόν, τὸ τειχίον μύρον ὑπῆρξεν ἤδη· καὶ ἡ διαφορὰ ἐκείνη χώραν οὐκ ἔχει, τῆς μιᾶς ὑποστάσεως τοῦτο μὲν οὔσης, ἐκεῖνο δὲ γενομένης, ἣ τὴν διάστασιν τῆς 5 θεότητος καὶ τῆς ἀνθρωπότητος ἀναιρεῖ, κοινὸς ὅρος ἑκατέρας φύσεως οὖσα, ἐπεὶ τῶν διεστώτων οὐκ ἂν γένοιτο κοινὸς ὅρος.

Καθάπερ τοίνυν, εἰ τὸ ἀλάβαστρον μηχανῇ τινι γένοιτο μύρον καὶ πρὸς αὐτὸ μετασταίη, ἀκοινώνητον οὐκέτι τοῖς 10 ἔξω τὸ μύρον, οὐδ' ἔνδον οὐδ' ἐφ' ἑαυτοῦ μένον· τὸν ἴσον τρόπον τῆς ἡμετέρας φύσεως ἐπὶ τοῦ σωτηρίου σώματος θεωθείσης, τὸ διεῖργον ἀπὸ τοῦ Θεοῦ τὸ τῶν ἀνθρώπων γένος οὐδέν, ὅθεν καὶ τῶν αὐτοῦ μετέχειν χαρίτων ἐμποδὼν ἡμῖν οὐδὲν ἦν πλὴν τῆς ἁμαρτίας[a].

ABCV MPW Gass Migne

5, 5 τῆς *om.* Gass || καὶ τῆς ἀνθρωπότητος *om.* A

---

5. a. cf. Hébr. 4, 15

---

5. «être répandu» : κενωθῆναι. Allusion claire à la kénose de l'Incarnation.

fois épanché sur cette chair est réellement chrismation et en reçoit le nom. Être communiqué, voilà en effet ce que signifiait pour lui : devenir chrismation et être répandu[5].

Dieu fait homme : un chrême qui s'épanche

4. Il n'a pas changé de lieu ; il n'a pas supprimé ou franchi un mur mais ce qui le séparait de nous ; l'ayant manifesté en lui-même, il n'a laissé aucun obstacle subsister entre lui et nous.

Car Dieu ne différait pas des hommes par le lieu, lui qui contient tous les lieux, mai il s'en distinguait par une différence, et c'est notre nature qui se séparait de Dieu parce qu'elle en différait en toutes ses composantes, et qu'elle n'avait rien de commun avec lui ; car lui n'était que Dieu, et notre nature n'était qu'homme.

5. Mais lorsque la chair eut été déifiée, et que la nature humaine eut obtenu comme hypostase Dieu lui-même, alors le mur devint chrême ; et cette différence-là n'a plus lieu, puisqu'une seule hypostase, qui était ceci, devient aussi cela ; cette hypostase supprime la distance entre la divinité et l'humanité : en effet, elle est un terme commun à l'une et à l'autre nature, et il ne peut y avoir de terme commun[6] à deux choses distantes.

De même que si par quelque procédé le vase d'albâtre devenait chrême et se dissolvait en lui, le chrême ne serait plus séparé des choses extérieures, car il ne demeurerait plus ni à l'intérieur de quelque chose ni en lui-même, de même, une fois notre nature déifiée dans le corps sauveur, il n'y eut plus rien qui séparât de Dieu notre race, et donc rien ne s'opposait plus à ce que nous eussions part aux grâces divines, excepté le péché[a].

6. Cabasilas applique curieusement ici un terme mathématique à un discours théologique sur l'union hypostatique : cf. NICOMAQUE, *Arithmétique*, 77, 137.

6. Ἐπεὶ δὲ διττὸν ἦν τὸ τεῖχος, τὸ μὲν τῆς φύσεως, τὸ δὲ τῆς γνώμης πονηρίᾳ διαφθαρείσης, τὸ μὲν ἀνεῖλε σαρκωθεὶς ὁ Σωτήρ, τὸ δὲ σταυρωθείς· τὴν γὰρ ἁμαρτίαν ὁ σταυρὸς ἔλυσε. Διὰ τοῦτο μετὰ τὸ βάπτισμα τὰ τοῦ σταυροῦ
5 δυνάμενον ἐκείνου καὶ τοῦ θανάτου, ἐπὶ τὸ μύρον χωροῦμεν τὴν τοῦ Πνεύματος κοινωνίαν. Τῶν γὰρ κωλυμάτων ἀμφοτέρων ἀνῃρημένων, τὸ ἐπισχῆσον οὐδὲν «χεθῆναι ἐπὶ πᾶσαν σάρκα[a]» τὸ Πνεῦμα τὸ Ἅγιον· λέγω δὲ ὅσον ἐπὶ τοῦ παρόντος ἔξεστι βίου. Πρὸς γὰρ τὴν ἄμεσον μετὰ
10 Θεοῦ συναυλίαν καὶ τρίτον ὁ θάνατος κώλυμα, καὶ τοὺς θνητὸν φέροντας ἔτι σῶμα «τὸ αἴνιγμα καὶ τὸ ἔσοπτρον[b]» ὑπερβαίνειν οὐ συγχωρεῖ.

7. Ὥστε τριχῶς τοῦ Θεοῦ τοὺς ἀνθρώπους διϊσταμένους, διὰ τὴν φύσιν, διὰ τὴν ἁμαρτίαν, διὰ τὸν θάνατον, καθαρῶς τυχεῖν καὶ ἀμέσως αὐτῷ συνελθεῖν ἐποίησεν ὁ Σωτήρ, ἃ προσίστατο πάντα ἐφεξῆς ἀνελών· τοῦτο μὲν ἀνθρωπότητος
5 μετασχών, ἐκεῖνο δὲ νεκρωθεὶς ἐπὶ τοῦ σταυροῦ, τὸ δὲ τελευταῖον τεῖχος, τὴν τοῦ θανάτου τυραννίδα, παντάπασι τῆς φύσεως ἐξέβαλεν ἀναστάς. Διὰ τοῦτο Παῦλος· «Ἔσχατος ἐχθρός, φησί, καταργεῖται ὁ θάνατος[a]», οὐχ ἂν ἐχθρὸν αὐτὸν προσειπών, εἰ μὴ πρὸς τὴν ἀληθινὴν ἡμῖν
10 εὐδαιμονίαν ἐμποδὼν ἦν. Τοὺς γὰρ τοῦ ἀθανάτου Θεοῦ κληρονόμους ἀνάγκη δὴ φθορᾶς ἀπηλλάχθαι. «Οὐ γὰρ ἡ φθορά, φησί, τὴν ἀφθαρσίαν κληρονομεῖ[b]». Μετὰ γὰρ

ABCV MPW Gass Migne

6, 1-2 τῆς φύσεως — τὸ μὲν *om.* W ‖ 5 ἐκεῖνον C ‖ 9 ἔξεστι *om.* Gass ‖ 11 τὸ σῶμα Gass

7, 2 *post* φύσιν *add.* ἁπλῶς ABCV ‖ διὰ τοῦ θανάτου C ‖ 9 ἡμῖν *om.* C

---

6. a. cf. Joël 3, 1 ; Actes 2, 17 ‖ b. cf. I Cor. 13, 12

7. a. I Cor. 15, 26 ‖ b. I Cor. 15, 50

Le Christ supprime les murailles :
la nature, la volonté...

6. Mais puisque double était la muraille — celle de la nature et celle de la volonté corrompue par la méchanceté —, le Sauveur supprima la première en s'incarnant et la seconde en étant crucifié ; car la croix a effacé le péché. Voilà pourquoi, après le baptême qui a l'efficace de la croix et de la mort du Sauveur, nous recourons au chrême qui est la communication de l'Esprit. Car une fois les deux obstacles supprimés, plus rien n'empêche l'Esprit Saint de «se répandre sur toute chair[a]», j'entends, autant qu'il est possible dans la vie présente. Car à l'union immédiate avec Dieu s'oppose encore un troisième obstacle, la mort, et il n'est pas possible à des êtres qui portent encore un corps mortel d'outrepasser la vision «en énigme et dans un miroir[b].»

... et la mort

7. Ainsi, alors que les hommes étaient distants de Dieu de trois manières — par la nature, par le péché et par la mort —, le Sauveur leur a donné de le rencontrer parfaitement et de s'unir à lui sans intermédiaire, en supprimant successivement tout ce qui s'y opposait : la nature en partageant l'humanité, le péché en mourant sur la croix, et le dernier obstacle, la tyrannie de la mort, il l'a complètement expulsé de notre nature en ressuscitant. Voilà pourquoi Paul écrit : «le dernier ennemi vaincu, c'est la mort[a]», et il ne l'aurait pas appelée «ennemi» si elle n'était pas un obstacle à notre vrai bonheur. En effet, ceux qui sont héritiers du Dieu immortel doivent nécessairement être affranchis de la corruption, car il est écrit : «la corruption ne peut hériter l'incorruption[b].» Après la

τὴν κοινὴν τῶν ἀνθρώπων ἀνάστασιν, ἧς αἴτιον ἡ τοῦ Σωτῆρος ἀνάστασις, τὸ μὲν ἔσοπτρον ὑποχωρεῖ καὶ τὸ 15 αἴνιγμα, ὄψονται δὲ «πρόσωπον πρὸς πρόσωπον[c]» τὸν Θεὸν οἵ γε «τὴν καρδίαν κεκαθαρμένοι[d]».

(573) **8.** | Τὸ μὲν οὖν τῆς τελετῆς ἔργον τῶν ἐνεργειῶν τοῦ ἀγαθοῦ Πνεύματος μεταδοῦναι· τὸ μύρον δὲ αὐτὸν εἰσάγει τὸν Κύριον Ἰησοῦν, ἐν ᾧ πᾶσα μὲν ἀνθρώποις ἡ σωτηρία[a], πᾶσα δὲ ἐλπὶς ἀγαθῶν, καὶ ὅθεν μὲν ἡμῖν ἡ τοῦ Ἁγίου 5 Πνεύματος μετουσία, δι' οὗ δὲ ἡ πρὸς τὸν Πατέρα προσαγωγή[b]. Τῆς γὰρ τῶν ἀνθρώπων ἀναπλάσεως κοινῇ μὲν ἡ Τριὰς τεχνίτης, αὐτουργὸς δὲ μόνος ὁ Λόγος, οὐχ ὅτε διατριβῶν ἀνθρώποις ἐκοινώνησε μόνον καὶ «προσηνέχθη, φησὶ Παῦλος, εἰς τὸ πολλῶν ἀνενεγκεῖν ἁμαρτίας[c]», 10 ἀλλ' ἐξ ἐκείνου μέχρι παντός, ἕως τὴν φύσιν ἔτι φέρει τὴν ἡμετέραν, δι' ἣν παράκλητον αὐτὸν ἔχομεν πρὸς τὸν Θεόν[d]· δι' ἑαυτοῦ μὲν «καθαρίζει τὴν συνείδησιν ἡμῶν ἀπὸ νεκρῶν ἔργων[e]», δι' ἑαυτοῦ δὲ τὸ Πνεῦμα δίδωσι.

9. Τοῦτο τὸ μυστήριον ἐπὶ μὲν τῶν προτέρων χρόνων χαρίσματα ἰαμάτων καὶ προφητείας καὶ γλωσσῶν καὶ τοιαῦτα τοῖς βαπτιζομένοις παρεῖχεν[a], ἃ τῆς ὑπερφυοῦς τοῦ Χριστοῦ δυνάμεως ἀνθρώποις ἅπασιν ἀπόδειξιν εἶχε 5 προφανῆ· τούτων γὰρ ἔδει τηνικαῦτα, τοῦ χριστιανισμοῦ πηγνυμένου καὶ τῆς εὐσεβείας ἔτι καθισταμένης. Νῦν δὲ καὶ τοιαῦτα μὲν ἐνίοις ἐκεῖθεν ὑπῆρξε, καὶ ἐφ' ἡμῶν, καὶ

ABCV MPW Gass Migne

8, 2 αὐτὸν *om.* P || 3 Ἰησοῦν : Χριστὸν *add.* C
9, 5 προφανῆ : περιφανῆ BV

---

7. c. I Cor. 13,12 || d. cf. Matth. 5,8
8. a. cf. Act 4,12; II Tim. 2,10 || b. cf. Éphés. 2,18 || c. Hébr. 9,28 || d. cf. I Jn 2,2 || e. cf. Hébr. 9,14
9. a. cf. I Cor. 12,9s.

résurrection commune des hommes, dont la cause est la résurrection du Sauveur, la vision en miroir et en énigme cèdera le pas, et ils verront Dieu «face à face[c]», ceux du moins qui ont le cœur pur[d].

LES EFFETS DE LA CHRISMATION

8. L'œuvre du mystère de la chrismation est de communiquer les activités de l'Esprit de bonté ; le chrême, quant à lui, rend présent le Seigneur Jésus, en qui résident pour les hommes tout le salut[a] et toute l'espérance des biens, de qui nous vient toute participation au Saint Esprit, et par qui nous avons accès au Père[b]. Car si c'est en commun que la Trinité est l'artisan du remodelage des hommes, c'est le Verbe seul qui l'a réellement effectué, non seulement lorsqu'il a partagé le genre de vie des hommes et que, comme l'écrit Paul, «il s'est offert pour racheter les péchés de beaucoup[c]», mais depuis lors à jamais, aussi longtemps qu'il porte notre nature, par laquelle nous l'avons comme avocat auprès de Dieu[d] ; par lui-même il «purifie notre conscience des œuvres mortes[e]», et par lui-même il donne l'Esprit.

Les charismes extraordinaires

9. Dans les premiers temps, ce mystère procurait aux baptisés des charismes de guérison, de prophétie, de langues et d'autres charismes semblables qui étaient pour tous les hommes une manifestation éclatante de la puissance extraordinaire du Christ ; ces charismes étaient nécessaires à cette époque où le christianisme s'implantait et où la vraie foi commençait à s'établir. Aujourd'hui encore, de tels charismes ont été donnés à certains par ce

ἐπὶ τῶν ὀλίγῳ προτέρων· καὶ περὶ τῶν μελλόντων εἶπον, καὶ δαίμονας ἐξέβαλον καὶ νόσων ἀπήλλαξαν εὐξάμενοι
10 μόνον, καὶ οὐ περιόντες ἔτι τῷ βίῳ μόνον, ἀλλ'ἤδη καὶ τάφοι τὸ ἴσον ἐδυνήθησαν, τῆς πνευματικῆς ἐνεργείας οὐδὲ νεκρῶν ἀφισταμένης τῶν μακαρίων.

10. Ἃ δὲ χριστιανοῖς ἑκάστοτε προμνᾶται τὸ μύρον, καὶ ὧν καιρὸς ἅπας ὁ χρόνος, χάρισμα εὐσεβείας καὶ εὐχῆς καὶ ἀγάπης καὶ σωφρονισμοῦ καὶ τῶν ἄλλων, ἃ τοῖς δεχομένοις αὐτοῖς ἐστιν ἐν καιρῷ. Εἰ καὶ τοὺς πολλοὺς τῶν
5 χριστιανῶν ταυτὶ διαφεύγει, καὶ ὅση τίς ἐστιν ἡ τοῦ μυστήριου δύναμις λέληθε, καὶ κατὰ τὸ ἐν ταῖς Πράξεσιν εἰρημένον· «οὐδ' ὅτι Πνεῦμα Ἅγιόν ἐστιν ἔγνωσαν[a]» — παρ' αὐτὸ μὲν τὸ τελεῖσθαι τῷ πρὸ τῆς ἡλικίας τοῦ μυστηρίου τυγχάνειν τῶν δώρων ἀναισθήτως διατεθέντες,
10 ἐπὶ δὲ τῆς ἡλικίας, ἐφ' ἃ μὴ δεῖ τετραμμένοι καὶ τὸν τῆς

ABCV MPW Gass Migne

9, 10 ἔτι : ἐν Gass
10, 4 τοὺς *om.* A Gass || 5 τίς : τί C

10. a. cf. Actes 19,2

7. Même pour la floraison charismatique de la période apostolique, Cabasilas attribue explicitement les charismes au mystère de la chrismation, et donc à l'institution ecclésiale : il se distingue formellement en cela du montanisme (cette hérésie des premiers siècles dans laquelle les «charismatiques» s'opposent à la hiérarchie). Cependant, Cabasilas revendique pour ces charismes le droit à l'existence dans les époques postérieures à l'âge apostolique, et jusqu'à son époque. Fait-il allusion à des événements précis de son temps ? En tous cas, les exemples qu'il donne sont des lieux-communs de l'hagiographie byzantine.

8. Les guérisons opérées auprès des tombeaux des saints sont aussi un thème hagiographique. L'importance que leur accorde Cabasilas est mise en lumière par ce passage de sa *Prière à Jésus Christ* : «même après la mort tu n'abandonnes pas leurs cadavres. Leurs cendres et même leurs ossements sont chargés de tes grâces (...). C'est pourquoi

mystère, de nos jours et aussi tout récemment[7] : ils ont parlé des choses futures, ils ont chassé des démons et délivré de maladies par leur seule prière, et non seulement durant leur vie, mais leurs tombeaux mêmes avaient encore le même pouvoir, car l'énergie de l'Esprit n'abandonne pas les corps morts des bienheureux[8].

Les charismes ordinaires

10. Cependant, ce que le chrême procure aux chrétiens à chaque fois, ce pour quoi tous les temps sont opportuns, c'est un charisme de piété, de prière, de charité, de maîtrise de soi et des autres dons[9] qui sont opportuns pour ceux qui les reçoivent. Et si ces dons passent inaperçus aux yeux de la plupart des chrétiens, s'ils ne voient pas combien la vertu du mystère est grande, et si, selon ce qui est rapporté dans les Actes des Apôtres, «ils ne savent pas qu'il y a un Esprit Saint[a]», — parce qu'au moment où ils ont été initiés ils étaient incapables de percevoir, ayant obtenu les dons du mystère avant l'âge de raison[10], et parce que lorsqu'ils furent en âge de comprendre ils

ils sont redoutables aux démons, remédient aux plaies des âmes et guérissent les maladies corporelles les plus incurables.» (éd. SALAVILLE, *Échos d'Orient* 35 (1936), p. 44-45).

9. Aux charismes exceptionnels, Cabasilas oppose les dons de l'Esprit donnés à tous. Il s'agit en fait de ce que Paul appelle les «fruits de l'Esprit» (*Gal.* 5, 22-23). Ces fruits sont pour Cabasilas des conséquences directes du mystère de la chrismation.

10. Témoignage, s'il en était besoin, de la pratique habituelle du baptême des petits enfants, alors que la description des rites du baptême, calquée sur les catéchèses des premiers siècles, semblait concerner surtout des baptêmes d'adultes. Sur le baptême reçu avant l'âge de raison, cf. SYM. N.T., *Cat.* II, (*SC* 96, p. 252-253). Mais alors que souvent cet argument est employé pour démontrer l'insuffisance du simple baptême d'eau qui n'est pas suivi du baptême de la pénitence, chez Cabasilas il sert au contraire à démontrer la perfection des mystères indépendamment de la conscience qu'on en a et de l'indignité de ceux qui ont été initiés.

ψυχῆς ἀποτυφλώσαντες ὀφθαλμόν — ὥς τό γε ἀληθὲς τὸ Πνεῦμα κοινωνεῖ τοῖς τελουμένοις τῶν ἑαυτοῦ, « διαιροῦν ἰδίᾳ ἑκάστῳ καθὼς βούλεται[b] » · καὶ οὐκ ἐπέλιπεν ἡμᾶς ὁ Δεσπότης εὐεργετῶν, οἷς ἐπηγγείλατο συνεῖναι μέχρι 15 παντός[c].

11. Οὐ γὰρ ἡ τελετὴ μάτην, ἀλλὰ καθάπερ ἄφεσιν ἁμαρτιῶν ἀπὸ τοῦ θεσπεσίου λουτροῦ, καὶ τῆς ἱερᾶς τραπέζης Χριστοῦ κομιζόμεθα σῶμα, καὶ οὐκ ἂν παύσαιτο ταῦτα μέχρις ἂν αὐτὸς φανερῶς ἡ τούτων ὑπόθεσις ἐπιστῇ · 5 τὸν ἴσον τρόπον καὶ τοῦ θειοτάτου μύρου χριστιανοὺς ἀπολαύειν ἃ προσῆκε καὶ τῶν δωρεῶν τοῦ Ἁγίου Πνεύματος μετέχειν πᾶσα ἀνάγκη. Ποῦ γὰρ ἀκόλουθον, τῶν ἱερῶν τελετῶν τὰς μὲν ἐνεργοὺς εἶναι, τῆς δὲ μηδὲν ὄφελος εἶναι, καὶ περὶ μὲν ἐκείνων κατὰ Παῦλον ἡγεῖσθαι « τὸν 10 ἐπαγγειλάμενον εἶναι πιστόν[a] », περὶ δὲ ταύτης ἀμφιγνοεῖν ; Δέον ἢ μηδεμιᾶς ἢ καὶ τῶν ἄλλων τὰ ἴσα καταψηφίζεσθαι, (576) τῆς αὐτῆς δυνάμεως διὰ πασῶν ἐνεργούσης | καὶ μιᾶς σφαγῆς ἑνὸς ἀμνοῦ καὶ ταὐτοῦ θανάτου καὶ αἵματος τὴν τελείωσιν ἁπάσαις παρεχομένων.

12. Δίδοται τοίνυν ἀληθῶς τὸ Πνεῦμα τὸ Ἅγιον, τοῖς μὲν ἵνα τοὺς ἄλλους εὖ ποιῆσαι δυνηθῶσι καί, ᾗ φησὶ Παῦλος, « Ἐκκλησίαν οἰκοδομῆσαι[a] », περὶ τοῦ μέλλοντος εἰπόντες, ἢ μυστήρια διδάξαντες, ἢ νόσων ἀπαλλάξαντες 5 λόγῳ · τοῖς δὲ ὅπως αὐτοὶ γένωνται βελτίους, εὐσεβείᾳ λάμψαντες ἢ σωφροσύνης ἢ ἀγάπης ἢ ταπεινοφροσύνης ὑπερβολῇ.

ABCV MPW Gass Migne

11, 8 τῆς : τὰς A

12, 1 τὸ Πνεῦμα *om.* Gass || 4 ἢ — ἀπαλλάξαντες *om.* C || 6 ἢ ἀγάπης ἢ ταπεινοφροσύνης *om.* C

---

10. b. I Cor. 12,11 || c. cf. Matth. 28,20

11. a. cf. Hébr. 10,23

12. a. cf. I Cor. 14,5

avaient pris le mauvais chemin et avaient aveuglé l'œil de leur âme — il n'en est pas moins vrai que l'Esprit communique ses dons à ceux qui sont chrismés, les «distribuant à chacun en particulier comme il l'entend[b]»; et le Maître n'a pas cessé de nous combler de bienfaits, lui qui nous a promis d'être avec nous pour toujours[c].

Efficacité de la chrismation

11. Ce mystère n'est pas donné en vain; de même que nous obtenons du bain sacré la rémission des péchés et de la sainte Table le corps du Christ, et que cela ne peut cesser jusqu'à ce qu'advienne clairement celui qui en est le fondement, de même aussi les chrétiens retirent de toute nécessité du saint chrême le profit qui leur convient, et participent aux dons du Saint Esprit. Serait-il logique en effet que parmi les rites sacrés les uns soient efficaces, et l'autre complètement inutile? Que pour les autres on doive penser, selon la parole de Paul, que «celui qui a promis est fidèle[a]», et que pour celui-là ce soit douteux? Il faut ou bien n'en condamner aucun, ou bien condamner les autres pareillement, puisque c'est la même vertu qui agit en tous, et que c'est une seule immolation d'un seul agneau, la même mort et le même sang qui confèrent l'efficacité à tous les mystères.

12. L'Esprit Saint est donc donné en vérité, aux uns pour qu'ils puissent faire du bien à leur prochain et, comme l'écrit Paul, «pour édifier l'Église[a]», en parlant de la vie future, en enseignant des mystères ou en délivrant des maladies par une parole; aux autres pour qu'ils deviennent eux-mêmes meilleurs, resplendissants par la piété ou par la surabondance de leur tempérance, de leur charité ou de leur humilité.

13. Καὶ γὰρ ἔστι μὲν σωφρονῆσαι λογισμῷ καὶ ἔθει χρησάμενον, καὶ τὸ ἦθος εἰς δικαιοσύνην ἀσκῆσαι καὶ εὔξασθαι καὶ ἀγαπῆσαι καὶ τἄλλα δὴ γενέσθαι σπουδαῖον· ἔστι δὲ καὶ παρὰ Θεοῦ κινούμενον τὴν γνώμην, παθῶν
5 κρατῆσαι καὶ φιλανθρωπεύσασθαι καὶ δικαιοπραγῆσαι, καὶ τὴν ἄλλην ἐπιδεδεῖχθαι φιλοσοφίαν. Καθάπερ γὰρ κακίαι θηριώδεις εἰσὶν ἐν ἀνθρώποις ὑπὸ τῶν πονηρῶν ἐνεργουμένοις πνευμάτων, οὕτω καὶ τοὐναντίον ἀρεταὶ θεῖαι καὶ ὑπὲρ τὸν ἀνθρώπινον νόμον αὐτοῦ κινοῦντος τοῦ Θεοῦ, ὃν
10 τρόπον ἠγάπησε μὲν ὁ μακάριος Παῦλος, πρᾷος δὲ ἦν ὁ Δαβίδ[a], καὶ ἄλλος ἄλλο τι τῶν ἐπαινουμένων ὑπὲρ τὸν εἰκότα τοῖς ἀνθρώποις ἐπεδείξατο λόγον. Ὁ μὲν γὰρ φιλεῖν ἔγραψε Φιλιππησίοις «ἐν σπλάγχνοις Ἰησοῦ Χριστοῦ[b]»· περὶ δὲ τοῦ Δαβίδ· «Εὗρον, φησὶν ὁ Θεός, ἄνδρα κατὰ τὴν
15 καρδίαν μου[c]». Καὶ μὴν καὶ πίστις δῶρόν ἐστι πνευματικόν, ὃ δέονται λαβεῖν οἱ ἀπόστολοι τοῦ Σωτῆρος, «Πρόσθες ἡμῖν, λέγοντες, πίστιν[d]»· καὶ αὐτὸς εὔχεται αὐτοῖς ἁγιασμὸν παρὰ τοῦ Πατρός, «ἁγίασον αὐτούς, λέγων, ἐν τῇ ἀληθείᾳ σου[e]»· καὶ «δίδωσιν ὁ Θεὸς εὐχὴν
20 τῷ εὐχομένῳ[f]», καὶ «αὐτὸ τὸ Πνεῦμα ἐντυγχάνει ὑπὲρ ἡμῶν στεναγμοῖς ἀλαλήτοις[g]», δύναμιν εὐχῆς οἶμαι παρέχον. Καὶ ὅλως τὸν λόγον τοῦτον «πνεῦμα σοφίας» ἐστὶ τὸ Πνεῦμα τὸ Ἅγιον καὶ «πνεῦμα συνέσεως καὶ βουλῆς καὶ ἰσχύος καὶ εὐσεβείας[h]» καὶ τῶν ἄλλων ὧν ἐπωνύμους
25 δείκνυσιν, οἷς μεταδίδωσι τῶν αὐτοῦ.

ABCV MPW Gass Migne

13, 4 δὲ : γὰρ C || 19 λέγων : φησί V

---

13. a. cf. Ps. 131,1 || b. Phil. 1,8 || c. Actes 13,22 ; cf. Ps. 88,21 ; I Sam. 13,14 || d. Lc 17,5 || e. cf. Jn 17,17 || f. cf. I Sam. 2,9 || g. Rom. 8,26 || h. cf. Is. 11,2

Les fruits de l'Esprit

13. En effet, il est certes possible d'être tempérant à force de réflexion et d'entraînement, d'exercer ses mœurs à la justice, de prier, d'aimer et de devenir zélé pour toutes les autres vertus ; mais il est possible aussi, en étant mu dans sa volonté par Dieu, de triompher des passions, d'aimer les autres hommes, de pratiquer la justice et de faire preuve de toutes les autres formes de sagesse. De même qu'il existe des vices semblables à des bêtes féroces[11] chez les hommes qui sont animés par les esprits mauvais, de même à l'inverse il existe de saintes vertus, dépassant la norme humaine, lorsque c'est Dieu lui-même qui meut : c'est de cette façon que le bienheureux Paul aima, que David fut plein de douceur[a], quel tel autre fit preuve de quelque autre louable vertu dépassant la raison humaine. Car le premier écrivit aux Philippiens qu'il les aimait « dans les entrailles de Jésus-Christ[b] » ; et au sujet de David Dieu dit : « J'ai trouvé un homme selon mon cœur[c]. » Même la foi est un don de l'Esprit, que les apôtres prient le Seigneur de leur donner quand ils disent : « augmente en nous la foi[d] » ; et lui-même demande au Père dans sa prière leur sanctification en disant : « sanctifie-les dans ta vérité[e] » ; « c'est Dieu qui donne la prière à celui qui prie[f][12] », et « l'Esprit lui-même intercède pour nous en des gémissements inexprimables[g] » procurant, je pense, l'efficacité à la prière. Pour tout dire sur ce point, l'Esprit Saint est « un esprit de sagesse, d'intelligence, de conseil, de force, de piété[h] » et de toutes les autres vertus dont il montre que prennent les noms ceux à qui il communique ses dons.

11. Image classique de la littérature ascétique.
12. Cf. *Liturgie*, XLI, 3 (p. 238-239).

14. Πάντας μὲν οὖν τοὺς μεμυημένους τὰ ἑαυτου ποιεῖ τὸ μυστήριον· αἴθησις δὲ τῶν δώρων καὶ σπουδὴ περὶ τὸν πλοῦτον ὥστε χρήσασθαι τοῖς δεδομένοις, οὐ πᾶσι· τοῖς μὲν διὰ τὴν ἡλικίαν οὔπω λαβεῖν νοῦν δυνηθεῖσι, τοῖς δὲ
5 τῷ μὴ παρεσκευάσθαι μηδὲ τὴν γιγνομένην ἐπιδείξασθαι προθυμίαν· ὧν ἐνίοις ὕστερον ὧν ἥμαρτον μετάνοια καὶ δάκρυα καὶ βίος κατὰ τὸν ὀρθὸν λόγον τὴν ἐντεθεῖσαν ταῖς ψυχαῖς ὑπέδειξε χάριν. Ὅθεν καὶ Παῦλος Τιμοθέῳ γράφων «Μὴ ἀμέλει, φησί, τοῦ ἐν σοὶ χαρίσματος[a]», ὡς οὐδὲν ὂν
10 πλέον ἡμῖν καὶ τὸ δῶρον δεξαμένοις ἂν ῥᾳθυμῶμεν, καὶ ὅτι δεῖ πόνου καὶ ἀγρυπνίας τοῖς βουλομένοις ἐνεργὸν τὰ τοιαῦτα τὴν ψυχὴν ἔχειν.

15. Ὥστε εἴ τις τῶν σπουδαίων ἀγάπῃ φαίνεται διενεγκὼν ἢ καθαρότητι σωφροσύνης ἢ ταπεινοφροσύνης ὑπερβολῇ ἢ εὐσεβείας ἢ τῶν τοιούτων τινὸς ὑπὲρ τὸ εἰκὸς τῶν ἀνθρώπων, τούτων αἰτιᾶσθαι δεῖ τὸ θειότατον μύρον καὶ
5 πιστεύειν αὐτῷ δεδόσθαι μέν, ὅτε τοῦ μυστηρίου μετεῖχε τὸ δῶρον, γενέσθαι δὲ ἐνεργὸν ὕστερον· τὸν ἴσον τρόπον καὶ περὶ τῶν ἀκριβῶς μελλόντων λέγειν εἰδέναι, καὶ τοῖς τὴν γνώμην ἐλαυνομένοις καὶ ἄλλως ἀσθενοῦς ἀσθενοῦσι,
(577) σωτῆρας εἶναι | πέρα μηχανῆς ἁπάσης, καὶ τἄλλα τοὺς
10 ἐπιδειξαμένους, ἀπὸ τοῦ μυστηρίου λαβόντας ἔχειν.

16. Εἰ γὰρ μήτε παρ' αὐτὸ τὸ τελεῖσθαι τὸ μυστήριον ἐνεργοὺς δείκνυσι τοὺς τελουμένους τὰς πνευματικὰς

ABCV MPW Gass Migne

14, 5 τῷ : τὸ P[ac] Gass
15, 5 αὐτῷ : αὐτὸ C

14. a. I Tim. 4,14

13. Cabasilas se sépare nettement de ceux qui, tel Sym. N.T., exigent la «conscience de la grâce». Pour lui, la réalité de la grâce

Inégalité des effets visibles

14. Le mystère produit ses effets en tous ceux qui ont été initiés ; mais la perception des dons et le zèle envers ce trésor, pour tirer profit de ce qui est donné, tous ne les ont pas[13] : les uns parce qu'ils ne sont pas encore capables, de par leur âge, d'en prendre conscience ; les autres parce qu'ils ne se sont pas préparés et n'ont pas fait la preuve de leur empressement ; chez certains d'entre eux, par la suite, le repentir de leurs péchés, les larmes, une vie selon la droite raison ont révélé la grâce qui avait été infusée dans leurs âmes. Aussi Paul écrit-il à Timothée : « Ne néglige pas le charisme qui est en toi[a] », signifiant par là que même après avoir reçu le don nous n'en aurions rien de plus si nous le négligions, et que ceux qui veulent que ces dons soient agissants dans leurs âmes doivent user de peines et de veilles.

15. Si donc quelque homme fervent se distingue clairement par sa charité, par la pureté de sa tempérance ou par la surabondance de son humilité ou de sa piété ou de quelque autre vertu, au delà des possibilités humaines, il faut l'attribuer au saint chrême et croire que cela lui a été donné quand il a reçu le don du mystère, mais que c'est devenu agissant par la suite ; il faut croire de même aussi à propos de ceux qui seront capables de parler avec précision et de sauver, au-delà de tout art, les malades atteints de dérangement d'esprit ou de tout autre mal, et que ceux qui ont manifesté d'autres dons encore ont reçu cela du mystère.

16. En effet, si au moment de l'initiation le mystère ne montre pas ceux qui l'ont reçu capables de mettre en

reçue dépend des mystères eux-mêmes et non de la perception qu'en ont ceux qui la reçoivent.

ἐνεργείας, μήτε ὧν χρόνῳ ὕστερον αὐτοὶ πνευματικῶς ἐνεργοῦσι, τὴν τελετὴν αἰτιᾶσθαι προσῆκε, τί δεῖ καὶ
5 μυηθῆναι ; πρὸς τί δ' ἂν ἡμῖν ἡ τοῦ μύρου τοῦ θείου μύησις ἔτι φέροι, χορηγεῖν ὑπὲρ οὗ ζητεῖται μὴ δυναμένη ;

17. Καί οὐδὲ ἐκεῖνο εἰκότως ἔστιν εἰπεῖν, ὡς εἰ μὴ ταῦτα ἀπολαύσομεν τοῦ χρίσματος, ἄλλο τι δύναιτ' ἂν ἡμῖν ἡ τελετὴ βοηθεῖν. Εἰ γὰρ ἅπερ ἐπαγγέλλεται, καὶ πρὸς ἃ πᾶσα φέρεται, καὶ περὶ ὧν ὁ τελεστὴς εὔχεται, καὶ ἃ πείθει
5 τὸν τελούμενον ὡς αὐτίκα λήψεται, τούτων τυχεῖν οὐ δίδωσιν, ἄλλο τῇ τῶν ἀγαθῶν ἐκεῖθεν σχολῇ γε δεῖ προσδοκᾶν. Εἰ δ' οὐ μάτην τὸ μυστήριον, ὅτι μηδὲ ἄλλο τῶν χριστιανικῶν οὐδέν — « Οὐ γὰρ κενόν, φησί, τὸ κήρυγμα ἡμῶν, οὐδὲ ματαία ἡ πίστις ἡμῶν[a] » · εἴ τινα πνευματικὴν
10 ἐνέργειαν εὑρεῖν ἔστιν ἐν ἀνθρώποις καὶ τοῦ κύκλου τῶν ἐκεῖθεν χαρίτων, εἰς τὰς εὐχὰς ἀναφέρειν ἀνάγκη ταύτας καὶ τὸ χρῖσμα τὸ ἱερόν.

18. Ὅλως γὰρ οὔτε ἔστιν, οὐκ ἔστιν οὐδὲν ἀγαθόν, ὃ τῷ Θεῷ διαλλαγεῖσιν ὑπῆρξεν ἐκεῖθεν ἀνθρώποις, ὃ μὴ διὰ τοῦ καταστάντος Θεοῦ καὶ ἀνθρώπων ἡμῖν παρεσχέθη μεσίτου[a] · οὔτε τὸν μεσίτην εὑρεῖν καὶ λαβεῖν καὶ τῶν
5 ἐκείνου τυχεῖν ἄλλο τι δίδωσιν ἡμῖν τῶν ἁπάντων ἢ τὰ μυστήρια. Ταῦτα γὰρ συγγενεῖς ἡμᾶς ποιεῖ τῶν αἱμάτων ἐκείνων, καὶ ὧν εἴληφε διὰ τὴν σάρκα χαρίτων καὶ ὧν παθεῖν ἠνέσχετο κοινωνούς[b].

ABCV ˙MPW Gass Migne

16, 5 ἡμῖν *om.* A
17, 8 χριστιανικῶν ABCV Gass

17, 8 χριστιανικῶν ABCV Gass χριστιανῶν *cett.*
18. a. cf. I Tim. 2,5 ; Hébr. 12,24 || b. cf. I Pierre 4,13

œuvre les activités spirituelles, et si on ne peut lui attribuer non plus les œuvres spirituelles qu'ils accomplissent par la suite, à quoi bon avoir été initié ? A quoi peut bien encore nous être utile l'onction du saint chrême, si elle n'est pas à même de fournir ce pour quoi on la recherche ?

Le mystère ne donne que ce qu'il promet

17. Et qu'on dise pas que, si nous ne retirons pas ce profit là de la chrismation, l'initiation pourrait nous être utile à autre chose. Car si ce qui est promis, ce à quoi elle tend tout entière, ce que le célébrant demande dans sa prière, et dont il convainc l'homme que l'on chrisme qu'il va aussitôt le recevoir[14], si cela, le mystère ne le donne pas, il ne faut pas s'attendre à en recevoir quelque autre bien que ce soit. Mais si le mystère n'est pas vain, parce que rien d'autre ne l'est dans le christianisme — «notre proclamation n'est pas vide, dit l'Écriture, et vaine n'est pas notre foi[a]» —, toute activité spirituelle que l'on peut trouver dans les hommes et qui appartient au cycle des grâces de ce mystère doit être rapportée à ces prières et à la sainte chrismation.

18. Car, en un mot, il n'est aucun bien, non, aucun, qui soit accordé aux hommes une fois réconciliés avec Dieu, et qui ne leur soit procuré par celui qui est établi pour nous médiateur[15] entre Dieu et les hommes[a] ; or rencontrer le médiateur, le saisir, recevoir ses bienfaits, rien d'autre absolument ne nous le donne que les mystères. Ce sont eux qui nous apparentent à son sang, et nous font partager les grâces qu'il a reçues par sa chair et les souffrances qu'il a supportées[b].

14. Allusion à la prière de bénédiction qui précède immédiatement la chrismation. Goar, p. 290-291.
15. Cf. *Liturgie*, XLIV, 1.

19. Ἐπεὶ γὰρ δυοῖν ὄντοιν, ἃ τῷ Θεῷ συνίστησι καὶ ἐν οἷς πᾶσα τῶν ἀνθρώπων ἡ σωτηρία, τοῦ τε τὰ ἱερώτατα μυστήρια μυηθῆναι, καὶ τοῦ πρὸς ἀρετὴν ἀσκῆσαι τὴν γνώμην, τοῦ δευτέρου, λέγω δὴ τῆς ἀνθρωπείας σπουδῆς, 5 οὐδὲν ἄλλο γένοιτ' ἂν ἔργον ἢ τὰ δοθέντα σῶσαι καὶ μὴ προδοῦναι τὸν θησαυρόν· λείπεται δὴ μόνην χορηγὸν ἡμῖν τῶν ἀγαθῶν ἁπάντων τὴν τῶν μυστηρίων δύναμιν εἶναι.

20. Καὶ μὴν τῶν τελετῶν ἄλλης μὲν ἔργον ἄλλο τι, Πνεύματος δὲ καὶ τῶν ἐκείνου μετειληφέναι δώρων, τοῦ παναγοῦς ἐξήρτηται μύρου· διὰ ταῦτα κἂν μὴ παρ' αὐτὸν τὸν τῆς τελετῆς χρόνον, ὕστερον δὲ πολλῷ πνευματικὴν 5 δυνηθῇ τις ἐπιδείξασθαι δωρεάν, οὐ δεῖ τὴν αἰτίαν καὶ ὅθεν ἡ δύναμις ἀγνοεῖν· ἐπεὶ καὶ ὁ τοῦ βαπτίσματος φωτισμὸς ἐνίεται μὲν εὐθὺς λουσαμένων ταῖς τῶν τελουμένων ψυχαῖς, ἔστι δὲ τηνικαῦτα δῆλος οὐ πᾶσιν, ἐνίοις δὲ τῶν σπουδαίων διὰ χρόνου φαίνεται, ἱδρῶσι πολλοῖς καὶ πόνοις, καὶ τῇ 10 περὶ τὸν Χριστὸν ἀγάπῃ τὸν τῆς ψυχῆς καθάρασιν ὀφθαλμόν.

21. Διὰ τοῦτο τὸ μύρον προσευχῆς μὲν οἶκοι πρὸς τὰς εὐχὰς ἡμῖν βοηθοῦσι· χριόμενοι γὰρ τῷ μύρῳ τοῦτ' αὐτὸ γίνονται ἡμῖν ὃ καλοῦνται, διότι τὸ «κενωθὲν μύρον[a]» «παράκλητος» ἡμῖν ἔστι «πρὸς τὸν Θεὸν καὶ Πατέρα[b]»,

ABCV MPW Gass Migne

19, 4 λέγω P *mg.*
21, 2 ἡμῖν M sup. lin. P sup. lin.

21. a. cf. Cant. 1,3 || b. cf. I Jn 2,1

16. Cf. *Liturgie,* XXIX, 17.

GRÂCE DES MYSTÈRES ET LIBERTÉ HUMAINE

19. Puisqu'il y a deux choses qui nous réunissent à Dieu et en lesquelles se trouve tout le salut des hommes, à savoir être initié aux très saints mystères et exercer notre volonté à la vertu, et puisque la seconde, je veux dire la ferveur humaine, n'a pas d'autre rôle que de conserver ce qui a été donné et de ne pas livrer le trésor, il résulte que ce qui nous transmet tous les biens, c'est la seule vertu des mystères.

20. Les rites ayant chacun des effets différents, la participation à l'Esprit et à ses dons dépend du très saint chrême ; c'est pourquoi, même si ce n'est pas au moment où il le reçoit, mais beaucoup plus tard, que quelqu'un est capable de manifester un don spirituel, il ne faut pas ignorer quelle en est la cause, ni d'où vient sa vertu ; en effet, même l'illumination du baptême, bien qu'elle soit envoyée dans les âmes des baptisés dès qu'ils sont baignés, n'est cependant pas évidente aussitôt chez tous : chez certains hommes fervents, elle apparaît avec le temps, quand par beaucoup de fatigues, de peines et de charité envers le Christ ils ont purifié l'œil de leur âme.

AUTRES EFFETS DU CHRÊME

Consécration des églises et des autels

21. C'est grâce à ce chrême que les maisons de prière favorisent notre prière[16]. Car c'est en étant chrismées qu'elles deviennent pour nous cela même dont on les nomme : en effet, si le « chrême qui s'épanche[a] » est pour nous un « avocat auprès de Dieu le Père[b] », c'est parce qu'il

5 δι' αὐτὸ τοῦτο ὅτι κεκένωται[c] καὶ χρῖσμα γέγονε, καὶ μέχρι τῆς φύσεως ἐχέθη τῆς ἡμετέρας. Τὰ θυσιαστήρια δὲ τὴν (580) τοῦ Σωτῆρος μιμεῖται χεῖρα, | καὶ τὸν ἄρτον ἀπὸ τῆς ἀληλιμμένης τραπέζης ὥσπερ ἀπὸ τῆς ἀκηράτου χειρὸς ἐκείνης Χριστοῦ κομιζόμεθα σῶμα, καὶ πίνομεν τοῦ αἵματος 10 αὐτοῦ, καθάπερ οἷς πρώτοις ὁ Δεσπότης τῆς ἱερᾶς ἐκοινώνησε τραπέζης, τῆς φρίκης γέμουσαν φιλοτησίαν προπίνων.

22. Ἐπεὶ γὰρ ὁ αὐτὸς καὶ ἱερεύς ἐστι καὶ θυσιαστήριον καὶ θυσία, καὶ προσάγων καὶ δι' οὗ προσάγει καὶ ὃ προσάγει, τοῖς μυστηρίοις διεῖλεν, ἐκεῖνο μὲν τῷ τῆς εὐλογίας ἄρτῳ[a], ταῦτα δὲ τῷ μύρῳ διδούς. Καὶ γὰρ θυσιαστήριον μέν ἐστιν 5 ὁ Σωτὴρ καὶ θύων διὰ τὸ χρῖσμα· τό τε γὰρ θυσιαστήριον ἄνωθεν οὕτω καθίστατο χριόμενον[b], τοῖς τε ἱερεῦσι τοῦτο ἦν ἱερεῦσι εἶναι τὸ χριστοῖς εἶναι[c]. Θυσία δὲ διὰ τὸν σταυρὸν καὶ τὸν θάνατον ἀνθ' ὧν ὑπὲρ τῆς τοῦ Θεοῦ καὶ Πατρὸς ἀπέθανε δόξης[d]· «τὸν θάνατον δὲ καταγγέλλομεν ἐκεῖνον 10 καὶ τὴν σφαγήν, ὁσάκις, φησί, τὸν ἄρτον τοῦτον ἐσθίομεν[e]».

23. Ἔτι δέ, μύρον μέν ἐστιν ὁ Χριστὸς καὶ χρῖσμα διὰ τὸ Πνεῦμα τὸ Ἅγιον, δι' ὃ δρᾶσαι μὲν τὰ ἱερώτατα πάντων καὶ ἁγιάσαι, ἁγιασθῆναι δὲ καὶ ὁτιοῦν παθεῖν οὐδὲν εἶχε· ταῦτα δὲ θυσιαστηρίου τε ἦν καὶ θύοντος καὶ προσάγοντος, 5 οὐ προσαγομένου καὶ θυομένου· καὶ γὰρ καὶ τὸ θυσιαστήριον ἁγιάζειν λέγεται· «Τὸ θυσιαστήριον γάρ, φησί, τὸ ἁγιάζον τὸ δῶρον[a]». Ἄρτος δὲ τῆς σαρκὸς ἕνεκα τῆς

ABCV MPW Gass Migne

22, 9 δὲ *om.* C || ἐκεῖνον *om.* Gass
23, 1 Χριστὸς : Κύριος ABCV

---

21. c. cf. Phil. 2,7
22. a. cf. I Cor. 10,16 || b. cf. Ex. 30,28-29 || c. cf. Ex. 30,30 || d. cf. Jn 13,31-32 || e. cf. I Cor. 11,26
23. a. Matth. 23,19

---

17. Cf. l. II, p. 175, n. 45.
18. *Divine Liturgie de Jean Chrys.*, prière de l'hymne des Chérubins : «C'est toi en effet qui offres et qui es offert» (GOAR, p. 58).

a été répandu, qu'il est devenu chrismation, et qu'il s'est épanché[c] jusqu'à notre nature. Les autels, eux, représentent la main du Sauveur, et nous recevons le pain de la table consacrée par l'onction comme nous recevons le corps du Christ de sa main toute pure ; de même nous buvons son sang comme ceux à qui en premier le Maître a donné part à la sainte Table, le jour où il levait à leur santé sa coupe d'amertume[17].

Chrismation et Divine Liturgie

22. Puisque c'est le même qui est prêtre, autel et victime, celui qui offre, ce par quoi il offre et ce qui est offert[18], il a réparti ses fonctions entre les mystères, donnant l'une au pain de bénédiction[a] et les autres au chrême. En effet, par la chrismation le Sauveur est autel et sacrificateur : car l'autel depuis l'origine est constitué comme autel en étant chrismé[b], et pour les prêtres, être prêtre consistait justement à être christ[c]. Mais il est victime par la croix et la mort qu'il a reçues en partage quand il est mort pour la gloire de Dieu son Père[d] ; et «nous annonçons cette mort et cette immolation, dit l'Écriture, chaque fois que nous mangeons ce pain[e].»

23. Autre chose encore : Le Christ est chrême et chrismation par l'Esprit Saint, et c'est pourquoi il pouvait accomplir les fonctions les plus sacrées de toutes et consacrer, mais il ne pouvait pas être consacré ni subir quelque action que ce fût ; il avait les fonctions de l'autel, du sacrificateur, de celui qui offre, non de celui qui est offert et sacrifié ; car l'autel est dit consacrer : «l'autel qui consacre l'offrance», dit l'Écriture[a19]. Mais s'il est pain,

Cabasilas reprend ce thème dans *Liturgie*, XXX, 8-11 (cf. aussi p. 374-377).

19. Même citation scripturaire dans le passage de *Liturgie* cité note précédente.

ἁγιασθείσης καὶ θεωθείσης, καὶ ἄμφω ταῦτα, τό τε χρῖσμα δεξαμένης καὶ τὴν πληγήν. «Ὁ γὰρ ἄρτος, φησίν, ὃν ἐγὼ
10 δώσω, ἡ σάρξ μου ἐστίν»· «ἣν ἐγὼ δώσω» δηλονότι θύων, «ὑπὲρ τῆς τοῦ κόσμου ζωῆς[b]». Διὰ ταῦτα προσάγεται μὲν ὡς ἄρτος, προσάγει δὲ ὡς μύρον, καὶ ἑαυτὸν τὴν σάρκα θεώσας, καὶ ἡμᾶς λαμβάνων τοῦ χρίσματος κοινωνούς.

24. Ὧν Ἰακὼβ ὑποφαίνων τὸν τύπον ἐλαίῳ λίθον ἀλείψας ἀνέθηκε τῷ Θεῷ[a], τούτῳ δὴ τῷ χρῖσαι προσαγαγών· εἴτε τὴν σάρκα τοῦ Σωτῆρος «τὸν ἀκρογωνιαῖον[b]» αἰνιττόμενος λίθον, ᾗ τὸ τῆς θεότητος ἐπέχες μύρον ὁ ἀληθινὸς Ἰσραήλ,
5 ὁ νοῦς ὁ μόνος «εἰδὼς τὸν Πατέρα[c]»· εἴτε ἡμᾶς, οὓς «ἐκ τῶν λίθων αὐτὸς ἐγείρει τέκνα τῷ Ἀβραάμ[d]» τῷ μεταδοῦναι τοῦ χρίσματος. Τὸ γὰρ Πνεῦμα τὸ Ἅγιον ἐπιχεόμενον χριομένοις τά τε ἄλλα ἡμῖν καὶ «πνεῦμα υἱοθεσίας[e]» ἐστὶ καὶ «μαρτυρεῖ, φησί, τῷ πνεύματι ἡμῶν ὅτι ἐσμὲν τέκνα
10 Θεοῦ[f]», «ἐν ταῖς καρδίαις ἡμῶν κρᾶζον Ἀββᾶ ὁ Πατήρ[g]».
Τοιαῦτα βοηθεῖ τὸ θειόθατον μύρον τοῖς ζῆν ἐν Χριστῷ βουλομένοις.

ABCV MPW Gass Migne

24, 11 ζῆν : ζωὴν V^{ac}

---

23. b. Jn 6, 51

24. a. cf. Gen. 28, 18 ‖ b. Éphés. 2, 20 ; I Pierre 2, 6. Cf. Matth. 21, 42 ; Act. 4, 11 ‖ c. cf. Jn 7, 29 ‖ d. cf. Matth. 3, 9 ‖ e. Rom. 8, 15 ‖ f. cf. Rom. 8, 16 ‖ g. Rom. 8, 15 c'est à cause de sa chair consacrée et déifiée, qui a reçu les deux : la chrismation et les plaies ; car «le pain que moi je donnerai, dit-il, c'est ma chair» — «que je donnerai», je veux dire en la sacrifiant — «pour la vie du monde[b].» Voilà pourquoi comme pain il est offert, et comme chrême il offre, et il offre d'abord lui-même en déifiant sa chair, et nous ensuite quand il nous fait partager sa chrismation.

24. De tout cela Jacob laissa entrevoir le type lorsqu'il oignit d'huile une pierre et la dédia à Dieu[a], l'offrant par le fait même de la chrismer ; il symbolisait ainsi soit la chair du Sauveur, la «pierre angulaire[b]» sur laquelle le véritable Israël, le seul esprit qui «connaisse le Père[c][20]», a répandu le chrême de la divinité ; soit nous-mêmes, ces «enfants que des pierres il fait lever pour Abraham[d]», en nous communiquant la chrismation. Car l'Esprit Saint qui est répandu sur ceux qui sont chrismés est, entre autres, un «esprit d'adoption[e]» et, dit l'Écriture, il «témoigne à notre esprit que nous sommes enfants de Dieu[f]», quand il s'écrie en nos cœurs : Abba, Père[g].»

Tel est le secours que le très saint chrême apporte à ceux qui veulent vivre en Christ.

20. L'étymologie d'Israël comme «l'esprit qui voit Dieu» vient des Pères. On la trouve par exemple chez Or., *Princ.*, IV, 3, 8 (*SC* 268, p. 370-371 ; cf. commentaire *SC* 269, p. 212, n. 47-47 a). Sur l'assimilation du Christ à Israël, cf. Or., *In Ioh.*, I, 260 (*SC* 120, p. 188-189).

LIVRE IV

(*PG* 581) Λόγος τέταρτος· τίνα συντέλειαν αὐτῇ δίδωσιν ἡ ἱερὰ κοινωνία.

1. Μετὰ δὲ τὸ μύρον, ἐπὶ τὴν τράπεζαν εἶμεν· τοῦτο τῆς ζωῆς τὸ πέρας, οὗ γενομένοις οὐδενὸς ἤδη δεήσει πρὸς τὴν ζητουμένην εὐδαιμονίαν. Οὐκέτι γὰρ θάνατον καὶ τάφον καὶ ζωῆς ἀμείνονος κοινωνίαν, ἀλλ᾽ αὐτὸν ἐντεῦθεν κομιζό-
5 μεθα τὸν ἀναστάντα· οὐδὲ τῶν τοῦ Πνεύματος δώρων, ὅσα λαβεῖν ἔξεστιν, ἀλλ᾽ αὐτὸν τὸν εὐεργέτην, τὸν νεὼν αὐτόν, ᾧ πᾶς ὁ τῶν χαρίτων ἵδρυται κύκλος.

2. Ἔστι μὲν γὰρ ἐφ᾽ ἑκάστῳ τῶν μυστηρίων· καὶ τοῦτον αὐτὸν καὶ χριόμεθα καὶ λουόμεθα καὶ οὗτος ἡμῖν τὸ δεῖπνον. Σύνεστι δὲ τοῖς τελουμένοις καὶ τῶν αὐτοῦ μεταδίδωσιν, οὐ τὸν αὐτὸν ἐν ἅπασι τρόπον· ἀλλὰ λούων μὲν κακίας τὸν
5 πηλὸν ἀπαλλάττει καὶ τὴν μορφὴν ἐντίθησιν αὐτῷ τὴν αὐτοῦ· χρίων δὲ ἐνεργὸν ποιεῖται τὰς τοῦ Πνεύματος ἐνεργείας, ὧν αὐτὸς ἐγένετο τῆς σαρκὸς ἕνεκα θησαυρός.

ABCV MPW Gass Migne

Titre : δίδωσιν — κοινωνία : τὸ ἱερὸν παρέχεται δεῖπνον ABV
1, 7 *ante* ᾧ *add.* ἐν ABCV
2, 2 λούμεθα ABM[ac]W ‖ 4 τρόποις ‖ 6 ποιεῖ ABCV ‖ Ἁγίου *ante* Πνεύματος *add.* ABC

1. Alors que pour le baptême et la chrismation, Cabasilas donne une description commentée des rites, il l'omet pour l'Eucharistie :

LIVRE IV

Quel achèvement la sainte communion donne-t-elle à la vie en Christ[1] ?

L'EUCHARISTIE EST LE SOMMET DES MYSTÈRES

1. Après le chrême, c'est à la Table que nous en venons ; là est la cime de la vie, plus rien ne manque au bonheur recherché quand on l'a atteinte. Car ce n'est plus une mort, une sépulture et le partage d'une vie meilleure que nous en retirons, mais le ressuscité lui-même ; et ce ne sont plus les dons de l'Esprit, si nombreux qu'il soit possible de les recevoir, mais le donateur lui-même, le temple même sur lequel est fondé tout le cycle des grâces.

2. Certes il est présent à chaque mystère ; c'est en lui que nous sommes chrismés et baignés, c'est lui qui est notre repas. Mais s'il est uni à ceux qui sont initiés et leur communique ses biens, ce n'est pas de la même façon en tous les rites : quand il baigne, il affranchit l'argile du mal et lui imprime sa propre forme ; quand il chrisme, il rend agissantes les activités de l'Esprit dont lui-même est devenu, à cause de sa chair, le réceptacle. Mais quand il

indice de l'antériorité de *Liturgie* sur la *Vie en Christ*. Cabasilas avait déjà commenté les rites eucharistiques ; il se consacre ici au contenu du mystère.

Ἐπειδὰν δὲ ἐπὶ τὴν τράπεζαν ἀγάγῃ καὶ δῷ φαγεῖν τοῦ σώματος, ὅλον ἀμείβει τὸν τελεσθέντα καὶ πρὸς τὴν οἰκείαν
10 μετατίθησιν ἕξιν· καὶ ὁ πηλὸς οὐκέτι πηλός, τὸ βασιλικὸν δεχόμενος εἶδος, ἀλλ' αὐτὸς ἤδη σῶμα τοῦ βασιλέως, τούτου μακαριώτερον οὐδὲ ἔστιν ἐνθυμηθῆναι.

3. *Ὅτι τὸ πλήρωμα καὶ ἡ τελείωσις τῆς ἐν Χριστῷ ζωῆς ἀπὸ τῆς ἱερᾶς κοινωνίας.*

Διὰ τοῦτο καὶ τελευταῖον τὸ μυστήριον, ὅτι περαιτέρω προελθεῖν οὐκ ἔστιν οὐδὲ προσθεῖναι. Τὸ μὲν γὰρ πρῶτον
5 δῆλόν ἐστι τοῦ μέσου δεόμενον καὶ τοῦτο τοῦ τελευταίου· μετὰ δὲ τὴν Εὐχαριστίαν οὐκ ἔστιν ἐφ' ὃ χωροῦμεν, ἀλλ' ἐνταῦθα δεῖ στάντας ἐκεῖνα πειρᾶσθαι σκοπεῖν, δι' ὧν ἂν γένοιτο σῶσαι διὰ τέλους τὸν θησαυρόν. Καὶ τοίνυν βαπτισαμένους τὸ μυστήριον μὲν τὰ αὑτοῦ ἡμᾶς εἰργάσατο
10 πάντα· ἡμεῖς δὲ τελείως ἔτι δέομεν ἔχειν· οὔπω γὰρ τὰ δῶρα τοῦ Ἁγίου Πνεύματος, ἃ τοῦ παναγοῦς ἐξήρτηται μύρου. Τοῖς γὰρ ὑπὸ τοῦ Φιλίππου βαπτισαμένοις οὐ προσῆν οὐδέπω τὸ Πνεῦμα τὸ Ἅγιον τῶν χαρίτων ἕνεκα τούτων, ἀλλ' ἐδέησεν ὑπὲρ τούτου τῶν Ἰωάννου καὶ Πέτρου χειρῶν·
15 «οὔπω γάρ, φησίν, ἐπ' οὐδενὶ αὐτῶν ἐπιπεπτωκός, μόνον δὲ βεβαπτισμένοι ἦσαν εἰς τὸ ὄνομα τοῦ κυρίου Ἰησοῦ. Τότε ἐπετίθουν τὰς χεῖρας αὐτοῖς καὶ ἐλάμβανον Πνεῦμα Ἅγιον[a]».

4. Καὶ τούτου δὲ τυχόντες καὶ τῆς τελετῆς τὴν ἑαυτῆς δύναμιν ἐν ἡμῖν ἐπιδειξαμένης, τὴν μὲν δοθεῖσαν ἔχομεν
(584) χάριν, τἄλλα δὲ οὐ πάνυ συμβαίνειν ἀνάγκη | τῷ εὐεργέτῃ, ἀλλ' ἀδύνατον οὐδέν ἐστιν ὧν καὶ δίκας ὀφείλειν· καὶ οὐδὲν

ABCV MPW Gass Migne

3, 1-2 ABP *mg.* || 17 αὐτοῖς : ἐπ' αὐτοὺς ABCVW Gass
4, 1 τελευτῆς C

---

3. a. Act. 8, 16-17

conduit à la Table et donne son corps à manger, il change entièrement celui qu'il initie et lui donne en échange sa propre disposition ; et l'argile n'est plus de l'argile, qui a reçu la forme du roi, mais elle-même est devenue corps du roi, et l'on ne peut concevoir plus grand bonheur que celui-là.

3. *La plénitude et l'achèvement de la vie en Christ viennent de la sainte communion.*

C'est aussi pour cette raison que ce mystère vient en dernier : parce qu'on ne peut pas s'avancer plus loin, ni rien y ajouter[2]. En effet, le premier appelle évidemment le suivant, et celui-là le dernier ; mais après l'Eucharistie il n'est plus rien vers quoi on puisse tendre ; au contraire, ici il faut s'arrêter et tâcher de songer aux moyens de conserver jusqu'au bout ce trésor. Ainsi, quand nous avons été baptisés, le mystère a produit en nous tous ses effets, mais à nous il manque encore quelque chose pour être parfaits, car nous n'avons pas encore les dons du Saint Esprit, qui dépendent du très saint chrême. En ceux qui avaient été baptisés par Philippe, l'Esprit Saint ne séjournait pas encore en vertu de ces grâces, mais il fallut pour cela les mains de Jean et de Pierre : « Il n'était encore descendu sur aucun d'eux, dit l'Écriture, mais ils avaient seulement été baptisés au nom du Seigneur Jésus. Alors ils leur imposèrent les mains et ils reçurent l'Esprit Saint[a]. »

4. Lorsque nous l'avons reçu, et que le rite a manifesté en nous sa vertu, nous possédons certes la grâce ainsi donnée, mais il n'est pas du tout forcé que le reste, de notre part, réponde au bienfaiteur ; au contraire, rien d'impossible à ce que nous ayons à rendre des comptes, et rien n'empêche que l'on ait été initié au mystère, que les

2. Cf. DENYS, *e.h.*, III, 1.

5 κωλύει, τό τε μυστήριον τελεσθῆναι καὶ τὰ δοθέντα μὴ διαφθεῖραι, καὶ τῶν δεόντων ἐλλειπεῖς εἶναι.

5. Τούτων πολλοὶ μάρτυρες. Καὶ Κορινθίοις δὲ ἐπὶ τῶν ἀποστόλων συνέβη· τῶν γὰρ τοῦ Πνεύματος γέμοντες καὶ προφητεύοντες καὶ γλώσσαις λαλοῦντες, καὶ τἄλλα ἐπιδεικνύμενοι[a], τοσοῦτον ἀπεῖχον ἀμέλει θείως καθάπαξ καὶ 5 πνευματικῶς ἔχειν, ὥστε μὴ πόρρω βασκανίας καὶ φιλοτιμίας ἀκαίρου καὶ ἔριδος καὶ τῶν τοιούτων ἑστάναι κακῶν. Καὶ ταῦτα αὐτοῖς προφέρων ὁ Παῦλος· «Σαρκικοί, φησίν, ἐστὲ καὶ κατὰ ἄνθρωπον περιπατεῖτε[b]». Καίτοι πνευματικοὶ ἦσαν, τό γε τῶν χαρίτων μέρος, ἀλλ' οὐδὲν ἤρκεσεν αὐτοῖς 10 πρὸς τὸ πᾶν φαῦλον ἀπὸ τῆς ψυχῆς ἐκβαλεῖν.

6. Ἐπὶ δὲ τῆς Εὐχαριστίας τούτων οὐδέν· οἷς γὰρ ὁ τῆς ζωῆς ἄρτος ἐνεργὸς ἐγένετο, δι' ὧν ἐφυλάξαντο τὸν θάνατον, καὶ οὔτε δειπνοῦντες πονηρὸν οὐδὲν εἶχον οὔτ' ἐπεισήγαγον, οὐκ ἄν τις οὐδὲν ἐγκαλέσαι τοιοῦτον. Οὐ γὰρ 5 ἔστιν, οὐκ ἔστιν, τὴν τελετὴν ἐνεργὸν παντάπασιν εἶναι καὶ τοῖς μεμυημένοις ἡστινοσοῦν μετεῖναι φαυλότητος. Διὰ τί; ὅτι τοῦτό ἐστι τὴν τελετὴν ἐνεργὸν εἶναι, τὸ τοὺς τελουμένους οὐδενὸς τῶν γιγνομένων ἐλλείπειν. Ἡ γὰρ τῆς τραπέζης ἐπαγγελία τῷ Χριστῷ μὲν ἡμᾶς, ἡμῖν δὲ τὸν 10 Χριστὸν ἐνοικίζει. «Ἐν ἐμοὶ γάρ, φησί, μένει, κἀγὼ ἐν αὐτῷ[a]». Τοῦ Χριστοῦ δὲ ἐν ἡμῖν μένοντος, τίνος ἔτι δεήσει, τί δ' ἂν τῶν ἀγαθῶν διαφύγοι; ἐν τῷ Χριστῷ δὲ μένοντες, τίνος ἐπιθυμήσομεν ἄλλου; καὶ ἔνοικός ἐστιν ἡμῖν καὶ οἰκία,

ABCV MPW Gass Migne

5, 3 καὶ[1] *om.* C || γλώσσαι C
6, 5 τήν τε τελετὴν ABV || 8 τετελεσμένους ABV || 10 ἐνοικίζειν CM

5. a. cf. I Cor. 12, 28 || b. cf. I Cor. 3, 3
6. a. Jn 6, 56

3. Isolée de son contexte, une telle phrase risquerait, pour une oreille malveillante, de rendre un son messalien ; pour les messaliens,

dons ne soient pas détruits, et que pourtant l'on manque du nécessaire.

5. Il en est de nombreux témoins. Au temps des apôtres, ce fut le cas des Corinthiens : emplis des dons de l'Esprit, prophétisant, parlant en langues, faisant preuve d'autres charismes encore[a], ils étaient toutefois si loin d'être une fois pour toutes saints et spirituels qu'ils n'étaient exempts ni de jalousie, ni d'ambition déplacée, ni de discorde, ni de tout ce genre de maux. C'est cela que Paul leur reproche quand il écrit : « Vous êtes charnels et votre démarche est humaine[b]. » Et pourtant c'étaient des spirituels, du moins sous l'angle des grâces reçues, mais cela ne leur suffisait nullement pour chasser tout mal de leur âme[3].

6. Rien de tel dans l'Eucharistie ; car ceux en qui le pain de vie a accompli son œuvre, qui est de les préserver de la mort, ceux qui n'avaient en venant au repas nulle disposition mauvaise et n'en ont apporté aucune, nul ne saurait leur reprocher rien de tel. Car il est impossible, oui, impossible que ce rite accomplisse pleinement son œuvre et qu'il subsiste quelque mal que ce soit en ceux qui l'ont reçu. Pourquoi ? Parce que l'œuvre de ce rite consiste justement en ce que rien ne manque à ceux qui s'y soumettent. La promesse liée à la Table nous fait habiter dans le Christ, et le Christ en nous, car il est écrit : « Il demeure en moi et moi en lui[a]. » Mais si le Christ demeure en nous, que peut-il nous manquer encore, quel bien nous échapperait ? Et si nous demeurons dans le Christ, que désirer d'autre ? Il est à la fois pour nous habitant et

en effet, le baptême est insuffisant à chasser le démon de l'âme où il coexiste avec la grâce. Mais tout le reste de l'ouvrage témoigne du caractère éminemment réfractaire au messalianisme de la pensée de Cabasilas.

ὡς μακάριοι μὲν οἰκίας, μακάριοι δὲ ὅτι τοιούτῳ γεγόναμεν
15 οἰκία.

7. Τί γὰρ τῶν ἀγαθῶν οὐ πάρεστι τοῖς οὕτω διατεθεῖσι ; τί κοινὸν καὶ φαυλότητι τοῖς ἐνταῦθα γενομένοις λαμπρότητος ; τί ποτ' ἂν σταίη πονηρὸν πρὸς τοσοῦτον σωρὸν ἀγαθῶν ; τί μὲν παρὸν δύναιτ' ἂν μένειν, τί δὲ ἀπὸν ἰσχύσαι
5 προσαγαγεῖν, ὅταν ὁ Χριστὸς οὕτω ἀκριβῶς ἡμῖν συνῇ καὶ δι' ὅλων ἡμῶν χωρῇ καὶ τἄνδον πάντα κατέχων καὶ περὶ ἡμᾶς ᾖ ; Τὰ μὲν γὰρ ἔξωθεν ἐπιόντα βέλη κωλύει ψαύειν ἡμῶν, πανταχόθεν προβεβλημένος· οἰκία γάρ ἐστιν. Εἴ τι δ' ἐστὶν φαῦλον, διωθούμενος ἀπελαύνει· ἔνοικος γάρ ἐστι,
10 πᾶσαν ἑαυτοῦ πληρῶν τὴν οἰκίαν.

8. Οὐ γάρ τι τῶν αὐτοῦ, ἀλλ' αὐτὸν μετέχομεν, οὐδὲ ἀκτῖνά τινα καὶ φῶς, ἀλλὰ τὸν δίσκον αὐτὸν ταῖς ψυχαῖς δεχόμεθα, ὥστε καὶ οἰκῆσαι καὶ ἐσοικίσασθαι, καὶ περιθέσθαι καὶ περιβαλεῖν, καὶ ἀνακραθῆναι καὶ ἓν πνεῦμα
5 γενέσθαι[a]. Καὶ γὰρ ψυχὴ καὶ σῶμα καὶ πᾶσαι δυνάμεις αὐτίκα πνευματικά, ὅτι ψυχὴ μὲν ψυχῇ, σῶμα δὲ σώματι καὶ αἷμα αἵματι μίγνυται· καὶ τί τὸ ἐντεῦθεν ; τὰ βελτίω,

ABCV MPW Gass Migne

7, 6 ἡμῶν : ἡμῖν A ‖ 9 φαῦλον : ἔνδον φαῦλον ABCV Migne (ἔνδον) φαῦλον Gass

8, 3 οἰκίσαι MP ‖ 3-4 καὶ περιθέσθαι — ἀνακραθῆναι *om.* Gass ‖ 7 μίγνυνται V

---

8. a. cf. I Cor. 6, 17

---

4. Cf. l. I, p. 130, n. 46. Cabasilas reprend à son compte la tradition spirituelle du réalisme eucharistique. Outre Chrys., citons encore Grég. Nys., *Or. catech.* 37 (*PG* 45, 93-97) ; Sym. N.T., *Éth.* I, 10 (*SC*

habitation : heureux sommes-nous d'une telle habitation ! heureux sommes-nous d'être l'habitation d'un tel hôte !

Le Christ, hôte et demeure

7. Quel bien manquerait-il à ceux qui sont ainsi traités ? Qu'ont-ils de commun avec le vice, ceux qui ici reçoivent la splendeur ? Quel mal pourrait-il subsister auprès d'une telle masse de biens ? Qu'est-ce qui, présent, pourrait demeurer, qu'est-ce qui, absent, pourrait parvenir à s'approcher, quand le Christ nous est aussi exactement uni, qu'il investit tout notre être et occupe tout l'espace en nous et autour de nous ? Il empêche les traits tirés du dehors de nous atteindre, en nous entourant de tous côtés : car il est notre habitation. Et s'il se trouve en nous quelque mal, il le repousse et le chasse : car il est un habitant qui emplit toute son habitation.

8. Car ce n'est pas à quelque chose de lui que nous avons part, mais à lui-même ; ce n'est pas quelque rayon et une lumière que nous recevons en nos âmes, mais le disque solaire lui-même, au point de l'habiter et d'en être habités, d'en être ceints et de l'embrasser, d'y être mélangés et de ne former avec lui qu'un esprit[a]. En effet, l'âme et le corps et toutes les facultés deviennent aussitôt spirituelles, car notre âme est mêlée à son âme, notre corps à son corps, notre sang à son sang[4] ; et qu'en résulte-t-il ? le meilleur et

122, p. 256-257). Ce réalisme connaît un regain d'intérêt au XIVe s., chez GRÉG. PAL. par exemple : *Triades* I, 3, 38 (éd. Meyendorff, t. I, p. 193). Cabasilas développe ce thème, non seulement ici mais déjà dans *Liturgie* XLIV, 5 (p. 254-255 ; cf. p. 344 la Note complémentaire sur le réalisme eucharistique de Cabasilas et sa dépendance de Chrysostome).

κρείττω τῶν ἐλαττόνων, καὶ τὰ θεῖα, τῶν ἀνθρωπίνων ἐπικρατεῖ· καὶ ὅ φησι περὶ τῆς ἀναστάσεως Παῦλος· «Τὸ
10 θνητὸν ὑπὸ τῆς ζωῆς καταπίνεται[b]», τὸ δὲ ἑξῆς· «Ζῶ δὲ οὐκέτι ἐγώ, φησί, ζῇ δὲ ἐν ἐμοὶ Χριστός[c]».

(585) **9.** | Ὢ τοῦ μεγέθους τῶν μυστηρίων! Οἷον γάρ ἐστι τὸν τοῦ Χριστοῦ νοῦν τῷ ἡμετέρῳ συμμίξαι νῷ, καὶ θελήσει θέλησιν ἐκείνην καὶ σῶμα σώματι καὶ αἷμα αἵματι κερασθῆναι· οἷος μὲν ὁ νοῦς ἡμῖν τοῦ θείου κατακρατή-
5 σαντος νοῦ, οἵα δὲ ἡ θέλησις τῆς μακαρίας θελήσεως περιγενομένης, οἷος δὲ ὁ χοῦς τοῦ πυρὸς ὑπερνενικηκότος ἐκείνου! Καὶ μὴν ὅτι ταῦτα οὕτω συμβαίνει δείκνυσι Παῦλος, οὔτε νοῦν αὐτὸς ἔχειν τὸν ἑαυτοῦ οὔτε θέλησιν φάσκων οὔτε ζωήν, ἀλλὰ πάντα ταῦτα αὐτῷ γενέσθαι
10 Χριστόν. Καὶ γάρ· «Νοῦν Χριστοῦ ἔχομεν[a]», καί· «Δοκιμὴν ζητεῖτε, φησί, τοῦ ἐν ἐμοὶ λαλοῦντος Χριστοῦ[b]», καί· «Δοκῶ Πνεῦμα Θεοῦ ἔχειν[c]», καί· «Φιλῶ ὑμᾶς ἐν σπλάγχνοις Ἰησοῦ Χριστοῦ[d]», ὅθεν δῆλος ἦν τὴν αὐτὴν ἐκείνῳ θέλησιν ἔχων· καὶ πάντα συνελών· «Ζῶ δὲ οὐκέτι ἐγώ, φησί, ζῇ δὲ
15 ἐν ἐμοὶ Χριστός[e]».

10. Οὕτω τέλειόν ἐστι τὸ μυστήριον, τελετῆς ἁπάσης διαφερόντως, καὶ τῶν ἀγαθῶν ἐπ' αὐτὴν ἄγει τὴν κορυφήν, ἐπεὶ καὶ πάσης ἀνθρωπείας σπουδῆς ἐνταῦθα δὴ τὸ ἔσχατον τέλος. Θεοῦ γὰρ αὐτοῦ τυγχάνομεν ἐν αὐτῷ, καὶ Θεὸς ἡμῖν
5 ἑνοῦται τὴν ἕνωσιν τὴν τελεωτάτην· τοῦ γὰρ ἓν πνεῦμα μετὰ τοῦ Θεοῦ γενέσθαι, τίς ἂν ἀκριβεστέρα γένοιτο συναφή;

ABCV MPW Gass Migne

10, 1 τὸ *om.* Gass || 3 δὴ : ἐστι A

---

8. b. II Cor. 5, 4 || c. Gal. 2, 20
9. a. I Cor. 2, 16 || b. II Cor. 13, 3 || c. I Cor. 7, 40 || d. Phil. 1, 8 || e. Gal. 2, 20

---

5. Cette idée courante de la physique et de la biologie antiques (cf. Ar., *De gen. et corr.*, I, 5, 321 a : «c'est la composante dominante —

le plus fort l'emporte sur le plus faible[5], le divin domine l'humain ; comme dit Paul à propos de la résurrection : « le mortel est absorbé par la vie[b] », et par suite : « je vis, mais non plus moi, c'est le Christ qui vit en moi[c]. »

9. Ô grandeur des mystères ! Il est donc possible que l'esprit du Christ se fonde avec notre esprit et son vouloir avec notre vouloir, que son corps soit mélangé à notre corps et son sang à notre sang ! Que devient notre esprit quand l'esprit divin s'en est rendu maître ! Que devient notre vouloir quand le vouloir bienheureux le subjugue ! Que devient notre argile quand un tel feu a triomphé d'elle ! Qu'il en est bien ainsi, Paul le montre bien quand il dit n'avoir plus ni esprit ni vouloir ni vie propres, mais que Christ est devenu tout cela pour lui. Il écrit en effet : « Nous avons l'esprit du Christ[a] » ; et : « Vous réclamez une preuve que c'est le Christ qui parle en moi[b] » ; et : « Je pense avoir l'Esprit de Dieu[c] » ; et : « Je vous aime dans les entrailles de Jésus-Christ[d] » — ce qui montre à l'évidence qu'il avait le même vouloir que lui —, et pour tout résumer : « Je vis mais non plus moi, c'est le Christ qui vit en moi[e]. »

10. Ainsi ce mystère est parfait, à la différence de tout autre rite, et il conduit à la cime même des biens, puisque là se trouve aussi la fin suprême de tout effort humain. Car c'est Dieu lui-même que nous rencontrons en lui, et Dieu s'unit à nous de l'union la plus parfaite : devenir un seul esprit avec Dieu, quelle plus étroite communion pourrait-il y avoir ?

ἐπικρατοῦν — qui donne son nom au mélange ») fut déjà transposée par Grég. Nys. (*Eun.* V, *PG* 45, 697 C) aux relations entre l'homme et le Christ : voulant illustrer la déification de l'homme par son union au Christ, il évoque la doctrine médicale des « tempéraments » (résultat de l'équilibre des différentes humeurs du corps) : « dans les tempéraments corporels, lorsqu'un élément prédomine, il arrive que le plus faible soit totalement transformé en celui qui l'emporte. »

11. *Ὅτι καὶ τὰ ἄλλα τελειοῖ μυστήρια ἡ θεία Εὐχαριστία· καὶ ὅτι δι' αὐτῆς ἡ ἄφεσις τῶν μετὰ τὸ βάπτισμα ἁμαρτιῶν.*

Διὰ ταῦτα καὶ τοῖς ἄλλοις μυστηρίοις τὸ τελείοις εἶναι
5 παρέχεται μόνη τελετῶν ἡ Εὐχαριστία. Καὶ βοηθεῖ μὲν αὐτοῖς παρ' αὐτὸ τὸ τελεῖσθαι, τελέσαι μὴ δυναμένοις χωρὶς αὐτῆς, βοηθεῖ δὲ μετὰ τὴν τελείωσιν ἐν τοῖς τελεσθεῖσιν, ἐπειδὰν ἁμαρτιῶν σκότει τὴν ἀπὸ τῶν μυστηρίων ἀκτῖνα συγχεθεῖσαν ἀνακαλεῖσθαι δεήσῃ.

12. Τὸ γὰρ ἐκλείποντας καὶ νεκρουμένους ἁμαρτίαις αὖθις ἀναβιώσκεσθαι, μόνης τῆς τραπέζης τῆς ἱερᾶς ἔργον. Οὐ γὰρ ἔστιν ἀνθρωπείᾳ δυνάμει τὸν ἄνθρωπον ἀναστῆναι πεσόντα, οὐδὲ κακίαν ἀνθρώπων ἀνθρωπείᾳ λυθῆναι
5 δικαιοσύνῃ. Τὸ γὰρ ἁμαρτάνειν εἰς αὐτὸν τὸν Θεὸν φέρει τὴν ὕβριν· « Διὰ τῆς παραβάσεως γάρ, φησί, τοῦ νόμου τὸν Θεὸν ἀτιμάζεις[a] », καὶ δεῖ μείζονος ἢ κατὰ ἄνθρωπον ἀρετῆς, ἣ τὸ ἔγκλημα δυνήσεται λῦσαι.

13. *Τίς ἡ αἰτία δι' ἣν οὐκ ἀρκεῖ πρὸς ἄφεσιν ἁμαρτιῶν ἡ ἀνθρωπίνη σπουδή.*

Τὸν γὰρ ἐλάχιστον εἰς τὸν μέγιστον ὑβρίσαι μὲν μάλιστα καὶ διαφερόντως εὐχερές, ἀντισηκῶσαι δὲ τιμῇ τὴν ὕβριν
5 ἀμήχανον, καὶ μάλισθ' ὅταν ἐκεῖνος πολλῶν μὲν ὀφειλέτην

ABCV MPW Gass Migne

11, 1-3 ABVP *mg.* || 6 δυναμένης P || 6-7 ταύτης χωρὶς ABCV
12, 2 τῆς ἱερᾶς ἔργον P : ἔργον τῆς ἱερᾶς *cett.*
13, 1-2 ABVP *mg.*

---

12. a. Rom. 2, 23

L'EUCHARISTIE DONNE LEUR ACHÈVEMENT AUX AUTRES MYSTÈRES

11. *La sainte Eucharistie achève aussi les autres mystères ; par elle s'opère la rémission des péchés commis après le baptême.*

Voilà pourquoi l'Eucharistie est le seul rite qui donne leur achèvement même aux autres mystères. Elle les assiste au moment même où ils sont conférés, car sans elle ils ne peuvent pas donner la perfection ; elle les assiste aussi après qu'ils ont été conférés, lorsqu'il faut ranimer en ceux qui les ont reçus le rayonnement issu des mystères et troublé par les ténèbres du péché.

12. En effet, faire revivre à nouveau ceux qui ont succombé et sont morts de leurs péchés, c'est l'œuvre de la seule sainte Table. Car il n'est pas au pouvoir de l'homme de relever l'homme tombé, il n'appartient pas à la justice humaine de détruire le mal des hommes. Pécher, c'est faire injure à Dieu lui-même : «en transgressant la loi, dit l'Écriture, c'est Dieu que tu déshonores[a]», et il faut une vertu plus grande que celle de l'homme pour pouvoir supprimer l'accusation[6].

13. *Pour quelle raison la ferveur humaine ne suffit pas à la rémission des péchés.*

Que le plus petit outrage le plus grand, rien de plus facile ; mais alors il n'y a pas moyen de compenser l'outrage par une réparation, surtout quand l'offensé a obligé l'offenseur en beaucoup de choses, et qu'il le

6. Ici commence le second développement sotériologique de l'ouvrage.

ἔχῃ τὸν ὑβρικότα, τοσοῦτον δὲ ὑπερέχῃ ὡς μηδὲ μέτρον εἶναι τοῦ μέσου. Καὶ γὰρ ἀνάγκη τὸ ἔγκλημα λύοντα καὶ τὴν ἀπενεχθεῖσαν τιμὴν ἀποκαταστῆναι τῷ πεπαρῳνημένῳ ζητοῦντα, πλείω τῶν ὀφειλομένων εἰσενεγκεῖν, τὰ μὲν 10 ἀποδιδόντα, τὰ δ' ἐξ ἀντιρρόπου περὶ ὧν ἠδίκησε προστιθέντα· ᾧ δὲ οὐκ ἔστιν οὐδ' ἐγγὺς ἐφικέσθαι τῶν γινομένων, τίς ἂν γένοιτο τὰ μείζω διώκων;

14. Διὰ ταῦτα οὐκ ἦν οὐδένα ἀνθρώπων ἑαυτῷ τὸν Θεὸν καταλλάξαι τὴν ἑαυτοῦ δικαιοσύνην εἰσενεγκόντα· ὅθεν οὔτε ὁ παλαιὸς νόμος ἐδυνήθη «λῦσαι τὴν ἔχθραν[a]», οὔτε τοῖς ἐν χάριτι ζῶσι πρὸς τὴν εἰρήνην ταύτην ἀρκέσειεν ἂν ἡ (588) 5 σπουδή· καὶ γὰρ καὶ τοῦτο | κἀκεῖνο δυνάμεως ἀνθρώπων ἔργα καὶ ἀνθρωπεία δικαιοσύνη· καὶ γὰρ καὶ τὸν νόμον αὐτὸν ἀνθρώπων δικαιοσύνην ὁ μακάριος καλεῖ Παῦλος· «Οὐ γὰρ ὑπετάγησαν, φησί, τῇ δικαιοσύνῃ τοῦ Θεοῦ τὴν ἰδίαν δικαιοσύνην στῆσαι ζητοῦντες[b]», τὸν νόμον λέγων τὸν 10 παλαιόν· τοσοῦτον γὰρ ἐδυνήθη μόνον κατὰ τῶν ἡμετέρων κακῶν, ὅσον παρασκευάσαι πρὸς τὴν ὑγείαν καὶ ἀξίους ποιῆσαι τῆς τοῦ ἰατροῦ χειρός. «Ὁ γὰρ νόμος παιδαγωγὸς ἡμῶν, φησί, γέγονε εἰς Χριστὸν Ἰησοῦν[c]»· καὶ ὁ μακάριος Ἰωάννης εἰς τὸν ἐρχόμενον ἐβάπτιζε[d]· καὶ πᾶσα φιλοσοφία 15 ἀνθρώπων καὶ πόνος ἅπας πρὸς τὴν ἀληθῆ δικαιοσύνην προτέλειαί τινές εἰσι καὶ παρασκευαί.

15. *Τίς ἡ αἰτία δι' ἣν ἁμαρτίαν δύναται λύειν ἡ θεία Εὐχαριστία.*

Ταῦτ' ἄρα καὶ ὡς ἂν οἴκοθεν καὶ παρ' ἡμῶν αὐτῶν ἐπιδείξασθαι μὴ δυναμένοις δικαιοσύνην, αὐτὸς ἡμῖν ὁ

ABCV MPW Gass Migne

14, 13 Ἰησοῦν *om.* V
15, 1-2 ABVP *mg.*

---

14. a. Éphés. 2, 14 ‖ b. Rom. 10, 3 ‖ c. Gal. 3, 24 ‖ d. cf. Actes 19, 4

---

7. Cf. Ans., I, 11 : «Ne pas rendre à Dieu cet honneur qu'on lui

surpasse au point qu'on ne puisse pas même mesurer la distance qui les sépare. Car pour supprimer le chef d'accusation et pour parvenir à restituer à l'offensé l'honneur qui lui a été ravi, il faut nécessairement apporter plus que ce qui était dû[7] : il faut réparer le dommage et il faut en plus un surcroît pour contrebalancer l'injustice subie ; mais si quelqu'un n'a pas la possibilité, si peu que ce soit, de parvenir à payer ce qu'il doit, qui pourrait réclamer de lui un supplément ?

14. Voilà pourquoi nul homme n'était capable de se réconcilier lui-même avec Dieu en apportant sa propre justice ; aussi l'ancienne Loi ne pouvait-elle « détruire l'inimitié[a] », et pour ceux qui vivent sous la grâce, la ferveur ne peut suffire à procurer cette paix ; en effet, l'une et l'autre sont des œuvres de la puissance des hommes et une justice humaine. La Loi elle-même, le bienheureux Paul l'appelle bel et bien une justice des hommes : « Ils ne se sont pas soumis, dit-il, à la justice de Dieu, car ils cherchaient à établir leur propre justice[b] », c'est-à-dire l'ancienne Loi ; car tout ce qu'elle put faire contre nos maladies, ce fut de nous préparer à recevoir la santé et de nous rendre dignes de la main du médecin. « La Loi, dit-il, a été notre pédagogue en vue du Christ Jésus[c] ». Quant au bienheureux Jean, il baptisait en vue de celui qui venait[d], et toute sagesse humaine, toute ferveur sont des préludes et des préparations en vue de la vraie justice.

15. *Pour quelle raison la sainte Eucharistie peut remettre le péché.*

Donc, comme nous serions incapables de faire preuve d'une justice qui nous soit propre et vienne de nous, le

doit, c'est lui enlever ce qui lui appartient et le déshonorer : c'est cela le péché. Or, aussi longtemps qu'on ne restitue pas ce qu'on a volé, on reste dans la faute. Et il ne suffit pas de rendre seulement ce qu'on a pris, mais, en compensation du préjudice qu'on a porté, on doit rendre plus qu'on n'a pris. »

5 Χριστὸς ἐγένετο «δικαιοσύνη ἀπὸ Θεοῦ καὶ ἁγιασμὸς καὶ ἀπολύτρωσις[a]»· καὶ «λύει τὴν ἔχθραν ἐν τῇ σαρκί[b]», καὶ τὸν Θεὸν ἡμῖν καταλλάττει[c], οὐ τῇ φύσει κοινῶς οὐδ' ὅτε ἀπέθνησκε μόνον, ἀλλ' ἑκάστοτε καὶ ἑκάστῳ τῶν ἀνθρώπων, ὥσπερ σταυρούμενος τότε, νῦν εὐωχῶν, ἐπειδὰν μετα- 10 γνόντες περὶ ὧν ἡμάρτομεν παραιτώμεθα. Μόνος γὰρ ἐδυνήθη καὶ τὴν ὀφειλομένην ἅπασαν ἀποδοῦναι τιμὴν τῷ γεγεννηκότι καὶ περὶ τῆς ἀπενεχθείσης ἀπολογήσασθαι, τὸ μὲν τῷ βίῳ, τὸ δὲ τῇ τελευτῇ. Τὸν γὰρ θάνατον, ὃν ὑπὲρ τῆς δόξης τοῦ Πατρὸς ἀπέθανεν ἐπὶ τοῦ σταυροῦ[d], τῆς 15 παρ' ἡμῶν ὕβρεως ἀντίρροπον εἰσενεγκὼν μετὰ μείζονος τῆς παρασκευῆς, ἣν ἡμεῖς ἀφειλόμεθα τιμὴν δι' ὧν ἐξημάρτομεν, ἀνακαλεῖται πολλῷ τῷ ὄντι· τῷ δὲ βίῳ πᾶσαν ἀπέδωκε τιμήν, καὶ ἣν εἰκὸς ἦν τιμῆσαι μὲν ἐκεῖνον, τιμηθῆναι δὲ τὸν Πατέρα.

16. Ἄνευ γὰρ ὧν ἐπεδείξατο πολλῶν καὶ μεγάλων ἔργων, ἃ τῷ Πατρὶ τὴν μεγίστην εἶχε τιμήν, τοῦτο μὲν ἁμαρτίας ἁπάσης καθαρὸν παρασχόμενος τὸν βίον, τοῦτο δὲ δι' ὧν ἀκριβέστατα καὶ τελεώτατα τοὺς ἐκεῖθεν ἔσωσε 5 νόμους, οὐχ οἷς αὐτὸς εἰργάσατο μόνον, καὶ γὰρ «τὰς ἐντολὰς τοῦ Πατρός μου, φησί, τετήρηκα[a]», ἀλλὰ καὶ οἷς τῷ βίῳ τῶν ἀνθρώπων ἐνομοθέτει, μόνος τὴν οὐράνιον τῇ γῇ προδείξας καὶ φυτεύσας φιλοσοφίαν, ἔτι δὲ αὐτῶν τῶν θαυμάτων, ὧν αἴτιον ἐκήρυττε τὸν γεγεννηκότα[b]· παρὰ 10 πάντα δὴ ταῦτα τίς οὐκ οἶδεν ὡς αὐτὸ τοῦτο μόνον τὸ μετὰ ἀνθρώπων γενέσθαι καὶ οὕτως ἀκριβῶς σαρκὶ συναφθῆναι, τὴν τοῦ πέμψαντος χρηστότητα καὶ φιλανθρωπίαν

ABCV MPW Gass Migne

15, 8 ἐπέθνησκε C Gass || 16 ὀφειλόμεθα V[ac] Gass
16, 2 ἃ τῷ : αὐτῷ C

---

15. a. I Cor. 1,30 || b. Éphés. 2,14 || c. cf. Rom. 5,10 ; 2 Cor. 5,18s. || d. cf. Jn 12,28 ; 13,31 ; 17,1.5
16. a. Jn 15,10 || b. cf. Jn 14,10

Christ est devenu lui-même pour nous « justice de la part de Dieu, sanctification, rédemption[a] » ; il « détruit l'inimitié dans sa chair[b] » et nous réconcilie avec Dieu[c], non pas seulement la nature humaine en général, et non pas uniquement au moment où il est mort, mais il réconcilie à tout instant chacun des hommes : de même qu'il le fit autrefois en étant crucifié, il le fait aujourd'hui en nous nourrissant somptueusement, chaque fois que nous le lui demandons en regrettant nos péchés. Seul le Christ a pu, par sa vie rendre à son Père tout l'honneur qui lui était dû, et par sa mort répondre de l'honneur qui lui avait été ravi. En effet, en apportant la mort qu'il a subie sur la croix pour la gloire du Père[d], avec une disposition plus haute pour contrebalancer l'outrage que nous avions commis, il restitue au prix fort l'honneur que nous avions ravi par nos fautes ; et par sa vie il a rendu tout l'honneur dont il était convenable et que lui-même honorât le Père, et que le Père fût honoré[8].

16. En effet, outre les œuvres nombreuses et magnifiques qu'il a montrées et par lesquelles il a rendu au Père l'honneur le plus grand possible, d'une part en menant une vie exempte de tout péché, et d'autre part en observant ses lois de la manière la plus rigoureuse et la plus parfaite possible, non seulement par ses propres actes — « j'ai gardé les commandements de mon Père », dit-il[a] — mais aussi par les règles de vie qu'il édictait pour les hommes (lui qui seul a montré et semé sur la terre la sagesse du ciel), et encore par les miracles dont il a proclamé que son Père était l'auteur[b], outre toutes ces œuvres, qui ne sait que le simple fait de venir parmi les hommes et d'être ainsi intimement uni à une chair, laissant voir par là de la façon la plus rigoureuse et la plus éclatante la bonté et la philanthropie

8. Cf. Ans., II, 18.

ἀκριβέστατα καὶ φανερώτατα διαδείξας, τὴν περὶ αὐτοῦ προσήκουσαν ἐνέθηκε δοξαν; Εἰ γὰρ τῷ εὖ ποιεῖν τὴν
15 χρηστότητα δεῖ μετρεῖν, οὕτω δὲ τὸ γένος ἐπὶ τῆς οἰκονομίας εὖ πεποίηκεν ὁ Θεός, ὡς μηδενὸς φείσασθαι τῶν εἰς τοῦτο φερόντων[c], ἀλλὰ πάντα τὸν πλοῦτον ἐνθεῖναι τῇ φύσει τὸν ἑαυτοῦ· καὶ γὰρ «ἐν αὐτῷ, φησί, κατοικεῖ πᾶν τὸ πλήρωμα τῆς θεότητος σωματικῶς[d]», πρόδηλον ὅτι τὸν
20 ἔσχατον τῆς θείας φιλανθρωπίας ὅρον ἐπὶ τοῦ Σωτῆρος ἔγνωμεν· καὶ δι' ὧν εἰργάσατο μόνος ἐδίδαξεν ἀνθρώπους ὅπως «ἠγάπησεν ὁ Θεὸς τὸν κόσμον[e]», καὶ ὅση τίς ἐστιν
(589) αὐτῷ περὶ τὸ | γένος κηδεμονία. Ὅθεν καὶ τὸν Νικόδημον ἐπὶ τὸ γνῶναι τὴν φιλανθρωπίαν τοῦ Πατρός, ἐντεῦθεν
25 ἐνάγει, καὶ τοῦτο σημεῖον ἱκανὸν ποιεῖται τῆς ἀπείρου χρηστότητος· καὶ «οὕτω, φησίν, ὁ Θεὸς τὸν κόσμον ἠγάπησεν, ὥστε τὸν Υἱὸν αὐτοῦ τὸν μονογενῆ ἔδωκεν, ἵνα πᾶς ὁ πιστεύων εἰς αὐτὸν μὴ ἀπόληται ἀλλ' ἔχῃ ζωὴν αἰώνιον[f]».

17. Εἰ γὰρ ὧν κατέθετο τῇ φύσει χαρίτων ἐπὶ τῇ καθόδῳ τοῦ μονογενοῦς ὁ Πατὴρ μείζους ἢ καλλίους οὐκ ἔχει δοῦναι, δῆλον ὡς οὐδὲ μείζω δόξαν ἂν παράσχοι χρηστότητος καὶ φιλανθρωπίας, ἧς ἐκεῖθεν ὑπῆρξε λαβεῖν.
5 Καὶ τούτου χάριν τὸν τρόπον τοῦτον ὁ Σωτὴρ δι' ἑαυτοῦ ἀξίως ἑαυτοῦ καὶ τοῦ γεγεννηκότος τὸν Πατέρα τιμᾷ. Τιμὴ γὰρ Θεοῦ τί γένοιτ' ἂν ἄλλο, ἢ τὸ διαδειχθῆναι διαφερόντως ἀγαθὸν ὄντα; Καὶ αὕτη ἐστὶν ἡ δόξα ἣ πόρρωθεν ὠφείλετο μέν, οὐκ ἐνῆν δὲ παρ' οὐδενὸς ἀνθρώπων εἰσενεχθῆναι· καὶ
10 διὰ τοῦτο· «Εἰ πατήρ, φησίν, εἰμὶ ἐγώ, ποῦ ἐστιν ἡ δόξα μου;[a]» Μόνῳ γὰρ ἐξῆν τῷ μονογενεῖ τὰ εἰκότα πάντα διασῶσαι πρὸς τὸν Πατέρα· καὶ τοίνυν αὐτὸ τοῦτο δεικνύς, ὡς ἄρα μόνος ἐδυνήθη τουτονὶ τὸν ἆθλον ἀνῦσαι, ἐπεὶ τὸ πᾶν «ἐτέλεσεν ἔργον[b]» πρὸς τὸν τετιμημένον Πατέρα·

ABCV MPW Gass Migne

16, 14 *post* προσήκουσαν *add.* ἅπασιν ABCV || ποιεῖ C || 24 τὸ : τῷ P || 25 ἀνάγει C || 28 ἔχει V

de celui qui l'avait envoyé, ce simple fait a rendu au Père la gloire qui lui était due. Car s'il faut mesurer la bonté au bienfait, et si Dieu a fait du bien à notre race en son économie, au point de ne rien épargner de ce qui y menait[c] et d'infuser toute sa richesse dans notre nature — «en lui, dit l'Écriture, habite corporellement toute la plénitude de la divinité[d]» —, de toute évidence nous avons connu avec le Sauveur le terme ultime de la philanthropie divine ; et par ce qu'il a fait il a seul enseigné aux hommes combien «Dieu a aimé le monde[e]» et quelle a été sa sollicitude envers notre race. C'est pourquoi c'est par ce fait même qu'il conduit Nicodème à connaître la philanthropie du Père, et ceci est pour lui une preuve suffisante de sa bonté sans limite : «Dieu a tant aimé le monde, dit-il, qu'il a donné son Fils unique, afin que tout homme qui croit en lui ne périsse pas mais qu'il ait la vie éternelle[f].»

17. Si donc le Père ne peut donner de grâces plus grandes ni plus belles que celles qu'il a déposées dans notre nature lors de la descente du Fils unique, à l'évidence on ne saurait non plus lui rendre plus grande gloire pour sa bonté et sa philanthropie, que celle qu'il a reçue de cette descente. C'est ainsi que, de cette façon, le Sauveur, en sa propre personne, rend au Père un honneur digne et de lui-même et de celui qui l'a engendré. Car l'honneur de Dieu, que pourrait-ce être d'autre que d'être reconnu incomparablement bon ? Telle est la gloire qui depuis toujours lui était due, mais que nul homme ne pouvait lui rendre ; c'est pourquoi il est écrit : «Si je suis père, où est ma gloire[a] ?» Car seul le Fils unique pouvait sauvegarder tout ce qui revenait au Père ; pour montrer, donc, que lui seul pouvait mener à bien ce combat, lorsqu'il eut «achevé l'œuvre[b]»

16. c. cf. Rom. 8,32 || d. Col. 2,9 || e. Jn 3,16 || f. Ibid.
17. a. Mal. 1,6 || b. cf. Jn 17,4

15 «Ἐγώ, φησίν, ἐδόξασά σε ἐπὶ τῆς γῆς, ἐφανέρωσά σου τὸ ὄνομα τοῖς ἀνθρώποις[c]». Εἰκότως.

18. Λόγος γάρ ἐστιν ἀκριβὲς τοῦ γεγεννηκότος φέρων τὸ εἶδος, «ἀπαύγασμα τῆς δόξης καὶ χαρακτὴρ τῆς ὑποστάσεως αὐτοῦ[a]»· καὶ ἐπεὶ δι' ὧν σαρκὶ συνήφθη, τοῖς ἐν αἰσθήσει ζῶσι συνετὸς ἐγένετο, πᾶσαν τοῦ προενεγκόντος 5 νοῦ τὴν ἀγαθὴν ἐμήνυσε θέλησιν· πρὸς ὃ κἀκεῖνο φέρειν ἡγοῦμαι, ὃ πρὸς τὸν Φίλιππον, ἰδεῖν τὸν Πατέρα ζητοῦντα, φησὶν ὁ Σωτήρ· «Ὁ ἑωρακὼς ἐμὲ ἑώρακε τὸν Πατέρα[b]», καὶ διὰ τοῦτό φησιν Ἡσαΐας· «Καλεῖται τὸ ὄνομα αὐτοῦ μεγάλης βουλῆς ἄγγελος[c]».

19. Οὕτω τοίνυν πρὸς τὴν δόξαν τοῦ Πατρὸς οὐδὲν παραλιπὼν ὁ μονογενής, μόνος καθαιρεῖ «τὸ μεσότειχον τῆς ἔχθρας[a]», καὶ λύει τῶν ἐγκλημάτων τὸν ἄνθρωπον. Ἐπεὶ δὲ κατὰ τὴν ἑτέραν τῶν φύσεων, τὴν ἡμετέραν λέγω τὴν 5 ἀνθρωπείαν, ὁ διπλοῦς Ἰησοῦς τὸν Πατέρα ἐτίμησε καὶ ἀπὸ τοῦ σώματος αὐτοῦ καὶ τοῦ αἵματος τὸν θαυμαστὸν ἐκεῖνον στέφανον τῆς δόξης ἔπλεξε τῷ Πατρί, διὰ ταῦτα μόνον μέν ἐστι τῆς ἁμαρτίας φάρμακον τὸ τοῦ Χριστοῦ σῶμα, μόνη δὲ λύσις ἁμαρτημάτων τὸ αἷμα.

20. Καὶ γὰρ καὶ διὰ τοῦτο συνέστη τὴν ἀρχήν, ἵνα τὸν Πατέρα δοξάσῃ, καὶ ᾗ φησιν αὐτὸς ὁ Σωτήρ, «εἰς τοῦτο γεγέννηται καὶ εἰς τοῦτο ἐλήλυθεν εἰς τὸν κόσμον[a]»· καὶ

ABCV MPW Gass Migne

19, 8 *ante* τῆς ἁμαρτίας *add.* κατὰ ABCV Gass || 9 *ante* λύσις *add.* ἡ Gass

20, 2 ᾗ : ὅ ABCV Gass

---

17. c. Jn 17,4.6
18. a. Hébr. 1,3 || b. Jn 14,9 || c. Is. 9,5
19. a. cf. Éphés. 2,14
20. a. cf. Jn 18,37

---

9. Cf. *Liturgie*, XXXVI, 5.
10. Sur le Père-Intelligence et le Fils-Verbe, cf. Or., *In Ioh.*, I, 277

du Père qu'il avait ainsi glorifié il dit : « Moi je t'ai glorifié sur la terre, j'ai manifesté ton nom aux hommes[c]. » Et il avait raison[9].

18. En effet, il est le Verbe qui porte la figure exacte de celui qui l'a engendré, « resplendissement de sa gloire et effigie de sa substance[a] » ; et quand en s'unissant à une chair il est devenu compréhensible pour les êtres doués de sensation, il a énoncé totalement le vouloir bienveillant de l'intelligence qui le profère[10] ; c'est, à mon sens, ce que signifie la réponse que le Sauveur donne à Philippe qui cherchait à voir le Père : « Qui m'a vu a vu le Père[b] » ; et c'est pour cela qu'Isaïe dit : « On lui donne ce nom : ange du grand conseil[c]. »

19. Ainsi le Fils unique, n'ayant rien négligé pour la gloire du Père, est le seul qui détruise « le mur de séparation de la haine[a] » et qui libère l'homme des accusations qui pesaient sur lui. Et parce que c'est par son autre nature, je veux dire la nôtre, la nature humaine, que Jésus, lui qui possède deux natures, a honoré le Père, et parce que c'est avec son corps et son sang qu'il a tressé au Père cette admirable couronne de gloire, pour cette raison, le seul remède contre le péché est le corps du Christ, et la seule délivrance des fautes est son sang.

C'est en sa chair que le Christ glorifie son Père

20. C'est pour cela qu'il s'est incarné à l'origine : afin de glorifier le Père, et comme le Sauveur le dit lui-même : « c'est pour cela qu'il est né et pour cela qu'il est venu dans le monde[a] » ; et tout le reste du temps, c'est à cela seul que

(*SC* 120, p. 198-199 et la n. 5 p. 198). Notons qu'Origène cite également, quelques lignes plus bas, *Is.* 9, 5. Ce rapprochement entre la révélation du Père par Jésus et son titre d'Ange du grand conseil se trouve chez DENYS, *e.h.* IV, 4 (*SC* 58 bis, p. 100).

τὸν ἑξῆς ἅπαντα χρόνον, μόνον μὲν τὸ πρὸς τοῦτο φέρον
5 ἅπαν «ἐτέλεσεν ἔργον[b]», μόνον δὲ τὸν ὑπὲρ τούτου
διαφερόντως ὑπομεμένηκε πόνον. Καὶ γὰρ τοῦτο τὸ σῶμα
«τοῦ πληρώματος τῆς θεότητος[c]» ἐγένετο θησαυρός· καὶ
πάσης μὲν ἦν ἄγευστον ἁμαρτίας, ἐπλήρωσε δὲ πᾶσαν
δικαιοσύνην, ἐκήρυξε δὲ τοῖς ὁμογενέσι ἀγνοούμενον τὸν
10 Πατέρα, καὶ οἷς ἔλεγε καὶ οἷς ἐπεδείκνυτο. Τοῦτό ἐστι τὸ
σφαγὲν ἐπὶ τοῦ σταυροῦ καὶ ὃ τῇ σφαγῇ προσάγον,
ἐδειλία καὶ ἠγωνία καὶ ἱδρῶτι περιερρεῖτο[d] καὶ προὐδόθη
(592) καὶ | συνελήφθη καὶ κριτῶν ἠνέσχετο παρανόμων· καὶ
«ἐμαρτύρησε μὲν ἐπὶ Ποντίου Πιλάτου τὴν καλὴν ὁμολο-
15 γίαν[e]», ᾗ φησὶ Παῦλος, ἔδωκε δὲ δίκην τῆς ὁμολογίας
θάνατον, καὶ τοῦτον ἐπὶ σταυροῦ[f]· καὶ μάστιγας μὲν ἐπὶ
τῶν μεταφρένων, ἐπὶ δὲ τῶν χειρῶν καὶ τῶν ποδῶν ἥλους,
τῇ πλευρᾷ δὲ τὴν λόγχην ἐδέξατο[g]· καὶ ἤλγησε μαστιγοι-
μενον καὶ ὠδυνήθη προσηλούμενον. Τοῦτο τὸ αἷμα, τῶν
20 πληγῶν ἐκπηδῆσαν, τὸν ἥλιον ἔσβεσε[h] καὶ τὴν γῆν ἔσεισε[i]
καὶ τὸν ἀέρα ἡγίασε καὶ πάντα τὸν κόσμον ἀπέκλυσε τοῦ
ῥύπου τῆς ἁμαρτίας.

21. Ὅθεν καθάπερ ἐδέησεν ἁπλῶς τῷ γραπτῷ νόμῳ τοῦ
πνευματικοῦ νόμου, τῷ ἀτελῶς ἔχοντι τοῦ τελείου, τῷ
τέλειον ἀποφῆναι τὸν κατορθοῦντα μὴ δυναμένῳ τοῦ
δυναμένου, τὸν ἴσον τρόπον καὶ τῶν μετὰ τὸ λουτρόν, περὶ
5 ὧν ἐξήμαρτον εἰς τὴν χάριν παραιτουμένων, τοῖς πόνοις
καὶ τοῖς ἱδρῶσι καὶ τοῖς δάκρυσι, τοῦ αἵματος δεῖ τῆς
Καινῆς Διαθήκης[a] καὶ τοῦ σφαγέντος σώματος, ὡς οὐδὲν
ὄφελος ὃν ἐκείνων τούτων χωρίς.

ABCV MPW Gass Migne

20, 12 ἱδρῶσι Gass ‖ 14 Ποντίου *om.* A
21, 6 καὶ τοῖς ἱδρῶσι *om.* Gass ‖ 7 κοινῆς C Gass

tend toute «l'œuvre qu'il a accompli[b]», c'est en vue de cela seul qu'il a supporté la souffrance de façon incomparable. C'est ce corps qui est devenu le réceptacle de «la plénitude de la divinité[c]»; lui qui était exempt de tout péché, il a accompli toute justice et annoncé à ceux de sa race le Père qu'ils ignoraient, à la fois par ses paroles et par les actes qu'il a fait voir. C'est ce corps qui a été immolé sur la croix et qui, à l'approche de l'immolation, s'angoissait, agonisait, ruisselait de sueur[d], c'est ce corps qui fut livré, appréhendé, traîné devant des juges iniques; qui a «rendu devant Ponce Pilate le beau témoignage[e]», comme dit Paul, et qui a donné pour prix de son témoignage sa propre mort, et ce sur une croix[f]. Des coups de fouets sur le dos, des clous dans les mains et les pieds, la lance dans le côté[g]. voilà ce qu'il a reçu. Et il a eu mal quand on l'a fouetté, il a souffert quand on l'a cloué. Et c'est ce sang jaillissant des plaies qui a obscurci le soleil[h], ébranlé la terre[i], sanctifié l'air et lavé le monde entier de la souillure du péché.

Seuls le corps et le sang du Christ peuvent remettre les péchés

21. De même, donc, que la loi écrite avait absolument besoin de la loi spirituelle, que la loi imparfaite avait besoin de la loi parfaite, que celle qui est incapable de parfaire celui qui l'observe avait besoin de celle qui en est capable, de même aussi les peines, les sueurs et les larmes de ceux qui implorent pour les péchés qu'ils ont commis après le baptême contre la grâce reçue, ont besoin du sang de la Nouvelle Alliance[a] et du corps immolé, sans lesquels rien de tout cela n'est d'aucune utilité.

20. b. cf. Jn 17,4 || c. cf. Col. 2,9 || d. cf. Lc 22,34 || e. I Tim. 6,13 || f. cf. Phil. 2,8 || g. cf. Jn 20,25.27 || h. cf. Lc 22,45 || i. cf. Matth. 27,51
21. a. cf. Matth. 26,28

22. Διονύσιος δὲ ὁ θεῖος καὶ τὰς ἱερὰς αὐτὰς τελετὰς μὴ ἂν τελέσαι φησὶ μηδὲ τὰ αὐτῶν δυνηθῆναι, μὴ τοῦ δείπνου προστεθέντος τοῦ ἱεροῦ· σχολῇ γε δὴ πόνον καὶ δικαιοσύνην ἀνθρώπων ἁμαρτίας δύνασθαι λύειν, καὶ τὰ 5 τοιαῦτα περαίνειν ἔχειν εἰκός ἐστιν· ἄλλως τε τῶν ἱερῶν ἓν καὶ τοῦτο μυστηρίων τοὺς περὶ ὧν ἐξήμαρτον μεταγνόντας καὶ προσαγγείλαντας ἑαυτοὺς τοῖς ἱερεῦσι πάσης ἀπολύεσθαι δίκης παρὰ Θεῷ δικαστῇ. Οὐκοῦν οὐδὲ τούτου γένοιτ' ἂν τυχεῖν ἐνεργοῦ, μὴ τὸ ἱερὸν δειπνήσαντας δεῖπνον.

23. Διὰ τοῦτο καὶ λούμεθα μὲν ἅπαξ, πρόσιμεν δὲ τῇ τραπέζῃ πολλάκις, ὅτι συμβαίνει μὲν ἑκάστοτε Θεῷ προσκρούειν ἀνθρώπους ὄντας, λύειν δὲ τὸ ἔγκλημα πειρωμένοις μετανοίας χρεία καὶ πόνων καὶ τοῦ θριαμβεῦσαι 5 τὴν ἁμαρτίαν· ταῦτα δὲ δράσειεν ἂν κατὰ τῆς ἁμαρτίας, ἣν τὸ μόνον τῶν ἀνθρωπίνων κακῶν φάρμακον προστεθῇ.

24. Καθάπερ γὰρ τὴν ἀγριέλαιον ἡ καλλιέλαιος, ἐπειδὰν ἐγκεντρισθῇ, πρὸς ἑαυτὴν καθάπαξ ἀμείβει, καὶ ὁ καρπὸς οὐδαμόθεν κοτίνῳ προσήκων[a], τὸν ἴσον τρόπον καὶ ἡ τῶν ἀνθρώπων δικαιοσύνη αὐτὴ μὲν πρὸς οὐδὲν φέρει δι' ἑαυτήν, 5 τῷ δὲ Χριστῷ συναφθέντων καὶ σαρκὸς καὶ αἵματος κεκοινωνηκότων, τὰ μέγιστα τῶν ἀγαθῶν εὐθὺς ἐδυνήθη,

ABCV MPW Gass Migne

22, 3-4 πόνου καὶ δικαιοσύνης A
23, 1 καὶ λούμεθα : καλούμεθα V
24, 4 αὐτὴ : αὐτὸ W

---

24. a. cf. Rom. 11, 17-24

---

11. Cf. Denys, *e.h.* III, 1 (*PG* 3, 424 D).

12. La rémission des péchés opérée par la communion est subordonnée à leur confession auprès d'un prêtre : le détail est notable, car il place Cabasilas hors d'un courant byzantin qui voulait réserver aux moines-prêtres (voire aux simples moines) le pouvoir de

22. Le divin Denys écrit que les rites sacrés eux-mêmes ne seraient pas complets et ne pourraient pas produire leurs effets si on n'y ajoutait le banquet sacré[11]. A plus forte raison n'est-il pas concevable que la peine et la justice des hommes puissent délivrer du péché et accomplir des effets de cet ordre ; parmi les saints mystères, il en est un seul, et c'est celui-ci, qui puisse affranchir de leur dette envers le Dieu juge ceux qui se sont repentis de leurs péchés et qui les ont confessés aux prêtres[12]. Ainsi donc, même cela ne serait pas efficace s'ils ne prenaient pas part au banquet sacré.

23. Voilà pourquoi nous sommes baptisés une seule fois, alors que nous nous approchons fréquemment de la sainte Table : c'est que, étant hommes, il nous arrive chaque jour d'offenser Dieu, et ceux qui tentent de se dégager du chef d'accusation ont besoin du repentir, des peines, de la confession du péché ; mais tout cela ne peut agir contre le péché qu'à la condition que l'on y ajoute le seul remède qui soit pour les maux des hommes.

L'Eucharistie nous communique, par cette chair, la justice du Christ.

24. De même en effet que l'olivier franc, lorsqu'il est greffé sur l'olivier sauvage, le change en lui-même une fois pour toutes, et que le fruit n'a plus rien à voir avec celui d'un olivier sauvage[a], de même aussi la justice des hommes ne mène à rien par elle-même, mais la justice de ceux qui sont unis au Christ et qui ont communié à son corps et à son sang devient aussitôt capable des plus

remettre les péchés (cf. Sym. N.T., *disc. sur la confession*, éd. Holl, *Enthusiasmus und Bußgewalt beim griechischen Mönchtum*, p. 119-120). Il faut dire qu'à l'époque de Cabasilas, ce courant contraire aux canons ecclésiastiques était fortement combattu par la hiérarchie (cf. Syméon de Thessalonique, *PG* 155, 864).

ἁμαρτιῶν ἄφεσιν καὶ βασιλείας κληρονομίαν, ἃ τῆς τοῦ Χριστοῦ δικαιοσύνης ἐστὶ καρπός.

25. Ὥσπερ γὰρ ἀπὸ τῆς ἱερᾶς τραπέζης τὸ σῶμα Χριστοῦ κομιζόμεθα, σῶμα τῶν κρειττόνων ὑπερνικώντων, οὕτως ἀκόλουθον ἐνταῦθα καὶ τὴν δικαιοσύνην ἡμῶν χριστοειδῆ γενέσθαι δικαιοσύνην. Τὸ γάρ· «Σῶμα Χριστοῦ
5 ἐσμεν καὶ μέλη ἐκ μέρους[a]» οὐ κατὰ τὸ σῶμα μόνον νομιστέον εἰρῆσθαι, ἀλλὰ πολλῷ δικαιότερον τῇ ψυχῇ καὶ τῇ κατ᾽ αὐτὴν ἐνεργείᾳ τὴν κοινωνίαν ταύτην ἀποδοτέον ἐστίν· ἐπεὶ καὶ «ὁ κολλώμενος τῷ Κυρίῳ ἓν πνεῦμά ἐστι[b]», τοῦτό ἐστι δεικνύντος τὴν κοινωνίαν ταύτην καὶ συμφυΐαν
10 ἐπὶ τοῦ νοῦ μάλιστα συνεστᾶναι καὶ τῆς ψυχῆς.

26. Διὰ τοῦτο γὰρ οὐ σῶμα περιέθετο μόνον, ἀλλὰ καὶ ψυχὴν ἔλαβε καὶ νοῦν καὶ θέλησιν καὶ πᾶν ὁτιοῦν
(593) ἀνθρώπειον, ἵν᾽ ὅλοις ἡμῖν ἑνωθῆναι δυνηθῇ | καὶ δι᾽ ὅλων ἡμῶν χωρήσῃ, καὶ πρὸς ἑαυτὸν ἡμᾶς ἀναλύσῃ, πᾶσι πάντα
5 συνάψας τοῖς ἡμετέροις τὰ ἑαυτοῦ· ὅθεν ἁμαρτάνουσιν ἀνάρμοστός ἐστι καὶ ἀκόλλητος, ὅτι ταύτῃ μόνον κοινὸν ἡμῖν οὐδὲν πρὸς ἐκεῖνον.

Τὰ γὰρ ἄλλα πάντα καὶ ἐδέξατο φιλανθρώπως παρ᾽ ἡμῶν καὶ ἡμῖν συνάπτει φιλανθρωπότερον. Τὸ μὲν γὰρ ἦν τὸν
10 Θεὸν εἰς τὴν γῆν κατελθεῖν, τὸ δὲ ἡμᾶς ἐνθένδε ἀναγαγεῖν· καὶ τὸ μὲν αὐτὸν ἐνανθρωπῆσαι, τὸ δὲ τὸν ἄνθρωπον

ABCV MPW Gass Migne

24, 8 *post* δικαιοσύνης *add.* μόνης AB
25, 5 ἐσμεν P *mg.* || 7 ταύτην *om.* Gass
26, 6 ταύτην C || 7 οὐδὲν *om.* Gass || 8-9 παρ᾽ ἡμῶν φιλανθρώπως ABCVW Gass

25. a. I Cor. 12, 27 || b. I Cor. 6, 17

13. Cf. ci-dessus p. 270 n. 5; *Liturgie*, XXXVIII, 2.
14. Cf. *Liturgie*, XLIII, 1.

grands biens : la rémission des péchés et l'héritage du royaume, qui sont les fruits de la justice du Christ.

L'EUCHARISTIE NOUS UNIT PARFAITEMENT AU CHRIST

25. De même qu'à la sainte Table nous recevons le corps du Christ, un corps formé d'éléments plus forts et qui l'emportent, de même est-il normal que notre justice aussi devienne là une justice christiforme. Car la parole «nous sommes le corps du Christ et ses membres chacun pour sa part[a]» ne doit pas s'entendre seulement du corps, mais bien plus justement faut-il attribuer cette communion à l'âme et à son activité propre ; la parole «celui qui s'unit au Seigneur est un seul esprit avec lui[b]» montre que cette communion et cette fusion sont valables surtout pour l'esprit et l'âme[14].

26. Ainsi, il n'a pas seulement revêtu un corps, mais il a pris aussi une âme, un esprit, un vouloir, et tout ce qui est humain[15], afin de pouvoir nous être uni en tout, nous investir tout entiers, nous fondre en lui-même, en unissant tout ce qui est sien à tout ce qui est nôtre ; c'est ainsi qu'il est inaccordé et inadapté à des pécheurs, parce que sur ce point seulement nous n'avons rien de commun avec lui.

En effet, tout le reste il l'a reçu de nous en sa philanthropie, et il l'unit à nous par une philanthropie plus grande encore. Le premier acte d'amour était que Dieu descendît sur la terre, le second qu'il nous en fît monter ; le premier était qu'il se fît homme, le second que l'homme fût

15. Affirmation christologique d'une parfaite orthodoxie chalcédonienne. En une phrase, Cabasilas résume les antiques affirmations contre l'apollinarisme (Apollinaire niait l'existence d'une âme humaine du Christ) et le monothélisme (négation d'un vouloir humain du Christ).

θεωθῆναι· καὶ τὸ μὲν τὴν φύσιν ἁπλῶς τῶν ὀνειδῶν ἀπαλλάττει, ἐφ' ἑνὶ σώματι καὶ μιᾷ ψυχῇ τὴν ἁμαρτίαν νικήσασαν, τὸ δὲ ἕκαστον τῶν ἀνθρώπων ἁμαρτιῶν ἀπολύει
15 καὶ Θεῷ συνίστησι· ταῦτα δὲ ἐκείνων φιλανθρωπότερα. Ἐπεὶ γὰρ οὐκ ἐνῆν ἡμᾶς ἀνελθόντας τῶν αὐτοῦ μετασχεῖν, αὐτὸς κατελθὼν εἰς ἡμᾶς, τῶν ἡμετέρων μεταλαμβάνει· καὶ οὕτως ἀκριβῶς οἷς ἔλαβε συνεφύη, ὥστε δι' ὧν ἡμῖν, ἃ παρ' ἡμῶν ἔλαβεν, ἀποδίδωσιν, ἑαυτοῦ μεταδίδωσι, καὶ
20 σαρκὸς καὶ αἵματος μετέχοντες ἀνθρωπείου[a] τὸν Θεὸν αὐτὸν ταῖς ψυχαῖς δεχόμεθα, καὶ σῶμα Θεοῦ καὶ αἷμα καὶ ψυχὴν Θεοῦ καὶ νοῦν καὶ θέλησιν οὐδὲν ἔλαττον ἢ ἀνθρώπινα.

27. Ἔδει γὰρ καὶ τοῦτο εἶναι κἀκεῖνο γενέσθαι, τὸ τῆς ἐμῆς ἀσθενείας φάρμακον. Εἰ μὲν γὰρ Θεὸς ἦν μόνον, οὐκ ἂν οὕτως ἡνώθη· πῶς γὰρ ἂν ἡμῖν ἐγένετο δεῖπνον; Εἰ δ' ὅπερ ἡμεῖς μόνον, οὐκ ἂν οὕτως ἔδρασε. Νῦν δὲ τὸ
5 συναμφότερον· οὕτω μὲν ὡς ὁμογενέσιν ἑνοῦται καὶ συμφύεται τοῖς ἀνθρώποις, ἐκείνως δὲ τὴν φύσιν ἆραι δύναται καὶ κινῆσαι καὶ πρὸς ἑαυτὸν μεταστῆσαι. Τῶν γὰρ δυνάμεων τὰς ἐλάττους αἱ μείζους ἐπὶ τῶν αὐτῶν μένειν, ἐπειδὰν καὶ αὐταῖς συνενεχθῶσιν, οὐ συγχωροῦσι· καὶ
10 σίδηρος οὐδὲν σιδήρου φέρει πυρὶ συνελθών, καὶ γῆ καὶ ὕδωρ τῶν οἰκείων τὰ τοῦ πυρὸς ἀλλάττονται πυρὸς

ABCV MPW Gass Migne

26, 12 θεωθῆναι : -ῆσαι C ‖ 21 Θεοῦ P sup. lin. ‖ 23 ἀνθρωπεία AB
27, 5 οὕτω : ὅτω CW ‖ 7 νικῆσαι Gass ‖ 9 καί[1] *om.* ABCVW Gass

26. a. cf. Hébr. 2, 14

16. Cf. Ir., *Haer.* V, Préface (*SC* 153, p. 14-15); Ath., *Inc.* 54, 3 (*SC* 199, p. 458-459); Grég. Nys. *Or. catech.* 25, 2. La liturgie contribua aussi à imprégner les fidèles (du moins ceux qui fréquen-

fait Dieu[16] ; le premier délivre simplement notre nature des reproches, en triomphant du péché avec un seul corps et une seule âme, le second affranchit chaque homme de ses péchés et l'unit à Dieu : ce qui est une plus grande philanthropie. En effet, comme il ne nous était pas possible de monter pour partager sa condition, c'est lui qui est descendu vers nous pour avoir part à la nôtre ; et il s'est uni si étroitement à ce qu'il a pris, qu'au moyen de cela même qu'il nous a pris, c'est lui-même qu'il nous communique, et quand nous avons part à une chair et à un sang humains[a], c'est Dieu lui-même que nous recevons dans nos âmes, et le corps de Dieu, le sang et l'âme de Dieu, son esprit et son vouloir, autant que ceux d'un homme.

27. Il fallait en effet qu'il fût l'un et qu'il devînt l'autre, ce remède à ma langueur. Car s'il était seulement Dieu, il ne me serait pas uni de la sorte : comment pourrait-il devenir banquet pour nous ? Et s'il n'était que ce que nous sommes, il n'agirait pas ainsi. Mais en réalité il est les deux ensemble : en tant qu'homme, il s'unit et s'assemble aux hommes comme à ses frères de race ; en tant que Dieu, il peut soulever la nature humaine, la mouvoir et la changer en lui-même. Lorsque des forces se trouvent en présence, les plus grandes ne laissent pas les plus petites demeurer en leur état primitif : le fer n'a plus rien du fer quand il rencontre le feu ; la terre et l'eau, quand elles ont reçu le feu, échangent leurs propriétés contre celles du feu[17]. Si

taient l'office divin) de cette réalité : cf. orthros de l'Annonciation, ikos B, de Théophanos : « Dieu s'est fait homme afin de faire Dieu Adam. »

17. Cf. *Liturgie*, XXXVIII, 2. L'image est classique, on la trouve dans Bas., *Bapt.*, I, 10 (*PG* 31, 1541 B) ; Chrys. *laud. Paul.* III, 6 (*SC* 300, p. 172) ; J. Dam., *Imag.* I, 19 (*PG* 94, 1249). Elle illustre tantôt l'union des deux natures en Christ, tantôt l'union à Dieu du chrétien par les mystères.

ἀπολελαυκότα. Εἰ δὲ τῶν ὁμογενῶν δυνάμεων αἱ κρείττους οὕτω δρῶσιν εἰς τὰς ἐλάττους, τί δεῖ περὶ τῆς ὑπερφυοῦς ἐκείνης νομίσαι ;

28. Φανερὸν τοίνυν, ὡς ἐγχεῖται μὲν ἡμῖν ὁ Χριστὸς καὶ ἀναμίγνυσιν ἑαυτόν, ἀμείβει δὲ καὶ πρὸς ἑαυτὸν μεταβάλλει, καθάπερ ῥανίδα μικρὰν ὕδατος ἐγχεθεῖσαν ἀπείρῳ μύρου πελάγει. Τοσαῦτα γὰρ δύναται τοῖς ἐμπεσοῦσι τόδε τὸ 5 μύρον, ὥστε οὐκ εὐώδεις ἀποδείκνυσιν ἁπλῶς οὐδὲ μύρου πνέοντας μόνον, ἀλλ' εὐωδίαν αὐτὴν τὴν ἕξιν καὶ εὐωδίαν αὐτοῦ τοῦ κενωθέντος δι' ἡμᾶς μύρου[a]· «Χριστοῦ γάρ, φησίν, εὐωδία ἐσμέν[b]».

29. Τοιαύτην ἔχει δύναμιν καὶ χάριν τοῖς τετελεσμένοις τὸ δεῖπνον, ἐάν γε καθαροὶ προσελθόντες κακίας ἁπάσης, μηδὲν ἐπεισαγάγωμεν ἔπειτα πονηρόν· οὕτω γὰρ ἔχουσι καὶ παρεσκευασμένοις, οὐδὲν κωλύσει τὸν Χριστὸν οὕτως 5 ἀκριβῶς ἡμῖν ἑνωθῆναι.

30. *Ὅτι ὁ μυστικὸς γάμος καθ' ὃν ὁ Χριστὸς νυμφευθῇ ἐν τῇ ἱερᾷ συνίσταται κοινωνίᾳ.*

«Τὸ μυστήριον τοῦτο μέγα ἐστί», τὴν ἕνωσιν ταύτην ἐξαίρων ὁ μακάριος ἔφη Παῦλος[a]. Τοῦτο γάρ ἐστιν ὁ 5 γάμος ὁ πολυύμνητος, καθ' ὃν ὁ πάναγνος νυμφίος τὴν Ἐκκλησίαν ὡς παρθένον ἄγεται νύμφην[b]. Καὶ γὰρ ἐνταῦθα μὲν ὁ Χριστὸς «ἐκτρέφει[c]» τὸν περὶ αὐτὸν χορόν, τούτῳ δὲ μόνῳ τῶν μυστηρίων «σάρκες ἐσμὲν ἐκ τῶν σαρκῶν αὐτοῦ, καὶ ὀστᾶ ἐκ τῶν ὀστῶν αὐτοῦ[d]». Ταῦτα δέ ἐστιν,

ABCV MPW Gass Migne

27, 13 τὰς : τοὺς C
28, 6 καὶ εὐωδίαν *om.* Gass
30, 1-2 ABP *mg.* ὅτι ὁ μυστικὸς γάμος καὶ ὁ Χριστὸς νυμφίος [νύμφη ἡ Ἐκκλησία *m. rec.*] ἐν τῇ ἱερᾷ] [τραπέζῃ μάλιστα ἐνάργεται *m. rec.*] V *mg.* ‖ 1 νυμφευθῇ : νυμφίος B ‖ 5 πανάγιος Gass ‖ 6 ὡς *om.* C

entre des forces de même nature les plus grandes agissent ainsi sur les plus petites, que penserons-nous de cette force de nature supérieure ?

28. Il est donc évident que le Christ est répandu en nous et se mêle à nous, mais que d'autre part il nous change et nous transforme en lui-même, telle une petite goutte d'eau répandue dans un immense océan de (saint) chrême[18]. Telle est la vertu de ce chrême sur ceux qui ont affaire à lui, que non seulement ils embaument littéralement et exhalent son parfum, mais que leur être même devient parfum, parfum de ce chrême qui a été répandu pour nous[a] : « Nous sommes le parfum du Christ », dit l'Écriture[b].

29. Telles sont la vertu et la grâce de ce banquet pour ceux qui y ont été initiés, à condition qu'ils s'approchent purs de tout mal et qu'ensuite ils n'introduisent en eux aucun mal ; si nous nous sommes ainsi préparés et si nous nous trouvons dans de telles dispositions, rien n'empêche le Christ de nous être ainsi parfaitement uni.

30. *Le mariage mystique où le Christ est l'époux consiste dans la sainte communion.*

« Ce mystère est grand », dit le bienheureux Paul pour exalter cette union[a]. Car c'est là le mariage tant chanté, où l'époux très pur épouse l'Église comme une vierge[b]. C'est ici que le Christ « nourrit[c] » le chœur de ceux qui l'entourent, et c'est par ce seul sacrement que « nous sommes la chair de sa chair et l'os de ses os[c]. » Et c'est ainsi

28. a. cf. Cant. 1,3 || b. II Cor. 2,15
30. a. Éphés. 5,32 || b. cf. II Cor. 11,2 || c. cf. Éphés. 5,29 || d. cf. Gen. 2,32

18. Cette image de la goutte d'eau dissoute dans l'océan, à propos de l'Eucharistie, se retrouve chez des auteurs aussi ignorants de la tradition byzantine que Thérèse de Lisieux et le curé d'Ars : étonnante convergence des intuitions mystiques !

(596) 10 οἷς ὁ ἀπόστολος ὁριζόμενος | τὸν γάμον, νυμφίον ἀποδείκνυσι τὸν Χριστὸν εἶναι[e], καὶ «τὴν νύμφην ἔχειν» ὁ νυμφαγωγός φησιν Ἰωάννης[f].

31. *Ὅτι ἡ ἱερὰ κοινωνία ἑκάστῳ τῶν προσιόντων οὗ δεῖται πρὸς τὴν σωτηρίαν παρέχει· καὶ ὅτι ταύτης χωρὶς οὐκ ἦν τὸν τῆς σαρκὸς λυθῆναι νόμον.*

Τοῦτο τὸ μυστήριον φῶς μέν ἐστι τοῖς ἤδη κεκαθαρ-
5 μένοις, καθάρσιον δὲ τοῖς ἔτι καθαιρομένοις, ἀλείπτης δὲ κατὰ τοῦ Πονηροῦ καὶ τῶν παθῶν ἀγωνιζομένοις. Τοῖς μὲν γὰρ οὐδὲν ἄλλο λοιπὸν ἢ καθάπερ ὀφθαλμῷ τὴν λήμην ἀποθεμένῳ «τὸ φῶς τοῦ κόσμου[a]» δέξασθαι· τοῖς δὲ δεομένοις ἔτι τοῦ καθᾶραι δυναμένου, καθάρσιον, τί γένοιτ'
10 ἂν ἄλλο ; «Τὸ γὰρ αἷμα τοῦ Υἱοῦ τοῦ Θεοῦ καθαρίζει ἡμᾶς, φησίν, ἀπὸ πάσης ἁμαρτίας[b]», ὁ διαφερόντως τῷ Χριστῷ φιλούμενος Ἰωάννης· τὴν δὲ κατὰ τοῦ Πονηροῦ νίκην τίς οὐκ οἶδεν, ὡς ὁ Χριστὸς ἀνῄρηται μόνος, οὗ μόνον ἐστὶ τρόπαιον κατὰ τῆς ἁμαρτίας τὸ σῶμα, καὶ τούτῳ δύναται
15 βοηθῆσαι πολεμουμένοις, ἐν ᾧ πέπονθεν αὐτὸς καὶ νενίκηκε πειρασθείς[c] ;

32. Ἐπεὶ γὰρ τῇ σαρκὶ πρὸς τὴν πνευματικὴν ζωὴν κοινὸν οὐδὲν ἦν, ἥ γε καὶ λίαν ἀπεχθῶς ἔχει καὶ πολεμίως, «Ἐπιθυμεῖ γάρ, φησί, κατὰ τοῦ πνεύματος[a]», διὰ ταῦτα σὰρξ ἐπενοήθη κατὰ τῆς σαρκός, τῆς χοϊκῆς ἡ πνευμα-
5 τική[b], καὶ λύεται σαρκὸς νόμῳ σαρκικὸς νόμος, καὶ σὰρξ εἴκει πνεύματι καὶ βοηθεῖ κατὰ τοῦ νόμου τῆς ἁμαρτίας.

33. Διὰ ταῦτα γὰρ τὴν πνευματικὴν ζῆσαι ζωὴν οὐδενὶ τῶν πάντων ἐξῆν, τῆς μακαρίας σαρκὸς ταύτης μήπω

ABCV MPW Gass Migne

31, 1-3 ABVP *mg.* || 7 λύμην MW Gass || 13 ἐστι P : ἔστη *cett.* || 14 τοῦτο V

---

30. e. cf. Éphés. 5, 22-32 || f. cf. Jn 3, 29
31. a. Jn 8, 12 || b. I Jn 1, 7 || c. cf. Hébr. 2, 18

que l'apôtre, définissant ce mariage, révèle que le Christ est l'époux[e], et que c'est lui qui «a l'épouse[f]» comme dit Jean, qui lui mène sa fiancée.

31. *La sainte communion donne à chacun de ceux qui s'en approchent ce dont il a besoin pour son salut; sans elle, il n'était pas possible que fût détruite la loi de la chair.*

Ce mystère est une lumière pour ceux qui ont déjà été purifiés ; il est un purificateur pour ceux qui sont encore en train de se purifier[19] ; il est un soigneur pour ceux qui luttent contre le Mauvais et les passions. Car aux premiers il ne reste plus qu'à recevoir «la lumière du monde[a]», comme un œil débarrassé de sa chassie ; mais pour ceux qui ont encore besoin d'un (remède) capable de les purifier, quel autre purificateur peut-il exister? «Le sang du Fils de Dieu nous purifie de tout péché[b]», dit Jean le disciple que préférait le Christ ; quant à la victoire sur le Mauvais, nul n'ignore que seul le Christ l'a remportée, lui dont le corps est le seul trophée dressé sur le péché, et que par ce corps, dans lequel il a lui-même souffert et triomphé de l'épreuve, il peut venir en aide à ceux qui sont attaqués.

32. Puisqu'il n'y avait rien de commun entre la chair et la vie spirituelle, ou plutôt que la première était hostile à la seconde et lui faisait la guerre, — la chair «convoite contre l'esprit», dit l'Écriture[a] — pour cette raison, une chair fut inventée contre la chair, contre la chair terrestre une chair spirituelle ; la loi charnelle est abrogée par la loi d'une chair ; une chair se soumet à l'esprit et lui vient en aide contre la loi du péché.

33. C'est pourquoi personne absolument ne pouvait vivre la vie spirituelle, tant que cette bienheureuse chair

32. a. Gal. 5, 17 || b. cf. I Cor. 15, 44-49

19. Cf. *Liturgie,* XXXIV, 4 (p. 214-215).

παγείσης, ὁπότε μηδ' αὐτὸς ὁ νόμος ἐσῴζετο, καίτοι μηδὲ σφόδρα φιλοσοφίας ἐπειλημμένος, οὐδ' ἴσχυεν οὐδὲν ἐν 5 ἀνθρώποις, τοῦ καθ' ἡμᾶς πεφυκότος τῇ χείρονι μοίρᾳ βοηθοῦντος· «Ἠσθένει γάρ, φησίν, ὁ νόμος διὰ τῆς σαρκός[a]»· καὶ σαρκὸς ἑτέρας ἐδεῖτο σῶσαι δυναμένης αὐτῷ τὴν ἰσχύν· «Τὸ γὰρ ἀδύνατον, φησί, τοῦ νόμου, ἐν ᾧ ἠσθένει διὰ τῆς σαρκός, ὁ Θεὸς τὸν ἑαυτοῦ Υἱὸν πέμψας ἐν 10 ὁμοιώματι σαρκὸς ἁμαρτίας κατέκρινε τὴν ἁμαρτίαν ἐν τῇ σαρκί[b].»

34. Τούτων ἕνεκα τῆς σαρκὸς ταύτης ἀεὶ δεόμεθα καὶ συνεχοῦς ἀπολαύομεν τῆς τραπέζης, ὡς ἂν ὁ νόμος τοῦ Πνεύματος ἐν ἡμῖν ἐνεργὸς ᾖ, καὶ τῇ ζωῇ τῆς σαρκὸς μηδεμία γένηται χώρα, μηδὲ λάβῃ καιρὸν εἰς γῆν ἐνεχθῆναι, 5 καθάπερ τὰ βαρέα τῶν σωμάτων, διαλιπόντος τοῦ ὑπανέχοντος.

Ἔστι μὲν γὰρ τὸ μυστήριον τέλειον ἕνεκα πάντων, καὶ οὐκ ἔστιν ὧν δεῖ τοῖς τελουμένοις, ὃ μὴ παρέχει διαφερόντως.

35. Ἐπεὶ δὲ ἡ τῆς ὕλης φαυλότης οὐκ ἐᾷ τὴν σφραγῖδα μένειν ἀκίνητον· «ἔχομεν γὰρ τὸν θησαυρὸν τοῦτον ἐν ὀστρακίνοις σκεύεσι[a]»· διὰ τοῦτο οὐχ ἅπαξ ἀλλὰ διηνεκοῦς ἀπολαύομεν τοῦ φαρμάκου· καὶ τὸν πλάστην ἀεὶ δέον τῷ 5 πηλῷ παρακαθῆσθαι καὶ συγχεόμενον τὸ εἶδος αὖθις ἀνακαλεῖσθαι, καὶ συνεχοῦς ἡμᾶς ἀπολαύειν τῆς τοῦ ἰατροῦ χειρός, χαυνουμένην ἰωμένου τὴν ὕλην καὶ κλινομένην ἐπανορθουμένου τὴν γνώμην, μὴ καὶ λάθῃ θάνατος παρελθών·

ABCV MPW Gass Migne

33, 3 μηδ' : οὐδ' ABCV || 5 πεφυκότι Gass || 7 δυναμένοις A || 10 καὶ περὶ ἁμαρτίας *post* ἁμαρτίας *add.* AB

34, 8 ὧν : ᾧ V Gass

35, 7 ἰωμένου τὴν ὕλην *om.* C

---

33. a. Rom. 8,3 || b. Ibid.

35. a. II Cor. 4,7

n'avait pas encore été conçue, quand la Loi elle-même, qui pourtant atteignait à peine une sagesse, n'était pas observée et n'avait aucun pouvoir sur les hommes, car notre nature venait en aide à la plus mauvaise part de nous-mêmes ; en effet « la loi, dit l'Écriture, était sans force à cause de la chair[a] » et il fallait une autre chair capable de lui rendre vigueur ; car « chose impossible à la loi, que la chair rendait sans force, Dieu en envoyant son propre Fils dans la ressemblance d'une chair de péché a condamné le péché dans la chair[b]. »

34. Pour ces raisons nous avons toujours besoin de cette chair-là et nous recourons continuellement à la sainte Table, afin que la loi de l'Esprit soit agissante en nous, et qu'il n'y ait nulle place pour la vie de la chair, qu'elle ne saisisse nulle occasion d'être attirée vers la terre, comme les corps pesants quand ce qui les soutenait les lâche[20].

Ce mystère est parfait à tous points de vue, et rien ne manque à ceux qui le reçoivent, qu'il ne leur procure au plus haut point.

35. Mais la pauvreté de la matière ne laisse pas le sceau demeurer immuable — « nous portons ce trésor en des vases d'argile[a] » — ; c'est pourquoi ce n'est pas une seule fois mais continuellement que nous recourons à ce remède ; il faut que le potier se tienne toujours à côté de l'argile et restitue la figure dès qu'elle est déformée ; il faut que nous recourions continuellement à la main du médecin, pour qu'il soigne la matière avachie et redresse la volonté fléchissante, de peur que la mort ne nous surprenne : « ceux

20. Théorie de la pesanteur telle qu'on peut la trouver chez Ar., *De caelo*, IV, 1 308 a : « De ce qui s'éloigne du centre (ἀπο τοῦ μέσου), je dis qu'il se porte vers le haut et de ce qui gagne le centre (πρὸς τὸν μέσον), je dis qu'il se porte vers le bas » (éd. Moraux, *CUF*, p. 136).

«Νεκροὺς γὰρ ὄντας, φησί, τοῖς παραπτώμασι συνεζωο-
10 ποίησε τῷ Χριστῷ[b]»· καί· «Τὸ αἷμα τοῦ Χριστοῦ καθαρίζει τὴν συνείδησιν ἡμῶν ἀπὸ νεκρῶν ἔργων εἰς τὸ λατρεύειν Θεῷ ζῶντι[c]».

36. *Ὅτι ἡ ἐν πνεύματι καὶ ἀληθείᾳ τοῦ Θεοῦ λατρεία ἔργον ἐστὶ τῆς ἱερᾶς κοινωνίας.*

Τήν τε γὰρ ἀληθινὴν ζωὴν εἰς ἡμᾶς ἡ τῆς ἱερᾶς τραπέζης δύναμις ἀπὸ τῆς μακαρίας ἐκείνης ἕλκει καρδίας,
(597) 5 | τό τε λατρεύειν Θεῷ, καθαρῶς ἐντεῦθεν ἡμῖν. Εἰ γὰρ τοῦτό ἐστι καθαρὰ λατρεία Θεοῦ, τὸ ὑποτετάχθαι, τὸ ὑπακούειν, τὸ αὐτοῦ κινοῦντος πάντα ποιεῖν, οὐκ οἶδα πότ' ἂν μᾶλλον ὑποταγῆναι Θεῷ δυνηθεῖμεν, ἢ ἐπειδὰν αὐτοῦ γενώμεθα μέλη. Τίνι γὰρ ἂν ὁτιοῦν ἐπιτάττειν δύναιτο
10 μᾶλλον, ἢ τοῖς μέλεσιν ἡ κεφαλή; Μέλη γὰρ Χριστοῦ τοὺς τελουμένους καὶ πάσης ἄλλης ἱερᾶς τελετῆς ἀπεργαζομένης, τελεώτερον ἡμῖν ὁ τῆς ζωῆς τοῦτο δίδωσιν ἄρτος. Καθάπερ γὰρ διὰ τὴν κεφαλὴν καὶ τὴν καρδίαν τὰ μέλη ζῇ, οὕτως «ὁ τρώγων με, φησίν, κἀκεῖνος ζήσεται δι' ἐμέ[a]».

37. Ζῇ μὲν γὰρ καὶ διὰ τὴν τροφήν· ἡ τελετὴ δὲ οὐ τοῦτον ἔχει τὸν τρόπον. Ἡ τροφὴ μὲν γὰρ ἅτε μηδὲ αὐτὴ ζῶσα, ζωὴν μὲν παρ' ἑαυτῆς οὐκ ἂν εἰσενέγκοι· τῷ δὲ τῇ προσούσῃ τῷ σώματι βοηθεῖν, αἰτία ζωῆς τοῖς προσιεμένοις
5 εἶναι δοκεῖ. Ὁ δὲ τῆς ζωῆς ἄρτος αὐτός ἐστι ζῶν, καὶ δι' ἐκεῖνον ὡς ἀληθῶς ζῶσιν, οἷς ἂν αὐτοῦ μεταδοίη. Ὅθεν ἡ

ABCV MPW Gass Migne

36, 1-2 ABVP *mg.* || 7 τὸ ἀγαπᾶν *post* ὑπακούειν *add.* V *mg.* || 13 ζῇ *om.* Gass

37, 3 ἡμῖν *post* ζωὴν μὲν *add.* ABCV Gass || 4 προσούσῃ : προσηκούσῃ A || 5 αὐτός τε ἐστι ABCV Gass

---

35. b. Éphés. 2, 1 || c. Hébr. 9, 14

36. a. Jn 6, 57

---

21. Sur le Christ cœur de l'Église, cf. S. Salaville, «Les principes de la dévotion au Sacré-Cœur dans l'Église orientale. I - La doctrine

qui sont morts à cause de leurs fautes, dit l'Écriture, il les a fait revivre avec le Christ[b]»; et : «le sang du Christ purifie notre conscience des œuvres mortes pour que nous adorions le Dieu vivant[c].»

36. *L'adoration de Dieu en esprit et en vérité est l'œuvre de la sainte communion.*

La vie véritable, c'est la vertu de la sainte Table qui la propulse vers nous à partir de ce cœur bienheureux[21], et c'est là que nous puisons la capacité d'adorer Dieu purement. Car si adorer Dieu purement c'est se soumettre, obéir, tout faire sous sa motion, je ne vois pas quand nous pourrions nous soumettre davantage à Dieu qu'en devenant ses membres. Quelle soumission plus grande pourrait-on trouver, que celle des membres à la tête ? Or, si tous les autres saints mystères font de ceux qui les reçoivent les membres du Christ, c'est le pain de vie qui nous donne cela de la façon la plus parfaite. De même que c'est par la tête et par le cœur que les membres vivent, de même «celui qui me mange, dit-il, vivra lui aussi par moi[a].»

37. On vit aussi par la nourriture ; mais ce n'est pas de cette façon qu'agit ce rite. Car la nourriture, n'étant pas elle-même vivante, ne saurait nous apporter la vie par elle-même ; mais comme elle contribue à la vie qui affecte le corps, elle a l'air d'être cause de vie pour ceux qui y recourent. Tandis que le pain de vie est lui-même vivant, et c'est par lui que vivent en vérité ceux qui y ont part[22].

de Nicolas Cabasilas», *Regnabit* (1923), p. 298-308. Nous avons choisi le verbe «propulser» pour garder le caractère concret, biologique, des images de Cabasilas : de même que le cœur propulse le sang dans le corps, de même l'Eucharistie propulse la vie dans l'Église par le sang du Christ.

22. Sur la chair vivifiante du Christ, cf. CYR. AL. *In Ioh.*, IV, 2 (*PG* 73, 577 B-C).

μὲν τροφὴ πρὸς τὸν σιτούμενον μεταβάλλει, καὶ ἰχθὺς καὶ ἄρτος καὶ ὁτιοῦν ἄλλο σιτίον αἷμα ἀνθρώπειον, ἐνταῦθα δὲ τοὐναντίον ἅπαν. Ὁ γὰρ τῆς ζωῆς ἄρτος αὐτὸς κινεῖ τὸν
10 σιτούμενον καὶ μεθίστησι καὶ πρὸς ἑαυτὸν μεταβάλλει, καὶ ὃ τῆς καρδίας ἐπιεικῶς ἐστι καὶ τῆς κεφαλῆς, κινούμεθα καὶ ζῶμεν τό γε εἰς αὐτὸν[a] ἧκον, ὡς ἔχει ζωῆς ἐκεῖνος. Ὃ καὶ δηλῶν αὐτὸς ὁ Σωτήρ, ὡς οὐ τὸν σιτίων τρόπον ἡμῖν ἀνέχει τὸν βίον, ἀλλ' αὐτὸς ἔχων οἴκοθεν ἐμπνεῖ, καὶ
15 καθάπερ καρδία μέλεσιν ἢ κεφαλὴ διαδίδωσι τὴν ζωήν, ζῶντά τε ἑαυτὸν ἐκάλεσεν ἄρτον[b], καί· « ὁ τρώγων με, φησί, κἀκεῖνος ζήσεται δι' ἐμέ[c] ».

38. Φαίνεται τοίνυν τὸν Θεὸν προσκυνεῖν ἐν πνεύματι καὶ ἀληθείᾳ[a] καὶ λατρεύειν καθαρῶς, τῆς ἱερᾶς ἔργον εἶναι τραπέζης· οὐ μόνον ὅτι Χριστοῦ μέλεσιν εἶναι καὶ τοῦτον εἴκειν αὐτῷ τὸν τρόπον, ἀπὸ τῶν μυστηρίων προσγίνεται
5 τούτων ἡμῖν, ἀλλ' ὅτι νεκροὺς μὲν ὄντας οὐκ ἂν γένοιτο ζῶντι λατρεύειν Θεῷ, ζῶντας δὲ εἶναι καὶ ἔργων ἀπηλλάχθαι νεκρῶν ἀμήχανον, μὴ τοῦτο ἀεὶ δειπνοῦντας τὸ δεῖπνον[b]. Καθάπερ γὰρ « Πνεῦμα τὸν Θεὸν ὄντα καὶ τοὺς προσκυνοῦντας αὐτὸν ἐν πνεύματι καὶ ἀληθείᾳ δεῖ προσ-
10 κυνεῖν[c] », οὕτω καὶ ζῶντι ζῶντας εἶναι προσήκει τοὺς λατρεύειν προῃρημένους· « οὐ γάρ ἐστιν ὁ Θεός, φησί, Θεὸς νεκρῶν, ἀλλὰ ζώντων[d] ».

39. Ἔστι μὲν οὖν καὶ τὸ ζῆν κατὰ τὸν ὀρθὸν λόγον καὶ πρὸς ἀρετὴν ἔχειν, Θεῷ λατρεύειν· ἀλλ' ἐκεῖνο μὲν καὶ δούλων γένοιτ' ἂν ἔργον· « Ὅταν γὰρ ταῦτα πάντα ποιήσητε,

ABCV MPW Gass Migne

37, 16 τε : δὲ Gass ‖ αὐτὸν A ‖ 17 κἀκεῖνος *om.* A

38, 1 τὸ *ante* τὸν Θεὸν *add.* A ‖ 3 ὅτι *om.* Gass ‖ οὐ μόνον — εἶναι *om.* A ‖ 4 περιγίνεται ABCV Gass ‖ 7 ἀμήχανον *om.* Gass ‖ 10 εἶναι *om.* C

---

37. a. cf. Actes 17, 28 ‖ b. cf. Jn 6, 51 ‖ c. Jn 6, 57

38. a. Jn 4, 23-24 ‖ b. cf. Hébr. 9, 14 ‖ c. Jn 4, 24 ‖ d. Matth. 22, 32

La nourriture se transforme en celui qui la mange ; le poisson, le pain et les autres aliments se transforment en sang humain ; mais ici c'est tout le contraire. Car c'est le pain de vie qui agit sur celui qui s'en nourrit, qui le change et le transforme en lui-même[23], et — rôle qui revient normalement au cœur et à la tête — nous sommes mus et nous vivons en fonction de lui[a], de la vie qui est la sienne. C'est ce que signifie le Sauveur lui-même : voulant montrer qu'il ne nous apporte pas la vie biologique à la manière des aliments, mais que, la possédant en lui-même il nous l'insuffle, il dispense la vie comme le cœur ou la tête aux membres, il s'est appelé lui-même «pain vivant[b]» et il a dit : «Celui qui me mange vivra lui aussi par moi[c].»

L'Eucharistie nous rend capables d'adorer Dieu

38. Il apparaît donc que vénérer Dieu en esprit et en vérité[a] et l'adorer purement, est l'œuvre de la sainte Table ; non seulement parce que c'est de ce mystère qu'il nous vient d'être les membres du Christ et de nous soumettre à lui en tant que tels, mais parce qu'il n'est pas possible à des morts d'adorer le Dieu vivant, et qu'il n'est pas possible d'être vivants et affranchis des œuvres mortes si l'on ne prend pas part continuellement à ce banquet[b]. De même en effet que «Dieu est Esprit et ceux qui le vénèrent doivent le vénérer en esprit et en vérité[c]», de même faut-il que soient vivants ceux qui ont choisi d'adorer un vivant ; car «Dieu n'est pas le Dieu des morts mais des vivants[d].»

39. Vivre selon la droite raison et pratiquer la vertu, c'est cela adorer Dieu. Mais ce peut être aussi bien l'œuvre de serviteurs : «quand vous aurez fait tout cela, dit

23. Cf. Grég. Nys., *Or. catech.* 25,3.

φησί, λέγετε ὅτι ‘‘Ἀχρεῖοι δοῦλοί ἐσμεν’[a]». Αὕτη δὲ ἡ
5 λατρεία πρὸς τῶν υἱῶν γίνεται μόνων· ἡμεῖς δὲ οὐ τῶν
δούλων, ἀλλ’ εἰς τὸν τῶν παίδων καλούμεθα χορόν[b].

40. Διὰ τοῦτο σαρκὸς καὶ αἵματος αὐτῷ κοινωνοῦμεν·
«Τὰ γὰρ παιδία, φησί, κεκοινώνηκε σαρκὸς καὶ αἵματος[a]».
Καθάπερ γὰρ ἐκεῖνος, ἵνα πατὴρ ἡμέτερος γένηται καὶ τὸν
λόγον ἐκεῖνον δυνηθῇ λέγειν· «Ἰδοὺ ἐγὼ καὶ τὰ παιδία ἅ
5 μοι ἔδωκεν ὁ Θεός[b]», σαρκὸς καὶ αἵματος ἡμῖν ἐγένετο
κοινωνός, οὕτω καὶ ἡμᾶς, ἵν’ ἐκείνῳ γενώμεθα παῖδες,
(600) ἀνάγκη τῶν ἐκείνου μεταλαμβάνειν· | καὶ τοῦτον τὸν
τρόπον οὐ μέλη διὰ τὴν τελετὴν αὐτῷ γινόμεθα μόνον, ἀλλὰ
καὶ παῖδες, ὥστε λατρεύειν ὑποταττομένους, ἑκόντας μὲν
10 καὶ μετ’ ἐθελουσίου γνώμης, ὥσπερ οἱ παῖδες· ἀκριβῶς δέ,
καθάπερ τὰ μέλη. Οὕτω γὰρ ἡ λατρεία θαυμαστὴ καὶ οὕτως
ὑπερφυής, ὥστε καὶ ταύτης κἀκείνης δεῖ τῆς εἰκόνος, καὶ
τῆς τῶν υἱῶν καὶ τῆς τῶν μελῶν, ὡς οὐκ ἀρκούσης
τῆς ἑτέρας τὸ ὂν ἐνδείξασθαι.

41. Τί μὲν γὰρ τοῦτο θαυμαστόν, μηδεμίαν κίνησιν
αὐτοὺς οἴκοθεν κεκτημένους, ὥσπερ τὰ μέλη ὡς ὑπὸ
κεφαλῆς τοῦ Θεοῦ κινηθῆναι; Τί δὲ ἐκεῖνο μέγα, καθάπερ
τοῖς πατράσι τῆς σαρκός, τῷ πατρὶ τῶν πνευμάτων
5 ὑποταγῆναι[a]; Τὸ δὲ συναμφότερον ὑπερφυές, ὅταν τοῦ
λόγου τὴν αὐτονομίαν σώζοντες ὥσπερ οἱ παῖδες, ὑποταγῆναι
δυνηθῶμεν ὥσπερ τὰ μέλη.

42. *Ὅτι ἡ κατὰ τὴν χάριν υἱοθεσία καὶ τὸ εἰσποιηθῆναι Θεῷ ἐν τῇ ἱερᾷ συνίσταται κοινωνίᾳ.*

Καὶ τοῦτό ἐστι τὸ χρῆμα τῆς ὑμνουμένης υἱοθεσίας, οὐκ

ABCV MPW Gass Migne

40, 6-8 παῖδες — γινόμεθα *om.* C
42, 1-2 ABVP *mg.*

---

39. a. Lc 17,10 || b. cf. Gal. 4,7
40. a. Hébr. 2,14 || b. Hébr. 2,13; cf. Is. 8,18

l'Écriture, dites : nous sommes des serviteurs inutiles[a] »; en revanche, l'adoration proprement dite est le fait des seuls fils ; et nous, nous sommes appelés à former le chœur non des serviteurs mais des enfants[b].

L'Eucharistie nous rend enfants de Dieu

40. C'est pourquoi nous avons avec lui en partage la chair et le sang : « Les enfants, dit l'Écriture, ont en partage la chair et le sang[a]. » De même que lui, pour devenir notre père et pouvoir prononcer cette parole : « Me voici, moi et les enfants que Dieu m'a donnés[b] », a partagé avec nous la chair et le sang, de même nous aussi, pour devenir ses enfants, nous devons nécessairement avoir part à ce qui est sien ; de cette façon, par ce rite, nous ne devenons pas seulement ses membres, mais aussi ses enfants, de manière à l'adorer avec soumission et de plein gré, comme des enfants, mais aussi avec rigueur, comme des membres. L'adoration est si admirable et si extraordinaire, qu'il faut l'une et l'autre images, celle des enfants et celle des membres, pour en montrer la réalité, car aucune des deux n'y suffit.

41. En quoi serait-il admirable que nous fussions mus par Dieu comme des membres par une tête, sans posséder par nous-mêmes aucun mouvement ? En quoi serait-il grand d'être soumis au père des esprits de la même manière qu'aux pères de la chair[a] ? Mais c'est l'union des deux qui est extraordinaire, lorsqu'en sauvegardant l'autonomie de la raison comme les enfants, nous pouvons être soumis comme les membres.

42. *La filiation par grâce et l'adoption par Dieu consistent dans la sainte communion.*

Tel est l'effet de l'adoption filiale que nous chantons ici :

41. a. cf. Hébr. 12, 9

ἐπὶ τῆς φωνῆς ἱσταμένης, ὥσπερ ἐπὶ τῶν ἀνθρωπίνων, οὐδὲ
5 μέχρι τούτου τιμώσης. Ἐφ' ἡμῶν μὲν γὰρ οἱ ποιητοὶ υἱοί, τοῖς γεγεννημένοις ὀνόματος κοινωνοῦσι μόνον, καὶ μέχρι τούτου κοινὸς αὐτοῖς ὁ πατήρ, γέννησις δὲ οὐδεμία οὐδὲ ὠδῖνες· ἐνταῦθα δὲ καὶ γέννησίς ἐστιν ἀληθῶς καὶ κοινωνία πρὸς τὸν μονογενῆ, οὐ τῆς ἐπωνυμίας μόνον, ἀλλὰ καὶ
10 πραγμάτων αὐτῶν, τοῦ αἵματος, τοῦ σώματος, τῆς ζωῆς. Καὶ τί γὰρ μεῖζον ἢ ὅταν αὐτὸς ὁ Πατήρ, τοῦ μονογενοῦς ἐν ἡμῖν ἐπιγινώσκῃ τὰ μέλη, ὅταν αὐτὴν εὑρίσκῃ τὴν μορφὴν τοῦ παιδὸς ἐπὶ τῶν προσώπων τῶν ἡμετέρων; «Συμμόρφους γάρ, φησί, προώρισε τῆς εἰκόνος τοῦ υἱοῦ
15 αὐτοῦ[a]».

43. *Ὅτι κατὰ ταύτην τὴν υἱοθεσίαν οἱ εἰσποιηθέντες προσφυέστερον ἔχουσι πρὸς τὸν Χριστὸν ἢ πρὸς τοὺς γεγεννηκότας.*

Καὶ τί λέγω τὴν υἱότητα τὴν πεποιημένην, ὅταν τῆς
5 φυσικῆς αὐτῆς προσφυέστερον καὶ συγγενέστερον ἔχῃ, καὶ οἱ οὕτω γεννηθέντες υἱοὶ Θεοῦ μᾶλλον ἢ τῶν γεγεννηκότων αὐτῶν, καὶ τοσοῦτο μᾶλλον, ὅσον ἐκείνων μᾶλλον ἢ τῶν ὑποβαλλομένων εἰσί; Τί γάρ ἐστιν, ὃ τοὺς ἀληθεῖς ἡμῖν πατέρας ποιεῖ; Ἐκ τῶν σαρκῶν αὐτῶν, ταύτην ἔχομεν τὴν
10 σάρκα, καὶ ἐκ τῶν αἱμάτων αὐτῶν, συνέστηκεν ἡμῖν ἡ ζωή. Τοῦτο καὶ ἐπὶ τοῦ Σωτῆρος «σάρκες ἐσμὲν ἐκ τῶν σαρκῶν αὐτοῦ, καὶ ὀστᾶ ἐκ τῶν ὀστῶν αὐτοῦ[a]», ἀλλὰ τῆς κοινωνίας ἑκατέρας πολὺ τὸ μέσον.

44. Ἐπὶ μὲν γὰρ τῶν φυσικῶν τὸ νῦν αἷμα τῶν παίδων, οὐκέτι καὶ τῶν γεγεννηκότων ἐστίν, ἀλλ' ἦν ἐκείνων πρὶν

ABCV MPW Gass Migne

42, 5 υἱοί *om.* Gass ‖ 7 οὐ μία A ‖ 9 καὶ *om.* P ‖ 14 φησί *om.* MPW
43, 1-3 ABVP *mg.* ‖ 4 ὅτε V ‖ 5 αὐτῆς *om.* Gass ‖ 7 τοσοῦτον C τοσούτῳ V ‖ ὅσον — μᾶλλον *om.* C

elle n'est pas fondée sur un mot, comme chez les hommes, et ne borne pas là l'honneur qu'elle donne. En effet, chez nous les fils adoptifs partagent seulement le nom avec les vrais enfants, et le père n'est commun entre eux que sur ce point, il ne s'y trouve ni naissance ni douleurs de l'enfantement. Tandis que là, il y a en vérité une naissance et un partage avec le Fils unique, non seulement du nom, mais de la réalité même, du sang, du corps, de la vie. Quoi de plus grand que lorsque le Père lui-même reconnaît en nous les membres du Fils unique, lorsqu'il retrouve sur nos visages la forme même de son enfant : « Il les a prédestinés, dit l'Écriture, à être conformes à l'image de son Fils[a]. »

43. *Par cette adoption filiale les adoptés sont plus unis au Christ qu'à leurs parents.*

Mais pourquoi parler d'adoption, alors que l'adoption divine greffe et apparente plus intimement que la filiation naturelle, et que ceux qui sont ainsi engendrés sont fils de Dieu plus que de leurs propres parents, à la même mesure qu'ils sont fils de leurs parents plus que de ceux qui se les sont appropriés[24] ? Qu'est-ce qui constitue les vrais pères pour nous ? C'est que nous tenons notre chair de leur chair, et que notre vie s'est constituée à partir de leur sang. Ainsi en est-il du Sauveur : nous sommes « chair de sa chair et os de ses os[a] » ; mais la distance est grande entre ces deux sortes de communion.

44. Dans la génération naturelle, ce qui aujourd'hui est le sang des enfants n'est plus celui des parents ; il l'était

42. a. Rom. 8, 29
43. a. cf. Gen. 2, 23

---

24. παιδίον ὑποβάλλεσθαι : « faire passer pour sien un enfant supposé » (Bailly, *Dictionnaire grec-français*). La substitution ou supposition d'enfant est une hantise du droit gréco-romain, principalement pour des questions de légitimité et d'héritages.

ἢ τῶν παίδων εἶναι, καὶ τοῦτο ποιεῖ τὸ γένος, ὅτι ὃ νῦν τούτων, ἐκείνων πρότερον ἦν· τὸ δὲ τῆς τελετῆς ἔργον, τὸ 5 αἷμα ᾧ ζῶμεν, νῦν ἐστιν αἷμα Χριστοῦ, καὶ ἡ σὰρξ ἣν πήγνυσιν ἡμῖν τὸ μυστήριον, σῶμά ἐστι τοῦ Χριστοῦ, καὶ κοινὰ ἔτι τὰ μέλη καὶ κοινὴ ἡ ζωή.

45. Τοῦτο δέ ἐστιν ἡ ἀληθὴς κοινωνία, ὅταν ἀμφοῖν τὸ αὐτὸ κατὰ τὸν αὐτὸν χρόνον παρῇ, ὡς ἐπειδὰν ἑκάτερος ἔχῃ, καὶ νῦν μὲν οὗτος, νῦν δὲ ἐκεῖνος, οὐ κοινωνεῖν ἂν εἴη μᾶλλον ἢ διεστάναι. Οὐ γάρ ἐστι τὸ συνάπτον, ὅτι μὴ 5 πάρεστι κατὰ ταὐτον ἀμφοτέροις, ὅ γε μόνος ἑκάτερος ἔχει· ὅθεν οὔτε κοινωνοῦσιν ἀλλήλοις οὑτινοσοῦν ἀληθῶς, οὔτε κεκοινωνήκασιν, ἀλλ' ὅτι τὸ αὐτό ἐστιν, ὃ πρότερον ἦν τούτου, νῦν δὲ ἐκείνου, εἰκόνα τινὰ κοινωνίας ἔχει. Καθάπερ (601) γὰρ | οὐκ ἄν τις εἴη σύνοικος, ᾧ τὴν αὐτὴν ᾤκησεν οἰκίαν, 10 εἰ μετ' ἐκεῖνον οἰκοίη οὐδ' ἀρχῆς καὶ πραγμάτων καὶ φροντίδων κοινωνὸς ὁτῳοῦν, ὃς ἐξεδέξατο τὴν ἀρχήν, ἀλλ' ὃς ἄν, πρός γε τῷ τὸν αὐτὸν οἰκῆσαι τόπον καὶ τῶν αὐτῶν προστῆναι πραγμάτων, ἔτι καὶ χρόνοις χρήσαιτο τοῖς αὐτοῖς· τὸν ἴσον κἀνταῦθα τρόπον ἂν ἔχοι καὶ σαρκὸς καὶ 15 αἵματος τοῖς μὲν γεγεννηκόσιν οὐ πάνυ, μὴ τὸν αὐτὸν ἡμῖν αὐτὰ μετασχοῦσι χρόνον· τῷ Χριστῷ δὲ ὡς ἀληθῶς κοινωνοῦμεν, πρὸς ὃν ἀεὶ καὶ σῶμα καὶ αἷμα καὶ μέλη καὶ πάντα ταῦτα κοινά.

46. Εἰ δὲ τοῦτο ποιεῖ τὰ παιδία, τὸ κοινωνῆσαι σαρκὸς καὶ αἵματος, δῆλοι καθέσταμεν πρὸς τὸν Σωτῆρα συγ-

ABCV MPW Gass Migne

44, 6 πήγουσιν C
45, 5 κατ' αὐτὸν C || 9 ὠκείη M || 12 οἰκῆσαι — αὐτῶν *om.* C || 12 τόπον : τρόπον AV || 17 καὶ *post* ὃν *add.* Gass
46, 2 δῆλον Gass

25. Image traditionnelle pour exprimer la fécondation. Cf. *Job*, 10, 10.

avant d'être celui des enfants ; et voici ce qui fait la génération : que ce qui est aujourd'hui aux enfants, était auparavant aux parents. Au contraire, l'œuvre du rite, c'est que le sang par lequel nous vivons est aujourd'hui sang du Christ, et la chair que le mystère fait cailler[25] en nous est le corps du Christ ; communs sont encore les membres, et commune la vie.

45. La véritable communion, c'est lorsque la même chose est présente en même temps à deux êtres, alors que si chacun des deux la possède, mais tantôt l'un, tantôt l'autre, il ne s'agit pas d'une communion mais bien plutôt d'une séparation. Ce que chacun des deux possède seul n'est pas un élément d'union, parce qu'il n'appartient pas aux deux en même temps ; de sorte qu'en réalité ils n'ont rien en commun l'un avec l'autre, et ils n'ont jamais rien eu en commun ; mais parce que c'est une même chose qui était auparavant à l'un, et qui est maintenant à l'autre, c'est une certaine image de la communion. De même que des personnes qui habitent la même maison, ne cohabitent pas si elles l'habitent l'une après l'autre ; de même qu'elles n'ont pas en commun le pouvoir, les affaires et les soucis si l'une y succède à l'autre, mais que pour cela il faut, outre le fait d'habiter le même lieu et de s'occuper des mêmes affaires, en user en même temps ; de même, pour le sujet qui nous occupe, on n'a pas en commun complètement la chair et le sang avec ses parents, puisqu'ils ne partagent pas en même temps la même chose que nous ; mais nous communions en vérité au Christ, parce qu'il a toujours en commun avec nous le corps, le sang, les membres et tout cela.

46. Mais si ce qui fait les enfants, c'est d'avoir en commun la chair et le sang, il apparaît que nous recevons

γενέστερον ἔχοντες ἀπὸ τῆς τραπέζης ἢ τῆς φύσεως πρὸς τοὺς γεγεννηκότας αὐτούς· ἔτι τοίνυν οὐκ ἅπαξ ζωώσας
5 ὥσπερ ἐκεῖνοι καὶ συστησάμενος ἀπηλλάγη, ἀλλ' ἀεὶ πάρεστι καὶ ἥνωται, καὶ τούτῳ αὐτῷ ζωοῖ καὶ συνίστησι τῷ παρεῖναι.

47. Καὶ τῶν μὲν γεγεννηκότων ἀφεστηκότας οὐδὲν κωλύει περιεῖναι, τοὺς δὲ τοῦ Χριστοῦ διϊσταμένους οὐδὲν ἄλλο λοιπὸν ἢ τεθνάναι. Καὶ τί μὴ λέγω τὸ μεῖζον; Συστῆναι μὲν γὰρ αὐτοὺς ἐφ' ἑαυτῶν τοὺς υἱεῖς οὐκ ἔστι
5 μὴ διαστάντας τών γεγεννηκότων, ἀλλὰ τοῦτο ποιεῖ τοὺς μὲν γεγεννηκέναι, τοὺς δὲ γεγεννῆσθαι τὴν ἀρχὴν τῷ διαιρεθῆναι· ἡ δ' ἐπὶ τῶν μυστηρίων υἱότης ἐν τῶ συνεῖναι καὶ κοινωνεῖν ἐστι, καὶ τοῦτό ἐστι διεφθάρθαι καὶ μηκέτ' εἶναι, τὸ διεστάναι.

48. Οὐκοῦν εἰ κοινωνίαν τινὰ βούλεται τὸ τῆς συγγενείας ὄνομα, καὶ τούτους οἶμαι μηνύει τοὺς αἵματι κοινῷ συνημμένους, μόνη μὲν αἵματος ἂν εἴη κοινότης, μόνη δὲ καὶ συγγένεια καὶ υἱότης, καθ' ἣν τῷ Χριστῷ κοινωνοῦμεν.
5 Διὰ τοῦτο καὶ τὴν φυσικὴν γέννησιν ἀποκρύπτει, ἐπειδὰν ἐπὶ τῶν αὐτῶν γένωνται· «Ὅσοι γὰρ ἔλαβον αὐτόν, φησίν, οἷς ἔδωκεν ἐξουσίαν τέκνα Θεοῦ γενέσθαι, οὐκ ἐγεννήθησαν ἐξ αἱμάτων[a]», καίτοι γεγέννηται καὶ σάρκες ἦσαν οἱ γεγεννηκότες, καὶ τῆς γεννήσεως προτέρα ταύτης ἐκείνη,
10 ἀλλὰ τοσοῦτον ἡ δευτέρα κατεκράτησε τῆς πρεσβυτέρας, ὥστε μηδὲ ἴχνος ἐκείνης μηδὲ ὄνομα λοιπὸν εἶναι. Καὶ οὕτως ὁ ἱερὸς ἄρτος τὸν νέον εἰσάγων ἄνθρωπον πρόρριζον ἐκβάλλει τὸν παλαιόν[b].

ABCV MPW Gass Migne

46, 5 ἐκεῖνος C || 6 καὶ *post* αὐτῷ *add.* V
47, 9 τὸ διεστάναι *om.* Gass
48, 2 μηνύειν C || 4 καὶ P : *om.* cett. || 7 οἷς : αὐτοῖς Migne || 7-8 οὐκ — αἱμάτων *om.* Gass

par la sainte Table une parenté plus étroite avec le Sauveur que par la nature avec nos propres parents. En outre, une fois qu'il nous a donné la vie et constitués, il ne nous a pas quittés comme eux, mais il nous est toujours présent et uni, et c'est par sa présence même qu'il nous donne la vie et nous constitue.

47. Ceux qui se sont séparés de leurs parents, rien ne les empêche de survivre ; en revanche, ceux qui se sont écartés du Christ, il ne leur reste plus qu'à mourir. Et pourquoi ne pas dire le plus fort ? Les fils ne peuvent se construire de façon autonome s'ils ne se séparent pas de leurs parents, et c'est cela qui depuis toujours fait que les uns engendrent et que les autres sont engendrés ; au contraire, la filiation issue des mystères consiste dans une union et une communion telles que se séparer équivaut à être détruit et à ne plus être.

48. Si le nom de parenté implique une communion, et si ce nom désigne, à ce que je crois, ceux qui sont unis par un sang commun, il n'est qu'une communauté de sang, il n'est qu'une parenté et qu'une filiation, celle par laquelle nous communions au Christ ; c'est pourquoi cette filiation éclipse la naissance physique, quand elles se trouvent dans les mêmes sujets : « Tous ceux qui l'ont reçu, dit l'Écriture, et à qui il a donné le pouvoir de devenir enfants de Dieu, ne sont pas nés du sang[a] », pourtant ils étaient nés et leurs parents étaient chair, et cette naissance avait précédé l'autre, mais la seconde naissance a tellement surpassé la première qu'il n'en reste plus ni la trace ni le nom. Ainsi, le pain sacré, en faisant entrer l'homme nouveau, déracine et jette dehors le vieil homme.

48. a. Jn 1, 12 || b. cf. Col. 3, 9-11 ; Éphés. 4, 24

49. Καὶ τοῦτο γὰρ τῆς ἱερᾶς ἔργον τραπέζης· «οἱ γὰρ λαβόντες αὐτόν, φησίν, οὐκ ἐγεννήθησαν ἐξ αἱμάτων[a]». Πότε δὲ αὐτὸν λαμβάνομεν; ἐπιγνῶμεν τὸ ῥῆμα, καὶ παρ' ὃ τῶν μυστηρίων εἴρηται τοῦτο, λέγω δὴ τό· «Λάβετε[b]».
5 Δῆλον γὰρ ὡς ἐπὶ τὸ δεῖπνον ταύτῃ καλούμεθα τῇ φωνῇ, καθ' ὃ τὸν Χριστὸν καὶ χερσὶ λαμβάνομεν ἀληθῶς καὶ στόματι δεχόμεθα καὶ ψυχῇ συμμίγνυμεν καὶ σώματι συνάπτομεν καὶ κιρνῶμεν αἵματι.

50. Καὶ πρόσεστι τὸ δικαίως· τοῖς γὰρ οὕτω τὸν Σωτῆρα καὶ λαβοῦσι καὶ κατασχοῦσι διατέλους, ἔστι μὲν αὐτὸς ἁρμόζουσα κεφαλή, τούτῳ δὲ ἐκεῖνοι πρέποντα μέλη· γέννησιν δὲ τὰ μέλη γεννηθῆναι τῇ κεφαλῇ τὴν αὐτήν,
5 ἀκόλουθον ἦν. «Οὐκ ἐξ αἱμάτων» ἡ σὰρξ ἐκείνη «οὐδὲ ἐκ
(604) θελήματος σαρκὸς οὐδὲ ἐκ θελήματος ἀνδρὸς ἀλλ' | ἐκ Θεοῦ[a]» τοῦ Ἁγίου Πνεύματος· «Τὸ γὰρ ἐν αὐτῇ γεννηθέν, φησίν, ἐκ Πνεύματός ἐστιν Ἁγίου[b]». Εἰκὸς ἦν καὶ τὰ μέλη τοῦτον γεννηθῆναι τὸν τρόπον, ὅπου γε καὶ αὐτὴ ἡ γέννησις
10 τῆς κεφαλῆς τῶν μελῶν τούτων τῶν μακαρίων γέννησις ἦν· τοῦτο γὰρ ἦν συστῆναι τὰ μέλη, τὸ γεννηθῆναι τὴν κεφαλήν.

51. Εἰ δὲ καὶ ἡ ἀρχὴ τῆς ζωῆς γέννησίς ἐστιν ἑκάστῳ, καὶ τὸ τὴν ζωὴν ἄρξασθαι, τοῦτό ἐστι γεννηθῆναι, δι' ὧν ζωὴ τῶν αὐτῷ προσκειμένων ἐστὶν ὁ Χριστός, αὐτοὶ γεγέννηνται τοῦ Χριστοῦ τὸν βίον τοῦτον εἰσεληλυθότος καὶ
5 γεννηθέντος.

ABCV MPW Gass Migne

49, 4 ὃ BP : ᾧ *cett.*

50, 1 φάγητε *post* πρόσεστι τὸ *add.* V *mg.* || 4 γέννησιν — μέλη *om.* W || 8 ἦν : οὖν M || 10 τούτων *om.* Gass

51, 2 τὸ : τῷ V || 3 αὐτοὶ : αὐτὸν C

---

49. a. Jn 1,12s. || b. cf. Matth. 26,26

50. a. Jn 1,13 || b. Matth. 1,20

L'homme nouveau formé par l'Eucharistie

49. Telle est l'œuvre de la sainte Table : «Ceux qui l'ont reçu, dit l'Écriture, n'ont pas été engendrés par le sang[a].» Et quand donc le recevons-nous ? Examinons cette parole et voyons à propos de quel sacrement est dit ce mot : «Recevez[b].» De toute évidence, c'est au banquet que cette parole nous convie, là où nous recevons en vérité le Christ dans nos mains[26], où nous l'accueillons dans notre bouche, où nous le mêlons à notre âme, l'unissons à notre corps et le mélangeons à notre sang[27].

50. Et cette parole est juste ; car ceux qui reçoivent ainsi le Sauveur et le gardent continuellement en eux ont en lui une tête bien ajustée et sont pour lui des membres bien adaptés. Et il était logique que les membres naquissent de la même naissance que la tête ; or la chair du Sauveur vient «non du sang ni d'un vouloir charnel ni d'un vouloir d'homme, mais de Dieu[a]» le Saint Esprit : en effet, «ce qui a été engendré en elle vient du Saint Esprit[b]» dit l'Écriture. Il convenait donc que les membres naquissent aussi de cette façon, dès lors que la naissance même de la tête était la naissance de ces membres bienheureux ; car c'est par le même mouvement que la tête est engendrée et que les membres sont constitués.

51. Et si pour chacun la naissance est le commencement de la vie, et si naître c'est commencer à vivre, puisque le Christ est la vie de ceux qui lui sont rattachés, eux-mêmes sont nés quand le Christ est entré dans cette vie et qu'il est né.

26. Cf. CYR. JÉR., *Cat. Myst.* V, 21.
27. Cf. CYR. JÉR., *Cat. Myst.* IV, 3, 9.

52. Τοσοῦτος σωρὸς ἡμῖν ἀγαθῶν ἀπὸ τῆς ἱερᾶς ἀνίσχει τραπέζης· ῥύεται δίκης, ἀποτρίβεται τὴν ἀπὸ τῆς ἁμαρτίας αἰσχύνην, ἀνακαλεῖται τὴν ὥραν, αὐτῷ προσδεῖ τῷ Χριστῷ τῶν φυσικῶν δεσμῶν ἀκριβέστερον· τὸ καθάπαξ εἰπεῖν, 5 τελείους ποιεῖ τὸν ἀληθῆ χριστιανισμὸν τελετῆς ἁπάσης διαφερόντως.

53. *Διὰ τί τὸ τῆς τραπέζης μυστήριον τελεώτερον τοῦ βαπτίσματος ὄν, οὔτε ἀναπλάττει τὸν ἡμαρτηκότα οὔτε καθαίρει πόνων χωρίς, ὥστε τὸ βάπτισμα :*

Ἐνταῦθα δὲ περὶ τοῦ μυστηρίου πολλοῖς ἐπῆλθε θαυ- 5 μάζειν, εἰ οὕτω τελεώτατα πάντων ἔχον, πρὸς τὸ λύειν εὐθύνης τοῦ βαπτίσματος ἐλάττω δοκεῖ δύνασθαι, μεῖζον ὄν· ἐκεῖνο μὲν γὰρ οὐδὲν πονοῦντας, τὸ δὲ πόνων ἡγησαμένων. Καὶ τῶν μὲν ἐκεῖ καθαρθέντων πρὸς τοὺς μηδὲ τὴν ἀρχὴν μολυσμὸν ὁντινοῦν δεξαμένους οὐδεμία 10 διαφορά, τῶν δὲ ἐπὶ τοῦ δείπνου πολλοῖς τῶν ἡμαρτημένων ἔνεισιν ἴχνη.

54. Καὶ διελόντας ἀκριβέστερον εἰπεῖν, τεττάρων τούτων ἐν τοῖς ἡμαρτημένοις θεωρουμένων, τοῦ τὴν ἁμαρτίαν ἐργασαμένου, τῆς πονηρᾶς ἐνεργείας, τῆς ἐπὶ ταύτῃ δίκης, τῆς ἐκεῖθεν ἐντεθείσης τῇ ψυχῇ προστροπῆς· τῆς μὲν 5 ἐνεργείας αὐτὸν οἴκοθεν ἀπηλλάχθαι δεῖ τὸν εἰργασμένον καὶ πεπαυμένον ἐπὶ τὸ λουτρὸν ἥκειν, τἄλλα δὲ τὸ βάπτισμα μὲν οὐδὲν οὐδενὸς πραγματευσαμένου καθάπαξ ἐκ μέσου πάντα ποιεῖ, καὶ τὴν δίκην καὶ τὴν νόσον καὶ αὐτὸν ἀναιρεῖ τὸν ἡμαρτηκότα· καὶ γὰρ ἐναποθνήσκει τοῖς ὕδασι καὶ νέος 10 τίς ἐστιν ἄνθρωπος, ὃν ἀναδίδωσι τὸ λουτρόν.

ABCV MPW Gass Migne

53, 1-3 ABVP *mg.* || 9 ὁντινοῦν *om.* M

54, 4 προτροπῆς CW Gass || 5 δεῖ : χρὴ M || ἐργασμένον V || 8 καὶ[2] — ἀναιρεῖ : ὥστε (om. C) καὶ αὐτὸν ἀναιρεῖν (ἀναιρεῖ C) πιστεύεται CMW Gass

52. Telle est la masse de biens qui pour nous est issue de la sainte Table : elle affranchit de la peine, elle efface la honte née du péché, elle rappelle en nous la beauté, elle nous attache au Christ lui-même plus étroitement que par les liens de la nature : en un mot, elle nous rend parfaits dans la véritable christianisme mieux que tout autre rite.

CONTROVERSES AUTOUR DE LA PERFECTION DE L'EUCHARISTIE

53. *Pourquoi le mystère de la Table, étant plus parfait que le baptême, ne remodèle-t-il pas le pécheur et ne le purifie-t-il pas sans peines, comme le fait le baptême?*

Sur ce point, il est arrivé à beaucoup de s'étonner, de ce que ce mystère, bien qu'il soit le plus parfait de tous, semble avoir moins que le baptême le pouvoir de libérer du châtiment, alors qu'il est plus grand que lui ; en effet, le baptême accomplit cette libération sans que nous ayons à peiner, alors que ce mystère le fait à condition que les peines aient précédé. Ceux qui viennent d'être purifiés par le baptême, rien ne les distingue de ceux qui n'ont jamais reçu la moindre souillure, tandis que beaucoup de ceux qui viennent au banquet portent des traces de péché.

54. Pour distinguer avec plus de rigueur, il faut considérer quatre choses dans le péché : celui qui a commis le péché, l'acte mauvais, le châtiment de cet acte et le mauvais penchant qu'il introduit dans l'âme. L'acte mauvais, celui qui l'a commis doit s'en écarter spontanément et le faire cesser avant de s'approcher du bain ; mais tout le reste, c'est le baptême qui l'enlève d'un seul coup, sans que personne ait rien à faire, et il supprime le châtiment, la maladie, et le pécheur lui-même : en effet, il meurt dans l'eau et c'est un homme nouveau que rend le bain.

55. Ὁ δὲ ἱερὸς ἄρτος, ὃν ἂν ἠνιαμένον λάβοι καὶ πεπονηκότα, τῶν ἡμαρτημένων ἀξίως ἀφίησι μὲν εὐθύνης, ἀποκλύζει δὲ τῆς πονηρᾶς ἕξεως τὴν ψυχήν, ἀποκτείνει δὲ οὐδαμῶς· οὐ γὰρ ἀναπλάττειν ἄνωθεν οἶδε. Καὶ τοῦτον
5 μόνον τῶν τῆς ἁμαρτίας ὅρων ἀκίνητον καταλείπει καὶ μένειν ἀφίησιν, ὑπεύθυνον μὲν οὐκέτι, αὐτὸν δὲ ὅμως τὸν τολμητήν. Εἰσὶ δὲ οἳ καὶ σημεῖα φέρουσιν ἔτι τῆς ἀρρωστίας καὶ οὐλὰς τῶν πάλαι πληγῶν, ἂν ἧττον ἢ προσῆκον ἦν, μελήσῃ περὶ τῶν τραυμάτων αὐτοῖς, καὶ πρὸς τὴν τοῦ
10 φαρμάκου δύναμιν οὐκ ἐφάμιλλον εἰσενέγκωσι τῆς ψυχῆς τὴν παρασκευήν.

56. Καὶ τῆς καθάρσεως τούτῳ διήνεγκε ταύτης ἐκείνη, ὅτι τε οὐκ ἀποπνίγει τὸν ἡμαρτηκότα καὶ ἀναπλάττει, καὶ ὅτι μένοντα καθαίρουσα μόνον, οὐδὲ τοῦθ' ἡμῖν ἔχει πόνων χωρίς. Ταῦτα δὲ πρὸς μὲν τὴν τελευτὴν οὐδέν, ἀλλ' εἰς
5 αὐτὴν ἥκει τὴν φύσιν τοῦ πράγματος, καὶ τοῦ χρῆναι τοὺς ὑπευθύνους, ταύτῃ μὲν λουμένους, ἐκείνως δὲ δειπνοῦντας καθαίρεσθαι.

57. *Ὅτι διὰ τοῦτο λαμβάνομεν ἐν τῷ βαπτίσματι δυνάμεις τοῦ ἐνεργοῦν, ἵνα ἐνεργῶμεν.*

Καὶ περὶ μὲν τοῦ δεῖσθαι πόνων ἐκεῖνο λέγω. Τὸ
(605) βάπτισμα μὲν μήπω συστάντας παραλαβὸν μηδὲ | δύναμιν
5 ἡντινοῦν κεκτημένους ὑπὲρ τοῦ καλοῦ δραμεῖν, οὐ μάτην ἡμᾶς ταῦτα πάντα προῖκα ἐργάζεται καὶ δεῖται τῶν παρ' ἡμῶν οὐδενός, ὡς ἂν εἰσενεγκεῖν οὐδὲν δυναμένων· Ἡ τράπεζα δὲ συνεστῶσιν ἤδη καὶ ζῶσι καὶ δυναμένοις ἀρκεῖν ἡμῖν αὐτοῖς προκειμένη, χρῆσθαι τῇ δυνάμει καὶ τοῖς δοθεῖσιν

ABCV MPW Gass Migne

55, 1 λάβῃ AV || 9 μελήσει C
56, 2 ἀποπνίγειν λέγεται CMW Gass || ἀναπλάττειν CMW Gass || 6 λελουμένους AC λουομένους V[pc]
57, 1-2 V *mg.* || 7 οὐδὲν *om.* Gass || δυναμένην C

55. Le pain sacré, lui, libère à coup sûr du châtiment et des péchés celui qui le reçoit avec un cœur chagriné et contrit et il lave son âme de son mauvais penchant, sans toutefois le faire mourir, car il n'est pas capable de remodeler d'en-haut. C'est le seul des composants du péché qu'il laisse inchangé et à qui il permette de demeurer, non plus comme justiciable, du moins comme l'auteur même de la faute. Et il en est qui portent encore des séquelles de leur infirmité et des cicatrices de leurs plaies passées, s'ils ne se sont pas assez souciés de leurs blessures, et s'ils n'ont pas préparé leur âme de façon appropriée à la vertu du remède.

56. La purification de l'Eucharistie diffère de celle du baptême en ce qu'elle ne noie pas le pécheur ni ne le remodèle, et aussi en ce que, tout en le laissant subsister, elle se borne à le purifier, et que cela ne nous vient pas sans peines. Ce n'est en rien dû au rite, mais à la nature même de l'affaire, qui fait que les justiciables doivent être purifiés, ici en étant baignés, et là en participant à un banquet.

Notre collaboration

57. *Si nous recevons dans le baptême les facultés pour agir, c'est afin que nous agissions.*

A propos de la nécessité des peines, je dirai ceci : le baptême accueille des êtres qui ne sont pas encore constitués et qui n'ont pas acquis la moindre faculté pour bien avancer ; ce n'est donc pas pour rien qu'il opère tout cela en nous gratuitement et qu'il ne réclame rien de notre part, comme de gens qui sont incapables de rien apporter. Mais la sainte Table nous est proposée alors que nous sommes déjà constitués, que nous vivons et que nous sommes capables de nous suffire à nous-mêmes ; elle nous laisse le soin d'utiliser cette capacité et les armes qui nous ont été données, et de poursuivre le bien non plus en étant

10 ὅπλοις ἀφίησι, καὶ διώκειν τἀγαθὸν οὐκέτι κομιζομένους οὐδ' ἑλκομένους, ἀλλ' αὐτοὺς οἴκοθεν καὶ παρ' ἡμῶν αὐτῶν ὁρμῶντας καὶ κινουμένους, ὡς ἂν ἤδη τρέχειν ἐπισταμένους.

58. Τί μὲν γὰρ ἔδει καὶ ποιῆσαι λαβεῖν, οἷς οὐκ ἔδει χρήσασθαι ; τί δὲ ῥωννύναι καὶ καθοπλίζειν, τὸν οἴκοι μέλλοντα καθεύδειν ; Εἰ γὰρ μήτε τὴν ἀρχὴν γεννωμένοις μήθ' ὕστερον καθαίρεσθαι βουλομένοις ἀγώνων ἦν καὶ πόνων 5 καιρός, οὐκ οἶδα πότ' ἂν ἡμῖν αὐτοῖς ἐγενόμεθα χρήσιμοι, τί δ' ἂν ἦν ἔργον ἀνθρώπων, τῶν ὑπὲρ τῆς ἀρετῆς δρόμων ἀνῃρημένων, μᾶλλον δὲ τί χεῖρον ἂν ἦν τοῦ καθ' ἡμᾶς πράγματος, πραττόντων μὲν ὧν ἔπαινός ἐστιν οὐδὲ ἕν, πρὸς δὲ τὸ πονηρὸν ἐνεργὸν ἐχόντων ἑκάστοτε τὴν ψυχήν.

59. Διὰ ταῦτα τόπον ἔργων ἀνθρώποις ἔδει συγχωρηθῆναι καὶ καιρὸν ἀγώνων, τό γε τελείοις ἀνδράσιν εἶναι παρὰ τῶν μυστηρίων ἤδη λαβοῦσι, καὶ δυναμένοις τὸ τῇ φύσει προσῆκον ἔργον ἐργάζεσθαι, καὶ τῆς ἡμέρας φανείσης, 5 « ἣν ὁ Κύριος ἐποίησε[a] », μηκέτι καθεύδειν, ἀλλ' ἐπ' ἔργα χωρεῖν· καὶ ᾗ φησὶ Δαβίδ « ἐπὶ τὸ ἔργον αὐτοῦ καὶ ἐπὶ τὴν ἐργασίαν αὐτοῦ τὸν ἄνθρωπον ἐξελθεῖν ἕως ἑσπέρας[b] ». Καθάπερ γὰρ μετὰ ταύτην τὴν ἡμέραν « ἔρχεται νὺξ ὅτε οὐδεὶς δύναται ἐργάζεσθαι[c] », οὕτω καὶ πρὸ ταύτης ἦν ὅτε 10 παντελὴς ἦν τοῦ πράττειν ἀδυναμία, καὶ οὐδεὶς ᾔδει ποῖ δεῖ βαδίζειν, νυκτὸς ἐχούσης ἔτι τὴν γῆν, « ἐν ᾗ, φησίν, ὁ περιπατῶν οὐκ οἶδε ποῦ ὑπάγει[d] ».

60. Τοῦ ἡλίου δὲ ἀνασχόντος καὶ πανταχοῦ δία τῶν μυστηρίων τῆς ἀκτῖνος χεθείσης, ἀνάγκη μηδεμίαν ἀνθρω-

ABCV MPW Gass Migne

57, 10 τἀγαθὰ C ‖ 12 δυναμένους *post* ἐπισταμένους *add.* V
58, 6 ἀνθρώπων P : ἀνθρώπου *cett.* ‖ 7 τοῦ καθ' ἡμᾶς *om.* Gass
59, 1 τόπων B^{ac}C ‖ 2 καιρῶν C ‖ 3 ἤδη *om.* M
60, 2 ἀνθρωπίνων CMW Gass

---

59. a. Ps. 117, 24 ‖ b. Ps. 103, 23 ‖ c. Jn 9, 4 ‖ d. Jn 12, 35

pris en charge ni en nous laissant tirer, mais en nous élançant nous-mêmes spontanément et en nous mettant en mouvement, comme des gens qui sont déjà entraînés à la course.

58. Pourquoi aurions-nous dû recevoir une capacité, si nous n'avions pas à nous en servir ? A quoi bon fortifier et armer celui qui devait demeurer chez lui ? Si en effet il n'y avait un temps de combat et de peines ni au commencement pour ceux qui naissent, ni plus tard pour ceux qui veulent être purifiés, je ne vois pas quand nous nous rendrions utiles à nous-mêmes, ni quelle serait l'œuvre des hommes, privés des compétitions pour la vertu ; ou plutôt je ne vois pas ce qu'il y aurait de pire pour nous que cette affaire où nous n'aurions rien à accomplir qui mérite louange, alors que nous aurions à chaque instant une âme agissant pour le mal.

59. C'est pourquoi il fallait que fût ménagé aux hommes un lieu pour agir et un temps pour combattre, du moins à ceux qui ont déjà reçu des mystères la grâce d'être des hommes accomplis, et qui sont capables de réaliser une œuvre en rapport avec leur nature, et, quand paraîtra le jour «que le Seigneur a fait[a]», de ne plus demeurer en repos, mais de passer aux actes ; comme dit David : «l'homme sort pour son ouvrage et pour faire son travail jusqu'au soir[b].» De même en effet qu'après ce jour-ci «viendra la nuit où personne ne peut travailler[c]», de même aussi avant ce jour-ci était un temps où il était totalement impossible d'agir, et où personne ne savait où aller, parce que la nuit couvrait encore la terre, nuit «durant laquelle, dit l'Écriture, celui qui marche ne sait pas où il va[d].»

60. Mais puisque le soleil s'est levé et que ses rayons se sont répandus partout par les mystères, il ne faut plus

πείων ἔργων εἶναι καὶ πόνων ἀναβολήν, ἀλλὰ σιτεῖσθαι τὸν ἄρτον τοῦτον ἐν ἱδρῶτι τοῦ προσώπου[a] τὸν ἡμέτερον ὡς
5 ὑπὲρ ἡμῶν κλώμενον, ἄλλως θ' ὅτι τοῖς λογικοῖς ἀφώρισται μόνοις, καὶ ὅ φησιν ὁ Κύριος, « ἐργάζεσθαι τὴν μένουσαν βρῶσιν[b] », ὅπερ ἐστὶ κελεύοντος, οὐκ ἀργοὺς οὐδ' ἀπράκτους, ἀλλ' ἐργαζομένους ἐπὶ τὸ δεῖπνον τοῦτο χωρεῖν. Εἰ γὰρ τοὺς ἀργοὺς καὶ τῆς ἀπολλυμένης τραπέζης ὁ
10 τοῦ Παύλου νόμος ἀπάγει· « ὁ γὰρ ἀργός, φησί, μηδὲ ἐσθιέτω[c] »· τίνων δεήσει τῶν ἔργων, τοῖς ἐπὶ ταύτην καλουμένοις τὴν τράπεζαν ;

Ὅτι μὲν οὖν οὕτως ἐχρῆν τῶν ἱερῶν ἅπτεσθαι δώρων, καὶ τούτου χάριν πρὸ τῆς τελετῆς οἴκοθεν αὐτοὺς καθαίρεσθαι
15 δεῖ, φανερὸν ἐκ τῶν εἰρημένων. Ὅτι δὲ τοῦτό ἐστιν οὐκ ἔλαττω μόνον τῶν ἄλλων μυστηρίων, ἀλλὰ καὶ μείζω δυναμένου, δῆλον ἐκεῖθεν.

61. Πρῶτον μὲν γάρ, εἰ τοῖς βελτίοσιν ὁ Θεὸς τὰ μείζω δωρεῖται, ὅς « τὸν ἔλεον ἵστησι καὶ ζυγῷ τινι, τὸ τοῦ προφήτου, καὶ δικαιοσύνῃ πάντα ποιεῖ[a] », πολλῷ δὲ καλλίους ἡμᾶς εὐποιεῖ, τετελεσμένους ἤδη καί που καὶ περὶ
5 ἀρετῆς ἠγωνισμένους, ἢ μηδὲ τὴν ἀρχὴν λουσαμένους, λείπεται καὶ τὴν χάριν, ταύτην ἐκείνης εἶναι βελτίω, καὶ τῶν δευτέρων δώρων ἀμεινόνων τοὺς μεμυημένους τυγχά-
(608) νειν. Ἔστι δ' ἐκεῖνο μὲν τὸ βάπ|τισμα, τοῦτο δὲ τὸ δεῖπνον τὸ ἱερόν, ὃ τοσοῦτο τελεώτερον ἡγεῖσθαι προσῆκεν, ὅσο
10 μείζονος δεῖ τοῖς προσελθεῖν βουλομένοις παρασκευῆς. Οὐ

ABCV MPW Gass Migne

60, 4 ἱδρότητι C ‖ 17 δυνάμενον V

61, 1 βελτίωσι C ‖ 5 ἀγωνισαμένους Gass ‖ 7 δώρων *om.* Gass ‖ 9 ὅσῳ C Gass

---

60. a. cf. Gen. 3, 19 ‖ b. Jn 6, 27 ‖ c. cf. II Thess. 3, 10

61. a. cf. Jér. 9, 23

---

28. Ce sont les paroles de la consécration : Goar, p. 61 (Liturgie de Chrys.) ; p. 143 (Liturgie de Bas.).

aucun délai aux œuvres et aux peines des hommes ; au contraire, il faut à la sueur de notre front[a] nous nourrir de ce pain qui est nôtre parce qu'il a été rompu pour nous[28], et surtout parce qu'il est réservé aux seuls êtres raisonnables, et comme dit le Seigneur, il faut «travailler pour la nourriture qui demeure[b]» : c'est-à-dire qu'il nous prescrit de ne pas nous approcher de ce banquet en oisifs et en paresseux mais en travailleurs. Car si le précepte de Paul écarte les oisifs même de la table corruptible — «l'oisif, dit-il, qu'il ne mange pas !» — quelles œuvres ne réclamera-t-on pas de ceux qui sont invités à la sainte Table ?

Qu'il faille être dans de telles dispositions pour s'approcher des saints dons, et que l'on doive pour cela se purifier personnellement avant de participer au rite, ce qui précède l'a montré clairement. Que ce mystère non seulement n'est pas inférieur aux autres, mais qu'il est le plus puissant qui se puisse trouver, c'est ce que nous allons montrer à présent.

Perfection de l'Eucharistie

61. Tout d'abord, si Dieu réserve aux meilleurs ses dons les plus grands, lui qui «établit la miséricorde, qui pèse tout sur une balance — selon la parole du prophète — et qui fait tout avec justice[a]» ; si d'autre part il nous fait du bien quand nous sommes devenus — du fait que nous avons été baptisés et que nous avons tant soit peu lutté pour la vertu — bien plus beaux que ceux qui n'ont pas encore été baptisés, il reste à conclure que la seconde grâce est plus grande que la première, et que ceux qui y sont initiés obtiennent des dons qui, pour venir en second, n'en sont pas moins supérieurs. La première grâce est le baptême, la seconde est le saint banquet, qui doit être tenu pour d'autant plus parfait qu'il réclame de ceux qui veulent s'en approcher une plus grande préparation. Car il

γὰρ εἰκός, τὸ μεῖζον μὲν τοῖς βουλομένοις ἅπασι, τὸ δ' ἔλαττον τοῖς ἀγῶσιν ἢ μυστηρίοις καθηραμένοις ἐξεῖναι· τοὐναντίον μὲν οὖν ἐντεῦθεν εὔλογον τεκμαίρεσθαι καὶ τελεώτερον ἔχειν ἐκεῖνο νομίζειν, ὃ μὴ πολλῶν ἔργων καὶ
15 γενναίων οὐκ ἔστιν ὠνήσασθαι.

62. Ἔπειτα κἀκεῖνο χρὴ συνιδεῖν, ὅτι συναγωνιστής ἐστιν ἡμῖν ὁ Χριστὸς εὐωχῶν. Ὁ δὲ συναγωνιστὴς χεῖρα δίδοσιν, οὐ κειμένοις οὐδὲ νοσοῦσιν, ἀλλὰ ῥώμης μὲν καὶ τόλμης ἔχουσιν εὖ, πρὸς δὲ τὸν ἀνταγωνιστὴν γενναίως καὶ
5 καλῶς ἱσταμένοις.

63. Αὐτὸς γὰρ ἡμῖν ὁ Χριστὸς ἐνεργῶν ἐν ἑκάστῳ τῶν μυστηρίων, πάντα γίνεται, πλάστης, ἀλείπτης, συναγωνιστής, τὸ μὲν λούων, τὸ δὲ χρίων, τὸ δὲ τρέφων. Ἐκεῖ γὰρ ἐξ ἀρχῆς τὰ μέλη δημιουργεῖ, ἐνταῦθα δὲ τῷ Πνεύματι
5 ῥώννυσιν, ἐπὶ δὲ τῆς τραπέζης σύνεστιν ἀκριβῶς καὶ συνδιαφέρει τὸν ἆθλον· μετὰ δὲ τὴν ἀπαλλαγὴν ἀθλοθέτης ἔσται καὶ καθεδεῖται τοῖς ἁγίοις κριτὴς ὧν ἐκοινώνησε πόνων. Εἶτα καὶ νικητὰς ἀποδεδειγμένους ἀναδῆσαι δεῆσαν, καὶ στέφανός ἐστιν ὁ αὐτός.

64. Πρὸς τοίνυν τὸ θαρρῆσαι τοὺς ὑπὲρ φιλοσοφίας ἀγῶνας καὶ διενεγκεῖν δυνηθῆναι, πλάττων μὲν καὶ ἀλείφων, πάντα δίδωσι· συναγωνιζόμενος δὲ οὐ πάντα, ἐπὶ δὲ τοῦ καιροῦ τῶν ἄθλων οὐδέν. Οὔτε γὰρ τὸν ἀλείπτην καὶ
5 πλάστην εὔλογον παραλιπεῖν τι τῶν διαθεῖναι τὸν ἀγωνιστὴν δυναμένων· οὔτε τὸν συναγωνιστὴν ὁ τοῦ κοινωνοῦ δίδωσι λόγος, εἰς ἑαυτὸν τὸ πᾶν ἀνελέσθαι, καὶ τὸν μὲν ἐπιτρέπειν τρυφᾶν, αὐτὸν δὲ μόνον ἀποδύεσθαι· καὶ μὴν οὐδὲ τὸν

ABCV MPW Gass Migne

63, 1 Ἀυτὸς — Χριστὸς *om.* AV || 8 νικητὰς : νίκη τοὺς Gass
64, 5 τῶν : εὖ *add.* V. *mg.* || 7 αναλέσθαι C

n'est pas convenable que le don le plus grand soit accessible à tous ceux qui le veulent, et le plus petit à ceux qui se sont purifiés par des luttes ou des mystères ; ce qui précède témoigne à juste titre de ce que c'est le contraire, et qu'il faut penser que celui-ci est plus parfait, qui ne peut être acquis sans un grand nombre d'actions généreuses.

Le Christ combat à nos côtés

62. Ensuite, il faut aussi considérer que le Christ, qui nous invite, est aussi notre compagnon de lutte. Or un compagnon de lutte prête main forte non à ceux qui traînent ou qui languissent, mais à ceux qui font preuve de force et d'audace, et qui généreusement et valeureusement tiennent bon face à l'adversaire.

63. En effet, le Christ agissant lui-même en chacun des mystères devient tout pour nous : modeleur, soigneur, compagnon de lutte, baignant ici, chrismant là, nourrissant ailleurs. Ici, dès le début il crée les membres ; là, il les fortifie par l'Esprit, et à la sainte Table il est littéralement avec eux et dispute avec eux la compétition ; après la mort, il sera le président des jeux, il siègera comme juge pour les saints dont il a partagé les peines. Ensuite, quand il s'agira de couronner ceux qui auront été proclamés vainqueurs, c'est lui-même encore qui sera la couronne.

64. Ainsi donc, quand il nous modèle et nous oint pour que nous puissions affronter les combats de l'ascèse et l'emporter, il fait tout ; quand il combat avec nous il ne fait plus tout ; et au moment des prix il ne fait plus rien. En effet, il ne serait pas normal que le modeleur et le soigneur négligent rien de ce qui peut préparer le concurrent ; mais d'autre part l'état de compagnon ne permet pas au compagnon de lutte de tirer toute l'action à soi, et de laisser désœuvré son compagnon, tandis que lui-même est seul à retrousser ses manches ; enfin, il n'est pas

ἀθλοθέτην ἢ τὸν στέφανον αὐτόν, ἀλείφειν εἰκὸς ἢ πλάττειν
10 ἢ τὰ τοῦ ἰατροῦ ποιεῖν, οὐδέ τι προστιθέναι νίκης, ἢ ἀνδρείας ἢ ῥώμης ἢ ἀρετῆς ἡστινοσοῦν ἄλλης τοῖς ἀθληταῖς, ἀλλὰ τὴν οὖσαν μόνον καὶ φανεῖσαν εἰδέναι κοσμεῖν.

Ἔστι δὲ τοῖς ἀριστεῦσιν ἄμεινον μὲν τὸ στεφανοῦσθαι τοῦ νικᾶν ἀγωνιζομένους, ἄμεινον δὲ τὸ νικητὰς εἶναι τοῦ
15 πλάττεσθαι· τὸ μὲν γὰρ ὑπὲρ τοῦ νικᾶν, ἡ νίκη δὲ τῶν στεφάνων ἕνεκα.

65. Ἀλλ' εἰ τοῦτο σημεῖον ἦν ἀτελοῦς καὶ τῆς ἐλάσσονος μοίρας, τὸ μὴ πάντη καθαίρειν μηδὲ παρασκευάζειν καὶ πλάττειν, ἧττον ἂν ἦν εἰς εὐδαιμονίαν ὁ τελευταῖος τῆς μακαριότητος ὅρος· λέγω δὴ τὸ τυχεῖν Θεοῦ στεφανοῦντος
5 τοῦ μετὰ παραπετασμάτων ἐπὶ τῆς τραπέζης αὐτοῦ μετέχειν, ὡς τῆς μὲν τραπέζης καὶ παρασκευὴν ἐχούσης τινὰ καὶ κάθαρσιν, τῶν στεφάνων δέ, τούτων οὐδέτερον.

66. Διὰ ταῦτα οὐ χρὴ θαυμάζειν, εἰ τελειότερον ὂν μυστήριον τὸ δεῖπνον, ἧττον οἶδε καθαίρειν, ἄλλως τε πρὸς τοῖς εἰρημένοις καὶ ἆθλον ἐστὶ τουτὶ τὸ δῶρον, τοιοῦτον δὲ τὸ χρῆμα τῶν ἄθλων οὐ καθίστησιν οὐδὲ ἐργάζεται τοὺς
5 ἀρίστους, ἀλλ' ἀναδείκνυσι καὶ κοσμεῖ. Οὐ γὰρ καθάρσιον ἐν τῷ δείπνῳ καὶ συναγωνιστὴς μόνον, ἀλλὰ καὶ γέρας ἐστὶν ὁ Χριστός, ὃ δεῖ λαβεῖν ἀγωνισαμένους.

67. Τί γὰρ ἄλλο τοῖς μακαρίοις ἀντὶ τῶν ἐνταῦθα πόνων ἢ τὸ λαβεῖν Χριστὸν καὶ συνεῖναι; Καὶ Παῦλος μετὰ τὸν δρόμον ἐκεῖνον[a], τὴν ἐνθένδε ἀνάλυσιν εἰς τοῦτο λήγειν
(609) ἔσχατον ἔφη, τὴν τοῦ Χρισ|τοῦ συνουσίαν· «Ἀναλῦσαι

ABCV MPW Gass Migne

65, 1-2 καὶ — μοίρας *om.* W
66, 3 τουτὶ MW Gass : τοῦτο *cett.*

---

67. a. cf. II Tim. 4,7

---

29. Cf. *Liturgie*, XLV, 3.

convenable que le président des jeux ou celui qui est la couronne frotte d'huile les athlètes, ou les modèle, ou joue le rôle du médecin, ni qu'il leur accorde quelque avantage pour la victoire : courage ou force ou quelque autre vertu que ce soit ; son seul rôle est de savoir récompenser celle qui existe et qui se manifeste.

Or il est meilleur pour les champions d'être couronnés que de vaincre au combat, et il est meilleur d'être vainqueur que d'être modelé ; car le combat a pour but la victoire, et la victoire a pour but les couronnes.

65. Mais si le fait de ne pas purifier complètement, de ne pas préparer, de ne pas modeler, était le signe d'un état imparfait et inférieur, le terme ultime de la béatitude serait déficient à procurer le bonheur ; je veux dire que rencontrer Dieu qui nous couronne serait moins bien que de le recevoir sous des voiles à la sainte Table, vu que la sainte Table opère une préparation et une purification, alors que les couronnes du royaume n'opèrent ni l'une ni l'autre.

66. C'est pourquoi il ne faut pas s'étonner si le banquet, tout en étant le mystère le plus parfait, est moins apte à purifier ; d'autant que, outre ce qui vient d'être dit, ce don-là est aussi une récompense, et le rôle des récompenses n'est ni de constituer les meilleurs ni de les perfectionner, mais de le consacrer et de les couronner. Dans ce banquet, le Christ n'est pas seulement purification et compagnon de lutte, mais aussi le présent que doivent recevoir ceux qui ont combattu.

67. Quelle autre récompense pour les bienheureux, pour prix des peines qu'ils subissent ici-bas, que de recevoir le Christ et d'être unis à lui[29] ? Paul affirme que, après cette course d'ici-bas[a], le départ de cette vie aboutira, en dernier ressort, à être uni au Christ : « Partir et être uni au Christ,

5 γάρ, φησί, καὶ σὺν Χριστῷ εἶναι πολλῷ μᾶλλον κρεῖσσον[b]». Τοῦτο δὲ τὸ τῆς τραπέζης ἔργον διαφερόντως.

68. Εἰ γὰρ καὶ παρὰ τοῖς ἄλλοις μυστηρίοις ἔστιν εὑρεῖν τὸν Χριστόν, ἀλλ' ὥστε τῷ λαβεῖν παρασκευασθῆναι πρὸς τὸ δυνηθῆναι συνεῖναι· ἐνταῦθα δὲ ὥστε ἤδη καθαρῶς λαβεῖν καὶ συνεῖναι. Ποῦ γὰρ τῶν ἄλλων τὸ ἓν σῶμα καὶ ἓν 5 πνεῦμα, καὶ τὸ μένειν μὲν ἐν αὐτῷ, μένοντα δὲ ἔχειν αὐτόν; ὑπερ οὗ καὶ δοκῶ καὶ Χριστὸς αὐτὸς τὴν μακαριότητα τῶν δικαίων, δεῖπνον εἶναι φησίν, αὐτὸν ἔχον διακονοῦντα[a].

69. Οὕτω μὲν οὖν ἆθλόν ἐστιν ὁ τῆς ζωῆς ἄρτος· ἐπεὶ δὲ οἱ τοῦτο δεχόμενοι τὸ δῶρον, τὴν γῆν ἔτι πατοῦσι καὶ ὁδοιποροῦσι, καὶ διὰ τοῦτο καὶ προσκόπτουσι καὶ κονίζονται καὶ λῃστῶν δεδοίκασι χεῖρας, πρὸς τὴν παροῦσαν χρείαν 5 αὐτοῖς εἰκότως ἀρκεῖ καὶ τὴν ἰσχὺν ἀνέχει καὶ ἡγεμών ἐστι καὶ καθαίρει, ἕως καταλύσουσιν, οὗ κατὰ τὸν Πέτρου λόγον καλὸν εἶναι τὸν ἄνθρωπον[a], ὅπου τῶν ἄλλων μὲν οὐδεμία χώρα ἐν καθαρῷ πραγμάτων χωρίῳ μένουσιν ἤδη, μόνον δὲ στέφανός ἐστιν αὐτοῖς ὁ Χριστὸς συνὼν καθαρῶς.

70. Οὐκοῦν, ὡς μὲν καθάρσιον, καὶ πρὸς τοῦτο συστᾶν ἐξ ἀρχῆς, μολυσμοῦ παντὸς ἀπαλλάττει· ὡς δὲ κοινωνὸς ἡμῖν τῶν ἀγώνων, ὧν ἡγεμὼν ὑπῆρξε, πρῶτος εἰς τούτους ἀποδυσάμενος, ἰσχὺν κατὰ τῶν πολεμούντων παρέχει· ὅτι 5 δὲ καὶ γέρας, οὐκ ἄνευ πόνων· ὃ τοίνυν ὡς ἆθλον ἔχει τὸ δεῖπνον καὶ ὡς ἐσχάτη μακαριότης, τίν' ἔχει λόγον, ὡς ἐλάττω δυναμένου ποιεῖσθαι τεκμήριον;

ABCV MPW Gass Migne

68, 2 τῷ : τὸ C ‖ 3-4 ἐνταῦθα — συνεῖναι *om.* V ‖ 4 ποῦ : τοῦ Gass
69, 3 καὶ προσκόπτουσι *post* κονίζονται *transp.* ACVMW Gass
70, 2 μολυσμοῦς W ‖ 3 πρῶτος : πρωτότοκος CVMW Gass ‖ 5 γέρας : γένος W

---

67. b. Phil. 1,23
68. a. cf. Lc 12,37
69. a. cf. Matth. 17,4

dit-il, m'est un plus grand avantage[b].» Voilà quelle est l'œuvre propre de la sainte Table.

68. Si, dans les autres mystères, nous pouvons aussi trouver le Christ, c'est au sens où, en le recevant, nous sommes préparés à pouvoir être unis à lui; ici, au contraire, c'est au sens où, déjà véritablement, nous le recevons et nous sommes unis à lui. Dans quel autre mystère, en effet, trouvons-nous le fait d'être avec lui un seul corps et un seul esprit, de demeurer en lui, et que lui demeure en nous? Voilà pourquoi, je pense, et le Christ le dit lui-même, la béatitude des justes est un banquet où lui-même les sert[a].

Le corps du Christ est aussi le prix du combat

69. Ainsi donc, le pain de vie est une récompense; mais comme ceux qui reçoivent ce don foulent encore la terre et y sont des voyageurs, et que pour cela ils trébuchent, se couvrent de poussière et craignent les mains des brigands, ce pain pourvoit à juste titre à la nécessité présente, il leur donne la force, leur sert de guide, les purifie, jusqu'à ce qu'ils parviennent à ce lieu où, selon le mot de Pierre, il est bon pour l'homme de se trouver[a]; là, pour ceux qui demeurent désormais en un lieu libre des affaires d'ici-bas, il n'y a de place pour rien d'autre, mais il n'y a que le Christ qui, leur étant parfaitement uni, est leur couronne.

70. Ainsi donc, en tant qu'il est purification, et qu'il a été dès l'origine disposé en vue de cela, il affranchit de toute souillure; en tant qu'il est celui qui partage nos combats, qu'il a inaugurés en éclaireur, lui qui s'est le premier dévêtu en vue de ces combats, il donne la force contre les ennemis; et parce qu'il est aussi un prix, il ne s'obtient pas sans peines; ce que possède le banquet en tant que récompense et suprême béatitude, quel sens y aurait-il à le prendre comme un signe qu'il est moins efficace?

71. Τὸν ἴσον δὲ τρόπον χρὴ καὶ περὶ θατέρου ψηφίζεσθαι, καὶ νομίζειν τῇ τελειότητι τοῦ μυστηρίου μὴ πολεμεῖν. Οὐ γὰρ ὅτι μὴ μέγα δύναται, τὸν ἁμαρτίαις διεφθαρμένον οὐκ ἀναπλάττει, ἀλλ' αὐτὸν μὴ δυνάμενον ταῦτα δέξασθαι 5 καὶ παθεῖν, ἅτε τὴν πρώτην ἔτι φέροντα πλάσιν, ἥπερ ἐν τοῖς πρόσθεν εἴρηται λόγοις· ἣν ἀφανίσαι καὶ τῶν ψυχῶν ἐξελεῖν τῶν ἅπαξ βαπτισαμένων, οὐδὲ τῆς ἐσχάτης ἐστὶ πονηρίας, οὐδ' ἂν αὐτὴν ἀρνήσασθαι τολμήσωσιν, ἣν ὡμολόγησαν τῷ κοινῷ Δεσπότῃ δουλείαν, ὡς οὐδὲ τῆς 10 ἄκρας φιλοσοφίας ἢ ψιλῆς τῆς ὁμολογίας συνηθείσης ἐνθεῖναι.

72. Ἐπειθ' ὅτι καὶ καθόλου κρείττων ἐστὶν ὁ ἄνθρωπος ἢ τεθνάναι καὶ συντετρίφθαι, τούτου δὲ χωρὶς οὐκ ἦν ἀναπλάττεσθαι. Καὶ γὰρ ὁ μὲν θάνατος, τοῦ παλαιοῦ κόμματος· καὶ οὗτος ὁ δυνάμενος ἀποθνήσκειν, ὃν ἀνέδωκεν 5 ὁ χοῦς· « Ἡ γὰρ ἀξίνη, φησὶν Ἰωάννης, πρὸς τὴν ῥίζαν τῶν δένδρων κεῖται[a] ». Ὁ δὲ λελουμένος ἤδη τὸν νέον φορεῖ[b]· οὐκοῦν πῶς μὲν ἀποθανεῖται πρὸς τὸν Ἀδὰμ ἡρμοσμένος, ὃς οὐκέτι ἀποθνήσκει[c]; Ἀνθ' ὅτου δ' ἂν ἀποθάνοι, ὃν ὑπὲρ τοῦ λαβεῖν ἔδει τεθνάναι, τοῦτον ἔτι 10 φέρων ἐν τῇ ψυχῇ;

73. Τοῦτο δὲ οὐδ' ἀπ' αὐτοῦ λαβεῖν ἔξεστι τοῦ λουτροῦ· πῶς οὖν ἂν γένοιτο τῶν τελετῶν ταύτης ἐκείνη τούτῳ βελτίων, ὃ παρ' ἀμφοῖν ὁμοίως οὐκ ἔστιν εὑρεῖν; Οὐ γὰρ οὐδ' αὐτὸ δύναται τὸ βάπτισμα τοὺς ἤδη περιόντας καὶ

ABCV MPW Gass Migne

71, 2 νομίζει C || 3 μὴ *om.* Gass || τὸν ἁμαρτίαις *om.* A

72. a. Matth. 3,10 || b. cf. I Cor. 15,49 || c. cf. Rom. 6,9

30. Après avoir, dans les §§ 57-60, réfuté la première objection contre la perfection de l'Eucharistie (nécessité des peines), Cabasilas aborde la seconde objection : l'Eucharistie ne remodèle pas le pécheur comme le fait le baptême.

71. Il faut également juger de la même façon à propos de l'autre objection[30], et estimer qu'elle ne s'oppose pas à la perfection du mystère; ce n'est pas par manque de puissance qu'il ne remodèle pas celui qui a été corrompu par le péché, mais c'est le pécheur lui-même qui ne peut pas recevoir et éprouver ce remodelage, étant donné qu'il porte encore le premier modelage dont nous avons parlé dans les livres précédents; il n'est pas au pouvoir de la dernière perversité de faire disparaître ce premier modelage et de l'arracher des âmes qui ont une fois été baptisées, par même si elles osaient renier la servitude qu'elles ont professées envers notre commun Maître, car même la plus haute philosophie ou la seule profession de foi sont incapables de l'infuser[31].

72. Ensuite, c'est aussi parce que l'homme est fondamentalement trop grand pour mourir et être broyé, et que cependant sans cela il ne pouvait être remodelé. En effet, la mort, c'est de la monnaie périmée[32] : celui qui peut mourir, c'est celui qui est venu de la terre, car «la cognée gît à la racine des arbres», dit Jean[a]; mais celui qui a été baigné porte déjà la nouvelle effigie[b]; comment pourrait-il mourir alors qu'il est uni à cet Adam qui ne meurt plus[c]? En vue de quel gain mourrait-il, dès lors qu'il porte en son âme celui-là même que la mort seule pouvait lui obtenir?

73. Ce second remodelage, même le bain ne peut le procurer : comment donc un rite serait-il meilleur qu'un autre à cause d'un effet qui ne peut se trouver ni dans l'un ni dans l'autre? En effet, même le baptême est incapable

31. Le baptême imprime un «caractère» indélébile; c'est pourquoi il ne peut pas être réitéré. C'est un «sceau infrangible» (BAS., *hom. in bapt.*, XIII, *PG* 31, 433 A), «indissoluble» (CYR. JÉR., *Procatech.*, 16, *PG* 33, 360).

32. Même image chez GRÉG. PAL., *hom.* 15 : sans le baptême, le vieil homme «ne pourrait pas, étant de la monnaie périmée, recevoir en lui la divinité sans mélange.»

5 πεπλασμένους αὖθις ἀναγεννᾶν, ὅ τε ἱερὸς θεσμὸς οὐδένα διὰ ταῦτα δὶς ἔλουσεν ἄνθρωπον, οὐ τύπον τινὰ σώζων καὶ τάξιν, ἀλλ' ὅτι δὶς κατὰ ταὐτὸ γεννηθῆναι, τῶν ἀμηχάνων.

(612) **74.** | Καὶ μὴν εἴποι τις ἄν· τοῦτό ἐστι βάπτισμα, τὸ τὴν θρησκείαν τοῖς διώκταις ἐπιδειξάμενον ἀποθνήσκειν· τί οὖν, πολλοὶ τῶν ἐπὶ τοῦ ὕδατος τετελεσμένων καὶ τοῦτον ἦλθον τὸν δρόμον, δεύτερον τοῦτο δεξάμενοι τὸ λουτρόν.

5 Ἀλλ' ἐκεῖνό γε πρὸς ταῦτα ἔστιν εἰπεῖν· ὡς ἄρα τῷ Χριστῷ τοὺς συνελθεῖν καὶ συζῆσαι προῃρημένους, συνίστησι μὲν τὸ πρὸς τὴν καλὴν πλάσιν ὑπὸ τῆς χειρὸς ἐκείνης πεπλάσθαι, συνίστησι δὲ τὸ δι' ἀρετῆς αὐτοὺς παρ' ἑαυτῶν ἀφικέσθαι καὶ τῶν ἐπαινουμένων ἀγώνων. Τὸ μὲν οὖν ὕδατι 10 βαπτισθῆναι, πλάττει τὸν ἄνθρωπον, καὶ τοῦτ' αὐτὸ δύναται μόνον· ὁ δ' ὑπὲρ Χριστοῦ θάνατος δῆλός ἐστιν ἀμφότερον ἔχων, ὅ τε χορηγεῖν οἶδε τὸ ὕδωρ, καὶ ὃ παρ' ἡμῶν εἰσφέρεσθαι δεῖ.

75. Καὶ τοίνυν, τοῖς μὲν μήπω μεμυημένοις ἔστι μὲν βάπτισμα καὶ πλάσις, τῷ Χριστῷ καὶ μετὰ Χριστοῦ καὶ μαρτυροῦσι καὶ θαπτομένοις, ἐν οἷς ὁ τοῦ βαπτίσματος ἕστηκεν ὅρος, ἔστι δὲ ἀρετή, τῶν ὑπὲρ τοῦ καλοῦ γέμων 5 ἱδρώτων καὶ καρτερίας τῆς ἐσχάτης· τοῖς δὲ τετελεσμένοις, τὸ μὲν πρῶτον οὐ γίνεται, πλασθεῖσιν ἤδη καὶ ζῶσι, τὸ δεύτερον δέ· καὶ γὰρ γυμνάσιον εὐσεβείας καὶ ἀρετῆς ἀπόδειξις, καὶ τοῦ τὸν Χριστὸν εἰδέναι καὶ φιλεῖν μὲν ὑπὲρ ὅ τι φιλητὸν ἅπαν, τῶν δ' εἰς ἐκεῖνον ἐλπίδων μηδὲν 10 ἀσφαλέστερον ἄγειν; πεῖρα σαφὴς σιδήρῳ καὶ πυρὶ καὶ τοῖς βιαιοτάτοις δοκιμασθεῖσα[a]. Καὶ τούτων ἕνεκα τῷ μὲν

ABCV MPW Gass Migne

73, 7 ταὐτὸ P : ταῦτὸν *cett.*
74, 6 συζῆσαι : ζῆσαι $A^{ac}V$
75, 3 συνθαπτομένοις A ‖ 4 γέμον A ‖ 10 μὲν *post* τοῖς *add.* Migne ‖ 11 μὲν *om.* Migne

75. a. cf. Ps. 65, 10 ; Sag. 3, 6

33. Cf. l. II, p. 187, n. 50.

de faire renaître encore à nouveau ceux qui existent déjà et qui ont déjà été modelés ; pour cette raison, la tradition sacrée n'a jamais rebaptisé quiconque, non pour observer quelque règle et quelque ordonnance, mais parce que naître deux fois selon le même mode est une chose impossible[33].

Le martyre, baptême de sang

74. Quelqu'un dira peut-être : c'est un baptême que de mourir pour manifester sa religion à ses persécuteurs ; pourquoi donc beaucoup de gens qui avaient été baptisés dans l'eau ont-ils aussi parcouru cette course, recevant de la sorte une deuxième fois le baptême ?

Voici ce que l'on peut répondre à cela : ceux qui ont choisi de suivre le Christ et d'être unis à lui prennent consistance de deux manières : en étant pétris par sa main pour ce beau modelage, mais aussi en y parvenant, grâce à la vertu, par leur propre action et celle des glorieux combats.

Le baptême de l'eau modèle donc l'homme, et lui seul peut le faire ; mais la mort pour le Christ a d'évidence les deux effets : celui que l'eau peut fournir, et celui qui doit être apporté de notre part.

75. Ainsi donc, pour ceux qui ne sont pas encore initiés, elle est aussi un baptême et un remodelage, puisqu'ils rendent témoignage au Christ et sont ensevelis avec lui, en quoi consiste la définition du baptême ; et il est aussi une vertu, étant plein des fatigues endurées pour le bien et de la constance suprême. Ceux qui ont été initiés n'ont pas le premier effet, puisqu'ils ont déjà été modelés et qu'ils vivent déjà ; mais ils ont le second, car le martyre est un lieu d'entraînement pour la piété, une démonstration de vertu, la preuve éclatante, éprouvée par le fer, le feu et les pires violences, de ce que l'on connaît le Christ, qu'on l'aime par-dessus tout ce qui est aimable, et qu'on n'estime rien plus solide que l'espérance en lui. Voilà pourquoi il

βαπτίσματι τοὺς ἅπαξ μεμυημένους αὖθις θεμιτὸν ἥκιστα χρῆσθαι, δωρεῖσθαι μηδὲν πλέον, οὗ λαβόντες ἐκεῖθεν ἔχομεν, δυναμένῳ· τῇ μαρτυρίᾳ δὲ καὶ πάνυ, μὴ μόνον
15 γεννᾶν καὶ πλάττειν, ἀλλὰ καὶ στεφάνους αὐτοῖς ἀπὸ γενναίων ἔργων πλέκειν ἐπισταμένῃ, καὶ διὰ τοῦτο τοῖς μὲν ἀμυήτοις ἀμφότερα κεκτημένῃ, τοῖς μεμυημένοις δὲ θάτερον.

76. Καινὸν γὰρ οὐδέν, ἑαυτὴν συντελῆ πρὸς ἄμφω παρεχομένῃ, τοὺς ἀμφοτέρων μὴ δεομένους, ὑπὲρ θατέρου χρωμένους, τυγχάνειν οὗ δέονται μόνου, ἐπεὶ καὶ τὰ τῆς ἱερᾶς δῶρα τραπέζης οἶδε μὲν καθαίρειν τοὺς μήπω τοῦτο
5 δεξαμένους, δύναται δὲ φωτίζειν τοὺς ἤδη κεκαθαρμένους· καὶ ὅμως οὐδὲν κωλύει περὶ τοῦ δευτέρου προσιέναι τῷ μυστηρίῳ τοὺς τὸ πρῶτον ἔχοντας. Καὶ τούτων μὲν ἅλις.

77. Ἀλλ' ὅθεν ἡμῖν ὁ λόγος ἐπὶ ταῦτα προήχθη, τὴν παντελῆ τῶν ἀνθρώπων πρὸς τὸν Θεὸν ὅπερ ἐργάζεται κοινωνίαν, εἴτε λατρείαν χρὴ τὸ πρᾶγμα καλεῖν, εἴτε υἱοθεσίαν εἴτε καὶ ἄμφω ταῦτα, τὸ ἱερόν ἐστι δεῖπνον, ὃ
5 συγγενεῖς ἡμᾶς τῷ Χριστῷ ποιεῖ μᾶλλον ἢ τὸ παρ' αὐτῶν φῦναι τοῖς γεγεννηκόσιν αὐτοῖς. Οὔτε γὰρ ἀμυδράν τινα σώματος ἡμῖν καταβάλλεται κρηπῖδα καὶ μικρὰς αἵματος ἀφορμάς, ἀλλὰ τελείων αὐτῶν ἡμῖν κοινωνεῖ· οὔτε ζωῆς αἴτιος μόνον ὥσπερ οἱ γεγεννηκότες, ἀλλὰ καὶ ζωή, καὶ οὐ
10 τούτῳ δὴ λέγεται ζωὴ τῷ ζωῆς αἴτιος εἶναι, ὃν τρόπον φῶς ἐκάλει τοὺς ἀποστόλους[a], ὅτι φωτὸς ἡμῖν κατέστησαν

ABCV MPW Gass Migne

76, 2 τοὺς : τῶν P || δεομένου C
77, 5 τὸ : τῷ P

---

77. a. cf. Matth. 5,14

---

34. Cf. Denys, *e.h.*, V, 1,3 et IV, 1,1.
35. Semence et sang : les deux éléments de la fécondation d'après Ar. Notons l'insistance de Cabasilas sur l'image de la fécondation et de la naissance.

n'est absolument pas permis que ceux qui ont une fois été baptisés reçoivent à nouveau le baptême, car il ne peut rien nous donner de plus que ce que nous possédons dès lors que nous l'avons reçu ; tandis que le martyre est tout à fait capable non seulement de faire naître et de modeler, mais en plus de tresser des couronnes à partir des actions généreuses ; c'est ainsi que ceux qui ne sont pas baptisés reçoivent les deux effets du martyre, tandis que ceux qui sont baptisés ne reçoivent que l'un des deux.

76. Rien d'étonnant si, puisque le martyre offre d'accomplir deux effets, ceux qui n'ont pas besoin des deux l'utilisent en vue de l'un des deux, et ne reçoivent que celui dont ils ont besoin ; en effet, les dons de la sainte Table eux aussi peuvent purifier ceux qui ne l'ont pas encore été, mais ont aussi le pouvoir d'illuminer ceux qui ont déjà été purifiés[34], et cependant rien n'empêche ceux qui possèdent le premier don de s'approcher du mystère pour obtenir le second. Mais assez sur ce sujet.

L'EUCHARISTIE NOUS DONNE LA SEULE SAINTETÉ : CELLE DU CHRIST

77. Le point d'où était parti notre discours pour aboutir ici, c'est que ce qui opère une communion parfaite entre les hommes et Dieu — qu'on l'appelle adoration ou filiation ou les deux à la fois — c'est le banquet sacré qui nous rend plus étroitement apparentés au Christ qu'à ceux qui nous ont mis au monde le fait d'être nés d'eux. En effet, ce qu'il projette en nous, ce n'est pas quelque obscur germe de corps et quelques rudiments de sang[35], mais c'est l'intégralité qu'il nous en partage ; et il n'est pas seulement cause de notre vie, comme nos parents, mais il est la vie ; et ce n'est pas parce qu'il est cause de vie qu'il est appelé vie, de la même façon qu'il a appelé les apôtres «lumière[a]», parce

ἡγεμόνες, ἀλλ' ὅτι ᾧ ζῆν ἔστιν ὡς ἀληθῶς, αὐτός ἐστιν αὐτὴ ἡ ζωή.

78. Ἐπεὶ καὶ ἁγίους τοὺς αὐτῷ προσκειμένους ἀπεργάζεται καὶ δικαίους, οὐ μόνον παιδεύων καὶ διδάσκων ἃ δεῖ, καὶ πρὸς ἀρετὴν ἀσκῶν τὴν ψυχήν, καὶ ἣν ἐκείνη πρὸς τὸν ὀρθὸν λόγον δύναμιν ἔχει πρὸς ἐνέργειαν ἄγων, ἀλλὰ (613) 5 | καὶ αὐτὸς γινόμενος αὐτοῖς δικαιοσύνη ἀπὸ Θεοῦ καὶ ἁγιασμός[a]. Τοῦτον γὰρ μάλιστα τὸν τρόπον τοῖς ἁγίοις τοῦτ' αὐτὸ τὸ μακαρίοις καὶ ἁγίοις εἶναι συμβαίνει, τοῦ συνόντος ἕνεκα μακαρίου, δι' ὃν ἀπὸ μὲν νεκρῶν ζῶσι, σοφοὶ δὲ ἀπὸ ἀνοήτων, ἅγιοι δὲ καὶ δίκαιοι καὶ υἱοὶ Θεοῦ ἀπὸ 10 μιαρῶν καὶ πονηρῶν κατέστησαν δούλων. Οἴκοθεν γὰρ αὐτοῖς καὶ τῆς ἀνθρωπείας φύσεως καὶ σπουδῆς, ἐξ ὧν ἂν κυρίως ταῦτα καλοῖντο, γέγονεν οὐδὲ ἕν, ἀλλὰ καὶ ἅγιοι διὰ τὸν ἅγιον, καὶ δίκαιοι καὶ σοφοὶ διὰ τὸν συνόντα δίκαιον καὶ σοφόν· καὶ ὅλως εἴ τις ἀληθῶς ἐν ἀνθρώποις τὰ μεγάλα 15 καὶ σεμνὰ ταῦτα δίκαιός ἐστιν ἀκούειν, τὴν ἐπωνυμίαν ἐκεῖθεν ἔχει· μάλιστα μέν, ὅτι τά γε οἴκοθεν καὶ παρ' αὐτῶν, τοσοῦτον ἀπέχει δικαίους αὐτοὺς ἀπεργάζεσθαι καὶ σοφούς, ὥστε πονηρία μὲν αὐτοῖς ἡ δικαιοσύνη, μωρία δὲ σαφὴς ἡ σοφία[b]. Ἔπειτα, εἰ καὶ τὰ μάλιστα σεμνοὺς ἐποίει 20 καὶ κόσμον ἡμῖν εἶχεν ἡ ἀρετή, δι' ὧν πρὸς τὴν ἐκ Θεοῦ δικαιοσύνην καὶ τὴν σοφίαν οἰκείως ἔχομεν μᾶλλον ἢ τὴν ἀνθρωπείαν, καὶ ἣν ἡμῖν ἐνέθηκεν ἡ σπουδή, καλεῖσθαι μᾶλλον ἀπὸ ταύτης ἢ ἐκείνης εἰκὸς ἂν εἴη.

79. Καθάπερ γὰρ οὐ τῶν ἔξωθέν ἐσμεν ἐπώνυμοι καὶ τῶν ἀλλοτρίων, ἀπὸ δὲ τῶν οἰκείων καὶ ἅπερ ἡμῶν ἔνεστι τῇ φύσει καὶ διατίθεσθαι καὶ καλεῖσθαι συμβαίνει, οὐ γὰρ

ABCV MPW Gass Migne

79, 2 ἔνεστι : ἔστι M

78. a. cf. I Cor. 1,30 || b. cf. I Cor. 3,19

qu'ils ont été institués nos guides vers la lumière, mais c'est parce qu'il est la vie même, lui par qui il est possible de vivre en vérité.

78. De même, il rend saints et justes ceux qui lui sont attachés, non seulement en les éduquant, en leur enseignant ce qu'il faut, en exerçant leur âme à la vertu, en conduisant vers l'acte la droite disposition qu'elle possède en puissance, mais aussi en devenant lui-même pour eux justice et sainteté de par Dieu[a]. En effet, c'est principalement de cette façon que les saints obtiennent justement d'être bienheureux et saints, à cause du bienheureux qui leur est uni, lui grâce à qui, en effet, d'insensés ils sont devenus sages, d'esclaves impurs et mauvais ils sont établis saints, justes et fils de Dieu. De leur propre part, de la nature humaine et de la ferveur humaine, qui devraient normalement leur valoir ces appellations, ils n'ont rien ; mais ils sont saints à cause du saint[36], justes et sages à cause du juste et du sage qui leur est uni ; bref, si quelqu'un parmi les hommes est vraiment digne de s'entendre décerner ces titres grands et saints, c'est de là qu'il en tient les noms ; surtout, ce qui vient d'eux et de leurs efforts est si loin de les rendre justes et sages, qu'au contraire leur justice est malice, et leur sagesse pure folie[b]. En outre, lors même que la vertu nous rendrait particulièrement nobles et nous servirait d'ornement, du fait que nous avons plus d'affinité avec la justice et la sagesse de Dieu qu'avec la justice humaine, même la justice qu'a mise en nous la ferveur, il vaut mieux l'appeler justice de Dieu que justice humaine.

79. De même en effet que nous ne portons pas le nom de ce qui est extérieur et étranger, mais que c'est d'après ce qui nous est propre et qui est en nous par nature qu'il nous

36. Cf. *Liturgie*, XXXVI, 5 ; Sym. N.T., *Cat.* 30.

ἡ οἰκία καὶ τὸ ἱμάτιον πρὸς τοῦτο ἢ ἐκεῖνο τὸ ἦθος πλάσειεν
5 ἄν, οὐδ' ἂν πονηρίας ἢ ἀρετῆς ὀνόματος μεταδοῖεν, οὕτω τῶν οἰκείων αὐτῶν ἐκεῖνα διατίθησι μᾶλλον καὶ τὴν ἐπωνυμίαν ποιεῖται κοινήν, ἃ μᾶλλον ἡμέτερα· τὰ δὲ τοῦ Χριστοῦ ἡμέτερα μᾶλλον ἤπερ τὰ ἡμῶν αὐτῶν. Οἰκεῖα μὲν γάρ, ὅτι μέλη καὶ υἱοὶ καθέσταμεν καὶ σαρκὸς καὶ αἵματος[a]
10 καὶ Πνεύματος[b] αὐτῷ κοινωνοῦμεν· ἔγγιον δὲ ἡμῖν οὐ τῶν ἀπὸ τῆς ἀσκήσεως μόνον, ἀλλ' ἤδη καὶ τῶν ἀπὸ τῆς φύσεως περιγενομένων, ὅτι συγγενέστερος ἡμῖν ἐδείχθη καὶ τῶν γεγεννηκότων αὐτῶν.

80. Διὰ ταῦτα γάρ, οὐδὲ τὴν ἀνθρωπείαν εἰσενέγκαι φιλοσοφίαν, οὐδὲ μέχρι τούτων στῆναι τῶν ἄθλων, ἀλλὰ ταύτην μὲν ζῆσαι τὴν ἐν Χριστῷ ζωὴν τὴν καινήν, ἐκείνην δὲ ἐπιδείξασθαι τὴν δικαιοσύνην ὑποχρέῳ καθέσταμεν
5 πάντες. Οὐκ ἂν εἰ μὴ ταύτῃ προσήκομεν μᾶλλον, καὶ διαφερόντως πρὸς ἡμῶν ἦν· διὰ τοῦτο γὰρ «τῷ Χριστῷ συνετάφημεν διὰ τοῦ βαπτίσματος, ἵνα ἐν καινότητι ζωῆς περιπατήσωμεν[a]». Καὶ πρὸς Τιμόθεον· «Ἐπιλαβοῦ, φησὶ Παῦλος, τῆς αἰωνίου ζωῆς[b]». Καί· «Γίνεσθε ἅγιοι κατὰ
10 τὸν καλέσαντα ἅγιον[c]». Καί· «Γίνεσθε οἰκτίρμονες», οὐ τὸν ἔλεον τὸν ἀνθρώπειον, ἀλλὰ «καθὼς καὶ ὁ Πατὴρ ὑμῶν οἰκτίρμων ἐστί[d]». Καί· «Ἀγαπᾶτε ἀλλήλους, καθὼς ἐγὼ ἠγάπησα ὑμᾶς[e]». Ὢ φίλτρῳ Παῦλος ἐφίλει «ἐν σπλάγχνοις Ἰησοῦ Χριστοῦ[f]»· ὅθεν καὶ ὁ Σωτὴρ αὐτὸς τοὺς μαθητὰς
15 εἰρήνην ἄγειν κελεύων, αὐτὴν ἐντίθησιν αὐτοῖς τὴν εἰρήνην τὴν ἑαυτοῦ· «Εἰρήνην γάρ, φησί, τὴν ἐμὴν δίδωμι ὑμῖν[g]»· καὶ πρὸς τὸν Πατέρα· «ἵνα, φησίν, ἡ ἀγάπη ἣν ἠγάπησάς με, ἐν αὐτοῖς ᾖ[h]».

ABCV MPW Gass Migne

79, 4 τοῦτο : τούτῳ V ‖ 5 ὀνόματος μεταδοῖεν : ὀνομασθεῖεν MW ‖ 8 τὰ *om.* A

80, 10 γίνεσθαι C ‖ 14 τοὺς μαθητὰς *om.* BP

---

79. a. cf. Hébr. 2,14 ‖ b. cf. I Cor. 6,17

80. a. Rom. 6,4 ‖ b. I Tim. 6,12 ‖ c. I Pierre 1,15 ‖ d. Lc 6,36 ‖ e. Jn 13,34 ‖ f. cf. Phil. 1,8 ‖ g. Jn 14,27 ‖ h. Jn 17,26

échoit d'être définis et appelés — ce n'est pas notre maison ni notre vêtement qui peuvent modeler notre comportement dans tel ou tel sens, ni nous donner une réputation de vice ou de vertu —, de même parmi les choses qui nous sont propres, ce sont celles qui sont le plus nôtres qui nous définissent le mieux et nous donnent notre appellation commune ; or ce qui est au Christ est davantage nôtre que ce qui est à nous-mêmes. Ce qui nous est propre, c'est d'être constitués membres et fils, et de partager avec lui la chair, le sang[a] et l'Esprit ; or, cela nous est plus proche non seulement que ce que nous obtenons par l'ascèse, mais même que ce qui nous appartient par nature, parce qu'il s'est montré plus proche de nous que nos propres parents.

80. Voilà pourquoi nous sommes tous tenus non d'apporter les fruits de la sagesse humaine, ni de tenir bon jusqu'aux combats suprêmes du martyre, mais de vivre cette vie nouvelle qu'est la vie en Christ : voilà la justice dont nous avons tous à faire preuve. Si nous n'étions pas davantage apparentés à cette vie-là, elle ne serait pas requise de nous au plus haut point. Car si «nous avons été ensevelis avec le Christ par le baptême, (c'est) afin de marcher dans une nouveauté de vie[a]»; à Timothée Paul écrit : «Conquiers la vie éternelle[b]»; l'Écriture dit aussi : «Devenez saints comme le saint qui vous a appelés[c]», et : «Soyez miséricordieux», non d'une miséricorde humaine, mais «comme votre Père est miséricordieux[d]», et : «Aimez-vous les uns les autres, comme moi je vous ai aimés[e].» C'est avec cette tendresse que Paul aimait «dans les entrailles de Jésus Christ[f]»; c'est pour cela aussi que le Sauveur lui-même, quand il commande à ses disciples de vivre en paix, leur infuse sa propre paix en disant : «C'est ma paix que je vous donne[g]», et s'adressant au Père : «afin que l'amour dont tu m'as aimé soit en eux[h].»

(616) **81.** Καὶ ὅλως καθάπερ ἡ γέν|νησις θεία τίς ἐστι καὶ ὑπερφυής, οὕτω καὶ ἡ ζωὴ καὶ ἡ δίαιτα καὶ ἡ φιλοσοφία καὶ πάντα ταῦτα, καινὰ καὶ πνευματικά. Καὶ τοῦτο δηλῶν ὁ Σωτὴρ Νικοδήμῳ· «Τὸ γεγεννημένον ἐκ τοῦ Πνεύματος, 5 φησί, πνεῦμά ἐστι[a]». Διὰ τοῦτο καὶ Παῦλος· «Ἵνα εὑρεθῶ, φησίν, ἐν αὐτῷ, μὴ ἔχων ἐμὴν δικαιοσύνην τὴν ἐκ τοῦ νόμου, ἀλλὰ τὴν διὰ πίστεως Χριστοῦ τὴν ἐκ Θεοῦ δικαιοσύνην[b]».

82. Ὁ δὲ λόγος ὅτι τοῦτό ἐστι τὸ βασιλικὸν ἱμάτιον· τὰ γὰρ ἡμέτερα, δοῦλα· ἐλευθερία δὲ καὶ βασιλεία, πρὸς ἣν ἐπείγεσθαι δεῖ, πῶς ἂν γένοιτο δούλων ἆθλον; οὐ γὰρ ἂν εἴη βασιλείας ἀξίους φανῆναι, πλέον οὐδὲν ἢ δούλων 5 ἀρετὴν ἐπιδειξαμένους. Καθάπερ γὰρ «ἡ φθορὰ τῆς ἀφθαρσίας, ᾗ φησι Παῦλος, οὐκ ἂν γένοιτο κληρονόμος[a]», «δεῖ δὲ τὸ φθαρτὸν τοῦτο ἐνδύσασθαι ἀφθαρσίαν, καὶ τὸ θνητὸν τοῦτο ἐνδύσασθαι ἀθανασίαν[b]», τὸν ἴσον τρόπον οὐδὲ τὰ τῶν δούλων ἔργα, πρὸς τὴν βασιλείαν ἐκείνην ἀρκέσαι 10 δύναιτ' ἂν ἡμῖν, ἀλλὰ τῆς ἐκ Θεοῦ δεήσει δικαιοσύνης. Υἱὸν γὰρ εἶναι δεῖ τὸν κληρονόμον, οὐ δοῦλον· «Ὁ γὰρ δοῦλος, φησί, οὐ μένει ἐν τῇ οἰκίᾳ εἰς τὸν αἰῶνα, ὁ υἱὸς μένει εἰς τὸν αἰῶνα[c]».

83. Ἀνθ' ὧν ἕκαστον τῶν ἐπὶ τὸν κλῆρον τοῦτον ἀφιξομένων, πρότερον ἀποβαλόντα τὸν δοῦλον, δεῖξαι δεῖ τὸν Υἱόν· ὅπερ ἐστὶ τὴν μορφὴν τοῦ Μονογενοῦς ἐπὶ τῶν προσώπων κομισαμένους, μετὰ τούτου τοῦ κάλλους τῷ 5 γεγεννηκότι φανῆναι. Καὶ τοῦτό ἐστιν ὑπὸ τοῦ Υἱοῦ τοῦ

ABCV MPW Gass Migne

82, 3 δοῦλον Gass δούλων *corr.* Migne ‖ ἆθλον *om.* Gass ‖ 6 ᾗ φησι Παῦλος ABP : *om. cett.* ‖ 11 οὐ *om.* Gass ‖ 12-13 ὁ Υἱός — αἰῶνα *om.* MW ‖ εἰς τὸν αἰῶνα *om.* C

L'union au Christ nous rend justes de la justice du Christ

81. En un mot, de même que cette naissance est une chose divine et surnaturelle, de même la vie, les mœurs, la sagesse et tout le reste sont nouveaux et spirituels. C'est ce que montre le Sauveur à Nicodème : «Ce qui est né de l'Esprit est esprit[a].» C'est aussi pourquoi Paul écrit : «afin d'être trouvé en lui, ne possédant pas ma propre justice, celle qui vient de la loi, mais la justice par la foi en Christ, celle qui vient de Dieu[b].»

82. La raison en est que c'est cela le vêtement royal ; car tout ce qui est nôtre est servile ; or la liberté et la royauté vers lesquelles nous devons nous hâter, comment pourraient-elles être le salaire d'esclaves ? Si cela était, se montrer digne de la royauté, ce ne serait donc rien de plus que de faire preuve de vertus serviles. De même en effet que «la corruption, comme dit Paul, ne peut hériter l'incorruptibilité[a]», mais que «le corruptible doit revêtir l'incorruptibilité et le mortel l'immortalité[b]», de même des œuvres d'esclaves ne sauraient suffire à nous procurer cette royauté ; elles ont besoin de la justice qui vient de Dieu. Car l'héritier doit être le fils, non un esclave : «L'esclave, dit l'Écriture, ne demeure pas dans la maison pour toujours, mais le fils demeure pour toujours[c].»

83. En échange, chacun de ceux qui parviendront à cet héritage devra tout d'abord se dépouiller de l'esclave et dévoiler le Fils, c'est-à-dire qu'il devra accueillir sur son propre visage la forme du Fils unique, et se présenter devant son père avec cette beauté-là. Voilà ce que signifie être affranchi par le Fils de Dieu de tout esclavage et être

81. a. Jn 3,6 || b. Phil. 3,9
82. a. I Cor. 15,50 || b. I Cor. 15,53 || c. Jn 8,35

Θεοῦ πάσης ἀφεθῆναι δουλείας καὶ ὡς ἀληθῶς ἐλευθέρους εἶναι, ὃ τῷ Χριστῷ νοεῖ τὸ πρὸς τοὺς Ἰουδαίους εἰρημένον ἐκεῖνο· «Ἐὰν ὁ Υἱὸς ὑμᾶς ἐλευθερώσῃ, ὄντως ἐλεύθεροι ἔσεσθε[a]».

10 Λύει γὰρ καὶ υἱοὺς Θεοῦ ποιεῖται τοὺς δούλους, ὅτι Υἱὸς ὢν αὐτὸς καὶ πάσης ἐλεύθερος ἁμαρτίας, καὶ σῶμα αὐτοῖς καὶ αἷμα καὶ Πνεῦμα καὶ τὰ αὑτοῦ πάντα κοινὰ ποιεῖται· τοῦτον γὰρ τὸν τρόπον καὶ ἀνέπλασε καὶ ἠλευθέρωσε καὶ ἐθέωσε, τὸν ὑγιᾶ καὶ ἐλεύθερον καὶ ἀληθινὸν Θεὸν ἑαυτὸν 15 ἡμῖν ἀναμίξας.

84. Καὶ οὕτω τὴν ἀληθινὴν ὄντα δικαιοσύνην τὸν Χριστόν, ἡμέτερον ἀγαθόν, καὶ πρὸ τῶν φυσικῶν αὐτῶν, τὸ ἱερὸν ἐργάζεται δεῖπνον, ὥστε καὶ φιλοτιμούμεθα τοῖς αὑτοῦ καὶ ὡς ἂν αὐτοὶ κατορθωκότες οὕτως εὐδοκιμοῦμεν, 5 καὶ καλούμεθά γε ἐκεῖθεν, εἰ τὴν κοινωνίαν φυλάττομεν· καὶ εἴ τις ἀληθῶς ἅγιος καὶ δίκαιος καὶ ὁτιοῦν τῶν ἐπαινουμένων ἀκούοι, τὴν ἐπωνυμίαν, ἐξ ὧν ἐκείνου τετύχηκεν ἔλαβεν· «Ἐν τῷ Θεῷ γάρ, φησίν, ἐπαινεθήσεται ἡ ψυχή μου[a]» καί· «ἐνευλογηθήσονται ἐν αὐτῷ πάντα τὰ 10 ἔθνη[b]».

85. Ὅθεν τῶν ἀνθρωπίνων μὲν οὐδέν, τὰ Χριστοῦ δὲ ἀπαιτούμεθα καὶ ἐνεγκεῖν ἐπὶ τῶν ψυχῶν καὶ φέροντας ἀπελθεῖν, καὶ ταύτην πρὸ τῶν στεφάνων ἐπιδείξασθαι τὴν φιλοσοφίαν ἐκ παντὸς τρόπου καὶ τοῦτον τὸν καινὸν 5 πλοῦτον, μηδὲν ἐπεισαγαγόντας αὐτῷ τοῦ πονηροῦ κόμματος, ὡς μόνην ταύτην οὖσαν ὑπὲρ τῆς ἐν οὐρανῷ βασιλείας ἀξιόχρεω φοράν.

86. Ἐπεὶ γὰρ ἆθλον ὃ δεῖ λαβεῖν ἀγωνισαμένους ὁ Θεός ἐστιν αὐτός, ἀνάγκη δὴ πρὸς τὸ γέρας ἀνάλογον ἔχειν, καὶ

ABCV MPW Gass Migne

83, 7 τοὺς *om.* C || 13 ἐλευθέρωσε Gass
84, 4 οὕτως BP : *om. cett.* || 7 ἀκούει C
86, 1 λαβεῖ Migne

véritablement libre, et c'est ce que veut dire la parole dite par le Christ aux Juifs : «Si le Fils vous libère, vous serez vraiment libres[a].»

Il délie en effet les esclaves et les rend fils de Dieu, parce que lui qui est Fils et libre de tout péché, il les fait participer à son corps, à son sang, à son Esprit et à tout ce qui est sien ; voici de quelle façon il a remodelé, libéré et divinisé : en mêlant à nous le Dieu pur, libre et véritable qu'il est lui-même.

Ce qui est exigé du chrétien : le Christ

84. Ainsi, l'œuvre du banquet sacré est de faire du Christ, qui est la vraie justice, notre bien propre, avant même nos dons naturels ; au point que nous nous glorifions de ses mérites et nous en recevons l'honneur comme si nous les avions nous-mêmes gagnés, et nous en obtenons l'appellation, à condition de garder la communion avec lui ; et si un homme véritablement saint et juste reçoit quelque éloge que ce soit, c'est de ce qu'il a obtenu du Christ qu'il en reçoit l'appellation. Car, dit l'Écriture, «c'est en Dieu que mon âme se louera[a]», et «en lui seront bénies toutes les nations[b].»

85. Ainsi, rien d'humain ne nous est réclamé, mais ce qui est au Christ : il nous faut le porter en nos âmes, l'emporter en mourant, et avant le moment des couronnes, c'est cette sagesse et ce trésor nouveau qu'il nous faut présenter à tout prix sans y introduire de fausse monnaie, car celle-là est la seule dont le titre soit suffisant pour acquérir le royaume des cieux.

86. Puisque le prix que doivent recevoir les concurrents est Dieu lui-même, il est nécessaire qu'ils possèdent

83. a. Jn 8,36
84. a. Ps. 33,3 || b. Gen. 18,18; cf. Gal. 3,8

θείους εἶναι τοὺς ἀγῶνας, καὶ Θεὸν τοῖς ἀθληταῖς οὐ μόνον
(617) ἀλείπτην εἶναι καὶ τῶν | ἀγώνων ἡγεμόνα, ἀλλὰ καὶ αὐτὸν
5 ἐν αὐτοῖς εἶναι τὸν κατορθοῦντα, ὥστε τὸ μὲν ζητούμενον
τέλος τῇ παρασκευῇ, τῷ τέλει δὲ τὴν παρασκευὴν ἀκόλουθον
εἶναι.

87. Καθάπερ γὰρ εἰς τὴν γῆν πέμπων, οὐδὲν ἡμᾶς
ἔδρασεν οὐδ' ἀπήτησεν ὑπερφυές, οὕτω πρὸς Θεὸν ἄγων
καὶ τῆς γῆς ἀπαλλάττων, οὐδὲν ἀφῆκεν ἔχειν ἀνθρώπινον,
ἀλλ' ὧν ἡμῖν ἐδέησε πρὸς πάντα ἑαυτὸν ἥρμοσε, καὶ τῶν
5 πρὸς τὸ τέλος ἐκεῖνο παρασκευάσαι δυναμένων οὐδὲν ἀφῆκεν
ἀργὸν ἑαυτοῦ.

88. Εἴτε γὰρ ἀρρωστίαν εἴποι τις ἂν τὸ ἡμέτερον τοῦτο
καὶ ἰατρείαν, οὐκ αὐτὸς εἰσῆλθεν εἰς τὸν κάμνοντα μόνον
καὶ ὀφθαλμῶν ἠξίωσε καὶ χειρός, καὶ ὧν ἔδει πρὸς τὴν
θεραπείαν αὐτουργὸς ἦν, ἀλλὰ καὶ αὐτὸ τὸ φάρμακον καὶ
5 ἡ δίαιτα καὶ ὁτιοῦν ἄλλο τῶν πρὸς τὴν ὑγείαν φερόντων,
αὐτὸς ἐγένετο.

89. Εἴτε ἀνάπλασίς ἐστιν, ἐξ ἑαυτοῦ καὶ τῶν οἰκείων
σαρκῶν ἀνακαλεῖται, καὶ ὃ τοῦ διαφθαρέντος ἡμῖν ἀντεισή-
γαγεν, αὐτὸς ἦν. Οὐ γὰρ ὅθεν ἔπλασεν ἀπὸ τῆς αὐτῆς
ἀνεπλάσθημεν ὕλης· ἀλλ' ἐκεῖνο μὲν ἐποίησε «χοῦν λαβὼν
5 ἀπὸ τῆς γῆς[a]», ὑπὲρ δὲ τοῦ δευτέρου τὸ οἰκεῖον ἔδωκε
σῶμα. Καὶ τὴν ζωὴν ἀνακτώμενος, οὐ τὴν ψυχὴν ἐπὶ τῆς
φύσεως ἑστῶσαν ποιεῖ καλλίω, ἀλλὰ τὸ αἷμα ἐγχέων ταῖς
καρδίαις τῶν μεμυημένων τὴν ἑαυτοῦ ζωὴν αὐτοῖς ἀνα-
τέλλει· τότε μὲν γὰρ «ἐνεφύσησε, φησί, πνοὴν ζωῆς[b]», νῦν
10 δὲ τοῦ Πνεύματος ἡμῖν αὐτοῦ κοινωνεῖ. Καὶ γάρ· «Ἐξα-

ABCV MPW Gass Migne

86, 5 τὸ : τὸν Gass
87, 5 ἀφῆκεν P : παρῆκεν *cett.*
88, 5 τὴν *om.* CVMW Gass
89, 2 σαρκῶν P : τὸ ἐνδέον *post* σαρκῶν *add. cett.* || 4 ἀνεπλάσθημεν BP : ἀνέπλασεν *cett.*

l'équivalent de ce qu'ils doivent toucher ; que les luttes soient divines, et que Dieu soit pour les athlètes non seulement un soigneur et un coureur de tête, mais que lui-même en eux soit le vainqueur, de sorte que le but recherché soit approprié à la préparation, et la préparation au but.

87. De même en effet qu'en nous mettant sur la terre (le Christ) ne nous a fait ni n'a réclamé de nous rien d'extraordinaire, de même en nous conduisant à Dieu et en nous ôtant de la terre, il ne nous a rien laissé posséder d'humain, mais il s'est lui-même ajusté à tous nos besoins, et n'a laissé vide de lui rien de ce qui pouvait contribuer à cette fin.

88. Si l'on parle, à propos de ce qui nous arrive, d'infirmité et de guérison, il ne s'est pas contenté d'entrer chez le malade, de daigner le regarder de ses yeux et le toucher de sa main, et de lui procurer lui-même ce qui était nécessaire à son traitement, mais le remède, le régime, et tout ce qui pouvait contribuer à la santé, ce fut lui-même.

89. S'il s'agit d'un remodelage, c'est par lui-même et par sa propre chair qu'il restaure, et ce qu'il a substitué à notre être putréfié, c'est lui-même. Car il n'a pas remodelé à partir de la même matière dont nous avions été modelés ; mais il a fait le premier modelage en « prenant de la poussière du sol[a] », et pour le second c'est son propre corps qu'il a donné. Et en restaurant la vie, il ne rend pas l'âme plus belle en la laissant dans sa nature propre, mais, en répandant son sang dans les cœurs de ceux qui sont initiés, c'est sa propre vie qu'il fait jaillir en eux : autrefois en effet, il « a insufflé, dit l'Écriture, une haleine de vie[b] », mais aujourd'hui c'est son propre Esprit qu'il nous

89. a. cf. Gen. 2, 7 || b. Ibid.

πέστειλε, φησίν, ὁ Θεὸς τὸ Πνεῦμα τοῦ Υἱοῦ αὐτοῦ, ἐν ταῖς καρδίαις ἡμῶν κρᾶζον· Ἀββᾶ ὁ Πατήρ[c]». Ἐπεὶ καὶ φωτὸς δεῆσαν, τότε μέν· «Γενηθήτω φῶς εἶπε, καὶ ἐγένετο φῶς[d]», τὸ δοῦλον τοῦτο· νῦν δὲ ὁ Δεσπότης αὐτὸς «ἔλαμψεν 15 ἐν ταῖς καρδίαις ἡμῶν, ὁ τότε εἰπὼν ἐκ σκότους φῶς λάμψαι[e]», Παύλου φωνή.

90. Καὶ τὸ πᾶν εἰπεῖν· ἐπὶ μὲν τῶν προτέρων χρόνων διὰ τῶν κτισμάτων τούτων τῶν ὁρωμένων εὐηργέτει τὸ γένος, καὶ προστάγμασι καὶ πρεσβείαις καὶ νόμοις ἦγε τὸν ἄνθρωπον, τοῦτο μὲν χρώμενος ἀγγέλοις, τοῦτο δὲ τῶν 5 ἀνθρώπων τοῖς σεμνοτέροις· νῦν δὲ αὐτὸς ἀμέσως δι' ἑαυτοῦ καὶ πρὸς πάντα χρώμενος ἑαυτῷ.

91. Σκοπῶμεν γὰρ ἄνωθεν. Ἐπὶ τῷ σῶσαι τὸ γένος οὐκ ἄγγελον ἔπεμψεν[a], ἀλλ' αὐτὸς ἐλήλυθεν· ἔδει μαθεῖν τοὺς ἀνθρώπους ὑπὲρ ὧν ἀφίκετο, καὶ οὐ κατὰ χώραν μένων μετεπέμπετο τοὺς ἀκουσομένους, ἀλλ' αὐτὸς ἐξήτει περιϊών, 5 οἷς ἂν μεταδοίη τῶν λόγων. Καὶ τὰ μέγιστα τῶν ἀγαθῶν ἐπὶ τῆς γλώττης κομίζων, ἐπὶ τὰς θύρας ἐχώρει τῶν εὖ παθεῖν δεομένων, καὶ μὴν καὶ τοὺς νοσοῦντας οὕτως ἰᾶτο, παραγινόμενος αὐτὸς καὶ χειρὸς ἁπτόμενος· καὶ ὀφθαλμοὺς ἐδημιούργει γεγεννημένῳ τυφλῷ, τῷ προσώπῳ πηλὸν 10 ἐπιβαλών, ὃν αὐτὸς οἴκοθεν ἐποίησε πτύσας εἰς τὴν γῆν καὶ τῷ δακτύλῳ μάξας, ἀνείλετο καὶ προσέπλασε[b]. Καὶ «ἥψατο τῆς σοροῦ[c]» φησί. Καὶ ἐπέστη τῷ τάφῳ Λαζάρου καὶ φωνὴν ἐγγύθεν ἀφῆκε[d], καίτοι καὶ πόρρωθεν εἴπερ ἐβούλετο καὶ λόγῳ καὶ νεύματι μόνῳ, καὶ ταῦτα καὶ τὰ 15 τούτων ἔτι μείζω πάντα ἂν εἰργασμένος, ὅς γε καὶ τὸν

ABCV MPW Gass Migne

89, 12 κράζων W
91, 8 παραγενόμενος Gass || 14 καὶ² *om.* Migne || 15 ἦν *post* ἂν *add.* V

---

89. c. Gal. 4, 6 || d. Gen. 1, 3 || e. II Cor. 4, 6
91. a. cf. Is. 63, 9 || b. cf. Jn 9, 6 || c. Lc 7, 14 || d. cf. Jn 11, 38-43

partage. En effet, «Dieu, dit l'Écriture, a envoyé l'Esprit de son Fils qui crie en nos cœurs : Abba, Père[c].» Et quand la lumière manquait, autrefois «il dit : que la lumière soit, et elle fut[d]», cette lumière serve ; mais aujourd'hui le Maître en personne «a brillé dans nos cœurs, lui qui a dit autrefois que la lumière jaillît des ténèbres», parole de Paul[e].

90. Pour tout dire : dans les temps anciens, c'est au moyen des créatures visibles que Dieu fit du bien à notre race, et par des commandements, des envoyés, des lois il conduisit l'homme, en ayant recours tantôt à des anges, tantôt aux plus saints d'entre les hommes ; aujourd'hui, c'est lui-même qui agit, sans intermédiaire, au moyen de lui-même, et en n'ayant recours pour toutes choses qu'à lui-même.

Le Christ unit à lui notre nature et notre volonté
Comment le Christ règne sur nous

91. Voyons cela de plus haut. Pour sauver notre race, il n'a pas envoyé un ange[a], mais il est venu lui-même ; il fallait instruire les hommes pour qui il était venu, alors il n'est pas resté chez lui en demandant aux auditeurs de venir, mais il a parcouru le pays à la recherche de gens à qui communiquer ses paroles. Porteur des plus grands biens par les paroles de sa bouche, il allait de porte en porte chez ceux qui avaient besoin d'être heureux ; et en outre c'est ainsi qu'il guérissait les malades, par sa présence et le contact de sa main ; pour créer des yeux à l'aveugle-né, il a enduit son visage avec de la boue qu'il avait faite lui-même en crachant par terre et en mélangeant avec son doigt, puis qu'il ramassa et lui appliqua[b]. L'Écriture dit encore qu'«il toucha le cercueil[c].» Il se tint près du tombeau de Lazare et fit entendre sa voix de près[d], alors qu'il aurait pu, de loin, par une simple parole et par un simple ordre, faire cela et toutes sortes de choses plus

οὐρανὸν τὸν τρόπον τοῦτον ἐποίησεν. Ἀλλὰ τὸ μὲν ἂν ἦν τῆς αὐτοῦ δυνάμεως τεκμήριον ἐναργές, ἐκεῖνο δὲ (620) τῆς | φιλανθρωπίας σημεῖον, ἣν ἐπιδειξόμενος ἦλθεν.

92. Ἔτι τοίνυν τοὺς ἐν Ἅδου δεσμώτας ἔδει λυθῆναι, καὶ τὸ ἔργον οὐκ ἐπέτρεψεν ἀγγέλοις ἢ τοῖς ἄρχουσι τῶν ἀγγέλων, ἀλλ' αὐτὸς κατῆλθεν εἰς τὸ δεσμωτήριον[a]. Τοὺς αἰχμαλώτους τὴν ἐλευθερίαν εἰκὸς ἦν οὐ 5 προῖκα λαβεῖν, ἀλλ' ἐωνημένους· καὶ λύει τὸ αἷμα καταβαλών[b]. Τοῦτον τὸν τρόπον ἐξ ἐκείνου καὶ εἰς τὴν ἐσχάτην ἡμέραν ἁμαρτιῶν ἀπαλλάττει καὶ εὐθύνης ἀφίησι καὶ ῥύπου τὰς ψυχὰς ἀποκλύζει.

93. Καὶ γὰρ αὐτός ἐστιν ᾧ καθαίρει, ὅπερ ὁ Παῦλος δηλῶν· «Δι' ἑαυτοῦ, φησί, καθαρισμὸν ποιησάμενος τῶν ἁμαρτιῶν ἡμῶν, ἐκάθισεν ἐν δεξιᾷ τοῦ θρόνου τῆς μεγαλωσύνης ἐν τοῖς οὐρανοῖς[a]». Διὰ ταῦτα καὶ διάκονον αὐτὸν 5 καλεῖ[b] καὶ αὐτὸς ἑαυτὸν διακονοῦντα[c], καὶ ἐπὶ τῷ διακονῆσαι παρὰ τοῦ Πατρὸς εἰς τὸν κόσμον ἐληλυθέναι[d].

94. Καὶ τὸ μέγιστον ἁπάντων· οὐ γὰρ ἐπὶ τοῦ παρόντος μόνον, ὅτε μετὰ τῆς ἀνθρωπείας ἀσθενείας ἐφάνη καὶ ἦλθεν οὐχ «ἵνα κρίνῃ τὸν κόσμον[a]» καὶ τὰ δούλων ἐπεδείκνυτο καὶ τὰ τοῦ Δεσπότου πάντα ἀπέκρυπτεν, ἀλλ' ἤδη καὶ ἐπὶ 5 τοῦ μέλλοντος, ὅτε μετὰ δυνάμεως ἀφίξεται[b] καὶ ἐπὶ τῆς πατρικῆς φανεῖται δόξης, ἐπὶ τῆς ἀναδείξεως, ἐπὶ τῆς βασιλείας αὐτῆς· «Περιζώσεται, φησί, καὶ ἀνακλινεῖ

ABCV MPW Gass Migne

91, 15-16 τὸν οὐρανὸν *om.* Gass || 18 ἐπιδειξάμενος Gass
92, 7 ἁμαρτιῶν *om.* Gass
93, 4 διάκονος C
94, 5 ἐπὶ P : μετὰ *cett.*

---

92. a. cf. I Pierre 3,19 || b. cf. I Pierre 1,19
93. a. cf. Hébr. 1,3 || b. cf. Rom. 15,8 || c. cf. Lc 22,27 || d. cf. Matth. 20,28

grandes encore, lui qui créa le ciel de cette façon. Mais la création devait être un témoignage éclatant de sa puissance, alors qu'ici il s'agissait de donner un signe de sa philanthropie, qu'il voulait manifester en venant parmi nous.

92. Il fallait encore libérer ceux qui étaient captifs dans l'hadès : cette besogne, il ne l'a pas abandonnée à des anges ni aux princes des anges, mais il est descendu lui-même dans le cachot[a]. Il était juste que les captifs obtinssent la liberté non pas gratuitement mais en payant la rançon : il les libère en versant son sang. C'est de cette façon que, depuis ce temps et jusqu'au dernier jour, il affranchit les âmes de leurs péchés, les tient quittes du châtiment et les lave de leur souillure.

93. En effet, il est lui-même ce par quoi il purifie, comme le montre Paul : «Après avoir opéré par lui-même la purification de nos péchés, dit-il, il s'est assis à la droite du trône de la majesté dans les cieux[a].» C'est pourquoi il l'appelle aussi serviteur[b], et lui-même dit qu'il sert[c] et que c'est pour servir que, de chez son Père, il est venu dans le monde[d].

94. Et voici le plus fort de tout : ce n'est pas seulement dans sa vie terrestre, lorsqu'il est apparu et qu'il est venu avec la faiblesse humaine — «non pas pour juger le monde[a]» —, lorsqu'il montrait ce qui est de l'esclave et cachait tout ce qui est du Maître, mais c'est encore aussi dans la vie future, lorsqu'il viendra avec puissance[b] et paraîtra dans la gloire du Père, au temps de sa manifestation, au temps de sa royauté même : «il se ceindra, dit-il, les fera mettre à table et, passant de l'un à l'autre, il les

94. a. cf. Jn 3,17 || b. cf. Matth. 24,30

αὐτούς, καὶ παρελθὼν διακονήσει αὐτοῖς[c]», εἰκότως, δι' οὗ βασιλεῖς βασιλεύουσι καὶ τύραννοι κρατοῦσι γῆς[d].

95. Τοῦτον γὰρ τὸν τρόπον τὴν καθαρὰν καὶ ἀληθινὴν ἐβασίλευσε βασιλείαν, αὐτὸς ἑαυτῷ πρὸς τὴν βασιλείαν ἀρκέσας· καὶ οὕτως ἤγαγεν ὧν ἐκράτησεν, ἱλαρώτερον μὲν φίλων, ἀκριβέστερον δὲ τυράννων, πατρὸς φιλοστοργότερον, 5 μελῶν συμφυέστερον, καρδίας ἀναγκαιότερον, οὐ φόβῳ κλίνων, οὐ μισθῷ δουλούμενος, ἀλλ' αὐτὸς ὢν ἑαυτῷ δύναμις τῆς ἀρχῆς καὶ μόνος αὐτὸς ἑαυτῷ συνάπτων τοὺς ἀρχομένους. Τὸ γὰρ φόβῳ ἢ μισθούμενον βασιλεύειν οὐκ αὐτόν ἐστιν ὡς ἀληθῶς ἄρχειν, ἀλλὰ τῆς ὑπακοῆς τὰς ἐλπίδας 10 αἰτιᾶσθαι δεῖ καὶ τὰς ἀπειλάς. Ὥσπερ τοίνυν οὐκ ἂν ἄρχοι κυρίως, ᾧ τὸ κρατεῖν ἑτέρωθεν, οὕτως οὐδὲ δουλεύειν ἔστιν ἀληθῶς τῷ Θεῷ, ἐπειδὰν κατά τινα τῶν εἰρημένων ὑποταττώμεθα τρόπον.

96. Ἐπεὶ δὲ ἔδει τὴν καθαρωτάτην ἀρχὴν αὐτὸν βασιλεύειν, οὐ γὰρ ἦν εἰκὸς τὴν ἑτέραν, ἐξεῦρεν ὅπως ἀνύσει. Καὶ οὗτος ἦν ὁ τρόπος ὁ παραδαξότατος.

Τοῖς γὰρ ἐναντίοις ἐχρήσατο, καὶ ἵνα Δεσπότης ἀληθὴς 5 ᾖ, δούλου δέχεται φύσιν[a] καὶ διακονεῖ τοῖς δούλοις μέχρι σταυροῦ καὶ θανάτου, καὶ οὕτω τὰς ψυχὰς τῶν δούλων αἱρεῖ καὶ τὴν θέλησιν ἀμέσως χειροῦται. Τούτου χάριν καὶ Παῦλος ταύτην τὴν διακονίαν τὴν αἰτίαν εἰδὼς εἶναι τῆς βασιλείας, ὅτι «Ἐταπείνωσεν ἑαυτόν, φησί, γενόμενος 10 ὑπήκοος μέχρι θανάτου, θανάτου δὲ σταυροῦ· διὰ τοῦτο ὁ Θεὸς αὐτὸν ὑπερύψωσε[b]». Καὶ ὁ θαυμαστὸς Ἠσαΐας· «Διὰ

ABCV MPW Gass Migne

95, 10 ἀρχεῖ C
96, 8 τὴν *om.* C ‖ 10 θανάτου δε : καὶ θανάτου MW Gass

---

94. c. Lc 12,37 ‖ d. cf. Prov. 8,16
96. a. cf. Phil. 2,7 ‖ b. Phil. 2,8

37. Cf. Chrys., *hom.* II *in Rom.*, 4 (*PG* 60, 406).

servira[c] », à ce qu'il semble, lui par qui règnent les rois et gouvernent les tyrans de la terre[d].

95. C'est ainsi qu'il a exercé sa royauté pure et véritable, lui qui se suffisait à lui-même pour cette royauté ; et c'est ainsi qu'il a entraîné ceux qu'il gouvernait, plus aimable qu'un ami, plus exigeant qu'un tyran, plus miséricordieux qu'un père[37], plus intime que des membres, plus indispensable qu'un cœur, non en les subjuguant par la crainte ni en les asservissant par un salaire, mais en étant seul la force de son pouvoir, et en s'attachant par lui seul ses sujets. Car régner par la crainte ou contre un salaire, ce n'est pas gouverner véritablement par soi-même, mais c'est aux espoirs et aux menaces qu'il faut attribuer la cause de cette obéissance. De même qu'il ne gouvernerait pas au sens propre celui qui gouvernerait par ces deux ressorts, de même il n'est pas possible non plus de servir véritablement Dieu, lorsqu'on se soumet à lui de l'une de ces deux sortes de soumission.

Le Christ règne sur nous par son abaissement

96. Puisqu'il fallait que le Christ régnât avec la plus pure autorité — l'autre sorte d'autorité ne lui convenant pas — il imagina le moyen d'y parvenir. Et voici ce moyen le plus extraordinaire.

Il usa des voies contraires[38], et pour être un Maître véritable, il prend une nature d'esclave[a] et il sert les esclaves jusqu'à la croix et la mort : c'est ainsi qu'il ravit les âmes des esclaves et s'empare directement de leur volonté. A cause de cela, sachant que c'est ce service qui est la cause de la royauté, Paul dit : « Il s'est abaissé, devenant obéissant jusqu'à la mort, et à la mort de la croix ; c'est pourquoi Dieu l'a élevé[b]. » Et l'admirable Isaïe

38. Les ἐναντία sont une des Catégories d'Ar. (cf. *Catégories*, V).

τοῦτο αὐτός, φησί, κληρονομήσει πολλοὺς καὶ τῶν ἰσχυρῶν μεριεῖ σκῦλα, ἀνθ' ὧν παρεδόθη εἰς θάνατον ἡ ψυχὴ αὐτοῦ καὶ μετὰ ἀνόμων ἐλογίσθη[c]».

97. Διὰ μὲν γὰρ τὴν πρώτην δημιουργίαν τῆς φύσεως ἡμῶν ὁ Χριστὸς Δεσπότης, διὰ δὲ τὴν καινὴν κτίσιν τῆς (621) γνώμης ἐκράτησεν· ὅπερ ἐστὶν ἀνθρώπων ὡς | ἀληθῶς βασιλεύειν, ὅτε τὴν κατὰ τὸν λογισμὸν ἐξουσίαν καὶ τὴν 5 τῆς γνώμης αὐτονομίαν, ἃ ποιεῖ τὸν ἄνθρωπον, ἐνταῦθα καταδήσας καὶ δουλωσάμενος ἤγαγεν· ὑπὲρ οὗ καί· «Ἐδόθη μοι πᾶσα ἐξουσία, φησίν, ἐν οὐρανῷ καὶ ἐπὶ γῆς[a]», ὡς δή τι καινὸν παθὼν ὁ πρὸ τῶν αἰώνων Δεσπότης τοῦ κόσμου, ὅτι μετὰ τῶν ἐν οὐρανῷ καὶ ἡ τῶν ἀνθρώπων φύσις τὸν 10 κοινὸν ἐπέγνω Δεσπότην. Καὶ μὴν καὶ τὸ τοῦ Δαβὶδ ἐκεῖνο· «Ἐβασίλευσεν ὁ Θεὸς ἐπὶ τὰ ἔθνη[b]», ταύτην ἐστὶν αἰνιττομένου τὴν βασιλείαν, καθ' ἣν τὰ ἔθνη «σύσσωμα τῷ Σωτῆρι καὶ συμμέτοχα[c]», Παῦλός φησι. Τῷ γὰρ οὕτω τοῖς σώμασι καὶ ταῖς ψυχαῖς καθάπαξ ἡνῶσθαι, οὐ σωμάτων 15 μόνον, ἀλλὰ καὶ ψυχῶν καὶ προαιρέσεων κατέστη Δεσπότης, καὶ κρατεῖ τὴν ὡς ἀληθῶς αὐτάρκη καὶ καθαρὰν βασιλείαν, αὐτὸς ἄγων δι' ἑαυτοῦ, καθάπερ ψυχὴ σῶμα καὶ μέλη κεφαλή.

98. Ἄγονται γὰρ οἳ στέργειν τὸν ζυγὸν ᾠήθησαν τοῦτον, ὥσπερ οὐκ αὐτοὶ λόγῳ συζῶντες, οὐδὲ προαιρέσεως συνόντες αὐτονομίᾳ. «Κτηνώδης γάρ, φησίν, ἐγενόμην παρά σοι[a]»· καὶ τοῦτό ἐστι τὴν ψυχήν τινα τὴν ἑαυτοῦ μισῆσαι 5 καὶ ἀπολέσαι καὶ δι' ὧν ἀπόλλυσι σῶσαι[b] ὅταν οὕτως ἡ καινὴ κτίσις κρατήσῃ, καὶ ὁ καινὸς Ἀδὰμ παντάπασιν

ABCV MPW Gass Migne

97, 3 ὡς *ante* ἀληθῶς *om.* BP || 7 ἐπὶ τῆς γῆς Gass || 8 Δεσπότης τοῦ κόσμου P : τοῦ κόσμου Δεσπότης *cell.*

98, 6 κρατήσῃ κτίσις ABCVP^pc Gass

---

96. c. Is. 53, 12

97. a. Matth. 28, 18 || b. Ps. 46, 9 || c. cf. Éphés. 3, 6

98. a. Ps. 72, 22 || b. cf. Matth. 10, 39

dit : « Pour cette raison il héritera des multitudes et il partagera les dépouilles des puissants, parce que son âme a été livrée à la mort et a été comptée parmi les hors-la-loi[c]. »

97. Par la première création, le Christ est Maître de notre nature ; par la nouvelle création, il s'est rendu maître de notre volonté : voilà ce que c'est que régner véritablement sur les hommes, puisque ce sont la liberté de la raison et l'autonomie du vouloir, ces facultés qui font l'homme, qu'il a ici liées et asservies pour les conduire. C'est pourquoi il dit : « Tout pouvoir m'a été donné au ciel et sur la terre[a] », comme si c'était quelque chose de nouveau pour lui qui avant tous les siècles était le Maître du monde, qu'avec les créatures des cieux la nature humaine aussi l'ait reconnu comme le Maître universel. Et cette parole encore de David : « Le Seigneur a régné sur les nations[b] » : elle annonce cette royauté-là, par laquelle les nations sont « incorporées au Sauveur et deviennent ses compagnes[c] », comme dit Paul. En effet, en s'unissant ainsi une fois pour toutes aux corps et aux âmes, il s'est rendu maître non seulement des corps mais aussi des âmes et des libertés et il règne d'une royauté vraiment souveraine et pure, les régissant par lui-même comme l'âme régit le corps et la tête les membres[39].

98. Ils sont conduits, en effet, ceux qui ont choisi de chérir ce joug, comme s'ils ne vivaient plus avec leur propre raison, et s'ils ne possédaient plus la liberté de choix : car « j'étais comme une brute devant toi », dit l'Écriture[a] ; voici ce que signifie pour quelqu'un haïr son âme et la perdre, et, la perdant, la sauver[b] : c'est lorsque la nouvelle création règne de cette façon, que le nouvel

39. Cf. *Liturgie*, XL, 4-6 (p. 234-237) : par la création le Fils régnait sur la nature humaine ; par l'économie, il règne sur son intelligence et sa volonté ; or c'est par son abaissement que le Christ a soumis notre volonté en suscitant notre amour.

ἀποκρύψῃ τὸν παλαιόν, καὶ οὔτε γεννήσεως οὔτε ζωῆς οὔτε τελευτῆς οὐδὲν τῆς παλαιᾶς περιλειφθῇ ζύμης[c].

99. Καὶ γὰρ τῷ παλαιῷ μὲν ἀπὸ τῆς γῆς συνέστη τὸ σῶμα, «ὁ δὲ νέος ἐκ Θεοῦ, φησίν, ἐγεννήθη[a]»· καὶ τῆς ζωῆς δὲ ἑκατέρας ἡ τράπεζα μαρτύριον ἑκατέρα· τὴν μὲν γὰρ ἀνῆκεν ἡ γῆ, τὸν δὲ καινὸν ἄνθρωπον ὁ ἐπουράνιος
5 ἀπὸ τῶν οἰκείων τρέφει σαρκῶν· διὰ ταῦτα καὶ ἀναλύοντες ὁ μὲν εἰς τὴν γῆν ἐπανῆλθεν, ἐξ ἧς προῆλθεν, ὁ δὲ εἰς τὸν Χριστὸν ἐχώρησεν, ὅθεν ἐλήφθη.

100. Καὶ τῇ τοῦ προενεγκόντος ἀρχῇ κατάλληλον ἑκάτερος ποιεῖται τὴν τελευτήν· «Οἷος γάρ, φησίν, ὁ χοικός, τοιοῦτοι καὶ οἱ χοϊκαί, καὶ οἷος ὁ ἐπουράνιος, τοιοῦτοι καὶ οἱ ἐπουράνιοι[a]». Καὶ οὐ τῆς ψυχῆς ἕνεκα μόνον, ἀλλὰ καὶ
5 τοῦ σώματος αὐτοῦ. Καὶ αὐτὸ γὰρ ἐπουράνιον, καθάπερ τὸ συναμφότερον ἐκεῖ χοϊκόν· ἥ τε γὰρ ψυχὴ τὰς χεῖρας οἰκεῖ τοῦ ἐπουρανίου[b], τό τε σῶμα, μέλος ἐκείνου· καὶ ψυχῆς μὲν οὐ μετέχει, τοῦ δὲ ζῶντος Πνεύματος γέμει· καὶ ζῇ μετὰ τελευτήν, τῆς προτέρας ζωῆς οὐδ᾽ ὅσον εἰπεῖν καλλίω,
10 ἐπεὶ οὐδὲ ἀπέθανεν ἀληθῶς τὴν ἀρχήν· «Ἔδοξαν γάρ, φησὶ Σολομών, τεθνάναι», καὶ οὐ τοῖς εὖ φρονοῦσιν, ἀλλ᾽ «ἐν ἀφρόνων ὀφθαλμοῖς[c]». Καθάπερ γὰρ «ὁ Χριστὸς ἐγερθεὶς ἐκ νεκρῶν οὐκέτι ἀποθνήσκει, θάνατος αὐτοῦ οὐκέτι κυριεύει[d]», οὕτω τὰ Χριστοῦ μέλη «θάνατον οὐ μὴ θεωρήσῃ

ABCV MPW Gass Migne

99, 3 μαρτύρων Gass || 4 ὁ *om.* C
100, 3 καὶ¹ *om.* W || 10 οὐδὲ : μηδ᾽ CVMW Gass

---

98. c. cf. I Cor. 5,7
99. a. cf. Jn 1,13
100. a. I Cor. 15,48 || b. cf. Sag. 3,1 || c. Sag. 3,2 || d. Rom. 6,9

---

40. Non pas le corps à la terre et l'âme au ciel (ce qui nierait la résurrection de la chair et serait suspect de manichéisme) mais le vieil homme à la terre (c'est lui qui est poussière, corps et âme) et l'homme nouveau, issu du baptême, vers le Christ, corps et âme : cf. le § suivant.

Adam éclipse complètement le vieil Adam, et que rien — ni naissance, ni vie, ni mort — ne subsiste du vieux levain[c].

ASSIMILÉS AU CHRIST, NOUS POURRONS LE RENCONTRER DANS SON ROYAUME

99. En effet, le corps du vieil Adam fut constitué à partir de la terre, mais «le nouveau, dit l'Écriture, est né de Dieu[a]»; pour l'une et l'autre vie témoignent l'une et l'autre tables : la terre pourvoit à l'une, mais l'homme nouveau, c'est le céleste qui le nourrit de sa propre chair; voilà pourquoi lorsque les deux s'en vont, l'un retourne à la terre d'où il est venu, et l'autre va vers le Christ dont il a été tiré[40].

100. Chacun des deux Adams a une fin en accord avec la dignité de celui dont il procède : «Tel le terrestre, dit l'Écriture, tels les terrestres; et tel le céleste, tels aussi les célestes[a].» Et cela ne concerne pas seulement l'âme, mais aussi le corps lui-même. Car il est lui aussi céleste, de même que, ici-bas, corps et âme sont terrestres; car si l'âme habite les mains du céleste[b 41], le corps est un de ses membres; il n'a plus son âme, mais il est rempli de l'Esprit vivant; et il vit après la mort, d'une vie indiciblement plus belle que la première, puisqu'en réalité il n'est même pas mort du tout : «Ils ont paru mourir», dit Salomon, non pour les gens sensés, mais «aux yeux des insensés[c].» De même en effet que «le Christ une fois ressuscité des morts ne meurt plus, sur lui la mort n'a plus aucun pouvoir[d]», de

41. S. Salaville (éd. de la *Prière à Jésus-Christ* de Cabasilas, *Échos d'Orient*, 35 (1936), p. 43 s.) rapproche cette image d'un passage de cette prière : «de même que les âmes habitent tes mains, ainsi les corps te portent comme leur hôte»; il évoque à ce sujet le thème iconographique de la «main de Dieu tenant les âmes».

15 εἰς τὸν αἰῶνα[e]»· πῶς γὰρ ἂν καὶ γεύσαιτο θανάτου τῆς ζώσης ἀεὶ καρδίας ἐξηρτημένα;

101. Εἰ δὲ κόνις τὸ ὁρώμενον καὶ πλέον οὐδέν, οὐ χρὴ θαυμάζειν. Ὁ μὲν γὰρ πλοῦτος ἔνδον· «Ἡ ζωὴ γάρ, φησίν, ἡμῶν κέκρυπται[a]»· ὁ δὲ θησαυρὸς ὀστράκινον σκεῦος· «Ἔχομεν γὰρ τὸν πλοῦτον τοῦτον ἐν ὀστρακίνοις σκεύεσι[b]», 5 Παῦλος εἶπεν. Ὅθεν οἷς τὰ θύραζε φαίνεται μόνον, ὁ πηλὸς ἂν ὁρῷτο μόνος.

102. Τοῦ Χριστοῦ δὲ διαδειχθέντος, καὶ ἡ κόνις αὕτη τὸ οἰκεῖον ἐπιδείξεται κάλλος, ὅτε τῆς ἀστραπῆς[a] ἐκείνης μέλος οὖσα φανεῖται, καὶ προσαρμόσει τῷ ἡλίῳ καὶ τὴν ἀκτῖνα κοινὴν ἀφήσει. «Λάμψουσι γάρ, φησίν, οἱ δίκαιοι 5 ὡς ὁ ἥλιος ἐν τῇ βασιλείᾳ τοῦ Πατρὸς αὐτῶν[b]»· βασιλείαν τοῦ Πατρὸς τὴν ἀκτῖνα καλῶν ἐκείνην, καθ' ἣν ὤφθη μὲν αὐτὸς λάμπων τοῖς ἀποστόλοις[c], «τὴν βασιλείαν τοῦ Θεοῦ», καθάπερ αὐτός φησι, «ἐληλυθυῖαν ἐν δυνάμει[d]» θεασαμένοις. Λάμψουσι δὲ καὶ οἱ δίκαιοι ἐπὶ τῆς ἡμέρας ἐκείνης μίαν 10 λαμπρότητα καὶ δόξαν, τῶν μὲν τῷ δέχεσθαι, τοῦ δὲ τῷ διδόναι φαιδρυνομένων. Ὁ γὰρ ἄρτος οὗτος, τὸ σῶμα τοῦτο ὅπερ ἐνθένδεν ἀπὸ τῆς τραπέζης ταύτης, ἐκεῖ κομίζοντες ἥξουσι, τοῦτό ἐστιν ὅπερ ἐπὶ τῶν νεφελῶν τότε φανεῖται πᾶσιν ὀφθαλμοῖς, καὶ δείξει τὴν ὥραν ἀνατολῇ καὶ δύσει 15 δίκην ἀστραπῆς ἐν μιᾷ χρόνου ῥοπῇ[e].

103. Μετὰ ταύτης ζῶσιν οἱ μακάριοι τῆς ἀκτῖνος καὶ τελευτώντων τὸ φῶς οὐκ ἀποχωρεῖ. «Φῶς γὰρ δικαίοις

ABCV MPW Gass Migne

100, 15 καὶ *om.* Gass

101, 3 ἡμῶν : ἡμῖν V ὑμῶν Migne || 4 τοῦτον *om.* Migne

102, 1 δὲ *om.* Gass || 7 αὐτὴν τὴν βασιλείαν ACVMW Gass || 8 τεθεαμένοις CVMW Gass || 11 διαδιδόναι C διαδόναι Gass || φαιδρυνομένων : λαμπρυναμένων V || 14 ἀνατολῆς V

103, 2 τῶν *post* τελευτώντων *add.* A

---

100. e. Jn 8, 51

101. a. cf. Col. 3, 3 || b. II Cor. 4, 7

même les membres du Christ «ne verront jamais la mort[e]»; comment pourraient-ils goûter la mort, alors qu'ils sont rattachés au cœur toujours vivant?

101. Il ne faut pas s'étonner si ce qu'on voit est poussière et rien d'autre. Car le trésor est à l'intérieur : «Notre vie, dit l'Écriture, est cachée[a]»; et l'écrin est un vase d'argile : «Nous avons ce trésor dans des vases d'argile», a dit Paul[b]. Aussi ceux qui ne perçoivent que l'extérieur ne peuvent-ils voir que l'argile.

102. Mais quand le Christ se montrera, cette poussière manifestera aussi sa propre beauté, lorsqu'elle apparaîtra comme membre de cet éclair[a], qu'elle s'ajustera au soleil et qu'elle émettra le même rayonnement que lui. «Les justes, dit le Christ, resplendiront comme le soleil dans le royaume de leur Père[b]»; ce qu'il appelle «royaume du Père», c'est ce rayonnement dans lequel, resplendissant lui-même, il apparut aux apôtres[c 42], qui ont vu «le royaume de Dieu, comme il le dit lui-même, venu avec puissance[d].» Les justes resplendiront aussi ce jour là d'une splendeur et d'une même gloire, joyeux eux de recevoir et lui de donner. Car ce pain-là, ce corps qu'ils auront emportés de la sainte Table en quittant ce monde, quand ils arriveront là-bas, c'est lui qui paraîtra alors aux yeux de tous sur les nuées, et montrera son éclat de l'orient à l'occident, tel un éclair, en un instant[e].

103. C'est avec ce rayonnement que vivent les bienheurex et une fois morts la lumière ne les quitte pas. Car «la

102. a. cf. Matth. 24,27 || b. Matth. 13,43 || c. cf. Matth. 17,2 || d. cf. Mc 9,1 || e. cf. Matth. 24,27

42. Cf. l'illumination des hésychastes par la lumière thaborique chez GRÉG. PAL., *Triades*, I, 3,26 et II, 3,39 (éd. Meyendorff, t. I, p. 164-167 et t. II, p. 464-467).

διαπαντός[a]», καὶ πρὸς τὴν ζωὴν ἐκείνην τούτῳ λάμποντες ἀφικοῦνται, ᾧ τὸν ἀεὶ συνῆσαν χρόνον, ἐπ' ἐκεῖνο τηνικαῦτα
5 τρέχοντες. Ὃ γὰρ ἑκάστῳ συμβήσεται τότε τῶν ἀναβιωσκομένων, ὀστᾶ καὶ μέρη καὶ μέλη τῇ κεφαλῇ συνιόντα τὴν ὁλότητα τῷ σώματι διασώζειν, τοῦτο καὶ τῷ Σωτῆρι Χριστῷ, τῇ πάντων κοινῇ κεφαλῇ.

104. Καὶ γὰρ ἐπὶ τῶν νεφελῶν ἀστράψασα μόνον, τὰ οἰκεῖα πανταχόθεν ἀπολήψεται μέλη, Θεὸς ἐν μέσῳ θεῶν, ὡραίος ὡραίου κορυφαῖος χοροῦ· καὶ καθάπερ τὰ μετέωρα βάρη, τῶν δεσμῶν τῶν ἐπεχόντων ῥαγέντων, ἐπὶ τὴν γῆν
5 χωρεῖ καὶ τὸν μέσον εὐθὺς ἐζήτησε τόπον· ὡς δὲ καὶ τὰ σώματα τοῖς ἁγίοις προσήλωται μὲν τῇ γῇ, τῇ φθορᾷ δεθέντα καὶ τυραννούμενα μένει, καὶ διὰ τοῦτο «στενάζομεν, φησί, ἐν τῷ σκήνει[a]», φανείσης δε τῆς ἐλευθερίας, ἀκρατήτῳ φορᾷ πρὸς τὸν Χριστὸν ἵεται, τὸν οἰκεῖον
10 κομιζόμενα τόπον. Ὅθεν ὁ Παῦλος ἄσχετον δεικνὺς εἶναι τὸν δρόμον ἐκεῖνον, ἁρπαγὴν τὸ πρᾶγμα καλεῖ· «Ἁρπαγησόμεθα γάρ, φησίν, ἐν νεφέλαις εἰς ἀπάντησιν τοῦ Κυρίου εἰς ἀέρα[b]»· καὶ ὁ Σωτὴρ παραλαμβάνεσθαί φησιν αὐτούς· «Τότε γάρ, φησί, δύο ἔσονται ἐν τῷ ἀγρῷ, ὁ εἷς
15 παραλαμβάνεται καὶ ὁ εἷς ἀφίεται[c]», ἐκεῖνο σημαίνων, ὡς οὐδὲν ἀνθρώπινον οὐδὲ παρ' αὐτῶν, ὥστε καὶ σχολῇ τινα χώραν εἶναι, ἀλλ' αὐτὸς ἑλκύσει, αὐτὸς ἁρπάσει, ὃν οὐκ ἔνι χρόνῳ δουλεύειν.

ABCV MPW Gass Migne

103, 4 ἐπ' : ὑπ' C || 6 καὶ μέρη *om.* C
104, 9 φορᾷ : φθορᾷ C φορῷ Gass || οἴεται C || 14 Τότε λέγων δύο C τότε δύολέγων MW Gass || 16 οὐδὲ *om.* A

---

103. a. cf. Prov. 13, 9
104. a. II Cor. 5, 4 || b. I Thess. 4, 17 || c. Matth. 24, 40

lumière est toujours avec les justes[a] » et ils parviendront à la vie éternelle resplendissants de cette lumière en courant alors vers cette lumière qui les a accompagnés tout le temps. Ce qui se passera alors pour chacun de ceux qui seront revivifiés, quand les os, les parties et les membres se réuniront à la tête, et qu'ainsi le corps recouvrera son intégrité, se passera aussi pour le Sauveur Christ, la tête commune de tous.

104. En jaillissant simplement sur les nuées comme l'éclair, elle rassemblera de partout ses propres membres, Dieu parmi des dieux, beau choryphée d'un beau chœur; et de même que les corps pesants suspendus, une fois rompus les liens qui les retenaient, se précipitent vers la terre et tout de suite cherchent son centre, de même les corps des saints sont cloués à la terre, et demeurent liés et contraints par la corruption, et c'est pour cela que « nous gémissons dans cette tente », dit l'Écriture[a] ; mais quand paraîtra leur liberté, ils s'élanceront d'un élan irrésistible vers le Christ, pour regagner leur lieu propre[43]. C'est pourquoi Paul, pour montrer que cette course est irrépressible, compare cette affaire à un rapt : « Nous serons ravis, dit-il, sur des nuées, à la rencontre du Seigneur, dans les airs[b] » ; le Sauveur dit qu'ils seront pris : « Alors, dit-il, deux seront au champ, l'un sera pris et l'autre laissé[c] » : ce qui veut dire qu'il n'y aura rien d'humain, rien qui vienne d'eux, et qui laisse place pour un délai, mais c'est lui qui tirera, c'est lui qui ravira, lui qui ne peut être asservi à aucun délai.

43. Cette image, rendue ici de façon saisissante, n'est pas propre à Cabasilas : on la retrouve chez Grég. Nys., *V. Mos.* II, 224-226 (*SC* 1 bis, p. 104) et Aug., *Conf.*, 13, 9 : « le corps tend à son lieu *(ad locum suum)* par son poids ; et ce poids ne tend pas seulement en bas, mais à son lieu propre (...) Mon poids, c'est mon amour ; où que je tende, c'est lui qui m'emporte ». Cf. D. O'Brien, « Pondus meum amor meus : saint Augustin et Jamblique », *Revue d'Histoire des Religions*, 198-4 (1981), p. 423-428.

105. Καθάπερ γὰρ ἐξ ἀρχῆς οὐκ ἀνέμεινε ζητηθῆναι παρ' αὐτῶν, ἀλλ' αὐτὸς ἐζήτησε πλανωμένους, καὶ τὴν ὁδὸν ὑποδείξας, ἔπειτα βαδίζειν μὴ δυναμένους, ἀνελόμενος ἐπὶ τῶν ὤμων ἐκόμισε[a], καὶ πίπτοντας ἀνεκαλεῖτο, καὶ
5 ῥαθυμοῦντας ἐπηνωρθοῦτο, καὶ ἀποχωροῦντας παρεκάλει, καὶ ὅλως περὶ τῆς σωτηρίας αὐτοῖς διετέλεσεν ἐνοχλῶν· οὕτω καὶ τότε τὸν τελευταῖον πρὸς αὐτὸν τρέχοντας δρόμον, αὐτὸς ἀναστήσει καὶ πετομένοις αὐτὸς ἐργάσεται τὸ πτερόν. Διὰ τοῦτο καὶ ἀετοὺς αὐτοὺς ἀπεκάλει συνιόντας ἐπὶ τὸ
10 πτῶμα· «Ὅπου γάρ, φησί, τὸ πτῶμα, ἐκεῖ συναχθήσον-
(625) ται | οἱ ἀετοί[b]».

106. Καὶ γὰρ ἀπὸ τραπέζης ἐπὶ τράπεζαν ἥξουσι, τῆς ἔτι καλυπτομένης ἐπὶ τὴν ἤδη φανερουμένην, ἀπὸ τοῦ ἄρτου ἐπὶ τὸ πτῶμα. Νῦν μὲν γὰρ ἄρτος ἐστὶν αὐτοῖς ὁ Χριστός, τὴν ἀνθρωπεῖαν ἔτι ζῶσι ζωήν· καὶ πάσχα, διαβαίνουσι
5 γὰρ ἐνθένδεν ἐπὶ τὴν ἐν οὐρανῷ πόλιν[a]. Ὅτε δὲ «ἀλλάξουσιν ἰσχῦν, πτεροφυήσουσιν ὡς ἀετοί[b]», ὁ θαυμαστός φησιν Ἠσαίας, τότε δὲ ἐπ' αὐτοῦ τοῦ πτώματος καθεδοῦνται καθαροῦ παραπετασμάτων.

107. Ὃ καὶ δηλῶν ὁ μακάριός φησιν Ἰωάννης· «Ὀψόμεθα αὐτὸν καθὼς ἐστιν[a]». Οὔτε γὰρ ἄρτος ἐστὶν αὐτοῖς ὁ Χριστός, τῆς ἐν σαρκὶ ζωῆς πεπαυμένης, οὔτε πάσχα μένουσιν ἤδη. Τοῦ πτώματος δὲ πολλὰ φέρει· καὶ γὰρ μετὰ

ABCV MPW Gass Migne

105, 1 γὰρ *om.* C ‖ 9 αὐτοὺς *om.* Gass ‖ συνόντας W ‖ 11 οἱ *om.* C
106, 4 ζῶσι *om.* W ‖ 8 παραπετάσματος V
107, 3 ὁ Χριστὸς *om.* Gass

---

105. a. cf. Lc 15,5 ‖ b. Matth. 24,28
106. a. cf. Gal. 4,26; Hébr. 12,22; Apoc. 21,2.10 ‖ b. Is. 40,31
107. a. I Jn 3,2

105. De même qu'au commencement il n'attendit pas d'être recherché par eux, mais c'est lui qui rechercha les égarés, il leur montra le chemin, et ensuite, ceux qui ne pouvaient pas marcher il les souleva et les porta sur ses épaules[a] ; ceux qui tombaient il les relevait ; ceux qui se décourageaient il les redressait ; ceux qui abandonnaient il les rappelait, bref il passa son temps à les tracasser au sujet de leur salut ; de même, à ce moment-là, quand ils courront vers lui la course ultime, c'est lui qui les relèvera et qui leur fera des ailes pour voler. C'est pourquoi il les compare aussi aux aigles qui se rassemblent autour de la dépouille : « là où est la dépouille, dit-il, là se rassembleront les aigles[b 44]. »

106. Ils passeront d'une table à une autre table, de la table voilée à la table dévoilée, du pain à la dépouille. Car aujourd'hui le Christ est pour eux du pain, parce qu'ils vivent encore la vie humaine, et une pâque, parce qu'ils passent de la vie présente à la cité céleste[a 45]. Mais quand « ils renouvelleront leurs forces, et qu'il leur poussera des ailes comme aux aigles[b] », selon la parole de l'admirable Isaïe, alors ils se poseront sur la dépouille même, pure de tous voiles.

107. C'est ce que veut dire le bienheureux Jean quand il écrit : « Nous le verrons tel qu'il est[a]. » Le Christ n'est plus du pain pour ceux dont la vie dans la chair a cessé, et il n'est plus une pâque pour ceux qui désormais demeurent. En revanche, il porte de nombreux signes de la dépouille :

44. Image empruntée à Chrys., *hom. in I Cor.* XXIV, 3 (*PG* 61, 203). Cabasilas utilise déjà cette image dans *Liturgie*, XLIII, 7 : cf. n. 1 p. 250 qui cite un autre passage de Chrys.

45. Cf. l'étymologie de Pâques par Grég. Naz., *or.* 45, 10 : Πάσχα vient du Φάσκα des Hébreux qui signifie διάβασις, passage : à l'explication « historique » (passage des Hébreux hors d'Égypte) doit être jointe l'explication spirituelle : passage des choses d'en-bas à celles d'en-haut, vers la véritable terre promise.

5 τῶν στιγμάτων αἱ χεῖρες καὶ τὰ ἴχνη τῶν ἥλων οἱ πόδες ἔχουσι, καὶ τὸν τύπον ἔτι φέρει τοῦ δόρατος ἡ πλευρά[b].

108. Τοῦτο τὸ δεῖπνον ἐπ' ἐκεῖνο φέρει τὸ πτῶμα, τούτου χωρὶς ἀμήχανον ἐκεῖνο λαβεῖν, οὐχ ἧττον ἢ τὸν ἐκκοπέντα τοὺς ὀφθαλμοὺς τοῦ φωτὸς εἰς πεῖραν ἐλθεῖν. Εἰ γὰρ «οὐκ ἔχουσι ζωὴν ἐν ἑαυτοῖς[a]» οἱ τοῦτο μὴ 5 δειπνοῦντες τὸ δεῖπνον, νεκρῶν μελῶν ἀθάνατος πῶς ἂν γένοιτο κεφαλή ;

109. Μία μὲν γὰρ ἡ τῆς τραπέζης δύναμις, εἷς δὲ ὁ ἑστιῶν ἐν ἑκατέρῳ τῶν κόσμων· καὶ τοῦτο μέν ἐστιν ὁ νυμφών, τοῦτο δὲ ἡ πρὸς τὸν νυμφῶνα παρασκευή, τοῦτο δὲ αὐτὸς ὁ νυμφίος. Ὅθεν τοῖς μὴ μετὰ τούτων ἀπεληλυθόσι 5 τῶν δώρων πρὸς τὴν ζωήν, ἔσται πλέον οὐδέν. Οἷς δὲ ὑπῆρξε καὶ λαβεῖν τὴν χάριν καὶ σῶσαι, καὶ «εἰς τὴν χαρὰν εἰσῆλθον τοῦ Κυρίου αὐτῶν[a]» καὶ τῷ νυμφίῳ συνεισῆλθον εἰς τὸν νυμφῶνα[b] καὶ τῆς ἄλλης ἀπήλαυσαν τῆς ἐν τῷ δείπνῳ τρυφῆς, οὐ τηνικαῦτα τυχόντες, ἀλλ' ὃ κομίζοντες 10 ἦλθον, τούτου διαδειχθέντος καθαρώτερον αἰσθανόμενοι.

Καὶ οὗτος ὁ λόγος, καθ' ὃν «ἡ βασιλεία τῶν οὐρανῶν ἐντὸς ἡμῶν ἐστιν[c]».

ABCV MPW Gass Migne

108, 3 πεῖρα C || 4 οὐκ *om.* Migne || 3-5 εἰς — δειπνοῦντες W *mg.*
109, 1 ὁ *om.* Gass || 6 εἰς *om.* Gass

---

107. b. cf. Jn 20,27
108. a. cf. Jn 6,53
109. a. cf. Matth. 25,21 || b. cf. Matth. 25,10 || c. Lc 17,21

ses mains ont les stigmates et ses pieds les traces des clous, et son côté porte encore l'empreinte de la lance.

108. Le présent banquet conduit à cette dépouille ; sans l'un il n'est pas possible de saisir l'autre, pas plus que quelqu'un à qui on a arraché les yeux ne peut expérimenter la lumière[46]. Car si ceux qui n'ont pas goûté à ce banquet « n'ont pas la vie en eux[a] », comment une tête immortelle pourrait-elle être la tête de membres morts ?

109. Unique est la vertu de la table, unique celui qui y reçoit dans l'un et l'autre monde ; là-haut c'est le salle des noces, ici-bas c'est la préparation de la noce, partout c'est l'époux lui-même. C'est pourquoi ceux qui sont partis vers la vie sans emporter ces dons n'obtiennent rien de plus. Mais ceux qui ont pu recevoir et conserver cette grâce « sont entrés dans la joie de leur Seigneur[a] », ils ont pénétré dans la salle des noces avec l'époux[b] et ont retiré du banquet un plaisir nouveau, non qu'ils l'aient rencontré à ce moment-là, mais ils ont retiré une jouissance plus parfaite de ce qu'ils ont apporté en venant et qui alors se laisse voir clairement.

Telle est la raison pour laquelle « le royaume de Dieu est au-dedans de nous[c][47]. »

46. Cf. *Liturgie*, XLIII, 7.

47. Cette interprétation purement eucharistique de *Lc* 17,21 s'oppose à une interprétation ascétique telle que celle de SYM. N.T., *Cat.* VI : « ... en sorte que nous mettions notre zèle à recevoir et à garder l'Esprit Saint au-dedans de nous. »

ses mains qu'il [illegible] et [illegible] [illegible] des [illegible] et son [illegible] [illegible] l'ampleur de la [illegible].

198. Le [illegible] [illegible] [illegible] [illegible] [illegible] n'est [illegible] [illegible] [illegible] [illegible] [illegible] que [illegible].

199. [illegible] [illegible] [illegible] [illegible] [illegible] [illegible] [illegible] [illegible] [illegible] [illegible] [illegible] [illegible] [illegible] [illegible] [illegible] la propagation [illegible] dans la salle des [illegible].

Telle est la [illegible] [illegible] du royaume de Dieu [illegible] au [illegible] du monde[illegible].

1. [illegible] XI, [illegible].

2. [illegible].

TABLE DES MATIÈRES

SOURCES CHRÉTIENNES

Dans la liste qui suit, dite « liste alphabétique », tous les ouvrages sont rangés par nom d'auteur ancien, les numéros précisant pour chacun l'ordre de parution depuis le début de la collection. Pour une information plus complète, on peut se procurer deux autres listes au secrétariat de « Sources Chrétiennes » — 29, rue du Plat, 69002 Lyon (France) — Tél. : 78 37 27 08 :

1. La « liste numérique », qui présente les volumes et leurs auteurs actuels d'après les dates de publication ; elle indique les réimpressions et les ouvrages momentanément épuisés ou dont la réédition est préparée.
2. La « liste thématique », qui présente les volumes d'après les centres d'intérêt et les genres littéraires : exégèse, dogme, histoire, correspondance, apologétique, etc.

LISTE ALPHABÉTIQUE (1-355)

SOUS PRESSE

APHRAATE LE SAGE PERSAN : **Exposés,** tome II. M.-J. Pierre.
GRÉGOIRE DE NAZIANZE : **Discours 38-41.** P. Gallay et C. Moreschini.
BASILE DE CÉSARÉE : **Sur le Baptême.** J. Ducatillon.
JEAN CHRYSOSTOME : **Sur Babylas.** M. Schatkin.
ÉVAGRE LE PONTIQUE : **Le Gnostique.** A. et C. Guillaumont.

EN PRÉPARATION

CÉSAIRE D'ARLES : **Œuvres monastiques.** Tome II : **Œuvres pour les moines.** J. Courreau et A. de Vogüé.
Les Apophtegmes des Pères, tome I. J.-C. Guy.
BASILE DE CÉSARÉE : **Homélies morales,** tome I. M.-L. Guillaumin, É. Rouillard.
BERNARD : **Vie de S. Malachie et Éloge du Temple.** P.-Y. Émery.
GRÉGOIRE DE NYSSE : **Lettres.** P. Maraval.
GRÉGOIRE LE GRAND : **Lettres.** P. Minard (†), J. Reydellet.
EUGIPPE : **Vie de S. Séverin.** P. Régerat.
TERTULLIEN : **Contre Marcion,** tomes I et II. R. Braun.
Actes de la Conférence de Carthage, tome IV. S. Lancel.

Également aux Éditions du Cerf

LES ŒUVRES DE PHILON D'ALEXANDRIE

publiées sous la direction de

R. ARNALDEZ, C. MONDÉSERT, J. POUILLOUX.

Texte original et traduction française.

1. **Introduction générale. De opificio mundi.** R. Arnaldez (1961).
2. **Legum allegoriae.** C. Mondésert (1962).
3. **De cherubim.** J. Gorez (1963).
4. **De sacrificiis Abelis et Caini.** A. Méasson (1966).
5. **Quod deterius potiori insidiari soleat.** I. Feuer (1965).
6. **De posteritate Caini.** R. Arnaldez (1972).

7-8. **De gigantibus. Quod Deus sit immutabilis.** A. Mosès (1963).

9. **De agricultura.** J. Pouilloux (1961).
10. **De plantatione.** J. Pouilloux (1963).

11-12. **De ebrietate. De sobrietate.** J. Gorez (1962).

13. **De confusione linguarum.** J.-G. Kahn (1963).
14. **De migratione Abrahami.** J. Cazeaux (1965).
15. **Quis rerum divinarum heres sit.** M. Harl (1966).
16. **De congressu eruditionis gratia.** M. Alexandre (1967).
17. **De fuga et inventione.** E. Starobinski-Safran (1970).
18. **De mutatione nominum.** R. Arnaldez (1964).
19. **De somniis.** P. Savinel (1962).
20. **De Abrahamo.** J. Gorez (1966).
21. **De Iosepho.** J. Laporte (1964).
22. **De vita Mosis.** R. Arnaldez, C. Mondésert, J. Pouilloux, P. Savinel (1967).
23. **De Decalogo.** V. Nikiprowetzky (1965).
24. **De specialibus legibus.** Livres I-II. S. Daniel (1975).
25. **De specialibus legibus.** Livres III-IV. A. Mosès (1970).
26. **De virtutibus.** R. Arnaldez, A.-M. Vérilhac, M.-R. Servel et P. Delobre (1962).
27. **De praemiis et poenis. De exsecrationibus.** A. Beckaert (1961).
28. **Quod omnis probus liber sit.** M. Petit (1974).
29. **De vita contemplativa.** F. Daumas et P. Miquel (1964).
30. **De aeternitate mundi.** R. Arnaldez et J. Pouilloux (1969).
31. **In Flaccum.** A. Pelletier (1967).
32. **Legatio ad Caium.** A. Pelletier (1972).
33. **Quaestiones in Genesim et in Exodum. Fragmenta graeca.** F. Petit (1978).

34 A. **Quaestiones in Genesim,** I-II (e vers. armen.). Ch. Mercier (1979).

34 B. **Quaestiones in Genesim,** III-VI (e vers. armen.). Ch. Mercier et F. Petit (1984).

34 C. **Quaestiones in Exodum,** I-II (e vers. armen.) (en prép.).

35. **De Providentia,** I-II. M. Hadas-Lebel (1973).
36. **Alexander (De animalibus).** A. Terian (1988).
37. **Hypothetica.** M. Petit (en prép.).

IMPRIMERIE A. BONTEMPS
LIMOGES (FRANCE)
Registre des travaux :
DÉPÔT LÉGAL : Mai 1989
IMPRIMEUR N° 21569-88 — ÉDITEUR N° 8803